D1081999

HOLLYWOOD

OUVRAGES DE GORE VIDAL
TRADUITS EN FRANÇAIS

JULIEN (1966), Editions l'Age d'Homme
LA MAUVAISE PENTE (1967), Robert Laffont
MYRA BRECKINRIDGE (1970)
BURR (1978), Belfond
LES FAITS ET LA FICTION (1980), Belfond
MESSIAH (1980), Belfond
UN GARÇON PRÈS DE LA RIVIÈRE (1981), Editions Personna
CRÉATION (1983), Grasset
DULUTH (1984), Julliard
LINCOLN (1985), Éditions l'Age d'Homme
ARTISTES ET BARBARES (1985), Editions l'Age d'Homme
MYRA BRECKINRIDGE ET MYRON (1988), Editions l'Age d'Homme

GORE VIDAL

HOLLYWOOD

roman

**Traduit de l'américain
par GÉRARD JOULIÉ**

Editions de Fallois

L'Age d'Homme

Titre original :

HOLLYWOOD

© 1989 by Gore Vidal.

© Éditions de Fallois/L'Age d'Homme, 1990,
pour la traduction française.
ISBN 2-87706-093-4

CHAPITRE I

1

Lentement, William Randolph Hearst abaissa son vaste corps dans un superbe fauteuil Biedermeier marqueté d'arabesques et de lyres. « Ne dites à personne que je suis à Washington », fit-il avec un clin d'œil à son interlocuteur. A quarante et un ans Blaise Delacroix Sanford, le propriétaire du *Washington Tribune,* était toujours aussi impressionné par son ancien patron et mentor, le plus célèbre directeur de journal du monde, propriétaire d'une douzaine de journaux et de magazines, et récent producteur du feuilleton cinématographique de réputation mondiale intitulé *Les Périls de Pauline.*

« Comptez sur moi. »

Blaise, la main sur le rebord de son bureau, se livrait à des mouvements d'assouplissement. Contrairement au Chef, quinquagénaire grisonnant, Blaise, lui, était en excellente forme physique : il montait à cheval tous les jours, jouait au squash et combattait l'âge par toutes sortes d'exercices.

« J'ai passé l'hiver avec Millicent à Palm Beach, en Floride, vous connaissez. J'en ai l'air d'ailleurs. » Et de fait, le Chef avait la peau du visage très brune, hâlée et dorée de soleil. Derrière la tête de Hearst, Blaise apercevait par la fenêtre un bout de la Quatorzième Rue, lorsque, patatras ! le fauteuil Biedermeier se ratatina sur lui-même avec un petit soupir plaintif comme un accordéon, et Hearst et son fauteuil se retrouvèrent à même le sol, assis sur un tapis persan, ce qui permit à Blaise d'avoir une vue complète de la Quatorzième Rue. Blaise bondit sur ses pieds.

« Je suis navré. »

Mais l'Orphée du journalisme populaire, apparemment insensible aux effets de la loi de la gravitation universelle sur sa propre personne, restait là, le cul par terre, tenant dans une main une lyre en bois de rose qui avait servi d'accoudoir et dirigeant vers Blaise un regard de naufragé.

« Quoi qu'il en soit, si je suis venu en ville, c'est pour vérifier si ce télégramme Zimmermann repose sur quelque chose, et si oui, comment vous comptez l'exploiter. Après tout, Washington c'est votre fief. Mon fief à moi c'est New York.

— New York et tout le reste. Personnellement je pense que c'est de l'intoxe... Pourquoi ne prenez-vous pas une autre chaise ? »

Hearst posa la lyre à côté de lui.

« Lorsque j'étais à Salzbourg, j'ai acheté toute une cargaison de meubles Biedermeier que j'ai fait expédier à mon domicile de New York, où ils attendent toujours d'être déballés d'ailleurs. »

Hearst se dressa de toute sa hauteur avec la même lenteur et la même majesté qu'il avait mises pour s'asseoir. Il avait bien deux têtes de plus que Blaise.

« Navré pour le fauteuil. Envoyez-moi la facture.

— N'y pensez plus, Chef. »

Dans sa nervosité Blaise avait appelé Hearst par le nom que lui donnaient tous ses employés, mais Blaise était son égal et il s'en voulait de ce lapsus. Tandis que Hearst s'installait confortablement dans un fauteuil club, Blaise prit sur son bureau le prétendu télégramme Zimmermann. Il en avait reçu une copie d'un de ses informateurs à la Maison-Blanche, tout comme Hearst apparemment. Ce télégramme avait été envoyé secrètement de Londres au Président Wilson le samedi 24 février 1917. On était maintenant lundi et dans le courant de la journée Woodrow Wilson prononcerait un discours devant le Congrès dans lequel il exposerait les intentions du gouvernement américain concernant la guerre que les puissances d'Europe centrale, notamment l'Allemagne, étaient en train de livrer à la France, à l'Angleterre et à la Russie, auxquelles venait tout récemment de se joindre l'Italie. S'il était authentique, le télégramme du ministre des Affaires étrangères d'Allemagne, Arthur Zimmermann, à l'ambassadeur d'Allemagne au Mexique, pays qui depuis quelque temps était plus ou moins en guerre avec les Etats-Unis, mettrait fin une fois pour toutes à la neutralité des Etats-Unis. Blaise soupçonnait le Foreign Office d'être l'auteur du télégramme. Il était rédigé en termes si véhéments qu'il n'avait pu être conçu que par une nation aux abois qui cherche par tous les moyens à inciter un pays allié à voler à son secours.

« Mes espions m'ont révélé que ce télégramme traînait à Londres depuis le mois dernier, ce qui semblerait indiquer que c'est là-bas qu'il a été écrit, à moins que ce ne soit *ici même*. » Hearst sortit sa copie d'une de ses poches, et se mit à lire d'une voix légèrement flûtée : « Notre intention est de commencer le 1er février une guerre sous-marine à outrance. » Il leva les yeux. « Ça, en tout cas, c'est vrai. Les Allemands n'y vont pas de main morte. Depuis quelque temps ils coulent tous les bateaux qui naviguent dans l'Atlantique. Ils sont idiots. La majorité des Américains ne veut pas la guerre. Moi le premier. Saviez-vous que Bernstorff avait été l'amant de Mrs. Wilson ? »

Le Chef avait la déconcertante habitude de sauter d'un sujet à l'autre sans qu'on discernât le moindre lien entre eux, du moins en apparence. Blaise avait effectivement entendu un bruit selon lequel l'ambassadeur d'Allemagne et la veuve Galt, ainsi qu'on avait surnommé un an plus tôt la deuxième Mrs. Wilson, avaient été amants. Il est vrai que Washington n'était pas seulement « la ville de la conversation » chère à Henry James, mais également une cité vouée aux commérages les plus fantastiques (Hearst *fecit*).

« S'ils ont été amants, je suis sûr que leur liaison était terminée lorsqu'elle a épousé le Président.

— Pour en être sûr il faudrait être dans leur chambre à coucher, comme le dit très justement ma mère. C'est fou l'argent qu'elle peut avoir ! Et en plus elle est pro-anglaise. » Hearst poursuivit sa lecture : « Nous nous efforcerons néanmoins de respecter la neutralité des Etats-Unis. Dans l'éventualité contraire, nous proposerons au Mexique une alliance sur la base suivante : soyons alliés dans la guerre et nous récolterons ensemble les fruits de la victoire. En échange, nous accorderons au Mexique un soutien financier important et nous lui apporterons l'aide nécessaire à la reconquête de ses territoires perdus au Texas, au Nouveau-Mexique et en Arizona. » Hearst leva les yeux. « En tout cas celui qui a rédigé ce télégramme ne leur a pas promis ma propriété de Californie.

« Qui d'autre que Zimmermann aurait pu écrire ce télégramme ? »

Hearst se renfrogna.

« Thomas W. Gregory, l'attorney general. C'est du moins ce que je me suis laissé dire. C'est lui qui incite Wilson à entrer en guerre. Heureusement le reste du Cabinet est plutôt réticent. Et voici pourquoi, ajouta Hearst en lorgnant vers le télégramme. Parce que celui qui a écrit ça, Zimmermann, Gregory ou les Anglais, suggère au Président du Mexique de s'allier aux Japonais et de nous déclarer la guerre. C'est là que réside le principal danger pour nous ! »

Blaise descendit de son bureau et s'assit sur une chaise. Derrière lui il y avait au mur un tableau qui le représentait avec sa demi-sœur et copropriétaire du *Tribune*, Caroline, et leur rédacteur en chef, Trimble. Blaise savait — comme tout le monde — que, lorsque Hearst voulait effrayer les populations, il invoquait toujours le Péril Jaune. Certains membres du gouvernement s'inquiétaient d'ailleurs des visées expansionnistes du Japon sur la Chine. Le Cabinet s'était réuni le 1er février à la suite de l'ultimatum lancé par l'Allemagne aux Etats-Unis, déclarant que tout navire quittant l'Amérique à destination d'un des ports des puissances alliées serait immédiatement pris en chasse par les sous-marins allemands. Malgré les pressions de Gregory et celles d'autres membres du Cabinet, le Président, se souvenant qu'il avait été réélu comme « l'homme qui avait évité la guerre au pays », s'était contenté de suspendre les relations diplomatiques entre les deux pays. Il avait été soutenu, à la surprise générale, par ses secrétaires d'Etat à la Guerre et à la Marine. Chacun avait déclaré pour sa part que les Etats-Unis devraient laisser l'Allemagne assumer le leadership européen jusqu'au jour où la race blanche tout entière s'unirait pour repousser les hordes jaunes menées par le Japon. Hearst avait soutenu cette politique. Blaise l'avait combattue.

Trimble entra dans la pièce sans frapper. C'était un Sudiste d'âge avancé dont les cheveux jadis roux viraient à présent au rose.

« Monsieur Hearst, dit-il en s'inclinant, nous venons d'être informés de ce que le Président va dire au Congrès...

— La guerre ? fit Hearst en se redressant.

— Non, monsieur. Il va demander la neutralité armée...

— La préparation militaire... soupira Hearst. La paix sans victoire. Une ligue mondiale des nations avec Wilson à sa tête. La mobilisation...

« — Il ne dit pas tout cela dans son discours », dit Trimble en se retirant.

Blaise répéta la dernière plaisanterie à la mode.

« Le Président voudrait déclarer la guerre en douce afin que les bryanites — c'est-à-dire les pacifistes — de son parti ne se retournent pas contre lui.

— Sans parler de moi. Je suis toujours dans la course, vous savez. »

Comment l'ignorer ? Tout le monde était au courant. Hearst comptait se représenter au poste de gouverneur de l'Etat de New York ou de maire de la ville de New York ou même à la présidence des Etats-Unis en 1920. Il avait encore de nombreux partisans, surtout parmi les nouveaux immigrants, les Germano-Américains et les Américano-Irlandais qui étaient tous ennemis de l'Angleterre et de ses alliés.

« Avez-vous vu *Les Périls de Pauline* ? »

Blaise ajusta sans trop de peine son esprit à ce brusque changement de sujet. L'esprit du Chef ressemblait à une espèce de prodigieux kaléidoscope. Il éprouvait, tel un enfant, le besoin de dire tout ce qui lui passait par la tête. Il n'y avait aucun écran protecteur, aucune censure morale, entre ce qu'il pensait et ce qu'il disait, sauf lorsqu'il choisissait — ce qui lui arrivait assez souvent — de garder un silence énigmatique.

« Oui, j'en ai vu plusieurs épisodes. Miss Pearl White est une superbe femme. Elle est toujours en mouvement.

— C'est pourquoi nous appelons cela le cinématographe. Il paraît qu'en grec ça veut dire mouvement, expliqua Hearst d'un ton doctoral. Elle doit toujours fuir le danger, sinon c'est le public qui s'enfuirait de la salle. Pour ce qui est de cette guerre, vous connaissez ma position. Je suis contre notre intervention, à l'inverse de vous. Cela dit, si le peuple américain désire vraiment cette guerre, je ne m'y opposerai pas. Après tout c'est lui qui ira se battre, ce n'est pas moi. Je vais proposer un référendum national, comme ça tout le monde pourra se prononcer. Voulez-vous vous battre aux côtés de la France et de l'Angleterre, contre les gens de votre propre race, les Allemands et les Irlandais ? »

Blaise se mit à rire.

« Je doute qu'on vous laisse poser la question en ces termes. »

Hearst grogna :

« Vous m'avez très bien compris. Je sais bien que ce n'est pas le gouvernement qui va m'aider. J'ai quatorze journaux dans tout le pays, depuis la Californie jusqu'à New York. Mais il est trop tard,

11

bien sûr. Les choses sont allées trop loin. Nous aurons la guerre, c'est certain. Puis l'Angleterre s'effondrera, et les Allemands tenteront de nous envahir. Avez-vous pensé aux drapeaux ?

— Aux drapeaux ? »

Cette fois l'inconscient du Chef avait pris Blaise de vitesse. Hearst sortit de l'immense poche intérieure de son veston un exemplaire du *Journal American* de New York. La première page était couverte de petits drapeaux rouge, blanc et bleu, entrecoupés de strophes du *Star-Spangled Banner*.

« Qu'en dites-vous ?

— Ça fait très patriotique.

— C'est l'idée. J'en ai assez de me faire traiter de pro-allemand. De toute façon, je vais fonder une compagnie cinématographique, et j'aimerais vous avoir comme associé. »

Blaise accueillit cette proposition avec le plus grand calme.

« Mais je ne connais rien au cinéma.

— Et alors ? Personne n'y connaît rien. C'est ça le plus beau. Songez que pendant que nous sommes assis là à causer, des Chinois illettrés, des Hindous et même des Patagons sont en train de regarder ma *Pauline*. Pour voir un film il n'est pas nécessaire de connaître la langue d'un pays, comme lorsqu'on lit un journal. Tout est là, tout bouge sous vos yeux. Tout le monde peut comprendre. C'est la seule chose qui soit vraiment internationale. L'ennui, c'est que ma mère refuse de me prêter de l'argent et que je ne veux pas m'adresser aux banques. »

Cette fois Blaise ne put dissimuler sa surprise. Certes Phoebe Apperson Hearst contrôlait le vaste empire minier fondé par son mari, mais la fortune personnelle de Hearst était amplement suffisante pour financer une compagnie cinématographique. Hearst disposait d'un revenu de cinq millions de dollars par an dont une grande partie, il est vrai, servait à l'acquisition d'œuvres d'art plus ou moins authentiques qu'il rapportait de ses voyages autour du monde. Blaise répondit prudemment :

« Laissez-moi le temps d'y réfléchir.

— Pourquoi n'en parleriez-vous pas à votre sœur ?

— Posez-lui vous-même la question.

— Vous ne voudriez pas me vendre le *Tribune* par hasard ?

— Non. »

Hearst se leva.

« C'est ce que vous dites toujours. J'ai songé au *Washington Times*.

12

C'est un journal qui perd de l'argent, mais pas plus que le *Tribune* lorsque Caroline l'a racheté et qu'elle l'a remis à flot. » Blaise éprouva tout à coup comme une morsure de jalousie qu'il tâcha de dissimuler à son interlocuteur. Caroline avait en effet racheté, il y avait une quinzaine d'années, le *Washington Tribune*, journal alors moribond, qu'elle avait littéralement ressuscité. Et ce n'est qu'alors qu'elle avait permis à son demi-frère de devenir son associé. Depuis ils n'avaient eu qu'à se louer de leur association.

Hearst jeta un regard en bas dans la Quatorzième Rue.

« Je possède maintenant quatre, non, cinq salles de cinéma, rien que dans cette rue. Et j'ai en vue un petit endroit dans Harlem, un vieux casino que je compte transformer en studio. » Puis, repoussant du bout du pied les débris du fauteuil Biedermeier, il ajouta : « Je dois rester à New York à cause de l'échéance de 1920. Guerre ou pas, ce sera la grande année politique, et celui qui sera élu Président pourra alors... » Hearst pianota sur le télégramme posé sur le bureau de Blaise : « Je crois que c'est un faux, dit-il.

— Moi aussi, fit Blaise en hochant la tête. Ce serait trop commode... »

Hearst serra la main de Blaise.

« A présent je retourne à Palm Beach. Nous aurons cette guerre de toute façon, que nous le voulions ou non. Réfléchissez à ma proposition. Je débute à Harlem parce que ma base c'est New York. Mais dorénavant c'est à Hollywood qu'il faut être. Pigé ?

— Non, répondit Blaise qui, tel un dresseur d'animaux, reconduisit le grand ours à la porte. Mais je suis certain que vous, vous avez pigé... »

2

La duchesse était en retard. Pendant qu'il l'attendait dans le salon de Mme Marcia, Jesse Smith feuilletait l'*Almanach des Vermifuges* du docteur Jane, un gros livre rempli de cartes astrologiques et de dessins représentant des créatures fantastiques dont une, une espèce de crabe monstrueux, donna à Jesse ou Jess (Jesse avec un e final pour les dames) à la fois mal au cœur et mal à l'estomac. Car dans ses cauchemars revenait périodiquement un gigantesque crabe d'une méchanceté inouïe, prêt à le dévorer. Et Jess se réveillait en sanglotant, aux dires de Roxy, les rares fois où durant leur bref mariage ils avaient pu passer ensemble une nuit entière.

Après avoir tourné quelques pages, Jess arriva à la balance, plus rassurante que le crabe avec son dard dans la queue, ou que le lion menaçant. Ce n'est pas qu'il craignît d'être dévoré par un crabe, un homard ou un lion. Non, ce qui l'effrayait le plus, la terreur de ses nuits, c'était d'avoir la figure écrasée par la patte d'un énorme lion et de mourir d'étouffement.

Jess prit une profonde inspiration. Dans un coin du salon une cassolette en laiton remplie de cendres de bois de santal répandait un parfum d'encens rassis mêlé à une odeur de poulet bouilli émanant de la cuisine.

Le salon de Mme Marcia était séparé du sanctuaire intérieur par un rideau de grains versicolores censé évoquer les Mille et Une Nuits, mais les grains étaient si écaillés qu'ils faisaient plutôt penser à des sucres d'orge à demi rongés. Ce qui n'avait d'ailleurs nullement empêché la moitié du Tout-Washington (hommes et femmes confondus) de venir se faire dire la bonne aventure entre ces quatre murs. Nouvelle sorcière des temps modernes, Mme Marcia se faisait annoncer sur ses cartes de visite comme « faiseuse et conseillère de Présidents ». Abritée derrière sa verroterie, elle fredonnait en ce moment une espèce de cantique entrecoupé de paroles d'une chanson à la mode popularisée par les Ziegfeld Follies en 1916 et qu'on entendait maintenant depuis près d'une année sur tous les électrophones du pays. Jess, ayant fini de compulser l'*Almanach* du docteur Jane, regardait d'un œil morne un diplôme aux couleurs criardes accroché au mur et attestant à tous et à chacun que par la présente une certaine Marcia Champrey, originaire de..., était ministre à part entière de l'Eglise Spiritualiste.

Mme Marcia avait été une idée de Daugherty. « Je ne suis jamais allé chez elle, mais d'après ce qu'on m'en a dit, c'est tout à fait la personne qui convient à la duchesse, car vous savez comme moi que la duchesse a besoin de beaucoup de soins. » Comme tous les politiciens Daugherty parlait un langage codé, mais Jess, qui, comme Daugherty, était natif de Washington Court House dans l'Ohio, comprenait très bien ce code. D'ailleurs il n'avait rien à refuser à Harry M. Daugherty. C'était lui qui lui avait mis le pied à l'étrier à ses débuts et qui l'avait présenté à tous ces politiciens de l'Ohio qui venaient solliciter l'aide de Daugherty au moment des élections —

leurs élections, bien entendu. Bien qu'il eût été autrefois président du comité républicain de l'Ohio et qu'il fît à jamais partie de l'histoire américaine pour avoir fait élire William McKinley au poste de gouverneur de l'Ohio en 1893 — lançant pour ainsi dire le soleil dans le ciel de la République —, Daugherty lui-même n'avait guère eu de chance en politique. Battu de soixante-dix-sept voix pour les élections au poste de gouverneur, il s'était résigné à n'être plus que l'éminence grise de tout candidat susceptible de s'installer un jour sur le trône suprême. Or le trône était momentanément vide, ou, pour être précis, il était occupé par Woodrow Wilson, un Démocrate, phénomène contre nature auquel remédierait en 1920 l'élection d'un Président républicain. Mais c'était pour dans trois ans, et d'ici là il y avait certaines dispositions à prendre. Et d'abord s'assurer du concours de Mme Marcia.

« Est-elle toujours aussi en retard ? » demanda Mme Marcia en entrant dans la pièce toutes voiles dehors tel un navire sous le vent. Elle avait jadis fait partie de la compagnie de ballet du Frank Deshon Opera Company, comme elle l'avait dit à Jess lors de sa précédente visite. « A seize ans », précisait-elle, au cas où quelqu'un s'aviserait de compter les années écoulées depuis le jour où son nom s'inscrivit en tout petits caractères au bas d'une très grande affiche datant de l'époque McKinley. A présent la danseuse était devenue ministre de l'Eglise Spiritualiste et diseuse de bonne aventure en ces temps sombres où Woodrow Wilson régnait à la Maison-Blanche et où chaque jour ressemblait pour les Républicains à cette journée de février, humide, venteuse, glaciale.

« Non, la duchesse est la ponctualité même, répondit Jess en se levant comme chaque fois qu'une dame entrait dans une pièce. Il se peut que le temps...

— Ah oui, le temps... »

Au fil des années Mme Marcia avait égaré ses consonnes et elle ne parlait plus maintenant que d'une façon extrêmement raffinée comme ces Créoles qui ne prononçaient pas le *r* de peur de s'abîmer la gorge. Elle portait une robe toute noire, agrémentée d'un collier de perles, ainsi qu'il sied à une prêtresse. Seule la couleur rousse de ses cheveux rappelait ses origines et jetait une note discordante dans cet ensemble d'un goût autrement si sûr. Jess avait fait sa connaissance chez Daugherty qui ne jurait plus que par elle. Bien que Jess crût avec ferveur au monde des esprits, il s'intéressait principalement à ceux qu'il rencontrait chez lui dans le petit cagibi au bas de l'escalier et qui lui inspiraient une terreur mortelle. Seul George, son chauffeur, osait s'y risquer, et en ressortirait sain de corps et d'esprit.

« Et comment se porte Mr. Micajah ? Bien, j'espère. »

Micajah était le nom dont Mme Marcia se servait pour désigner Daugherty. Mme Marcia insistait pour donner à ses clients un nom d'emprunt. « Sinon, je risquerais d'être influencée quand je consulte les astres. » Daugherty prétendait qu'elle ignorait toujours le nom de la personne dont elle tirait l'horoscope : d'où les sommes astronomiques qu'elle demandait. Mme Marcia était un personnage légendaire dans la capitale. Les plus hauts dignitaires de la République avaient souvent recours à ses services. En général ils évitaient de se rendre en personne chez Mme Marcia, qui aurait pu les reconnaître grâce aux photos d'eux qui paraissaient dans les journaux (sans parler des actualités filmées), et préféraient se faire représenter par des intermédiaires.

« Oh, très bien. Il est rentré... » Jess faillit dire : dans l'Ohio. « Chez lui. Mais son — euh — ami est ici. Je veux dire : le mari de la duchesse.

— Un horoscope très intéressant, je dirais même très significatif... »

Mme Marcia ne connaissait au vrai que le jour et l'heure de la naissance du mari de la duchesse. Certes, elle possédait un annuaire du Congrès et elle pouvait très facilement, si elle le voulait, contrôler les dates de naissance de tous les congressmen, à supposer toutefois que le client en question fût au Congrès. Mais, comme disait Daugherty, même si elle connaissait le nom de la personne dont elle tirait l'horoscope, comment aurait-elle pu prédire son avenir sans quelque assistance venue d'en haut ? Toute la ville savait qu'elle avait prédit l'accession à la vice-présidence du titulaire actuel, Thomas R. Marshall. Or un tel événement était proprement inimaginable...

« Je n'ai jamais vu un hiver si rigoureux. J'ai pourtant vécu à New York...

— Pourquoi êtes-vous venue à Washington ?

— Le destin, répondit Mme Marcia, comme si elle parlait d'un vieil ami à elle, sûr et loyal. J'étais associée à Gipsy Oliver à Coney Island. Surtout par amusement, ajouta-t-elle en baissant la voix jusqu'au murmure. C'était une femme extraordinaire... je ne devrais pas vous dire ça, je suis une sotte, mais je ne sais pas être injuste. De toute femme on croit pouvoir se défendre, ce n'est pas comme les hommes, mais celle-là, elle avait du génie. Oui, je dis bien du génie.

C'est une chose tragique le génie chez une femme. Et notamment le génie prophétique. Cassandre. Vous connaissez ? Bref j'étais mariée. Heureuse en ménage, du moins je le supposais. Deux beaux enfants. Mon mari, le docteur Champrey, gagnait très bien sa vie. Excellente clientèle. Spécialiste des reins. Mais les esprits ont parlé à Gipsy Oliver, et elle m'a parlé, elle. Méfiez-vous des dindes, m'a-t-elle dit un jour. J'ai cru à une plaisanterie. J'ai ri. Sotte que j'étais ! Ah, si j'avais pu prévoir ! De quelle dinde voulez-vous parler ? Je sais ce que c'est qu'une dinde et je n'en raffole pas. Beaucoup trop sec à mon goût. A moins de savoir les arroser. Hélas, c'est un talent que je n'ai pas. Le mois suivant, c'est-à-dire en novembre, j'étais à la cuisine en train de préparer le repas du Thanksgiving Day lorsque mon mari me dit : " Je vais acheter une dinde. " Je me souviens maintenant d'avoir tressailli des pieds à la tête. C'était comme si un fantôme avait posé sa main glacée sur mon épaule. »

Malgré la chaleur qui régnait dans la pièce Jess se mit à frissonner.

« Je lui dis : " Horace, tu sais que je ne suis pas spécialement friande de dinde. Achète plutôt un poulet. " » Elle reprit son souffle. « " Pourquoi ne pas faire un petit extra ? me dit-il, c'est jour de fête. " Là-dessus il est parti et il n'est jamais revenu. Qu'en dites-vous, mon bon monsieur ? ajouta-t-elle en fixant sur Jess des yeux injectés de sang.

— On l'a tué ? »

Jess avait toujours pensé qu'un jour il mourrait de mort violente. Roxy avait eu beau le traiter de fou et lui dire qu'il ne fallait pas tenter le diable, Jess en était sûr. C'est pourquoi il n'allait jamais seul dans une rue déserte. Il était également terrifié à l'idée de coucher tout seul. Quand George ne pouvait coucher avec lui, il demandait à un des employés de son magasin. A Washington il partageait toujours une chambre avec Daugherty, à côté de celle de Mrs. Daugherty qui était invalide. Dans toutes les villes où il allait, Jess s'arrangeait pour fréquenter les policiers. Il lisait, du reste, tous les romans policiers qu'il pouvait trouver afin d'apprendre à survivre dans la jungle des grandes villes avec leur fourmillement d'êtres humains, leurs crimes crapuleux et leurs ruelles obscures.

« Qui sait ? Bon débarras ! De toute façon, peu après je me suis sentie appelée, dit-elle en montrant le diplôme suspendu au mur. Je n'ai plus besoin d'homme maintenant, Dieu merci ! sauf lorsque j'ai l'impression que nous nous sommes connus dans une vie antérieure. » Elle sourit à Jess qui rougit et ôta ses lunettes pour ne pas la voir. Il adorait les femmes, mais avec son problème de poids et son diabète, à quoi bon ? comme avait dit Roxy le troisième mois de leur mariage. Jess avait pleuré, mais Roxy ne s'était pas laissé attendrir. Ce n'est pourtant pas elle qui serait partie acheter une dinde pour ne plus revenir. Elle avait préféré demander le divorce, et comme Jess valait déjà à cette époque une petite fortune, plus de cent mille dollars, il avait pu lui verser une pension coquette. Aujourd'hui ils étaient les meilleurs amis du monde. Ils adoraient cancaner. Ils étaient capables de se souvenir à une semaine près du jour où un couple s'était marié, si bien que, lorsque ce couple avait son premier bébé, ils pouvaient — elle en comptant sur ses doigts et lui pas — calculer l'époque de sa conception et si oui ou non il était béni aux yeux du Seigneur. Ils savaient notamment que le fils que la duchesse avait eu de son premier mari était né six mois après leur mariage, lequel devait d'ailleurs se terminer par un divorce six ans plus tard. Roxy partageait le plaisir que Jess prenait à savoir ce genre de choses, ce qui prouvait bien que la vie pouvait encore leur apporter des satisfactions, surtout si Roxy finissait par devenir actrice de cinéma à Hollywood, leur rêve à tous les deux.

A ce moment la duchesse parut sur le seuil.

« Je me suis permis d'entrer sans me faire annoncer », dit-elle.

Elle parlait d'une voix nasale en roulant les r comme une Française, à ceci près qu'elle venait du Middlewest et était d'extraction allemande. Son nom de jeune fille était Florence Kling. Elle avait un petit corps surmonté d'une grosse tête. La duchesse souffrait de problèmes rénaux et avait souvent les chevilles enflées, tandis que son teint naturellement bilieux se nuançait parfois de gris sous l'effet de la maladie. Elle n'avait en réalité qu'un rein, ce qui l'obligeait à boire de grandes quantités d'eau. Souvent alitée avec une bouillotte, même par les journées les plus torrides, elle s'efforçait de transpirer par tous les pores. Mais aujourd'hui ses petits yeux bleus brillaient d'une lueur malicieuse, et l'aquilon avait rosi ses joues, tandis que le bout de son nez, qu'elle avait un peu fort, était lui aussi tout rose. Comme le nez lui gouttait, elle se moucha dans un grand mouchoir en faisant un bruit de trompette.

« J'ai horreur de l'encens, dit-elle. D'abord ça sent mauvais et puis ce n'est pas une odeur de chez nous.

— Chacun ses goûts, fit gracieusement Mme Marcia. Permettez que je vous débarrasse de votre manteau. »

Pendant que la duchesse se laissait déshabiller, elle dit à Jess :

« A propos, nous sommes invités chez Mrs. Bingham, mais... »
Elle allait prononcer le nom de son mari lorsque, avisant les gros yeux
myopes de Jess, elle se souvint de la loi de l'*omertà* [1]... « Mais je ne
tiens pas à y aller seule. Je compte sur vous pour m'y accompagner.

— Pour sûr, duchesse.

— Maintenant, madame Marcia, dit la duchesse d'un ton qui
semblait ravaler la prêtresse au simple rang de tenancière de maison
close, j'ai tellement entendu parler de vous depuis ces deux dernières
années que je suis tout émoustillée à l'idée de faire votre connaissance,
bien que j'avoue être un peu incrédule en ces matières, ajouta-t-elle
avec une expression qui se voulait cordiale mais que démentait
l'espèce de saillie formée par la lèvre supérieure, qui lui donnait l'air
d'une brebis.

— Chère madame, soupira Mme Marcia en clignant des yeux, ne
sommes-nous pas de l'étoffe dont sont faits les rêves ?

— Je n'aime pas Shakespeare. »

Jess était toujours surpris de la quantité de choses que la duchesse
connaissait et plus encore de celles qu'elle détestait. Il est vrai qu'elle
n'avait pas eu la vie facile jusque-là et que les choses n'allaient
probablement pas s'améliorer. Elle ressemblait à ces animaux capables de prévoir un tremblement de terre, mais qui ne font rien pour les
éviter.

« J'ai assisté une fois à une représentation donnée par le Frank
Deshon Opera Company, reprit la duchesse en opérant un renverse-
ment de tactique complet comme seuls en sont coutumiers les
véritables politiciens. Ils jouaient *Cincinnati*. J'y étais allée avec...
mon frère. C'était évidemment bien avant votre époque...

— Oh, chère madame ! s'exclama Mme Marcia au comble de la
félicité.

— Et maintenant qu'est-ce que je fais ? On se croirait chez le
dentiste.

— N'ayez crainte, vous ne sentirez rien, je vous le promets, dit
Mme Marcia en prenant sa cliente par le bras et en la conduisant dans
la petite pièce de derrière.

— Jess, n'écoutez pas, je vous prie, dit la duchesse en écrasant
d'une main le rideau.

— Oh, duchesse, comment osez-vous supposer ?

---

1. La loi du silence.

« — Taratata ! Des oreilles comme les vôtres, vous ne me direz pas que le Bon Dieu les a faites pour ne pas entendre. »

Jess prit la résolution de ne pas écouter, et bien entendu il ne perdit pas une miette de ce que ces dames se dirent. Le « sujet », autrement dit le mari de la duchesse, était né le 2 novembre 1865 à deux heures de l'après-midi dans le Midwest des Etats-Unis. Signe astral : Jupiter. Etc., etc., etc. Puis : « Constellation du Sagittaire dans la dixième heure. » Jess regarda les boulets de charbon se consumer dans la cheminée. Au fond, Washington ressemblait à n'importe quelle petite ville de l'Ohio avec ses rangées de maisons en brique toutes pareilles comme dans R Street. D'ailleurs tout le monde aimait à dire que Washington n'était rien d'autre qu'un grand village, mais un grand village plein de gens importants vers lesquels Jess se sentait naturellement attiré et réciproquement.

Jess s'était acheté récemment un calepin dans lequel il inscrivait les noms de tous les gens importants qu'il avait rencontrés dans la journée. Il n'arrivait plus maintenant à compter sur ses doigts le score de la journée. Il était en particulier très curieux de faire la connaissance de cette Mrs. Bingham dont on lui avait dit monts et merveilles. Mrs. Bingham était une riche veuve qui tenait un salon politique. Il avait d'ailleurs fallu expliquer à Jess ce qu'était au juste un « salon politique », chose qui n'existait évidemment pas dans l'Ohio. Mrs. Bingham était également la belle-mère du propriétaire du *Washington Tribune,* un journal qui s'était toujours montré favorable aux Républicains de l'Ohio, contrairement au *Washington Post* dont le propriétaire, John R. McLean, un Démocrate de l'Ohio, était mort l'an dernier. Le journal était maintenant dirigé par son fils Ned, qui était devenu l'un des meilleurs amis de la duchesse et de son mari. Ned et sa femme Evalyn s'étaient également pris de sympathie pour Jess, qui n'aurait jamais cru qu'un jour il serait admis dans l'intimité d'un des couples les plus riches et les plus séduisants de la capitale. Evalyn surtout était éblouissante avec tous ses diamants. Jess n'en avait jamais vu autant sur une femme. Il y en avait un en particulier, appelé le Hope Diamond, qu'elle portait en pendentif et qui avait la réputation d'être aussi maléfique que le cagibi de Jess au bas de l'escalier. Mais, à l'inverse de Jess, Evalyn n'avait pas peur.

« L'heure est pleine de dangers, des relations extra-conjugales pourraient mettre en péril un équilibre déjà précaire, modula Mme Marcia dans l'élan momentané d'une cruauté sadique qui n'était d'ailleurs nullement en rapport avec ses vrais sentiments.

20

— Vous parlez sans doute de quelqu'un d'autre, mais ça ne fait rien, continuez, répliqua la duchesse d'une voix sifflante.

— Les astres », poursuivit Mme Marcia d'un ton susurrant, et Jess soupira de plaisir à l'idée de tous les péchés qui pouvaient se commettre dans le monde et spécialement ceux de la chair. La duchesse souffrait parce que son mari la trompait et qu'elle ne pouvait rien faire d'autre que de fermer les yeux sur chacune de ses infidélités, comme c'était le cas notamment avec leur voisine Carrie Phillips, l'épouse de James qui, comme Jess, tenait un magasin d'articles de confection.

Carrie était une de ces femmes au teint clair, aux épaules éclatantes, avec de belles mains entretenues, qui passait pour être apparentée aux Fulton des steamboats. Elle était également en partie allemande, ce qui donnait lieu à de nombreuses prises de bec dans les chaumières de Washington Court House et de Marion, ainsi qu'entre elle et son amant, lequel devait tranquilliser à la fois ses électeurs pro-allemands et ses électeurs anti-allemands. Sur ce sujet Carrie pouvait être intraitable ; autrement, elle rendait le grand homme heureux, songeait Jess en sifflotant pour lui-même *My God, How the Money Rolls In*.

« Tout ça, c'est très intéressant, dit la duchesse d'une voix râpeuse. Je vais y réfléchir. » Et en la voyant rentrer dans le salon d'un pas alerte et décidé, Jess se rappela ce que le sénateur lui avait dit un jour en parlant de sa femme : « Elle ne peut pas voir une fanfare sans avoir envie d'être le tambour-major. » Elle aimait à faire croire qu'elle était la dynamo de son mari, ce dont Jess doutait un peu, ne fût-ce que parce que c'était précisément l'image que le sénateur aimait à donner de leur couple. Daugherty les comparait pour sa part à un attelage de bœufs, avec elle qui beuglait et lui qui tirait. Mais grâce à sa mère et à Roxy, Jess en savait plus long sur la psychologie des femmes que bien des hommes, et à son avis la duchesse était l'esclave joyeuse et consentante de l'homme affable et à bonnes fortunes qu'était son mari.

« Jess, vous réglerez ça.

— D'accord, duchesse », fit-il en l'aidant à se rhabiller, pendant que Mme Marcia leur adressait à tous deux un sourire enjôleur et lointain. En prononçant le « d » de duchesse, Jess n'avait pu s'empêcher de postillonner. Par bonheur il n'avait aspergé personne. Il s'essuya les lèvres avec le revers de sa manche ; il s'essuierait plus tard la moustache quand il n'y aurait personne pour le voir.

« Passez me prendre à cinq heures pile. Mettez quelque chose de chic.

— Oui, m'dame. »

Les deux dames se séparèrent en se réitérant leur témoignage d'estime réciproque et, de la part de Mme Marcia, de profonde compassion.

« A combien se montent les dégâts ? demanda Jess en sortant son portefeuille.

— Les dégâts sont déjà faits », répondit Mme Marcia avec la légère impertinence qui chez elle se greffait sur la simplicité, tout en regardant par la fenêtre le ciel noir d'hiver avec une forte expression de spiritualité, puis elle ajouta comme au sortir d'un rêve : « Mr. Micajah a déjà réglé. Cette dame n'est pas bien portante. Elle a une maladie de reins. »

Jess hocha la tête d'un air impressionné.

« Elle a été un peu patraque ces derniers temps.

— Je dirais qu'elle souffre de la maladie de Bright, mais bien sûr je ne saurais rien affirmer avant de lui tirer son horoscope. Lui aussi est malade.

— Lui ? Mais il pète de santé ! »

Une fois de plus elle avait vu juste. La santé vacillante du « sujet » était l'un des secrets les mieux gardés de la vie publique. Lorsqu'il s'était rendu à Battle Creek, dans le Michigan, tout le monde avait pensé qu'il prenait juste quelques jours de vacances, loin de la politique et de la duchesse. En réalité il y était allé pour essayer de faire baisser sa tension artérielle, ralentir son rythme cardiaque et se désintoxiquer. Jess l'avait accompagné lors d'une de ses cures, et il avait été frappé de voir combien, après quelques jours de régime, il était fragile sous ses dehors d'homme robuste et bien portant.

« Vous devriez dire à Mr. Micajah — puisqu'en somme c'est lui qui paie — ce que je n'ai pas osé dire à cette dame, dit Mme Marcia en tirant les rideaux de la fenêtre.

— C'est grave ?

— Ces choses sont sujettes à interprétation. Si je ne me trompais jamais, j'habiterais un palais dans Connecticut Avenue comme Blaise Sanford. Nos dons occultes ne s'appliquent pas à nous-mêmes. Nous sommes un peu comme les médecins qui soignent les autres et qui oublient de se soigner.

— C'est comme pour les médicaments, c'est bon pour les autres, repartit Jess qui, avec son asthme et son diabète, avait une longue habitude des médecins.

— En quoi ils n'ont pas toujours tort. Mr. Micajah m'a bien fait comprendre que si je découvrais dans les astres ce qu'il pensait que j'y trouverais, je devrais en faire part à la duchesse, ce que j'ai fait. J'ai rarement vu un horoscope aussi glorieux et aussi bref, les deux allant d'ailleurs souvent de pair. Je comprends à présent les raisons de sa mélancolie et pourquoi il désire profiter au maximum de la vie avant d'atteindre les sommets... »

Jess sentit son cœur battre plus vite. C'était donc ça. Ah, le rusé Daugherty !

« Sera-t-il Président ? »

Mme Marcia hocha solennellement la tête, puis elle se retourna pour se regarder dans une psyché toute poussiéreuse.

« Oui. Avec ces astres et ce Lion rampant, il ne peut pas échouer. C'est ce que je lui ai dit... » Pendant quelques instants elle sembla avoir perdu le fil de ses idées. A quoi pensait-elle au juste ? A cette dinde qui n'était jamais arrivée, ou bien... ? Elle se détourna du miroir et se dirigea vers une petite table encombrée de bibelots parmi lesquels figurait une petite coupe en porcelaine remplie de cure-dents. Elle en choisit un et se mit à se curer les dents inférieures avec application.

« En revanche, je ne lui ai pas dit ce que je veux que vous disiez à Mr. Micajah, reprit-elle d'une voix dolente. Après la gloire dans la Maison de la Préférence, le Soleil entre en conjonction avec Mars dans la huitième heure du Zodiaque. C'est la Maison de la Mort. De la mort subite.

— Il mourra ?

— Comme nous tous. Non, je vois quelque chose de bien plus terrible que la simple mort. » Mme Marcia retira alors son cure-dent de sa bouche, telle une impératrice qui laisse tomber son sceptre. « Le Président Harding — je sais bien sûr maintenant qui il est — sera assassiné. »

3

Caroline Sanford Sanford et Eleanor Roosevelt Roosevelt avaient toujours été amies. Il y avait d'abord eu la ridicule redondance de leur nom : chacune avait épousé un cousin qui portait le même nom de famille qu'elle ; et puis toutes les deux avaient été à l'école en Angleterre avec Mlle Souvestre. Comme Caroline, âgée maintenant de quarante ans, avait sept ans de plus qu'Eleanor, elles n'avaient pas pu se connaître en classe. Mais chacune d'elles avait été façonnée par cette formidable Mademoiselle, cette femme de caractère à l'intellect puissant ennemie jurée de toute superstition et notamment de la chrétienne, au grand effroi du Président Roosevelt, l'oncle d'Eleanor. Mais comme la sœur préférée de Theodore était sortie indemne de cette même école, il avait décidé d'y envoyer sa nièce. Peut-être pensait-il qu'il lui serait plus facile de « se trouver » à l'étranger que dans sa maison de Tivoli, près d'Hudson River, mais plus éloignée du grand monde — auquel elle appartenait par sa naissance — car elle ne pouvait inviter chez elle ses amis d'Hudson Valley de peur que son frère alcoolique, posté à la fenêtre de sa chambre au second étage, n'ouvrît le feu sur eux à l'aide d'une carabine de chasse. Et bien que jusqu'à présent il eût toujours manqué son coup, on ne pouvait pas compter éternellement sur la chance pour conserver la vie sauve.

Ç'avait été une brillante idée d'éloigner Eleanor de Tivoli et de l'envoyer en Europe. En fait, Caroline se félicitait d'avoir réussi à persuader le gouverneur Roosevelt de laisser sa nièce hanter le monde des libres penseurs. Au bout de deux ans Eleanor était rentrée en Amérique mieux éduquée que n'importe quelle jeune fille de sa classe, à l'exception peut-être de Caroline elle-même. Il est vrai que Caroline avait été élevée en France où son excentrique de père avait choisi de s'exiler après la guerre civile.

A trente-trois ans Eleanor parlait parfaitement le français et possédait des rudiments d'allemand et d'italien. Bien loin de succomber à l'athéisme velouté de Mademoiselle, elle avait réagi là-contre avec une vigueur protestante renouvelée, et le mot d' « idéal » était un de ceux qu'on rencontrait le plus souvent sur ses lèvres. Caroline, en revanche, semblait en ignorer le sens. Il faut dire à sa décharge qu'elle était avec Blaise codirectrice du *Washington Tribune*, un journal fortement influencé par les méthodes de William Randolph Hearst, le grand manitou de la presse à sensation, tandis qu'Eleanor était une noble matrone, mère de cinq enfants dont l'aînée allait à la Misses Eastman School avec Emma, la fille de Caroline. Finalement Eleanor était l'épouse discrète mais efficace du sous-secrétaire d'Etat à la Marine, Franklin Delano Roosevelt, un aimable gentleman-farmer d'Hudson Valley, qui, aux dires du sénateur Lodge, passait pour être « bien intentionné, quoiqu'un peu léger ». Caroline avait, quant à

elle, des doutes sur les « bonnes intentions » de l'ambitieux Franklin
— dont le charme agressif, voire cruel, la laissait insensible — mais
par contre elle savait que question probité morale et force de caractère
Eleanor en avait pour deux. Chacun complétait l'autre. Tous deux
considéraient la politique comme une voie royale qu'ils comptaient
bien parcourir jusqu'à son terme. Comme son cousin Theodore,
l'oncle d'Eleanor, Franklin avait été élu à la législature de l'Etat de
New York, et il occupait à présent le même poste que Theodore
lorsque celui-ci avait conquis les Philippines pour son pays et pour lui-
même la présidence.

« Quels sont actuellement les sentiments du Président Wilson en ce
qui concerne l'Allemagne ? demanda Caroline.

— Il ne se confie pas à ses sous-secrétaires d'Etat, mais Franklin
pense que maintenant la guerre est inévitable. J'espère, bien sûr, qu'il
se trompe.

— Votre oncle Theodore Rex, comme l'appelle Henry Adams,
réclame la guerre à cor et à cri.

— Oncle Tee est parfois un peu trop emphatique, même pour
nous. »

Eleanor eut un petit sourire modeste comme pour s'excuser d'avoir
un trop petit menton et de trop grandes dents, défauts qui l'empêchaient de rivaliser avec ce célèbre essaim de beautés qu'avaient été
autrefois sa mère et ses deux tantes. Cela n'empêchait d'ailleurs pas
Caroline de la trouver charmante, bien qu'un peu intimidante. Elle
avait la taille d'un homme. Heureusement Franklin était encore plus
grand qu'elle. Tous deux étaient sveltes, élancés, racés. Eleanor
habitait tout près de chez Caroline, et chaque fois qu'elles en avaient
le loisir, les deux jeunes femmes aimaient à se promener dans leur
village de Georgetown, peuplé pour l'essentiel de nègres, mais où ici
et là de riches Blancs s'étaient mis à restaurer des maisons du XVIIIe
siècle. Caroline avait acheté deux maisons mitoyennes dont elle avait
fait une seule maison. C'était plus que suffisant pour une dame
célibataire dont la fille, âgée de quatorze ans, était à l'école toute la
journée. De leur côté, les impécunieux Roosevelt logeaient à sept au
numéro 1773 de N Street, dans une petite maison en brique
appartenant à l'une des tantes d'Eleanor.

Emmitouflée dans ses fourrures, tel un général qui dresse son plan
de bataille, Eleanor étudiait son emploi du temps pour la journée. Elle
avait une secrétaire à plein temps, et des gouvernantes pour s'occuper
des enfants ; et, bien sûr, comme toute femme d'homme politique qui

prend son rôle au sérieux, chaque matin, elle allait déposer sa carte chez les femmes de juges, de congressmen et de diplomates, qui, à leur tour, laissaient leur carte sur le petit guéridon qui était dans son vestibule. Caroline, qui habitait Washington depuis près de vingt ans, déposait rarement de cartes sauf chez des personnes plus âgées qu'elle ou chez quelque amie nouvellement installée dans la capitale.

« Il nous reste encore vingt minutes avant de nous rendre chez Mrs. Bingham, observa Eleanor.

— Pour vous c'est un devoir tandis que pour moi c'est...

— Une corvée ?... »

Eleanor partit d'un petit rire flûté et ses joues, naturellement pâles, prirent tout à coup une coloration rosée. Caroline attribuait ces subites rougeurs non pas à la timidité, comme on aurait pu le supposer, mais à une volonté délibérée d'éluder les questions embarrassantes. Ainsi voit-on, au fond de la mer, la seiche s'envelopper d'un nuage d'encre afin d'égarer ses poursuivants.

« Naturellement je fais ça pour Franklin, dit-elle d'un air fin et sous-entendu. Il faut bien faire un peu sa cour aux gros bonnets du Congrès. Et ils vont tous chez Mrs. Bingham.

— Sauf cette semaine. Ils sont en congé. Je lui ai dit que ce n'était pas grave, mais elle est insatiable. Elle voudrait maintenant recevoir les diplomates qui eux résident en permanence, et l'Administration qui maintenant ne quitte plus aussi souvent la ville qu'autrefois.

— Ce n'est plus possible. Plus maintenant. Depuis " La préparation militaire ". Croyez-vous que nous allons entrer en guerre ? demanda-t-elle en haussant les sourcils.

— C'était le sujet de mon éditorial d'hier. Oui, je le crois.

— Je croyais que c'était celui de votre frère. Il a toujours été favorable à notre entrée en guerre au côté des Alliés.

— Moi aussi, je pense maintenant que le moment est venu, fit Caroline en levant les yeux sur le buste de Napoléon qui ornait le manteau de sa cheminée, et que lui avait offert son maître et son mentor en matière de journalisme, William Randolph Hearst, dont les présents avaient toujours quelque chose de surprenant, d'" hénaurme " voire de saugrenu, comme sa carrière, comme sa vie même.

— Les jeunes gens sont toujours pressés de se battre. » Eleanor déboutonna le gant de sa main droite, préambule indispensable au serrement de main dont elle s'acquitterait avec infiniment de grâce, comme son oncle, mais beaucoup plus de discrétion. « Je parle de ceux qui sont dans l'Administration comme Franklin et Bill Phillips.

Personnellement je suis plutôt contre, mais ne le dites à personne. »
Elle jeta un petit regard anxieux à Caroline que celle-ci trouva d'une
candeur désarmante, car aucune personne jouissant de tout son bon
sens n'aurait eu l'idée de se confier à un journaliste. Caroline hocha la
tête en signe de sympathie comme chaque fois que le Président Wilson
feignait de se confier à elle. Il n'était pas innocent, lui, évidemment,
mais il était tellement absorbé dans ses propres pensées qu'il lui
arrivait de commettre des erreurs de tactique.

« En ce qui me concerne, j'ai bien aimé la façon dont Mr. Bryan a
démissionné de son poste de secrétaire d'Etat.

— La paix à tout prix?

— Oui, presque. Pas vous?

— Non, mais presque. Il est maintenant trop tard à cause du
télégramme de Herr Zimmermann. Même Mlle Souvestre serait en
faveur de la guerre.

— C'est possible. Les choses sont allées trop loin. C'est tellement
décourageant. Je commence à me faire à cette idée, je suppose. Mais
lorsque Mr. Bryan a démissionné, je l'ai trouvé très courageux. Je ne
suis pas pacifiste, bien sûr. Je ne peux pas l'être. Franklin sera
furieux. Il ressemble de plus en plus à l'oncle Ted. La guerre à tout
prix. Et maintenant grâce à Mr. Zimmermann... » Eleanor considéra
son emploi du temps d'un air morose. Blaise et sa sœur avaient tout
d'abord cru que le télégramme de Zimmermann était une invention
des Anglais; c'est pourquoi le *Tribune* — ô désolation! — avait été
l'un des derniers journaux à rapporter cet affront — combien
choquant! pour le peuple américain. Cependant le 3 mars, le Congrès
s'était ajourné après avoir rejeté la requête du Président demandant
d'armer des navires américains.

Le 5 mars, le Président avait inauguré son deuxième mandat
présidentiel au cours d'une cérémonie toute simple à la Maison-
Blanche à laquelle ni Blaise ni Caroline n'avaient été priés. Or le
Président était rancunier, non seulement dans les choses importantes,
mais jusque dans les détails les plus insignifiants, ce qui, pour
Caroline, était une preuve de sa grandeur. Ses variations sur le thème
aride de l'ingratitude et de la rancune étaient d'un maître, d'un
virtuose.

A ce moment Jacques, un Martiniquais qui servait chez Caroline
avec sa femme, apparut dans l'encadrement de la porte.

« La voiture est avancée, madame. »

Caroline se leva pendant qu'Eleanor s'appliquait à reboutonner le gant qu'elle venait juste de déboutonner, geste qu'elle réitérerait avec la même ponctualité lorsqu'elle pénétrerait quelques minutes plus tard dans le salon de Mrs. Bingham. Toute sa personne constituait un mélange harmonieux de devoir et de vitalité que Caroline trouvait extrêmement touchant. Il est vrai qu'en fait d'énergie l'oncle Theodore avait placé la barre haut en installant un gymnase dans sa maison. Et quand il n'était pas en train de s'exercer aux agrès, il descendait l'Amazone en massacrant toute espèce de gibier à plume ou à poil qui avait l'insolence de se trouver sur son chemin. Par bonheur, les femmes de la famille Roosevelt n'avaient jamais été tentées de suivre son exemple, contrairement aux hommes qui, eux, n'avaient de cesse de fournir des imitations plus ou moins réussies de la vitalité et de la détermination dont faisait montre l'admirable, l'ineffable, l'inénarrable Theodore. Même son lointain cousin Franklin, qui ne ressemblait pourtant pas du tout aux présidentiels Roosevelt, s'était mis à secouer ses fines mèches blondes à la manière d'un lion rugissant, et bien sûr, à claquer des dents à l'imitation de celui qui avait été ce que lui, comme tous les autres, désirait par-dessus tout devenir : Président des Etats-Unis. Mais Eleanor rompait avec le schéma traditionnel. Sous un extérieur calme et composé, elle faisait preuve d'une activité débordante. Elle grimpait au gréement des navires, rendait plus de visites que nécessaire et d'une manière générale avait organisé sa maison sur le modèle spartiate. Elle est toujours pressée, songeait Caroline en courant derrière elle jusqu'à la porte de la voiture où un chauffeur irlandais montait la garde.

« Pourquoi êtes-vous toujours en train de courir ? demanda Caroline, hors d'haleine.

— Parce que j'ai toujours l'impression d'être en retard.

— En retard pour quoi ?

— Oh !... pour tout, dit-elle en sautant à l'arrière de la voiture, pour la vie, je suppose », ajouta-t-elle avec un sourire lumineux qui découvrit ses grandes dents.

Caroline s'installa à côté d'elle.

« Oh, la vie, elle se débrouille très bien toute seule. Et quand elle en a assez de nous, elle ne nous demande pas notre avis.

— C'est justement pourquoi il ne faut pas perdre une minute. »

Caroline se demanda si par hasard Eleanor ne détestait pas son mari. Ils formaient un couple si bien assorti politiquement que seule une tension sous-jacente pouvait expliquer le perfectionnisme d'Eleanor, ainsi que sa crainte irraisonnée d'être toujours en retard — d'être laissée pour compte.

De toutes les inventions de Caroline, Mrs. Benedict Tracy Bingham était sans conteste la plus réussie. Au début du siècle, quand la jeune Caroline avait repris le *Washington Tribune*, alors moribond, elle s'était inspirée pour lui redonner vie des méthodes plus ou moins discutables de Hearst. Les meurtres devinrent sa spécialité, surtout lorsque le cadavre — de préférence celui d'une jeune et jolie femme — avait été repêché dans le canal. Caroline avait un préjugé contre le Potomac auquel son rédacteur en chef, Mr. Trimble, s'efforçait néanmoins de rendre justice chaque fois qu'il en avait l'occasion. Après les cadavres dont les morceaux flottaient au fil de l'eau le long du canal coulant parallèlement au Potomac, ce qui plaisait le plus aux lecteurs, c'était les cambriolages des riches résidences du West End. Aussi, lorsque Mrs. Bingham, l'épouse du « Roi du Lait », comme Caroline avait surnommé son mari, eut été délestée de quelques babioles lors d'un cambriolage dans sa maison de Connecticut Avenue, Caroline eut la brillante idée d'élever cette dame, qu'elle ne connaissait ni d'Eve ni d'Adam, au rang de Première Dame du Tout-Washington, faisant de sa maison l'annexe du château de Windsor et de ses bijoux les cousins de ceux de la Couronne. Mrs. Bingham avait été ravie de cette promotion pour le moins inattendue, et depuis lors elle n'avait cessé de rendre toutes sortes de menus ou moins menus services à sa bienfaitrice, dont le premier et le plus signalé de tous avait été d'obliger son mari, le Roi du Lait, à faire de la publicité dans le *Tribune*.

En échange, Caroline avait aidé Mrs. Bingham à gravir les derniers échelons de la société washingtonienne, laquelle était composée d'une foule de petits villages clos sur eux-mêmes, et n'entretenant que des rapports très distendus avec le plus grand de tous ces villages, c'est-à-dire le gouvernement. Habituée aux salons politiques parisiens, Caroline avait encouragé Mrs. Bingham à se spécialiser dans les membres de la Chambre des Représentants, un groupe qu'aucune hôtesse n'avait encore songé à cultiver. Comme Caroline l'avait prédit, les politiciens furent très vite reconnaissants à Mrs. Bingham de l'attention qu'elle voulait bien leur témoigner, et ils affluèrent en masse dans son salon, drainant derrière eux un assortiment intéressant d'autres villageois. Maintenant veuve, aveugle, mais la langue toujours acérée, Mrs. Bingham était devenue une institution. Elle avait même, à la stupéfaction de Caroline, marié sa fille, Frederika, à Blaise, si bien que le sang (additionné de lait ?) des Bingham s'était mêlé au sang pourpre des Sanford et des Burr pour produire un petit enfant grassouillet. Tout ça, c'est un peu ma faute, se disait Caroline en entrant dans le salon avec Eleanor. A différents endroits de la pièce, d'innocents vases de Chine remplis de plumes de paon ressemblaient à des coiffures de guerre indiennes, tandis que d'immenses lampes Tiffany jetaient une lumière blafarde sur les invités.

« Mais c'est Caroline ! » s'exclama Mrs. Bingham en tournant ses yeux aveugles dans la direction de Caroline. Elle faisait plus vieille que son âge, grâce sans doute à un régime préparé spécialement pour elle par le docteur Kellog. Elle se nourrissait exclusivement de son et de froment, ce qui lui occasionnait des renvois continuels, un peu comme ces vaches qui avaient fait la fortune de son défunt époux. « Elle est avec Mrs. Franklin Roosevelt », ajouta Mrs. Bingham sans même se donner la peine de dissimuler sa déception. Car Eleanor, qui appartenait pourtant à la branche aînée des Roosevelt (celle qui comptait), était souvent prise, à cause de son mari, pour une Roosevelt de la branche cadette (qui comptait moins).

Mrs. Bingham prit la main d'Eleanor.

« Tout le monde parle de votre mari. Quel bel homme ! Et si énergique ! Où est-il ?

— Il est à Haïti et à Saint-Domingue en train d'inspecter nos marines. »

Eleanor ne mentait pas, mais elle possédait comme personne l'art d'éluder les questions embarrassantes. En réalité, lorsque les relations avec l'Allemagne avaient été rompues, Franklin avait été rappelé à Washington par le secrétaire d'Etat à la Marine. En conséquence, il se plaignait devant tout le monde, dans la meilleure tradition roosevel-tienne, de son chef, Josephus Daniels, un inoffensif et longanime propriétaire de journal du Sud, qui détestait la guerre et l'alcool et à qui, pour ces raisons sans doute, on avait confié le ministère de la Marine.

« Il doit être très occupé en ce moment. Il est pro-allemand, vous savez. »

Mrs. Bingham, lorsqu'elle n'était pas en train de répandre les commérages les plus éhontés, s'ingéniait à soutenir les positions les plus insoutenables, au grand dam de sa fille, mais d'elle seule, il faut bien le dire, qui du reste était absente ce soir-là, comme Caroline le remarqua aussitôt.

« Ah oui, vraiment ? fit Eleanor qui n'avait pas l'habitude de Mrs. Bingham.

— Oui, vraiment. Beethoven, Mozart, Goethe, Romain Rolland. Ce sont mes idoles.

— Rolland est français, murmura Caroline.

— Qui dit le contraire ? Pas moi. »

Comme Eleanor s'éloignait, Mrs. Bingham retint Caroline par le bras.

« Il faut qu'on parle toutes les deux. Pas maintenant, bien sûr, dit-elle d'une voix de conspirateur. Mais *il* est là avec son frère à *elle*. Et c'est vrai ce qu'on dit. Ça lui a coûté soixante-quinze mille dollars pour les racheter. Maintenant c'est lui qui détient les lettres. »

Caroline salua le père de son enfant, le sénateur James Burden Day, et sa femme, Kitty. Burden inclina la tête tandis que Kitty adressait un vague sourire à celle qui depuis seize ans était la maîtresse de son mari. Caroline était persuadée que Kitty ignorait leur liaison, sinon ç'eût été des scènes épouvantables accompagnées de menaces de divorce à n'en plus finir dans la meilleure tradition américaine, fort différente de celle de Paris où, sur ce plan-là, du moins, les choses se passaient beaucoup mieux. Avec chic et entre gens civilisés. Certes, le mari de Caroline avait divorcé quand il avait appris l'identité du père de son enfant. Mais il n'y avait pas eu de scènes de jalousie. Ils s'étaient mariés par intérêt ou plutôt par convenance, elle pour donner un nom à son enfant (il faut dire à sa décharge qu'elle avait eu l'honnêteté de lui révéler qu'elle était enceinte d'un autre homme avant de l'épouser) et lui pour pouvoir rembourser ses dettes. Au bout de quelques années ils s'étaient séparés sans avoir jamais vraiment vécu ensemble (il travaillait comme juriste à New York, et elle vivait à Washington) ; puis il était mort. Et Caroline avait continué à vivre, puisqu'en définitive on ne peut rien faire d'autre que de vivre tant qu'on n'est pas mort.

Tandis que Mrs. Bingham la régalait de potins trop épicés pour être publiés dans le *Tribune*, Caroline constatait non sans une certaine mélancolie combien son amant avait forci depuis quelque temps. Adieu boucles blondes de la jeunesse, adieu bel Adonis ! Bonjour tignasse grisonnante, ventre rondelet, visage parcheminé. Ils continuaient cependant de faire l'amour au moins une fois par semaine, mais surtout ils faisaient la conversation. Un politicien et une journaliste ont toujours beaucoup de choses à se dire, même sur un oreiller. Mais aujourd'hui Caroline avait quarante ans et brûlé pas mal de vaisseaux. Il n'y avait pas moyen de revenir en arrière, et ce qui se profilait à l'horizon n'avait rien de bien réjouissant, pour une raison toute simple : elle ne savait pas vieillir, et même avec la meilleure volonté du monde elle doutait de pouvoir jamais y arriver.

Dans son entourage tout le monde, y compris Blaise, la poussait à se remarier, comme s'il suffisait d'aller à une soirée et d'y choisir un mari à son goût comme on va au marché pour acheter un chou-fleur. Mais les rares partis sortables étaient tous mariés, comme l'avait été et comme continuait de l'être son premier amant. Parmi ces quelques « papables », elle s'était permis plusieurs brèves liaisons qui toutes avaient tourné en eau de boudin. A présent elle était attirée par des hommes deux fois plus jeunes qu'elle, ce qui en France eût été parfaitement acceptable, mais qui en Amérique l'eût conduite subito presto au bûcher... Les femmes dans ce pays n'avaient pas le droit de goûter à des plaisirs aussi vils. Puritanisme oblige ! Les Américaines, du reste, n'avaient guère le choix en fait de plaisirs, à moins de disposer d'une fortune personnelle comme c'était le cas de Caroline. Mais c'était là un privilège dont elle n'usait que fort modérément.

Mrs. Bingham était en train de recevoir les hommages de deux nouveaux couples de congressmen qui, lorsqu'ils entendirent prononcer le nom de Caroline, levèrent sur elle des regards idolâtres. Consciente de l'importance que revêt un directeur de journal aux yeux d'un politicien (ange qui toujours admire et respecte, que tout éblouit et transporte), Caroline encourageait les prières murmurées, les cierges votifs, les confessions chuchotées, parce que, pour dire les choses crûment, elle adorait le pouvoir.

Brusquement Caroline cessa de compter ses misères en entendant Mrs. Bingham, un verre de punch à la main, lui souffler dans le creux de l'oreille que l'un des « ils » de son histoire, un certain Randolph Bolling, frère de la deuxième Mrs. Wilson, une sorte de colosse assez bien bâti, d'apparence plutôt fruste, se trouvait à l'autre bout de la pièce.

« C'est pourquoi *il* est avec *lui* ! s'exclama Mrs. Bingham au comble du ravissement.

— *Qui* est avec *qui ?* Soyez un peu plus explicite », demanda Caroline qui avait toujours passablement de difficulté à s'y retrouver dans les propos de son hôtesse. Arrivée au crépuscule de son existence et déjà à demi atteinte par le gâtisme, Mrs. Bingham ne se donnait même plus la peine d'identifier les pronoms personnels qui flottaient à la surface de ses phrases comme des cadavres au fil de l'eau.

« Lui, *son* frère, parbleu ! rétorqua Mrs. Bingham avec un petit froncement de sourcils agacé. (Elle détestait nommer les choses par leur nom.) Randolph Bolling. Là-bas. Vous voyez bien. Avec cette tête de mouton. C'est lui qui *l*'a amené. Le grand spéculateur. Là-bas. Très bel homme. Rendrait des points au démon. »

Caroline reconnut Bernard Baruch, un très riche financier de Wall Street, qui affectait de parler avec un accent du Sud si prononcé qu'à côté de lui Josephus Daniels passait pour un Yankee du Vermont. Baruch était un New-Yorkais originaire du Sud. Il avait fait fortune en vendant des stocks qu'il avait achetés *avant* qu'ils ne valent moins cher que le prix qu'il les avait payés, don qui faisait entièrement défaut à Caroline. Elle l'avait déjà eu deux ou trois fois comme voisin de table, et s'était fort divertie de sa conversation. A l'inverse de Mrs. Bingham, ses pronoms à lui renvoyaient toujours à un nom célèbre. Comme tant de nouveaux riches d'origine indistincte — il était juif seulement quand ça l'arrangeait —, Baruch s'était tout à coup senti irrésistiblement attiré par Washington, la politique et le Président. On disait qu'il avait donné cinquante mille dollars à Wilson pour l'élection de 1912. On disait également qu'il utilisait ses relations politiques pour obtenir des tuyaux concernant les stocks à acheter. Caroline en savait beaucoup moins sur cette question que Mrs. Bingham qui était repartie de plus belle.

« Mrs. Peck, dit elle d'un ton accusateur — je parle de l'ancienne maîtresse du Président, vous m'avez bien comprise, elle habite actuellement la Californie —, a menacé de vendre les lettres du Président aux journaux l'automne dernier juste avant l'élection, c'est pourquoi Randolph Bolling a demandé à Mr. Baruch d'aller la trouver et de racheter ces lettres pour la somme de soixante-quinze mille dollars. Et c'est comme ça que le Président a pu épouser Edith Bolling Galt (qui, si elle ne se surveille pas, va bientôt devenir une grosse dondon) et gagner de justesse les élections... »

Une petite femme d'apparence assez quelconque, pour ne pas dire vilaine, surmontée d'une grosse tête, s'approcha de Mrs. Bingham suivie d'un petit homme rondouillard dont les verres de lunettes fulgurèrent de béatitude lorsque sa main moite se referma brutalement sur celle de Caroline.

« Madame Harding ! »

Et tandis qu'un sourire désenchanté fronçait d'une sinuosité grimaçante sa bouche douloureuse, Mrs. Bingham fixa sur la femme du sénateur de l'Ohio, Warren Gamaliel Harding, le plus bel homme du Sénat après James Burden Day, le regard éteint de ses yeux d'aveugle.

« Je vous présente un vieil ami à moi, dit Mrs. Harding en poussant en avant l'homme qui l'escortait. Jesse Smith. De Washington Court House, dans Fayette Country. Jesse, dites bonjour à Mrs. Bingham. Dites bonjour à Mrs. Sanford. »

Jesse, ayant dit bonjour à ces dames comme on l'en priait, ajouta à l'intention de Caroline et histoire de dire quelque chose :

« Je suis un ami de Ned McLean et de sa femme Evalyn. Vous savez, celle qui porte ce gros diamant.

— Pas moi, répondit gracieusement Caroline, et je le regrette infiniment, ajouta-t-elle en proférant un gros mensonge.

— Je peux arranger ça, dit Jesse. Quand vous voudrez.

— Jesse peut arranger n'importe quoi, affirma Mrs. Harding d'un air dubatif.

— Où est le sénateur ? s'enquit Mrs. Bingham en venant au seul point qui l'intéressait : les épouses étaient tolérées, mais pas plus.

— Il est à Palm Beach avec les McLean. Il déteste le froid. Moi aussi. Mais j'ai tant à faire ici. Vous comprenez, nous venons d'acheter cette grande maison dans Wyoming Avenue. Nous en habitons une partie et nous louons l'autre. Les locataires, vous savez ce que c'est !

— Non. J'avoue que je l'ignore, dit Mrs. Bingham.

— Vous viendrez nous voir quand nous serons installés. Vous aussi, madame Sanford. J'ai déjà été invitée chez votre frère. Il a une maison superbe.

— Presque aussi grande que celle des McLean, dit Jesse en intervenant dans la conversation.

— Ma fille la trouve bien assez grande en ce qui la concerne », répliqua Mrs. Bingham qui ne manquait jamais de rappeler à ses interlocuteurs que Mrs. Blaise Delacroix Sanford n'était autre que sa fille Frederika, la protégée de Caroline. Celle-ci, soit dit en passant, était bien contente que Blaise eût épousé une femme capable de supporter un caractère aussi difficile que le sien, lequel du reste n'était pas sans rappeler celui de leur père, cette espèce de monstre qui de son vivant avait fait régner la terreur autour de lui, à ceci près que Blaise, lui, n'était pas encore fou. Caroline admirait la force de caractère de sa belle-sœur, et en particulier la façon dont — socialement du moins — elle avait laissé tomber sa mère comme une vieille chaussette une fois qu'elle était entrée dans leur monde. Blaise et Frederika n'apparaissaient jamais aux réceptions de Mrs. Bingham, qui n'était jamais invitée non plus chez les Sanford, sauf pour un repas

34

de famille, ce dont Mrs. Bingham n'avait évidemment cure. Caroline était moins stricte que Frederika dans ses exclusions. Mais aussi Mrs. Bingham était un peu son invention, et tout le monde sait bien qu'un créateur a toujours un peu de peine à se détacher de ses créatures. Elle était également une mine de renseignements très précieux pour qui savait extraire de ses affabulations l'or pur de ces vérités peu ragoûtantes bien que fort croustillantes pour lesquelles elle avait un flair infaillible.

Mrs. Harding regardait Caroline avec une insistance qu'elle avait du mal à dissimuler. Elle avait déposé sa carte chez elle lorsqu'elle était arrivée à Washington au début de l'année 1915, et depuis les choses en étaient restées là.

« Venez un jour à la maison, madame Sanford. Nous sommes des gens tout simples, mais je sais que vous êtes une amie de Nick Longworth...

— Justement voici Mrs. Longworth, coupa Caroline qui venait d'être sauvée par l'apparition d'une splendide créature habillée tout en bleu.

— Caroline ! »

Les deux femmes s'embrassèrent.

« Madame Bingham, ajouta Alice Roosevelt Longworth en jetant un regard oblique à Caroline, et tout en s'efforçant de réprimer le fou rire qui lui venait chaque fois qu'elle se trouvait en présence de Mrs. Bingham.

— Madame Harding ! s'exclama Alice, interloquée, en refoulant cette fois définitivement au fond de sa gorge le rire qui allait mousser à ses lèvres.

— J'étais justement en train de parler de votre Nick et de mon Warren, dit Mrs. Harding en faisant si bien rouler les " r " de Warren que Caroline crut entendre " Wurr-rren ".

— Ils jouent en ce moment au poker dans votre appartement, annonça gaiement Alice.

— Dans notre *maison*, vous voulez dire », rectifia Mrs. Harding en fusillant du regard son interlocutrice. En cas de guerre déclarée entre les deux femmes, Caroline s'était toujours demandé laquelle gagnerait. L'humour cassant d'Alice était comme un sabre sur lequel on l'avait déjà vue maintes fois s'enferrer, tandis que Mrs. Harding — au fait quel était son prénom ? Florence ? — était de ces femmes qui ne plient jamais. Normalement ces deux femmes n'auraient jamais dû se rencontrer, n'eût été le fait que le mari d'Alice était congressman de l'Ohio dont Harding était le sénateur. En conséquence aucune de ces deux femmes ne pouvait ignorer l'autre. Mais jusqu'à présent Alice menait aux points.

« Il faudra bien que je vous rende visite un de ces jours, dit Alice en se tournant vers Caroline. Chez vous, j'entends dans votre maison. Si je n'y suis pas encore venue, c'est parce qu'on ne m'a pas encore invitée à jouer au poker. Il paraît que c'est un jeu réservé aux hommes. C'est grand dommage car je joue très bien au poker. Si on s'organisait une partie de poker, rien qu'entre femmes. Qu'en dites-vous, Florence ? ajouta-t-elle en espaçant suffisamment le dernier mot de la phrase comme pour le nimber de mystère.

— Je m'appelle Jesse Smith, dit Jesse en prenant la main d'Alice. Je suis également originaire de l'Ohio. Je crois que vous connaissez mes amis les McLean. Evalyn joue également très bien au poker.

— Ciel! s'exclama Alice qui depuis un moment avait cessé de s'intéresser à ce qu'on lui disait. Cousine Eleanor! On dirait un phare, n'est-ce pas ? Si grande, si lumineuse! Il faut absolument que j'aille la taquiner. » Et elle les planta là pour se diriger vers la cheminée près de laquelle Eleanor était en grande conversation avec Mr. Baruch. Ils étaient le seul couple dans la pièce convenablement assorti sous le rapport de la taille. Ils ressemblaient à deux géants bienveillants, gardiens du feu sacré, placés de part et d'autre de la cheminée.

Mrs. Bingham avait renfourché son dada :

« Son père se représentera en 1920. Il sera le candidat républicain. Il a fait la paix avec les Républicains modérés.

— Mon Warren pense le plus grand bien du colonel Roosevelt, déclara Mrs. Harding en jetant un regard à la dérobée sur Alice. Le colonel a besoin de l'Ohio, et l'Ohio c'est mon Warren.

— Mais Mr. Wilson se représentera sans doute, et avec de grandes chances de l'emporter », jeta Caroline tout en se demandant si elle ne devrait pas essayer d'avoir un autre enfant, ou bien était-elle trop vieille ? Elle n'avait pas encore eu sa ménopause ; ce qui n'empêchait pas la Commère du *Tribune* de déconseiller à ses lectrices d'avoir un enfant si tard et surtout si longtemps après le premier. Certes elle n'était pas mariée, mais de nos jours qu'était-ce pour une veuve un peu dégourdie que d'entreprendre un voyage autour du monde et de revenir au bout d'un an avec un enfant adopté, et une histoire plus ou moins plausible d'une servante morte en couches, à Saint-Cloud-le-Duc, par exemple ? La dernière fois peut-être que j'aurai envie d'un enfant. L'Amérique. L'adoption. *Quelle autre solution ?* Tous les quatre ans, au moment de l'élection présidentielle, Caroline songeait soit à avoir un enfant, soit à rentrer en France pour de bon, soit à tomber amoureuse. De même la simple mention du nom de Theodore Roosevelt avait pour effet de la faire réfléchir sur elle-même. Les rodomontades de l'ancien Président, ses enfantillages absurdes, l'espèce de publicité qui entourait ses moindres faits et gestes, la galvanisaient, excitaient en elle l'instinct de compétition. Elle se disait qu'il n'était peut-être pas trop tard pour recommencer sa vie. Elle était encore séduisante, elle pourrait encore trouver... quoi ?

« Je crois que je vais aller en Californie », déclara-t-elle tout à trac à la surprise générale (ainsi qu'à la sienne propre). Sur quoi, elle abandonna ses compagnes pour rejoindre le père de sa fille, Burden Day, lequel avait été élu sénateur en 1915, la même année que Warren Harding. Auparavant il avait été membre de la Chambre des Représentants où lors de son premier mandat il l'avait déflorée, ce dont elle lui était éternellement reconnaissante. Autrement elle aurait pu devenir, comme Mlle Souvestre, un vaste jardin abandonné dont personne ne s'était jamais occupé...

« Jim », murmura-t-elle.

Il venait de quitter le petit groupe qui s'était formé autour d'Alice et de Kitty. *Kitty : l'épouse qui ne se doute de rien.* En bonne journaliste, Caroline avait tendance à penser gros titres, capitales, italiques, caractères romains, etc. En tant que femme, elle ne s'estimait pas grand-chose, mais en tant que journaliste elle ne craignait pas grand monde. « Ou préfères-tu que je t'appelle Burden à présent ? » Lorsque Jim avait été élu au Sénat, Kitty avait insisté pour que Jim soit désormais appelé Burden Day, nom qui pour elle avait une consonance présidentielle, mais qui pour Caroline suggérait un vieux gentleman un peu frileux assis au coin du feu dans sa villa de Newport, occupé à des travaux d'aiguille.

« Appelle-moi comme tu veux. Tu es superbe, ce soir. Autre chose ?

— Oui, j'ai quelque chose à te demander. La beauté n'est qu'un piège tendu par la nature pour encourager les hommes à procréer. Je désire un autre enfant.

— De moi ? » fit Burden avec un sourire d'une parfaite candeur et en baissant la voix jusqu'au murmure. Près d'eux l'ambassadeur d'Autriche parlait de paix au secrétaire d'Etat à l'Intérieur qui lui ne s'intéressait qu'au pétrole.

« De toi, bien sûr. J'ai tout de même certains principes.

— Je suppose que ça peut s'arranger, dit-il avec un large sourire qui lui rappela le jeune homme qu'il avait été lorsqu'elle l'avait connu. C'est drôle, ajouta-t-il (et Caroline constata une fois de plus que, lorsque quelqu'un disait : " C'est drôle ", on pouvait en déduire à coup sûr que toute gaieté avait disparu), Kitty m'a dit à peu près la même chose l'an dernier.

— Et tu as satisfait à sa requête ?

— Parfaitement. Elle ne s'était jamais tout à fait remise de la mort de Jim Junior.

— Et maintenant ?

— Elle est de nouveau heureuse. Comment va Emma ?

— Notre fille désire aller à l'université. C'est une intellectuelle, ce n'est pas comme moi.

— Ni comme moi.

— Viens nous voir, cela lui fera plaisir. Elle t'aime bien. »

En réalité Emma ne se souciait absolument pas de son véritable père (liens du sang, où êtes-vous ?). Il est vrai qu'elle ne s'intéressait à personne. C'était une enfant réservée, introvertie, maussade, qui lisait des traités de physique comme des romans. Chose curieuse, la seule personne qu'elle eût réellement aimée avait été le mari de convenance de sa mère, qu'elle avait bien évidemment toujours pris pour son père. Mais il était mort et elle n'en parlait plus. Caroline s'étonnait, surtout de la part d'une fille, qu'Emma n'eût jamais remarqué sa ressemblance physique avec le vieil ami de sa mère, James Burden Day. Mais Emma ne se regardait jamais dans un miroir, si ce n'est pour se coiffer ou pour mettre un chapeau.

« Elle s'est liée d'amitié avec la fille Roosevelt. »

Devant la cheminée, Alice tenait le crachoir à Eleanor dont le sourire patient commençait à ressembler au rictus de la Méduse.

« Difficile d'imaginer un Roosevelt démocrate, observa Burden en considérant les deux cousines si semblables en apparence mais si différentes de caractère.

— Que penses-tu de lui ? »

Burden haussa les épaules.

« Ce n'est pas mon type. Trop charmeur. Trop belliqueux également. Il est pressé de nous faire entrer en guerre.

— Et toi ?

— Je suis un bryanite, ne l'oublie pas. La guerre n'est pas très populaire chez nous. Si les gens de l'Est veulent se battre, qu'ils y aillent et qu'ils nous laissent tranquilles...

— Pour vous battre contre le Mexique ?

— Du moins on pourrait y gagner quelque chose. Nous n'avons rien à gagner en Europe, que des ennuis. »

Mrs. Harding passa près d'eux, suivie de Jesse Smith à deux pas derrière elle. Elle salua Burden puis elle alla s'attacher aux basques de Bakhmetoff, l'ambassadeur de Russie, dont la femme était la tante de Ned McLean, le directeur du *Washington Post* et le concurrent amical de Caroline.

« Lui, en revanche, il a un sérieux problème, je parle d'Harding », reprit Burden en acceptant un verre de champagne d'un serveur. Le champagne était une idée de Caroline qui l'avait soufflée à Mrs. Bingham. Cela faisait passer les choux à la crème et les petits fours rassis. Le Tout-Washington avait été enchanté de cette innovation, à l'exception de certains abstinents comme Josephus Daniels qui avait poussé le vice (ou faut-il dire la vertu ?) jusqu'à bannir le vin du mess des officiers de marine. Mrs. Daniels s'était de son côté fait remarquer en servant des *sandwiches aux oignons* avec le thé. « Elle ne s'en relèvera pas », avait décrété Mrs. Bingham. Même à Washington il y avait des limites à la vulgarité.

« Y a-t-il tellement d'immigrants dans l'Ohio ? »

Caroline trouvait le problème des Germano-Américains et des Américano-Irlandais absolument fascinant. L'Administration, elle, le trouvait extrêmement inquiétant. Si les Etats-Unis déclaraient la guerre à l'Allemagne, comment réagirait le million de citoyens américains d'origine allemande ?

« Pas plus que dans l'Alabama, proportionnellement. Mais Harding a une petite amie qui est, paraît-il, une furie. Elle a menacé de le démasquer.

— Lui ?

— Tous les deux. Elle racontera tout sur leur liaison s'il se prononce en faveur de la guerre contre son pays natal, l'Allemagne.

— Tiens, tiens, pour une fois ce n'est pas la femme qu'il faut chercher mais le pays.

— On juge les sénateurs à leurs maîtresses, dit Burden en ricanant. En réalité c'est plutôt un chic type, à part ses discours.

— C'est ce qu'on dit de vous tous. A l'exception du sénateur Lodge. Lui, ses discours, tout le monde les aime. C'est lui qui... »

Ils furent rejoints à ce moment-là par Mrs. Bingham qui paraissait tout excitée.

« Mr. Tumulty est là. Il est venu exprès de la Maison-Blanche. Vous êtes tous rappelés, sénateur, tout le Congrès.

— Rappelés, pour quoi faire ? »

Décidément Burden paraissait bien son âge, et Caroline décida de ne pas avoir un autre enfant de lui.

« En session spéciale. Pour recevoir une communication du gouvernement concernant une question grave de politique intérieure. Ce sont les paroles mêmes de Mr. Wilson. Il doit sûrement s'agir de la guerre. Enfin. C'est passionnant, vous ne trouvez pas ? »

Le cœur de Caroline se mit à battre la chamade.

« Non, ça ne peut pas être encore ça, dit Burden dont le visage se colora subitement. C'est pour quand cette session spéciale ?

— Le 16 avril, d'après ce que dit Mr. Tumulty. »

Burden poussa un soupir de soulagement.

« Cela nous donne un mois. D'ici là il peut se passer beaucoup de choses.

— Ce qui se passe en ce moment n'est pas rien, dit Caroline. Le Président est en train d'armer des bateaux malgré l'opposition du Sénat. » Bien que la célèbre Constitution américaine fût un parfait mystère pour Caroline, il y avait là, lui semblait-il, quelque chose qui clochait. « Est-ce possible ? demanda-t-elle en se tournant vers Burden.

— Tout à fait. Il n'a qu'à appeler ça " nécessité militaire " comme a fait Lincoln.

— Lincoln ! La guerre ! exulta Mrs. Bingham. Je n'étais, bien sûr, pas née en ce temps-là (elle mentait outrageusement), mais j'ai toujours voulu vivre une guerre. Je parle d'une vraie guerre et non d'une guerre d'opérette comme cet intermède espagnol[1].

— Tout ce qu'on peut espérer d'une guerre, c'est de lui survivre, fit Caroline d'un ton aigre. C'est notre souhait le plus cher à tous. »

---

1. Il s'agit de la guerre de 1898 entreprise par les Etats-Unis pour libérer Cuba de l'occupation espagnole.

Après avoir gravi les marches menant au portique nord de la Maison-
Blanche, James Burden Day fut accueilli par un huissier qui le
conduisit à travers le vestibule jusqu'à un petit ascenseur électrique.

« Mrs. Wilson vous attend au premier, monsieur. Le Président est
au lit. Il n'est pas encore tout à fait remis de son coup de froid. »

Burden fut frappé par le calme qui régnait à la Maison-Blanche.
Aucun signe d'urgence, nulle trace d'affolement. La vie s'y déroulait
comme à l'accoutumée. Ici et là quelques politiciens faisaient visiter à
des amis les salons d'apparat. Certes les bureaux de l'Exécutif se
trouvaient dans une aile séparée à l'ouest du bâtiment, mais même là, et
bien que les téléphones tintassent dans tous les bureaux, on n'observait
encore rien de cette effervescence qui avait caractérisé l'époque du
Président McKinley et de la guerre d'Espagne, pour ne rien dire du
remue-ménage perpétuel de l'ère Roosevelt, lorsque les enfants du
Président remplissaient la Maison-Blanche de leurs cris et de leurs
poneys, et que le Président lui-même donnait l'impression de présider
dans toutes les pièces à la fois en faisant le plus de tintamarre possible.

La Maison-Blanche de l'ère Wilson était à l'image même du
Président : lointaine, cultivée, compassée. Le Président avait été très
attaché à sa première femme, et maintenant il était entièrement sous la
coupe de la seconde Mrs. Wilson. Peu à l'aise avec les hommes, Wilson
leur préférait la compagnie des femmes, et surtout de ses trois filles :
Margaret, la vieille fille cérémonieuse et contrainte qui désirait devenir
cantatrice ; Eleanor dont le charme discret avait su faire la conquête de
William G. McAdoo, le secrétaire d'Etat au Trésor, et Jessie, au
physique plus corsé, qui avait épousé un certain Francis B. Sayre.

L'ascenseur s'arrêta, la porte vitrée s'ouvrit, et Burden se retrouva
dans le corridor du premier qui traversait le bâtiment d'est en ouest.
Autrefois les bureaux du Président se trouvaient dans la partie est et les
appartements dans la partie ouest avec entre les deux le salon Ovale,
sorte de no man's land. Mais Theodore Roosevelt avait dû réquisition-
ner tout le second étage pour loger sa nombreuse famille, et ajouter une
aile à la Maison-Blanche pour abriter les bureaux de l'Exécutif. Ses
successeurs avaient observé le même arrangement.

L'épouse du plus honni de ses deux successeurs attendait Burden devant l'ascenseur. Edith Bolling Galt était une grande femme, forte, avec un large visage aux traits menus et réguliers qui semblaient témoigner de son ascendance indienne. (Ne se flattait-elle pas de descendre de Pocahontas?) Elle avait en outre un sourire des plus charmants.

« Sénateur Day! Dites-moi la vérité. Comment l'huissier m'a-t-il annoncée? A-t-il dit Mrs. Wilson ou la Première Dame [1]?

— Je crois qu'il a dit " Mrs. Wilson ".

— Ah, bon! J'ai horreur de cette appellation, Première Dame. A quoi ça rime? Je vous le demande. On se croirait dans une comédie musicale de Weber et Fields, avec moi dans le rôle de Lillie Langtry. »

Une forte odeur de jasmin émanait de la Présidente, tandis qu'elle conduisait Burden au bout du corridor où, sous une haute fenêtre à imposte ouvrant à l'ouest sur les bureaux de l'Exécutif et au nord sur les ministères de la Guerre et de la Marine, avait été placé un bureau avec deux téléphones. Devant ce bureau était assise la secrétaire personnelle de Mrs. Wilson, Edith Benham, fille d'un amiral à la retraite. Elle avait succédé à Belle Hagner, l'une des reines du Tout-Washington des années 1910, qui avait été la secrétaire de la première Mrs. Wilson ainsi que de Mrs. Taft et de Mrs. Roosevelt. De méchantes langues prétendaient que Mrs. Edith Bolling Galt Wilson, dépitée de n'avoir jamais figuré sur les listes d'invitations présidentielles dressées par Belle Hagner, l'avait débarquée dès son entrée à la Maison-Blanche. Kitty n'avait parlé de rien d'autre pendant une semaine, et Burden l'avait écoutée d'une oreille plus que distraite.

« J'espère que Mrs. Day viendra au thé de la Présidente le 12 avril, dit Mrs. Benham en saluant Burden.

— Le contraire me surprendrait beaucoup, la connaissant comme je la connais. Vous pouvez compter sur elle.

— Edith est un trésor. Bien sûr elle est de la marine, elle aussi. Nous sommes entourés par la marine ici. Vous connaissez le capitaine Grayson, dit Mrs. Wilson en désignant un petit homme tiré à quatre épingles, au visage avenant, qui venait de sortir de la suite sud-ouest.

— Sénateur », dit-il en serrant la main de Burden.

Un autre Sudiste, songeait Burden, amusé par l'idée qu'il avait fallu moins d'un demi-siècle à la Virginie pour reconquérir la Maison-

---

1. The First Lady, c'est-à-dire la femme du Président.

Blanche avec Woodrow Wilson qui, enfant, avait contemplé le visage vénéré de Robert E. Lee au moment de l'effondrement de leur pays commun. Maintenant le Sud réintégrait en force ses pénates ; et le Président était environné, comme il se doit, de Virginiens.

« Il va beaucoup mieux, monsieur, dit Grayson en s'adressant à Burden tout en regardant Edith. Mais ne le fatiguez pas trop. Il est fort comme un bœuf mais un rien le fatigue. Le système digestif...

— ... est toujours le premier à souffrir », acheva Edith.

Elle avait véritablement un sourire de petite fille, d'où peut-être le surnom de « petite fille » que lui avait donné le Président, et qui, vu le « tonnage » d'Edith, pouvait prêter à sourire dans l'entourage du couple présidentiel. D'autant que ce bâtiment de fort tonnage n'appareillait jamais sans être dûment pavoisé, festonné, enguirlandé, empanaché d'orchidées, la fleur préférée de la Présidente.

« J'ai été horrifiée quand j'ai appris ce qu'on donnait à Mr. Wilson pour son petit déjeuner.

— Deux jaunes d'œufs dans un jus de pamplemousse, répondit aussitôt Grayson. C'est ce qu'on recommande dans les cas de dyspepsie. Quoi qu'il en soit, laissez-lui conduire la conversation. »

Grayson donna encore plusieurs instructions à Burden qui eurent le don de l'agacer. Il était parfaitement capable de parler politique comme il l'entendait avec un homme qui n'était après tout qu'un politicien comme lui, tout Président qu'il fut. Edith l'introduisit ensuite dans la chambre à coucher.

Woodrow Wilson était assis dans son lit, le dos calé par quatre oreillers. Il portait une robe de chambre en laine à carreaux et sur le nez son fameux lorgnon. Son beau-frère, Randolph, était assis à son chevet. Un jeu de Ouija était posé sur le couvre-lit entre les deux hommes. Au moment où ils entrèrent, Randolph était en train d'inscrire sur un bloc de papier la lettre de l'alphabet sur laquelle la planchette s'était arrêtée sous la dictée de l'Esprit. Wilson mit un doigt sur ses lèvres cependant qu'Edith et Burden prenaient place à côté du grand lit de bois sculpté qu'Edith avait fait déménager de la prétendue « chambre à coucher Lincoln », située à l'autre bout du corridor. En réalité, ladite chambre à coucher avait été le bureau de Lincoln. Quant au lit, il n'y avait jamais dormi. On savait seulement que Mrs. Lincoln l'avait acheté pour une chambre d'ami. Pour sa part, Burden trouvait ce lit singulièrement hideux, en dépit de son caractère pseudo-historique. Il lui rappelait un de ces corbillards comme on en voit dans le sud de l'Italie. Il est vrai qu'il détestait tout ce qui lui rappelait la guerre civile. Les fauteuils de peluche rouge, les canapés de crin, les lampes à gaz étaient associés à ses souvenirs d'enfant pauvre ayant grandi dans le Sud de la Reconstruction avant que sa famille n'allât s'installer dans l'Ouest.

Pendant que les deux hommes finissaient leur partie, Edith murmura à l'oreille de Burden :

« J'ai trouvé cette maison dans un désordre et dans un abandon dont vous ne pouvez pas vous faire idée. Il faut avoir l'œil à tout vingt-quatre heures sur vingt-quatre si on veut y faire régner un semblant d'ordre. Vous pensez bien que ce n'était pas cette pauvre Mrs. Wilson, malade comme elle était, qui pouvait s'en occuper. Quant à Mrs. Taft, elle était bien trop grande dame pour s'abaisser à des tâches domestiques. Et maintenant avec tout l'argent qui va à la préparation militaire, on est obligé de se serrer la ceinture. »

En tout cas ils n'avaient pas l'air de trop souffrir des restrictions, songeait Burden. Et s'ils économisaient, c'était sans excès. Un feu pétillait dans l'âtre tandis qu'au-dessus de la cheminée un splendide paysage américain changeait agréablement des sempiternels portraits d'hommes politiques et de leurs épouses qu'on voyait un peu partout dans la Maison-Blanche, et qui donnaient à cette demeure l'apparence d'une annexe du musée Grévin. La fenêtre en face de Burden encadrait une vue hivernale du ministère de la Guerre où brillaient çà et là quelques lumières. Sur une table, sous l'appui de la fenêtre, se trouvait la machine à écrire du Président. On disait que Wilson tapait lui-même ses propres discours, et ce avec une habileté qu'auraient pu lui envier bien des dactylos. Et de fait il écrivait lui-même ses discours, pour lesquels il avait trouvé un ton à la fois doucereux et pontifiant qui ravissait d'aise tous ses concitoyens, y compris Burden qui en général était assez insensible aux prouesses oratoires de ses collègues.

Edith et Burden étaient tous les deux absorbés dans la contemplation du Président. Il n'était d'ailleurs nullement désagréable à regarder, et surtout il tranchait avantageusement sur son ancien rival. T.R. était toujours en mouvement, et donc le point de mire général, mais vu de près et au repos il n'avait rien de bien séduisant. Son visage joufflu était sans beauté, et la gesticulation de son petit corps grassouillet était tout sauf esthétique. Tout autre était Wilson. Il avait un long visage émacié, des cheveux grisonnants et fins coupés court, des yeux gris pâle attentifs, et sa peau était tendue sur sa fragile personne comme un précieux parchemin. Sur les conseils de Grayson il pratiquait le golf avec sa femme, qui était meilleure joueuse que lui. A soixante ans le vingt-huitième Président des Etats-Unis, qui venait d'être réélu pour un second mandat cinq mois plus tôt, paraissait tout à fait capable de briguer un troisième mandat, en 1920. Tel était le cauchemar actuel du politicien professionnel ; et Burden lui-même n'était, à tout prendre, rien d'autre qu'un politicien professionnel qui, comme tous ses collègues, se voyait déjà installé dans ce lit, sinon en train de jouer au Ouija. Aussi regardait-il avec un rien d'effroi celui qui serait peut-être le premier Président de l'histoire des Etats-Unis à avoir été élu trois fois de suite.

A ce moment Randolph décrypta le message du monde des esprits.

« Utilisez des mines pour couler les sous-marins allemands. Signé Horatio Nelson.

— Je me demande comment Nelson a pu prévoir les mines. Ou les sous-marins. »

Le Président avait une voix sonore, et seule une oreille aussi avertie que celle de Burden était capable de déceler l'accent virginien sous la parfaite diction professorale. Si Wilson n'avait pas écrit plus de livres que Roosevelt, il en avait en revanche écrit de plus volumineux : doctes manuels d'histoire qu'on étudiait dans les universités et qui faisaient de lui une espèce d'anomalie dans la vie politique américaine. Il était l'historien brutalement arraché à ses chères études afin de faire l'histoire sur laquelle d'autres ensuite écriraient. La plupart des politiciens le détestaient à cause de cette dualité. Mais Burden la trouvait au contraire fascinante. Le Président avait toujours l'air d'observer les autres et lui-même comme s'il savait qu'un jour ou l'autre il retournerait à son métier d'enseignant.

Le fait qu'il n'y eût encore jamais eu de Président semblable à Wilson le rendait d'autant plus difficile à cataloguer. Et d'abord dans quelle mesure l'historien professionnel, qui préférait le système parlementaire britannique au système présidentiel américain, inhibait-il le Président dans l'exercice de ses fonctions ? Wilson avait commencé son règne par un coup de théâtre parlementaire. Au lieu de faire lire son message au Congrès par le Speaker de la Chambre, comme ses prédécesseurs, il s'était rendu en personne au Capitole pour y lire son propre message, ce qu'aucun Président n'avait plus fait depuis John Quincy Adams. Il s'était conduit, en somme, comme un Premier ministre, sauf qu'aucun membre des deux Chambres n'avait pu lui poser de questions en vertu de la Constitution. Il aimait également s'entretenir personnellement avec les membres de la presse, ce qui permettait dans une certaine mesure de circonvenir leurs patrons. Finalement, comme il ne pouvait modifier les divers équilibres de la Constitution, il fut obligé, pour conserver son pouvoir, de louvoyer habilement entre les deux tendances du parti démocrate, tâche délicate pour qui appartenait à la fraction minoritaire, composée de Tammany Hall, de Hearst et pire (localisée principalement dans les Etats de la côte Est), tandis que l'aile majoritaire du parti (localisée dans le Sud et dans l'Ouest) suivait aveuglément et depuis trop longtemps les directives de William Jennings Bryan.

Burden savait qu'il avait été convoqué à la Maison-Blanche parce que, depuis son élection au Sénat, il était devenu le leader de l'aile bryanite du parti, qui détestait la guerre, l'Angleterre, les riches et par-dessus le marché Woodrow Wilson lui-même. La réélection de Wilson s'était jouée à quelques voix, parce que son propre parti le soupçonnait de vouloir se ranger aux côtés des Alliés dans la guerre contre l'Allemagne. Seul le slogan « Il nous a évité la guerre » avait finalement rallié les indécis. Maintenant la guerre était toute proche. Que faire ?

Wilson fit signe à Randolph d'enlever le jeu de Ouija et de se retirer. Edith comprit l'allusion et se dirigea également vers la porte. Arrivée sur le seuil elle se retourna et dit :

« Ne te fatigue pas trop.

— Voyons, ma petite fille, ce serait difficile dans un lit de malade, quoique avec ce lit-là on ne sache jamais. »

Wilson prit une liasse de papiers sur la table de chevet qu'il posa sur le couvre-lit.

« Avez-vous vu Mr. Bryan ? »

Burden secoua la tête.

« Je crois qu'il est en Floride.

— Et le Speaker ? » fit-il en jetant un regard à Burden à la dérobée qui eut pour effet de déconcerter ce dernier. Il est vrai que le sujet dont ils avaient à débattre présentait certaines complications. Le Speaker de la Chambre, Champ Clark, était l'héritier de facto de Bryan. Il s'était opposé à Wilson à tout bout de champ et, en 1916, il avait été pour Wilson un rival dangereux lors de l'investiture présidentielle. Et sans les manœuvres de bryanites wilsoniens comme Burden, Champ Clark pourrait maintenant se payer une bonne grippe dans le lit de Lincoln...

« Le Speaker est du Sud. Le Sud et le Sud-Ouest sont hostiles à toute intervention de notre part en Europe.

— Je le sais. Je suis du Sud moi aussi. C'est pourquoi je suis bien trop fier pour me battre », rétorqua Wilson en se citant lui-même. Cette petite phrase avait fait hurler tous les bellicistes du pays et notamment Theodore Roosevelt, le plus enragé de tous. « Je vous assure, monsieur Day, j'ai fait tout mon possible pour rester en dehors de cette terrible histoire. J'avais espéré que l'Allemagne serait assez intelligente pour ne pas me forcer la main, pour nous permettre de continuer à être ce que nous étions, neutres mais bienveillants...

— Envers l'Angleterre et la France. »

Le Président n'aimait pas être interrompu. Il enseignait depuis trop longtemps : les jeunes filles à Bryn Mawr, et les jeunes gens à Princeton ; et dans aucune de ces deux universités les étudiants ne se seraient permis d'interrompre un conférencier aussi inspiré. « L'Angleterre et la France, certes, mais nous exportons également du coton dans les pays d'Europe centrale, à la demande des sénateurs des Etats cotonniers...

— Dont je suis.

— Dont vous êtes. » Tout en parlant Wilson agitait d'un geste machinal la liasse de feuillets qui semblait requérir une bonne partie de son attention. Burden remarqua que deux d'entre eux étaient cachetés d'un sceau rouge. « Il est curieux de constater que, si je suis obligé d'entrer en guerre, cela réjouira les Républicains, qui sont nos ennemis, et contristera la majorité de notre parti. »

Burden, qui n'était pas juriste pour rien, avait tout de suite dégagé le mot clé de la phrase.

« Vous avez dit " obligé ". Qui vous oblige ?

— Les événements. »

Wilson regarda vaguement par la fenêtre en direction du secrétariat d'Etat où Robert Lansing, l'actuel secrétaire d'Etat, était sans doute occupé à expédier les affaires courantes, à l'inverse de son prédécesseur, le Grand Plébéien[1], dont l'activité politique se résumait à réclamer la paix à cor et à cri.

« Je sais que beaucoup parmi vous ont cru que j'avais conclu un accord lors des dernières élections... que vous aviez voté pour moi parce que je vous avais évité la guerre en dépit de toutes ces

_____

1. Bryan.

provocations. Eh bien... » Il avait soit perdu le fil de son discours soit décidé d'user du privilège régalien qui permet au Président d'abandonner à tout moment une argumentation virtuellement dangereuse. « Un ancien collègue de Princeton m'a demandé l'autre jour ce qui était le plus difficile pour un Président. » Wilson plongea son regard dans celui de Burden : le visage était solennel, mais les yeux brillaient derrière son pince-nez. « Heureusement qu'il ne m'a pas demandé ce qui était le plus facile. Je n'aurais peut-être pas pu lui répondre. Voyez-vous, à longueur de journée des gens viennent vous dire des choses que vous savez déjà, et vous devez faire comme si vous les entendiez pour la première fois. Le sénateur Gore m'a dit, il n'y a pas longtemps » — il y avait de toute évidence un lien entre ces truismes, auxquels le Président venait de faire allusion, et le sénateur aveugle d'Oklahoma dont les positions antibellicistes avaient déclenché toute une série de manœuvres parlementaires destinées à démasquer les intentions de Wilson —, « que je devais ma réélection uniquement aux efforts qu'il avait déployés en ma faveur en Californie.

— Il est vrai que vous devez votre majorité à la Californie. »

Wilson était allé se coucher le soir des élections en pensant que son adversaire républicain, Charles Evans Hughes, avait été élu; et Hughes de même. Le lendemain, les résultats de la côte Ouest donnaient Wilson vainqueur de justesse. Burden savait qu'un tel résultat n'eût peut-être pas été possible si ce charmeur professionnel de Gore ne s'était pas décidé à quitter sa retraite boudeuse d'Oklahoma City pour aller haranguer les électeurs de l'Ouest en faveur de Wilson. Gore n'avait consenti à s'engager aux côtés de Wilson qu'à la condition que celui-ci continuât de préserver la paix. La veille des élections, Gore avait télégraphié à Tumulty le score exact avec lequel Wilson l'emporterait en Californie.

Maintenant Wilson était confronté au problème épineux du choix. Il avait réussi jusqu'à présent à ménager la chèvre et le chou, à être à la fois le candidat de la guerre et celui de la paix. Cette valse-hésitation ne troublait pas beaucoup le public, qui avait la mémoire courte. Mais les sénateurs étaient constitutionnellement doués d'une excellente mémoire, de même parfois que les circonscriptions électorales. Certaines étaient obligées d'épouser les préjugés de leurs électeurs pro-allemands. D'autres se considéraient comme les architectes d'une nouvelle République, pure et sans tache. On trouvait à leur tête un certain La Follette, du Wisconsin. Son esprit borné, fixe et ardent, son entêtement, son idéalisme exalté jusqu'au fanatisme, étaient à coup sûr bien plus dangereux pour le pouvoir que les coups de gueule des bryanites, obligés de suivre plus ou moins les fluctuations d'une opinion publique dont la substance hautement volatile était le plus souvent fabriquée dans les presses de William Randolph Hearst et de ses confrères. Jusqu'ici Hearst s'était fait le porte-parole des Allemands et des Irlandais d'Amérique. Les journaux qu'il possédait dans les grandes villes du Nord flattaient sans vergogne les préjugés de cette populace des villes sur laquelle il comptait pour se faire élire Président en 1920.

« Je voulais être un Président réformateur, dit Wilson d'un air songeur. Il y avait tant de choses à faire dans ce pays, et nous avons fait beaucoup de réformes, très rapidement. »

Burden approuva sans réserve. Ces réformes dont Roosevelt parlait toujours avec tant de véhémence, Wilson les avait accomplies avec sagesse et persuasion. Sa connaissance approfondie de la Constitution lui avait souvent donné l'avantage dans ses joutes avec le Congrès. Il est vrai qu'en tant que recteur de Princeton il s'était fait la main, et que, tout bien considéré, une assemblée de parlementaires n'est pas plus difficile à mater, comme il aimait à le dire, qu'une classe d'étudiants. A quoi le sénateur Lodge (ou bien était-ce quelqu'un d'autre ?) avait rétorqué : « Mais il n'a jamais réussi à les mater, c'est bien pourquoi il s'est mis à faire de la politique. »

« Quelle position adopteriez-vous si je devais demander la guerre ?

— Cela dépendra de vos raisons. J'ai toujours pensé que vous aviez raté le coche — si c'est bien la guerre que vous voulez — lorsque les Allemands ont coulé le *Lusitania*, et que des centaines d'Américains ont perdu la vie. Ce jour-là l'opinion publique était prête à faire la guerre.

— Mais moi je ne l'étais pas. C'était trop tôt. Nous n'étions pas — nous ne sommes pas préparés.

— Il y a deux semaines, enchaîna Burden qui commençait à prendre goût à cette passe d'armes, lorsque vous avez renvoyé dans ses pénates l'ambassadeur d'Allemagne, le pays était de nouveau prêt... Et maintenant voici qu'éclate l'affaire Zimmermann... » Burden n'était pas sans savoir combien Wilson détestait recevoir des conseils, mais d'autre part il savait pertinemment que le Président l'avait convoqué à son chevet pour qu'il lui expose justement les sentiments du Sénat. « Le moment est venu. Vous ne pouvez plus guère attendre. La presse vous harcèle. Chaque jour il est question de la brave petite Belgique. De religieuses violées. D'enfants dévorés. Le

Boche est le diable. Si nous devons entrer en guerre, prêts ou pas, c'est le moment ou jamais. »

Wilson regarda les feuillets qu'il tenait à la main sans rien dire. Burden poursuivit :

« N'est-ce pas pour cette raison que vous nous avez convoqués en session spéciale ? Pour nous demander de déclarer la guerre ?

— Si je le demande, combien y aura-t-il d'opposants ? Et pour quelles raisons ? »

Les images poétiques et nuageuses dont Wilson truffait d'ordinaire ses discours (pour ne pas dire ses prêches) tendaient à s'évaporer quand il était confronté à un problème de politique pratique. Il redevenait le chef de parti soucieux de compter ses voix. Burden cita une douzaine de noms : les leaders.

« Pour le moment il y a dans chacune des deux Chambres une faible majorité hostile à la guerre, et rien ne les fera changer d'avis à moins que vous ne nous fournissiez un nouvel exemple de bocherie caractérisée. »

Wilson ôta son pince-nez, se frotta le haut du nez là où les plaquettes de ses lunettes avaient laissé deux petites traces rougeâtres semblables à des empreintes de pouce.

« Je crois sincèrement que les Allemands sont le peuple le plus stupide de la terre. Ils coulent nos navires, soutiennent les visées territoriales du Mexique contre nous, et maintenant voilà le plus beau, dit-il en montrant les journaux qu'il avait cochés au crayon rouge. Aujourd'hui même, trois de nos navires ont été coulés. Le *City of Memphis*. L'*Illinois* et le *Vigilancia*. »

Burden se sentit frissonner des pieds à la tête à la lecture de ces trois noms.

« J'ai essayé — je crois, avec une entière sincérité, mais qui peut sonder le cœur humain, à plus forte raison le sien ? — de rester en dehors de cette guerre — la plus stupide et la plus incroyable de toutes — qui, grâce à la banqueroute de l'Angleterre, vient de faire de nous la nation la plus riche du monde. Une fois que nous serons armés, aucune puissance ne pourra nous arrêter. Mais une fois armés, pourrons-nous jamais désarmer ? Vous voyez quel est ou du moins quel était mon problème jusqu'à ce que le Kaiser m'eût ce matin si opportunément et si malheureusement tiré d'embarras ? »

On eût dit brusquement que le visage du Président venait d'être sculpté à grands coups de burin dans un bloc de granit.

« Pourquoi avez-vous mis si longtemps à vous décider, alors que tout le monde sait bien que vous avez toujours été de cœur avec l'Angleterre et les Alliés ? »

Le regard de Wilson se perdit un moment dans le lointain, puis il finit par dire :

« J'avais trois ans quand Lincoln a été élu et que la guerre civile a éclaté. Mon père était pasteur à Staunton ; plus tard nous nous sommes installés à Augusta en Virginie. J'avais huit ans lorsque la guerre prit fin et que Mr. Lincoln fut assassiné. A Augusta l'église de mon père servit d'hôpital pour nos troupes. Je m'en souviens très bien. Je me souviens d'avoir vu Jefferson Davis défiler en tant que prisonnier à travers la ville. Je l'ai vu... Dans l'ensemble ma famille a très peu souffert de la guerre. Mais ce que nous avons vu autour de nous, l'amertume des vaincus, l'arrogance et la brutalité des vainqueurs... tout cela je me le rappelle très bien. Non, ajouta-t-il tandis qu'un timide sourire éclaira un instant son visage granitique, je ne suis pas un belliciste à tous crins comme le colonel Roosevelt, dont l'âge mental est celui d'un enfant de six ans, et qui, j'en ai peur, doit être entièrement dénué d'imagination. Voyez-vous, je suis tout à fait capable d'*imaginer* ce que cette guerre va faire de nous. J'espère me tromper, mais je crains fort qu'une fois que ce peuple — et je le connais bien — aura goûté à la guerre il oublie à jamais le sens du mot tolérance. Parce que, pour gagner une guerre, il faut être brutal et sans pitié, et cet esprit de brutalité et de férocité va imprégner la fibre même de notre vie nationale. Le Congrès, la police, et jusqu'aux simples citoyens, tout le monde en sera infesté. Nous gagnerons, certes. Mais que gagnerons-nous ? Comment aiderons-nous le Sud... je veux dire les puissances d'Europe centrale, à passer d'une mentalité guerrière à une mentalité pacifique ? Et nous, comment nous aiderons-nous ? Nous serons devenus semblables à ceux que nous aurons combattus. Nous essaierons de reconstruire un monde pacifique avec des valeurs héritées de la guerre. Ce n'est pas possible, et comme tous les pays auront été impliqués, il n'y aura plus de nation restée en dehors du conflit qui soit assez forte pour imposer une paix juste. C'est le rôle que j'avais espéré pour nous. Trop fiers pour nous battre dans la boue, mais prêts à servir de médiateurs, prêts à... »

La voix s'interrompit. Il y eut un long silence. Le soleil avait depuis longtemps disparu derrière les nuages ; la pièce n'était plus éclairée que par la lampe placée au chevet de Wilson et les braises qui mouraient tout doucement dans la cheminée. Bien qu'habitué à l'éloquence du Président, Burden n'était pas entièrement immunisé contre ses sortilèges. Wilson avait le don d'aller droit au cœur du sujet.

« Je rappelle le Congrès deux semaines plus tôt que prévu. Le 2 avril, je prononcerai... » Il posa les documents incendiaires sur sa table de chevet. « Comme c'est drôle, tout de même ! fit-il en secouant la tête d'un air dubitatif. Après tout ce que nous avons fait pour contrôler le grand capital, devinez ce qui va se passer maintenant ? Les businessmen n'auront jamais été à pareille fête. Car qui d'autre qu'eux peut nous armer ? Qui d'autre qu'eux va diriger la guerre ?

— Qui d'autre en effet ? »

Burden avait eu la même pensée. Si quelqu'un devait tirer profit d'une guerre, c'étaient les trusts, les cartels, et tous les spéculateurs de Wall Street.

« Nous reviendrons à l'époque de Grant. »

Wilson hocha la tête d'un air sombre.

« Et au cas où la guerre devrait s'éterniser, et que nous en ressortions affaiblis, nous avons à l'ouest notre véritable ennemi qui nous attend. La race jaune, conduite par le Japon, prête à nous submerger simplement par le nombre... »

Edith Wilson entra dans la pièce et alluma la lumière, ce qui eut pour effet d'arracher ces messieurs à leurs songeries apocalyptiques. En se levant, Burden remarqua un certain nombre de bibelots chinois disposés un peu partout sur les tables ainsi que sur les rayons de la bibliothèque, sorte de mémento esthétique de la crainte inspirée par les hordes asiatiques.

« Cela vient de chez moi, dit Edith pour répondre à la question muette de Burden. C'est une maison difficile à meubler », puis, tendant une feuille de papier au Président, elle ajouta : « De la part du colonel House. Je l'ai décryptée pour vous. Oh, mon Dieu, je n'aurais pas dû dire ça ! Vous êtes censé ignorer ces choses, dit-elle en se tournant vers Burden.

— Quoi donc ? Que le colonel House correspond avec le Président en langage chiffré ? Le contraire m'eût étonné. Il se trouve en ce moment en Europe, n'est-ce pas ? »

Wilson hocha la tête, jeta un coup d'œil à la lettre, puis il leva les yeux sur Burden.

« Il estime que nous devrions reconnaître le nouveau gouvernement russe. Le tzar a abdiqué. Mais la Russie continue de se battre... »

Il s'interrompit, regarda Edith sans la voir, l'esprit ailleurs, visiblement.

« Nous aurons besoin de tous nos alliés à présent », dit prudemment Burden. Il était un peu troublé à l'idée d'une femme de Président qui décode des messages ultra-secrets envoyés par l'émissaire officieux du Président en Europe, le très riche et très mystérieux colonel House du Texas.

« C'est également mon opinion. Notre ambassadeur voit cette révolution d'un très bon œil. Elle lui rappelle la nôtre, me dit-il. Il pense que nous devrions être la première puissance à les reconnaître, et que les autres suivraient...

— Henry Adams avait prédit tout cela il y a vingt ans. »

Burden se rappela soudain avec quelle allégresse Henry Adams avait annoncé la fin prochaine de la civilisation.

« Est-ce qu'il vit toujours ? demanda Wilson en pressant sur un bouton.

— Oui, mais il ne se déplace plus, ne rend visite à personne. Il habite toujours de l'autre côté de l'avenue. »

Burden montra du doigt Lafayette Park, tandis que Brooks, le valet nègre du Président, entrait dans la pièce. Burden serra la main de Wilson.

« Vous obtiendrez tout ce que vous voudrez le 2 avril, lui dit-il.

— Combien voteront contre ?

— Dix au maximum.

— Vous m'encouragez, sénateur.

— C'est vous, monsieur le Président, qui m'inspirez.

— C'était mon intention. » Un ange de la politique passa et le vent froid de ses ailes gela le cœur de Burden. « Maintenant il ne me reste plus qu'à m'inspirer moi-même. »

Brooks aida le Président à se lever de son lit. Edith raccompagna Burden jusqu'à l'ascenseur.

« Il dort très mal en ce moment, dit-elle.

— C'est normal en un moment pareil. »

Ils croisèrent une femme de chambre qui portait sous le bras une corbeille de noix de coco.

« Elles viennent d'arriver, Miss Edith. Les services secrets les ont apportées.

— Merci, Susan. Apportez-les à Mr. Wilson. »

Edith ouvrit la porte de l'ascenseur.

« C'est drôle, dit-elle. Susan est avec nous depuis vingt ans, mais nous menions une vie si tranquille qu'elle ne s'est toujours pas habituée à notre changement d'existence. »

5

Muni d'un badge et de documents, Blaise Sanford pénétra au Capitole par l'entrée du Sénat. Des soldats étaient postés devant chaque entrée, comme si une invasion était imminente, à moins que ce fussent *eux* les envahisseurs ? Allait-on proclamer la loi martiale ? se demanda Blaise.

Il avait écrit dans le *Tribune* de ce jour un éditorial extrêmement nuancé, pesant scrupuleusement le pour et le contre avec une équité digne du roi Salomon, au grand désarroi des éditorialistes attitrés du journal, qui n'avaient qu'une considération très mitigée pour tout ce que Blaise ou Caroline pouvaient écrire. Le *Tribune* était essentiellement républicain et pro-allié, grâce à l'influence de Blaise, avec occasionnellement des complaisances pour les Démocrates, dues à la longue amitié entre Caroline et James Burden Day. Lorsque le demi-frère et la demi-sœur étaient en désaccord sur la ligne de conduite à tenir, chacun exprimait sa position dans un article de même longueur, ce qui plongeait dans la plus grande consternation les rares Washingtoniens qui prenaient les éditoriaux au sérieux.

Une petite pluie fine annonçait la venue du printemps. Illuminé depuis en bas par des projecteurs, le dôme du Capitole ressemblait à une grosse lune toute blanche se profilant sur un ciel d'encre. Il y avait dans l'air un parfum de narcisse et de boue, mais l'odeur de crottin qui accompagnait d'ordinaire ce genre de cérémonies était absente. La récente sortie de Wilson au Capitole pour le discours d'inauguration était la dernière promenade d'un Président en calèche. Le monde appartenait désormais à Henry Ford. Blaise se réfugia sous une porte cochère, où ce soir aucune voiture n'était autorisée, afin que tout le monde pût jouir également, démocratiquement, du plaisir de se faire mouiller.

Heureusement, comme le Congrès avait déjà pris place à l'intérieur, aucune cabale sénatoriale ne pouvait bloquer le passage de César. Journalistes, diplomates, épouses et enfants de sénateurs convergeaient maintenant vers le Capitole où chacun recevait en entrant un petit drapeau américain des mains d'un patriote inconnu et bien organisé.

Au moment où Blaise pénétrait sous la rotonde, il fut arrêté par Ellery Sedgwick, l'éditeur de l'*Atlantic Monthly*.

« Je vais voir le Président, dit-il. Il est dans la Marble Room. Venez, allons lui dire bonjour. Tumulty m'a nommé membre honoraire des services secrets. C'était le seul moyen d'entrer. »

Blaise regarda sa montre : il était huit heures et demie. Le Président devait prononcer son discours à huit heures et demie. Mais quand il s'agissait du Congrès, l'heure n'était jamais respectée. Les sénateurs continuaient d'entrer dans l'hémicycle où, faute de chaises suffisantes, un grand nombre d'entre eux devrait se tenir debout.

« Ensuite je suis invité chez Henry Adams. Un petit souper intime. Vous serez des nôtres ? Il en sera *lui* », dit Sedgwick en désignant Henry Cabot Lodge, qui leur faisait vis-à-vis. Tête chenue, visage blême, barbe blanche et narines dilatées par l'importance de l'événement, le sénateur Lodge leur fit un petit signe amical de la main. Il était l'homme de Theodore Roosevelt au Sénat et le chef du parti belliciste.

Un agent des services secrets montait la garde devant la porte de la Marble Room. Lorsque les deux journalistes essayèrent d'entrer, il les arrêta.

« Mrs. Wilson vient de monter à la tribune, et le Président est en train de se préparer. Vous feriez mieux d'aller vous asseoir, monsieur Sanford. »

Blaise allait s'exécuter lorsqu'il aperçut le Président. Wilson se tenait debout au milieu de la pièce. Il était seul, les yeux baissés, le dos tourné à la porte. Il tenait dans la main gauche les feuillets sur lesquels était écrit son discours. Puis tel un somnambule, le Président se dirigea vers un grand miroir tout poussiéreux. Blaise vit alors le visage du Président dans le miroir. Il paraissait complètement décomposé. La bouche entrouverte avait une expression crétine et la chair flasque du cou se plissait sur le col dur. Les yeux étaient ronds, écarquillés, les muscles du visage relâchés. Si Blaise avait été à Paris et que le Président eût été un boulevardier, Blaise n'eût pas hésité une seconde sur le nom de la drogue que le Président avait prise : de l'opium. Mais il était au Capitole, et Wilson était un puritain. Soudain le Président prit conscience de l'image que lui renvoyait le miroir. Il rentra son double menton à l'intérieur du faux col à l'aide de ses deux pouces, lissa ses joues, cligna des yeux et serra les dents. Il était redevenu le Wilson svelte, au visage impénétrable, au regard vigilant. Cette métamorphose dûment notée, Blaise s'esquiva sur la pointe des pieds, car il ne voulait pas que le Président sût qu'il avait été observé.

Cependant on s'entassait dans les tribunes, des femmes du monde suppliaient pour avoir une place, tandis que les plénipotentiaires alliés réclamaient la guerre à grands cris. Heureusement le directeur administratif du *Tribune* occupait la place de Blaise, qu'il s'empressa de lui céder. Blaise avait à sa droite Frederika, sagement assise, les mains jointes, les traits tendus dans l'attitude d'une jeune fille qu'on emmène au spectacle pour la première fois, et à sa gauche le propriétaire du *Post* Ned McLean et sa femme Evalyn toute chamarrée de diamants, plus maléfiques les uns que les autres, aux dires de la presse — *leur* presse !

« Blaise, mon vieux ! » s'exclama Ned en lui tendant la main. Blaise la prit en maugréant intérieurement, car il avait horreur de se faire appeler « mon vieux » ou autre chose par cet insupportable béjaune.

« Il pourrait bien faire soif dans un moment », dit Ned en tendant une gourde en argent à Blaise, qui la refusa. Ned avait de gros yeux exorbités qu'il roulait comme un acteur de cinéma.

« Je vous le demande, est-ce une heure pour déclarer la guerre ? » fit Evalyn en s'emparant de la gourde. Elle portait des gants ajourés à travers lesquels scintillaient ses bagues en diamant. « Huit heures et demie, c'est l'heure à laquelle on se met à table d'habitude, n'est-ce pas, Frederika ?

— Comment peut-on penser à manger dans un moment pareil ! Evalyn, je ne vous savais pas si matérielle. Blaise, tu as entendu ce qu'Evalyn vient de dire ? »

Blaise acquiesça de la tête. Il avait les yeux fixés sur la tribune opposée où Caroline avait réussi à s'asseoir entre deux des filles du Président. Mrs. Wilson prenait place maintenant en adressant moult sourires et petits signes de la main à ses amis du parterre.

« Tiens, voilà la veuve Galt. »

Comme beaucoup de Washingtoniennes, Evalyn aimait à se représenter les Wilson comme un couple d'amoureux uniquement adonné aux plaisirs de la chair. Blaise et Frederika se trouvaient au théâtre avec les McLean le jour où le Président était apparu pour la première fois en public avec la veuve Galt. Elle disparaissait ce soir-là sous un tombereau d'orchidées. « Qu'est-ce qu'ils vont faire après le théâtre ? » avait demandé Evalyn. A quoi Frederika avait répondu : « Elle va manger ses orchidées et ensuite ils iront se coucher. »

A leurs pieds, l'élégant sénateur du Connecticut, Brandegee, faisait force courbettes aux magnats de la presse. Brandegee avait cherché à faire entrer Blaise au Sénat : le siège de Rhode Island, par exemple, était relativement bon marché, infiniment moins coûteux en tout cas

que l'entretien de la maison de plaisance de Newport qu'il avait
hérité de sa grand-mère. « Vous verrez, vous vous plairez au Sénat.
A part quelques raseurs, c'est le club le mieux fréquenté du pays. »
Mais Blaise n'était pas tenté par la politique. Le pouvoir, c'est
différent, bien sûr, et un directeur de journal a, somme toute, plus de
pouvoir que bien des sénateurs, ou du moins il en a l'illusion, ce qui
revient au même. L'image de Wilson dans le miroir n'était pas près de
s'effacer de sa mémoire. Si c'était ça le véritable pouvoir, Blaise s'en
passait volontiers.

Burden leur fit signe depuis le parterre. Il se tenait debout au fond
de la salle au milieu d'un groupe de sénateurs démocrates.

« Quelqu'un a-t-il lu le discours ? s'enquit Ned McLean en
arborant une expression qu'il jugeait appropriée à ses fonctions de
directeur du *Washington Post* dans une circonstance aussi solennelle.

— Non », répondit Blaise qui avait fait l'impossible — l'argent
n'est pas un problème, comme disait Hearst — pour s'en procurer un
exemplaire par l'intermédiaire du sténographe du Président, Charles
L. Gwen. Mais apparemment le Président avait tapé lui-même son
discours dans la nuit du 31 mars au 1er avril (quel joli poisson !). Blaise
était encore incapable de se représenter quelle allait être désormais
leur réalité de tous les jours : la guerre.

Wilson n'avait même pas jugé bon de montrer son discours à ses
ministres. Il s'était borné à leur dire qu'il ne savait pas encore s'il allait
proposer une déclaration de guerre pure et simple, ou bien, étant
donné qu'il existait déjà un état de guerre de facto, s'il ne se
contenterait pas de demander au Congrès les moyens de la mener à
bien. Certains détails de procédure mis à part, le Cabinet dans son
ensemble s'était déclaré en faveur de la guerre. Juste en dessous de
Blaise, le secrétaire d'Etat à la Marine, Josephus Daniels (le moins
belliqueux du Cabinet), était en train de prendre place auprès de ses
collègues de la Cour Suprême. Le Vice-Président était maintenant
assis sur son trône à côté du Speaker de la Chambre. Au-dessus de
leurs têtes, une pendule marquait huit heures quarante.

« Il est en retard, fit observer Frederika.

— Vous avez vu le visage de Cabot Lodge ? fit Ted en se penchant
par-dessus la balustrade. Regardez, il a l'œil poché.

— Qui lui a fait ça ? demanda Frederika, plus intéressée par une
scène de pugilat que par une guerre entre nations.

— Un pacifiste, répondit Ned.

— Ça, c'est la meilleure ! s'exclama Evalyn en tirant de son sac à main une paire de jumelles d'opéra incrustée de diamants et en la braquant sur Lodge. Ce devait être un solide gaillard. On ne rigole pas dans l'Ouest... »

Le Speaker se leva, les yeux fixés sur la porte située en face de lui. « Le Président », commença le Speaker, puis, ayant attendu que le silence se soit fait dans la salle, il ajouta : « des Etats-Unis ». La Cour Suprême se leva en premier, suivie par le Cabinet et par toute l'assistance. Alors Wilson pénétra dans la salle. Il marchait d'un pas raide, un peu guindé. A un moment donné il s'arrêta : on n'entendait plus que le bruit de la pluie sur la verrière. Puis les applaudissements éclatèrent comme un coup de tonnerre. Wilson remonta rapidement l'allée centrale jusqu'à l'estrade sans regarder à droite et à gauche les mains qui se tendaient vers lui. Il gravit l'estrade, se retourna, salua le Vice-Président et le Speaker. Puis ils s'assirent, et l'histoire déroula son cours.

Wilson tenait son discours au-dessus du lutrin, et tout en lisant il avait l'air de se parler à lui-même. Sa voix était ferme, et comme toujours exquisément balancée. Elle était aussi éloignée du nasillement américain que du bredouillement anglais.

« Messieurs les membres du Congrès (un rapide coup d'œil courtois à l'assistance), je vous ai convoqués en session extraordinaire parce que certaines décisions politiques très graves doivent être prises sans tarder... » Wilson exposa brièvement quel était le problème. Mais comme il était non seulement un des acteurs de l'histoire, mais également un professeur d'histoire, il ne put s'empêcher, comme tous ceux qui engagent leur pays dans une guerre, d'invoquer des motifs plus nobles que l'amertume, la colère, la rancune, la vengeance ou le désir de représailles. « La guerre que les sous-marins allemands livrent contre notre commerce est une guerre contre l'humanité. » Blaise sentit brusquement la tête lui tourner. Les Américains allaient réellement se battre en France, le pays où il était né et où il avait grandi. Il avait quarante-deux ans : il allait maintenant devoir se battre pour deux pays.

Brusquement tout lui parut irréel : la salle mal éclairée, plongée dans une pénombre verdâtre, le martèlement de la pluie sur la verrière, et toutes ces trognes de politiciens à moitié sourds tendant l'oreille pour ne rien perdre des paroles de l'homme qui aujourd'hui incarnait la voix de la nation, entendue pour la dernière fois, quand ? à Gettysburg ? « La dernière chance de paix. » Le gouvernement du peuple par le peuple. Des belles phrases destinées à dissimuler ce que l'exercice de la politique avait de plus sordide. Les nations n'étaient que des agrégats informes dont l'homme éloquent sait traduire les aspirations confuses. Il n'était pas sorcier de deviner ce qui allait suivre. Blaise en eut du reste tout de suite la confirmation.

« C'est là un défi jeté à l'humanité tout entière. Chaque nation doit décider pour elle-même, en son âme et conscience, comment elle y fera face. » Que déciderait le Paraguay, ou la Côte-d'Ivoire, ou le Siam ? se demandait plaisamment Blaise. D'une main ferme et assurée Wilson enfonça le premier clou dans le joli cercueil de la paix : « ... il semble que la neutralité armée ne soit plus praticable à l'heure actuelle ». Nouveaux coups de marteau. « Une chose est certaine, nous ne choisirons jamais la voie de la soumission... » On entendit alors un grand soupir à travers tout l'hémicycle, suivi de ce qui parut être aux oreilles de Blaise comme un coup de feu. Le Président leva les yeux d'un air intrigué en direction du bruit, tandis que le Juge de la Cour Suprême, levant les bras au-dessus de sa tête, lentement, rythmiquement, se mit à frapper dans ses mains, tel un général qui donne le signal de la bataille, et tout l'auditoire, Blaise y compris, se mit à applaudir et à crier à l'unisson. Ned McLean poussa un hurlement de révolte, vite noyé sous les tonnerres d'applaudissements, et avala une gorgée de whisky. Les yeux exorbités d'Evalyn brillaient comme ses diamants. A l'autre bout de la salle, Caroline se tenait immobile entre les deux filles de Wilson qui applaudissaient à tout rompre. Blaise prévoyait des réunions houleuses dans les salles de rédaction.

Le visage de Wilson était légèrement coloré après cette démonstration ; sa voix se fit plus forte à mesure qu'il enfonçait le dernier clou. « C'est avec le sentiment profond du caractère solennel et même tragique de la démarche que j'entreprends... » Tragique pour qui ? se demandait Blaise. Pour les futurs morts bien évidemment. Ou bien Wilson essayait-il de dire que le pays tout entier était maintenant embarqué dans une tragédie en tant que nation ? Mais comment une masse aussi énorme et aussi disparate d'individus pourrait-elle jamais partager une chose aussi intime et aussi terrible qu'une tragédie ? La tragédie, ça concernait les individus, c'est du moins ce que Blaise avait toujours cru. Maintenant il saisissait. Wilson voulait parler de lui-même. Tragique pour lui : « ... le caractère tragique de la décision que moi je suis en train de prendre ». Il y avait là de la grandeur, voire même de la folie. Comment appeler ça : donquichottisme ? C'est vrai, Wilson était, à ce moment-là, la personnification de tout un peuple.

Mais cet instant passerait, et d'autres hommes, aussi vaniteux que lui, dont certains étaient assis en ce moment même dans cette enceinte, un jour lui succéderaient.

« J'exhorte le Congrès à déclarer que les dernières mesures prises par le gouvernement impérial allemand à l'égard du gouvernement et du peuple américains constituent comme autant de menaces et de témoignages d'hostilité à l'encontre dudit peuple et de son gouvernement... » Wilson attribuait la responsabilité de la guerre à l'Allemagne, puis il demandait qu'on lui déclarât la guerre. Derechef le signal des applaudissements fut donné par un juge de la Cour Suprême ivre et larmoyant. Des cris de révolte et d'hostilité retentirent. Quelque chose commençait de se déchirer. Etait-ce la civilisation ? se demandait Blaise. Ce concept un peu falot ne l'avait certes jamais beaucoup titillé, mais à tout prendre ne valait-il pas mieux qu'une salle pleine d'hommes hurlant à la mort comme des bêtes féroces ?

Comme s'il avait prévu la sauvagerie des réactions qu'il avait déchaînées, Wilson se réfugia prestement en terrain sacré. « Nous sommes à l'aube d'une ère nouvelle où les principes moraux qui régissent les rapports entre les citoyens des nations civilisées seront observés dans les rapports entre ces mêmes nations. »

« On dirait qu'il n'a jamais entendu parler de Mr. Hearst », murmura Frederika à l'oreille de Blaise.

Blaise faillit éclater de rire. La remarque de Frederika avait du moins eu le mérite de rompre l'espèce d'enchantement que le grand magicien était en train de verser à ces sauvages ivres de guerre.

« Ni du colonel Roosevelt », répondit Blaise, au grand agacement d'Evalyn subitement gagnée par cette fièvre patriotique. Ned, lui, ronflait.

« ...nous combattrons ainsi pour instaurer à tout jamais la paix dans le monde et pour la libération de tous les peuples, le peuple allemand y compris ; pour les droits de toutes les nations, grandes et petites, et pour que les hommes, partout dans le monde, puissent choisir librement leur mode de vie et leur allégeance. Nous devons mettre tout en œuvre pour assurer le triomphe de la démocratie partout dans le monde ».

Quelqu'un se mit à applaudir bruyamment. Wilson avait à peine commencé la phrase suivante qu'il s'interrompit, comme s'il venait à l'instant de prendre conscience de la signification des paroles qu'il avait prononcées. Il y eut d'autres applaudissements, de plus en plus nourris. Qu'est-ce au juste que la démocratie ? se demandait distraitement Blaise, et comment faire pour assurer le triomphe d'une notion aussi fumeuse, aussi vague, aussi indéfinissable ? Le servage, l'esclavage, la tyrannie, eux, étaient des réalités si tangibles, si palpables, qu'on pouvait peut-être les empêcher sinon de naître, du moins de croître et de prospérer. On fait dire aux mots ce qu'on veut ; ils se prêtent à l'erreur autant qu'à la vérité, à l'imprécision autant qu'à la convenance. La démocratie, qu'est-ce que c'était ? Tammany ? La camarilla gouvernementale ? La politicaille ? Le népotisme ? L'oligarchie ? On n'avait jamais compté autant de millionnaires au Sénat.

Blaise regarda la pendule. Il était neuf heures moins le quart. Le Président parlait depuis près d'une demi-heure. On nageait en plein irrationnel, des voix ancestrales avaient repris leurs chuchotements, de vieux chants guerriers résonnaient sous la coupole : *nous nous rassemblerons une fois de plus autour du drapeau, les gars, pour pousser le cri de guerre de la liberté...*

Le magicien versait maintenant son dernier philtre. « C'est une chose terrible que de conduire à la guerre cette grande nation pacifique — cette guerre qui s'annonce déjà comme la plus terrible et la plus désastreuse de toutes les guerres. Mais la justice est plus précieuse que la paix, et nous combattrons pour les principes et les idéaux qui ont toujours inspiré notre conduite, que nous avons toujours chéris et honorés... » Mais oui, allons-y, pensa Blaise. Tuons pour faire régner la paix ! Frederika l'avait pour un moment désenvoûté, mais le charme persistait. Il le voyait en ce moment agir sur les sauvages trépignant sous ses pieds, qui donnaient au sorcier non seulement leur adhésion, mais également leur enthousiasme, lequel enthousiasme nourrissait à son tour celui du sorcier. La magie engendre la magie. « ... avec la fierté de ceux qui savent que le jour est venu où l'Amérique aura le privilège de verser son sang... » On arrivait enfin au but de l'exercice : le sang. Ils avaient replongé dans la pré-histoire, la tribu tout entière était réunie autour du feu. Maintenant c'était au tour du dieu-ciel de bénir la tribu. « Avec l'aide de Dieu, elle ne peut agir autrement. » Le Dieu de Martin Luther avait le mot de la fin. Gott mit uns. Jamais Blaise ne s'était senti plus catholique.

Wilson regarda vers la tribune. L'auditoire le regardait avec des yeux brillants, écarquillés. Etait-il maintenant tout seul avec lui-même tel que Blaise l'avait aperçu quelques instants plus tôt dans la Marble Room, ou bien ne faisait-il plus qu'un avec la meute des chasseurs autour de lui ? Blaise n'aurait su le dire, car tout le monde était debout, y compris Blaise et Ned, les bras noués mollement autour du cou d'Evalyn.

Blaise se pencha en avant pour voir le Président sortir de la salle. Lodge, le visage tuméfié, s'avança pour serrer la main de Wilson et murmurer à son oreille quelque chose qui le fit sourire. Derrière Lodge, le grand La Follette mâchonnait un chewing-gum, assis, les bras croisés pour bien montrer que lui du moins n'applaudissait pas le sorcier. Comme ils se frayaient un chemin à travers la foule, Blaise dit à Frederika : « Qui aurait cru que hier encore il y avait une majorité en faveur de la paix ?

— Crois-tu qu'ils savent réellement ce qu'ils font ? La guerre a toujours été une espèce de sport pour les hommes, et je suppose que pour beaucoup d'entre eux il y aura de l'argent à gagner.

— Des masses pour tous ceux qui... » qui sont quoi au juste ? se demanda Blaise. Des fils et des petits-fils de riches comme lui. Et si lui n'éprouvait pas le besoin d'accroître sa fortune — contrairement au tirage du *Tribune* — cela ne signifiait pas qu'il était différent de Mr. Baruch, le financier new-yorkais qui s'était acquis une place de choix au sein du parti démocrate en tant que prêteur d'argent du Président, moyennant bien entendu certains tuyaux qui pouvaient lui être utiles dans ses affaires. Mais Mr. Baruch n'était pas plus à blâmer pour son désir franchement avoué de gagner de l'argent que tous les fils à papa millionnaires du Sénat.

Le corridor exhalait une odeur de whisky et de laine humide. De toute évidence Ned McLean n'avait pas été le seul à fêter l'événement. Caroline dit en les rejoignant :

« J'ai promis à l'Oncle Henry de lui faire un récit détaillé de la soirée. Il a promis en échange de nous régaler. »

Blaise dit non. Frederika dit oui ; et ils montèrent donc tous les trois dans la Pierce Arrow de Caroline.

« Comment se fait-il que tu te sois trouvée avec les Wilson ? »

Frederika posait souvent les questions à la place de Blaise.

« Je cultive Mr. McAdoo parce qu'il veut devenir Président, et que je préfère mes papillons à l'état de chenille.

— Mais comment arrives-tu à fréquenter quelqu'un comme Eleanor McAdoo ? »

Frederika, comme beaucoup de Washingtoniens, n'avait jamais pu prendre tout à fait au sérieux le petit théâtre fédéral qui changeait de distribution, sinon de programme, tous les quatre ou huit ans, parfois plus tôt quand il arrivait — ô surprise — à l'un des locataires de la Maison-Blanche d'être assassiné dans l'intervalle.

« Je commence à me montrer excessivement gentille envers Margaret, le laideron de la famille. Ce qui me fait bien voir de tout le monde.

— Comme tu es maligne ! » s'exclama Frederika.

Dans l'ensemble, Blaise était plutôt déçu par l'absence de frictions entre les deux belles-sœurs. Il avait espéré davantage de drame entre les deux Mrs. Sanford, surtout dans une aussi petite ville. Mais chacune restait fidèle à sa petite coterie ; et lorsque la grande Frederika Sanford recevait dans le palais des Sanford de Connecticut Avenue, Caroline venait assez souvent prêter son sourire à ces réceptions où se pressait le Tout-Washington des affaires et de la politique, et notamment les gros bonnets du parti républicain. La cour de Caroline à Georgetown était plus restreinte et plus sélective. Ses dîners ne comptaient jamais plus de dix personnes, et ses invités étaient réputés principalement pour leur conversation. On y trouvait donc plus d'étrangers que d'Américains, et parmi ces derniers plus de New-Yorkais que de Washingtoniens de vieille souche.

Le départ des Roosevelt de la Maison-Blanche avait rendu la capitale à sa torpeur de petite ville de province. Et ce n'est assurément pas le Président Taft, gros homme grincheux qu'une presse incapable de rompre avec les clichés (voire d'en inventer de nouveaux) s'était ingéniée à représenter comme un homme d'un commerce doux et agréable, et sa femme, la fière et pompeuse Mrs. Taft, qui avaient offert un spectacle très alléchant à un public toujours friand de drames. L'arrivée des Wilson avait suscité de grandes espérances. Malheureusement Mrs. Wilson était tombée malade presque aussitôt, et le Président, homme d'un naturel réservé, s'était tout bonnement identifié à ses fonctions. Il y avait donc eu deux Wilson : l'homme public, éloquent et brillant, et le Woodrow Wilson secret, amoureux des livres et adoré de ses filles, retiré dans ses appartements privés et occupé à soigner sa femme.

Les efforts de Caroline pour pénétrer dans l'intimité des Wilson avaient été des plus méritoires, car d'instinct elle ne se sentait pas attirée par eux. Mais maintenant, avec l'entrée des Etats-Unis dans la guerre, les choses prenaient une autre tournure. L'histoire, un moment stationnaire, reprenait sa démarche titubante d'homme ivre, et aujourd'hui c'était Wilson qui chevauchait la vieille bourrique, comme le vieux John Hay l'avait dit plaisamment un jour en parlant de McKinley. Et soudain le personnage d'Edith lui-même commençait à accuser un certain relief, tandis que la tête chevaline de Miss Margaret Wilson s'auréolait d'un nimbe.

Le vieux serviteur d'Adams (était-il aussi âgé que son maître ? Non, c'était impossible) les introduisit dans le bureau qui avait été pour Caroline le centre de sa vie washingtonienne, à la fois théâtre et salle de classe, dont le maître était ce diable de petit homme chauve, au teint rose et à la barbe blanche, petit-fils et arrière-petit-fils de deux des anciens occupants de la Maison-Blanche. Il était de surcroît l'historien de la vieille République et, avec son frère Brooks, le prophète et l'annonciateur de cet empire dont McKinley et Roosevelt avaient été les principaux artisans.

Le vieillard les accueillit devant la cheminée, pièce de proportions modestes mais d'aspect spectaculaire sculptée dans un bloc d'onyx vert veiné d'écarlate de provenance mexicaine, au-dessus de laquelle était accroché un dessin de William Blake représentant Nabuchodonosor en train de brouter de l'herbe. « C'est là, disait-il à ses hôtes, le châtiment qui accompagne souvent toute grandeur humaine. » Depuis vingt ans que Caroline connaissait Adams, ni la pièce avec ses bibelots exquis ni son propriétaire n'avaient beaucoup changé. Seuls avaient disparu ceux qui étaient autrefois les occupants attitrés de ces fauteuils, comme John et Clara Hay, aujourd'hui décédés, et qui avaient vécu longtemps dans la maison mitoyenne de celle d'Adams (les deux maisons communiquaient par un couloir intérieur). D'autres avaient quitté l'Amérique pour l'Europe comme cette Lizzie Cameron, la bien-aimée lointaine d'Adams, arrivée maintenant à l'automne de son âge et toujours aussi friande de chair fraîche (de jeunes poètes en l'espèce). Aussi, pour meubler sa vie et ses pièces, Adams avait-il engagé une certaine Aileen Tone, femme d'une grande distinction qui lui tenait lieu à la fois de secrétaire et de dame de compagnie. Elle était comme lui spécialiste de la musique du XIIᵉ siècle, représentée dans un coin de la bibliothèque par un piano Steinway — l'équivalent d'une alliance aux yeux de Caroline, heureuse de voir que son vieil ami était aussi bien entouré. Il était comme toujours environné d'une flopée de « nièces ». En son temps Caroline avait été une de ces « nièces ». Maintenant elle se contentait du rôle d'amie — l'amitié ayant toujours été la passion essentielle du cercle d'Adams.

Adams embrassa Caroline et salua Blaise et Frederika d'une légère inclinaison du buste. Comme les altesses royales, il n'aimait guère serrer la main.

« Il a osé ! Je n'en reviens pas. Racontez-moi ça. De quoi avait-il l'air ? »

Adams était assis sur un fauteuil spécial, bas sur pieds (accommodé à sa petite taille), le dos tourné à la cheminée. Il clignait des yeux comme une chouette en plein midi. Caroline invita Blaise à décrire ce qui s'était passé au Capitole. Blaise, comme toujours, se montra précis dans sa description, n'omettant aucun détail. Caroline fut particulièrement frappée, de même qu'Adams, par la scène du miroir.

« Qu'est-ce que cela pouvait bien vouloir dire ? demanda Caroline d'une voix faussement innocente.

— Il ne peut plus reculer, voilà ce que ça voulait dire, exulta Adams. Enfin c'est fait !

— Vous approuvez ? fit Caroline surprise par l'enthousiasme du vieil homme.

— Bien sûr, pour la première fois de ma vie je suis en accord avec la majorité — des gens que nous connaissons, s'entend — et je ne me risquerai pas à formuler la moindre critique. Toute ma vie j'ai rêvé d'une espèce de communauté atlantique, et maintenant nous l'avons ! Nous allons combattre aux côtés des Anglais. C'est trop beau pour être vrai. » Un sourire glissa dans sa barbe. « Je puis maintenant envisager la ruine totale de notre civilisation avec plus d'équanimité que je ne l'aurais cru.

— Vous êtes toujours aussi pessimiste ? » fit Blaise.

Il est toujours aussi beau, songeait Caroline en regardant son frère, ce qui de sa part n'était pas un mince éloge, car, comme Lizzie Cameron, son goût en matière d'hommes commençait d'aller vers les jeunes gens.

« Toute chose a son déclin, vous savez. Je ne me suis jamais trompé dans mes prédictions jusqu'à présent. Les événements m'ont toujours donné raison, hélas ! La révolution russe, ne l'avais-je pas prédite, elle aussi ? Certes Brooks m'y a un peu aidé. C'est curieux tout de même comme on peut se sentir propriétaire même d'une prophétie !...

— Sauf quand elles sont fausses », dit Caroline.

A ce moment Eleanor Roosevelt et sa secrétaire personnelle, une charmante blonde, entrèrent dans la pièce, apportant le froid avec elles.

« C'est la faute de Caroline, s'excusa Eleanor. En sortant du Capitole, je m'apprêtais à rentrer directement à la maison — dans quel état, vous pouvez l'imaginer ! — quand elle m'a dit que vous auriez la bonté de nous recevoir. Alors j'ai sauté sur l'occasion : un soir pareil, qui veut rester seul ?

— Où est votre mari ? Non, ne me dites rien. Au secrétariat d'Etat à la Marine, en train de donner l'ordre à l'amiral Dewey de s'emparer de l'Irlande.

— Nous avons enterré ce pauvre amiral il y a deux mois. »

Caroline s'étonnait qu'Eleanor eût engagé une secrétaire aussi séduisante, à moins bien entendu qu'Eleanor ne fût elle-même amoureuse, au sens souvestrien du mot.

« Envoyez le cercueil en Irlande », s'écria Adams tandis que William servait le champagne. Dans la pièce d'à côté un buffet avait été dressé. Caroline observa qu'Eleanor le couvait du regard. Elle ne s'en étonna pas, car elle la savait très gourmande, bien que de toutes les maisons de Washington ce fût chez elle qu'on mangeait le plus mal.

« Franklin est au département de la Marine avec Mr. Daniels. Tout se précipite maintenant. J'en ai la tête qui tourne. Je suis toutefois heureuse de savoir que Mr. Wilson habite en face de chez vous.

— Ma chère enfant ! s'exclama Adams de cette voix d'ancêtre un tantinet lugubre qu'il aimait à prendre pour annoncer les catastrophes. Le locataire de cette maison n'a jamais modifié en rien le cours de l'histoire. C'est l'énergie — ou son manque — qui détermine à elle seule la marche des événements.

— Ne dites surtout pas ça à mon Franklin, je vous en prie. Il ne faut pas décourager les hommes de bonne volonté, surtout lorsqu'ils sont animés d'un noble idéal. »

Quand Eleanor se rendit compte qu'elle était devenue brusquement le point de mire de tous les regards, son visage se colora d'un rose foncé — le rose puritain, comme aimait à le qualifier Caroline, que ravissait toujours chez son amie ce mélange de douceur et d'élévation morale, allié à la plus parfaite absence d'humour.

« C'est justement celui à qui j'aurais le plus envie de le dire, et qui aurait peut-être le plus besoin de l'entendre. Ah ! voici nos grands seigneurs. Comme les mages, ils sont venus jusqu'à ma modeste étable, guidés par l'étoile. Soyez les bienvenus, messieurs, dans mon étable. »

Sur le seuil de la porte se tenaient l'ambassadeur d'Angleterre, Sir Cecil Spring Rice, et le sénateur Cabot Lodge, dont la joue toute gonflée et l'œil poché ravirent d'aise Adams, qui aimait bien taquiner son ancien élève d'Harvard. Tandis que Blaise, Frederika et Eleanor se dirigeaient vers le buffet, Caroline et la secrétaire d'Eleanor restèrent avec Adams pour accueillir les nouveaux venus.

Spring était un vieil habitué du Tout-Washington. Il avait été nommé en poste à Washington dans sa jeunesse, s'était introduit dans le petit cercle des amis d'Adams connu sous la dénomination de « Cinq de Cœur ». Puis il était devenu l'ami intime de Theodore Roosevelt, et il lui avait servi de garçon d'honneur lorsque celui-ci s'était remarié quelques années après avoir perdu sa première femme. Maintenant il était revenu, vieux et malade, à titre d'ambassadeur de Sa Gracieuse Majesté, sur le théâtre de ses débuts. Il portait une barbe poivre et sel pareille à celle du roi George V et ses yeux exorbités ressemblaient à ceux de Roosevelt. Pour un homme qui n'en avait plus pour longtemps à vivre, il faisait encore preuve d'une belle énergie.

« Vous aviez deviné juste, dit Spring Rice en serrant Adams dans ses bras.

— Comme toujours, mon cher Springy. Cabot, peut-on savoir qui vous a frappé ?

— Un pacifiste, mais vous auriez dû...

— Le voir. Je sais à quels excès la passion politique peut conduire un homme. Mais nos compatriotes auront bientôt l'occasion d'exercer leur énergie sur d'autres adversaires. Qui aurait cru que Wilson oserait un jour ? »

Spring Rice désigna Lodge.

« C'est lui qui l'y a poussé. Avec l'aide de Theodore, la besogne sera vite faite », dit-il en acceptant une coupe de champagne. Puis, levant son verre, il ajouta : « Et maintenant tout commence. »

Tous levèrent solennellement leur verre.

« Notre dernière séance hygiénique, dit Lodge en souriant dans sa barbe à l'ambassadeur.

— Depuis ces deux dernières années, expliqua Spring Rice, les atermoiements de Mr. Wilson m'ont tellement irrité que chaque fois que j'étais sur le point d'éclater, Cabot me laissait venir dans son bureau exhaler ma colère contre votre gouvernement, jusqu'à ce que la crise soit passée. D'où ce mot d'hygiénique.

— Pauvre Springy, dit Adams.

— Maintenant c'est un homme heureux, dit Lodge.

— Les Alliés auront-ils besoin de nos soldats ? » demanda Caroline.

A l'inverse des lecteurs du *Tribune*, Caroline connaissait la réponse à la question que le Président avait éludée dans son discours, hormis cette allusion au « privilège de verser son sang pour son pays ».

« Nous serons la forge, précisa Lodge. Nous fournirons des armes, de l'argent, des vivres. Rien d'autre.

— Rien d'autre », répéta Spring Rice en souriant à Caroline, avant d'ajouter avec cette indiscrétion propre au diplomate patenté qui a trouvé la bonne oreille : « Cependant Mr. Wilson a fait une réflexion curieuse à Mr. Tumulty en rentrant à la Maison-Blanche...

— Vous savez *déjà* ce qu'il a dit ! »

Adams ressemblait à une espèce de gnome hilare clignant des yeux à la lumière.

« Les services secrets britanniques ne dorment jamais, contrairement aux gouvernements britanniques...

— Qu'a-t-il dit à Tumulty ? » interrogea Lodge avec avidité.

Si l'aversion de Roosevelt pour le professeur pacifiste qui l'avait remplacé à la tête de l'Etat était parfaitement compréhensible, celle de Lodge à l'égard de Wilson était pour le moins curieuse. Caroline l'attribuait pour sa part à une rivalité entre universitaires. Comme si Lodge, un ancien de Harvard, rageait d'avoir été supplanté par un ancien de Princeton. En fait la principale critique de Lodge aux discours de Wilson, c'était de dire que bien qu'acceptables, peut-être, suivant les critères de Princeton, ils ne l'étaient pas selon ceux d'Harvard. Lodge avait été par ailleurs le seul intellectuel proprement dit de la vie politique américaine jusqu'à l'arrivée de Wilson à la présidence. Il avait suffi de deux ans en effet pour que l'ancien recteur de Princeton accédât d'abord au poste de gouverneur du New Jersey, puis à la Maison-Blanche. On ne connaissait pas d'exemple d'ascension aussi rapide dans l'histoire des Etats-Unis, exception faite des militaires. C'était donc moins la jalousie de Cabot qui étonnait que son intensité. Peut-être qu'Alice Longworth avait vu juste, lorsqu'aux funérailles de Mrs. Lodge, l'année précédente, elle avait déclaré : « Cabot va devenir impitoyable sans Sœur Anne. »

« Comme ils regagnaient la Maison-Blanche au milieu des acclamations, entre deux rangées de soldats au garde-à-vous sous la pluie, reprit Spring Rice en se tournant à demi vers Caroline : vous voyez comme moi aussi j'aime bien ajouter une touche de couleur locale à mes froides dépêches politiques.

— Je vois, dit Caroline, mais si je puis me permettre une suggestion, j'évite le plus possible les adjectifs...

— Un nom, un verbe, un complément, intervint Adams. Concision, clarté, élégance, c'est tout ce qu'il faut pour bien écrire.

« — Au fait », réclama Lodge.

Il ressemblait à un chat à l'affût d'une souris.

« Le Président a dit : " Vous avez entendu ces applaudissements... "

— La vanité de cet homme est insondable ! On devrait dire vain comme un maître d'école. Non, que dis-je ? Vain comme un prédicateur du Maryland ! »

Dans le répertoire d'insultes de Lodge, celle-ci était la pire.

« Mais il avait raison, dit Caroline. J'étais là. C'était une véritable ovation. Un tonnerre d'applaudissements, ou...

— Comme la rupture d'un barrage, suggéra Spring Rice.

— Je n'ai encore jamais vu de barrage se rompre pour pouvoir qualifier de manière précise le bruit que ça peut faire.

— Mais encore ? demanda Lodge en faisant un pas en avant suivi d'un pas en arrière comme un petit terrier.

— Si vous cessez de m'interrompre, Cabot, je vous le dirai. Il a dit : " Mon message était un message de mort pour nos jeunes gens. Au nom du ciel, comment ont-ils pu applaudir ça ? "

— Le couard ! » lâcha Lodge.

Caroline se tourna vers Lodge et, abandonnant pour une fois son tact coutumier, elle répliqua du tac au tac :

« C'est bien joli de dire ça, mais quand on est trop âgé pour se battre, on ferait mieux de se taire, me semble-t-il.

— Caroline, dit Adams en passant son bras sous celui de la jeune femme, voulez-vous me conduire à la salle à manger ? »

Mais c'était le vieil homme qui soutenait la tremblante Caroline. Il ajouta pour la rasséréner :

« A quoi bon chercher à raisonner les enthousiastes ? Ils réagissent comme des automates. Ils se nourrissent de l'énergie qu'il y a dans l'atmosphère, et aujourd'hui il y en a beaucoup.

— Trop pour moi, j'en ai peur. »

Adams lui tapota le bras, puis il alla rejoindre ses autres invités.

La conversation était maintenant générale. Les ministres des Affaires étrangères des puissances alliées seraient bientôt à Washington. Le secrétaire au Foreign Office, Arthur Balfour, arriverait le premier, « avant son homologue français », précisa Caroline en acceptant du canard froid en gelée de sa voisine, Lucy. (Lucy comment, au fait ?) L'arrangement de la table, éclairée aux bougies, évoquait davantage les fastes du Faubourg Saint-Germain que les plaisirs plus rustiques des Adams du Massachusetts. Chaque année, jusqu'à la déclaration de guerre en Europe, Henry Adams venait passer plusieurs mois à Paris pour faire sa cour à Lizzie Cameron, méditer sur la musique du XIIᵉ siècle et dénigrer son célèbre ouvrage *Le Mont Saint-Michel et Chartres*, publié en 1913 après une gestation de plusieurs décennies. Cependant Caroline n'aurait jamais pu imaginer sa vie en Amérique — du moins à Washington — sans les conseils toujours judicieux de cet homme réputé par ailleurs pour sa causticité et sa véracité.

« Vous n'aimez donc pas Mr. Lodge ? » dit Lucy à l'oreille de Caroline, d'une voix basse avec un léger accent du Sud. On la voyait souvent dans les réceptions officielles données dans le west end de la capitale. Qui était-elle au juste ? se demandait Caroline. Indifférente aux questions généalogiques qui constituaient l'essentiel des conversations mondaines de la capitale, Caroline avait dû apprendre les innombrables ramifications reliant telle et telle personne afin de pouvoir répondre à la question « Qui est-elle ? » qu'on posait toujours sans la formuler aussi directement, chaque fois qu'on désirait, par exemple, situer la place de telle ou telle épouse dans l'ordonnance générale des choses décrétée par la Providence. Caroline avait voulu écrire un jour dans le *Tribune* un article intitulé : « Saint-Simon sans le roi. » Mais Blaise l'en avait dissuadée en lui disant avec la rosserie propre à un frère : « Et aussi sans Saint-Simon. »

Le visage de Lucy luisait doucement à la clarté des bougeoirs. De grands yeux bleu foncé. Un teint de camélia, pour se servir d'une expression souvent usitée par la chroniqueuse mondaine du *Tribune*. C'était en quelque sorte une version embellie d'Eleanor, propre à susciter son admiration ou sa jalousie... Qu'en aurait pensé Mlle Souvestre ?

« Je connais Mr. Lodge depuis trop longtemps pour le détester. Il fait partie de la vie américaine. Je préférais naturellement sa femme, Nancy. On l'appelait aussi Sœur Anne.

— Mr. Roosevelt a beaucoup d'admiration pour lui.

— Ils sont très liés tous les deux en effet.

— Je parlais de votre Mr. Roosevelt à vous. »

Elle avait décidément de très beaux yeux. Mlle Souvestre aurait sûrement approuvé, se dit Caroline. Lucy était en outre une Carroll de Carrollton, c'est-à-dire une catholique, ce qui n'aurait pas forcément déplu à Mlle Souvestre qui, comme de nombreux athées en France, avait beaucoup de respect pour l'Eglise. Lucy *Mercer*. Caroline poussa un soupir de soulagement. Elle s'était enfin ressouvenue de son nom.

Après tout, si elle ne connaissait pas mieux sa ville d'adoption qu'un simple autochtone, de quoi s'avisait-elle de publier un journal destiné à toucher le plus large éventail de familles politiques ? Le père de Lucy, le major Carroll Mercer, avait fondé le country-club le plus select de la ville, dans le village de Chevy Chase dans le Maryland. Un club si exclusif que Woodrow Wilson refusait d'y jouer au golf en même temps que le jeune Mr. Roosevelt.

Sur ces entrefaites Aileen Tone s'était jointe à elles. C'était une femme très spirituelle, contrairement à la plupart des dames de compagnie.

« J'ai essayé de persuader Lucy de chanter avec nous, Mr. Adams et moi, mais jusqu'ici elle a toujours refusé.

— C'est parce que vous vous souvenez de mon alto de jeune fille, dit Lucy, mais en vieillissant, j'ai acquis une voix de baryton.

— C'est parfait pour *Richard Cœur de Lion*, dit Aileen en se tournant vers Caroline. Nous sommes en train d'étudier les anciennes notations musicales pour savoir comment la musique du XIIᵉ siècle pouvait sonner. La chanson du prisonnier dans *Richard* nous a permis de progresser beaucoup.

— *O, Richard, ô mon roi, tout le monde t'abandonne* », entonna Caroline.

C'était un des airs préférés de Marie-Antoinette. On comprend pourquoi.

« XVIIIᵉ siècle, Grétry, remarqua Aileen. C'est charmant, bien sûr...

— On m'a déjà frappé aujourd'hui, dit Lodge en s'approchant de Caroline, mais j'ai répondu aussitôt par un uppercut du droit. Et maintenant...

— Vous allez m'en envoyer un du gauche, dit Caroline en souriant.

— Non, je réponds toujours en nature. Vous m'avez attaqué verbalement, je vous répondrai donc avec des arguments appropriés.

— Oh, mon Dieu ! s'écria Aileen. Mr. Adams ne va pas aimer ça.

— Caroline sait très bien pourquoi j'ai traité Wilson de lâche. Nous aurions dû entrer en guerre lorsque les Allemands ont coulé le *Lusitania*, mais il a eu peur de perdre une partie de son électorat lors des élections. Parce qu'il n'y a pas de parti démocrate sans les Allemands et les Irlandais.

— Les Allemands votent habituellement républicain, commença Caroline.

— Mais si j'avais été favorable à une guerre contre l'Allemagne à ce moment-là, ils auraient tous voté contre lui, poursuivit Lodge d'une voix égale. Et nous en avons douze millions parmi nous, y compris les Juifs allemands comme Kuhn, Loeb et Warburg, qui détestent l'Angleterre et adorent le Kaiser, et maintenant que notre bon Mr. Morgan n'y est plus, il n'y a plus personne pour leur faire entendre raison. Wilson a fait semblant de rester neutre pour obtenir leurs suffrages. Mais une fois qu'il les a eus — y compris ceux des Irlandais — il n'aura plus qu'à s'attribuer le mérite d'une victoire sur l'Allemagne pour devenir le premier Président de notre histoire à avoir assumé trois mandats. »

Caroline prenait plaisir à écouter Lodge lui exposer ses arguments qui, s'ils n'étaient pas tous véridiques, avaient du moins le mérite d'être plausibles. Le plus amusant c'est qu'il était sincère, comme la plupart des hommes politiques d'ailleurs... Mais ce soir Caroline était possédée d'une humeur malicieuse.

« Après son discours, vous lui avez serré la main. Que lui avez-vous dit ? »

Lodge répondit superbement :

« Ce que je lui ai dit ? Je lui ai dit : " Monsieur le Président, vous venez d'exprimer dans les termes les plus nobles les sentiments du peuple américain. " Que pouvais-je lui dire d'autre ?

— Péchez hardiment ! » dit Caroline.

Lodge la regarda d'un air intrigué.

« C'est de Luther, expliqua-t-elle.

— Il n'y a que les catholiques pour bien connaître Martin Luther.

— Je ne l'ai pas lu, dit Lucy en faisant un petit signe de la main à Eleanor.

— Toute référence théologique mise à part, c'est avant tout une question de bon sens, dit Caroline.

— En l'occurrence de quel péché m'accuse-t-on ?

— Du péché d'orgueil, sénateur Lodge.

— C'est tout, madame Sanford ?

— N'est-ce pas suffisant ? C'est l'orgueil qui causa la chute de Lucifer.

— Lucifer était l'étoile du matin. Wilson n'est qu'un petit maître d'école de rien du tout.

— C'est l'étoile de notre matin à nous, Cabot. Mais ses péchés lui seront remis parce qu'au fond de lui-même il déteste cette guerre qu'il est contraint de faire — à l'inverse de vous.

— Comment pouvez-vous affirmer une chose pareille ? Lisez-vous au fond des cœurs ? »

Le visage de Lodge était devenu tout blême, sauf sous l'œil droit où le coup de poing du pacifiste avait laissé une marque rouge.

« Il est rusé, finassier, retors, artificieux. Hardi, aussi, du moins comme pêcheur. Vous avez peut-être raison. Mais si, comme vous le dites, il n'aime pas cette guerre, vous conviendrez qu'il s'aime terriblement lui-même, et qu'il est aussi jaloux de sa propre gloire que...

— C'est vous qui êtes Lucifer, Cabot ! s'exclama Caroline ivre de fureur et aussi de tristesse.

— Moi ? fit Lodge en reculant d'un pas comme s'il craignait de recevoir un second coup de poing dans la même journée.

— C'est curieux, observa Adams apparu soudain comme par enchantement, Dieu n'énonce que des platitudes tout au long du *Paradis perdu*, alors que tout ce que dit Lucifer est un festin pour l'esprit, ce qui n'est pas hélas toujours le cas de notre cher Cabot. »

Le visage de Cabot s'éclaira d'un large sourire de béatitude.

« Vous voyez, dit-il en se tournant vers Caroline. Je vous laisse assigner à Mr. Wilson le grand rôle sulfureux. Mais n'oubliez pas que c'est lui, et non pas moi, l'ange déchu...

— Mais Lucifer a entraîné dans sa chute le tiers des anges, à ce qu'il paraît...

— Je puis vous garantir, dit Henry Adams, que Cabot serait resté bien sagement dans les cieux, au pied du trône du Très-Haut, comme chef de la majorité des anges restés fidèles, à chanter ses louanges durant toute l'éternité.

— C'est parce que je suis de Boston où seuls les Lowell ont la permission d'adresser la parole aux Cabot, et où moi seul ai le droit de parler au Tout-Puissant. »

Caroline se demandait combien d'Américains de sa connaissance seraient tués dans cette guerre qui venait d'emporter la semaine précédente son demi-frère préféré, le prince Napoléon d'Agrigente. Plon se trouvait au quartier général de son régiment dans une fabrique de papier réquisitionnée près de la Somme. Durant la nuit ils avaient été bombardés, et le lendemain matin son corps avait été identifié grâce à un étui à cigarettes tout bosselé sur lequel ses initiales étaient entrelacées à celles d'une dame qui manifestement n'étaient pas celles de sa veuve. Plon, qui pourtant n'était guère plus jeune que le sénateur Lodge, avait insisté pour rejoindre son régiment dont il avait fait partie autrefois à titre honorifique. Tout en adressant à Lodge son plus chaleureux sourire, Caroline n'aurait pas été fâchée, en eût-elle eu le pouvoir, de l'expédier au fin fond de l'enfer.

CHAPITRE II

1

Une odeur de saucisse grillée chatouilla délicieusement les narines de Jess lorsqu'il pénétra chez les Harding au numéro 2314 de Wyoming Avenue. La duchesse était bonne cuisinière. Elle mijotait souvent des petits plats pour son mari tout en veillant à ce qu'il reste aussi sobre que possible, ce qui n'était pas toujours facile, étant donné son goût pour le poker, le bourbon, le tabac et la compagnie de ces tentateurs professionnels que sont les politiciens.

« C'est vous, Jess ? croassa une voix à l'étage.

— C'est moi, duchesse.

— Vous avez déjà pris votre petit déjeuner ?

— Non, m'dame.

— Tant pis pour vous. Maintenant il est trop tard. Prenez place. »

Jess s'assit près de la baie vitrée qui donnait sur la cour arrière. La maison n'était pas complètement terminée, contrairement au domicile des Harding à Marion, avec ses nombreuses et subtiles petites touches décoratives évocatrices non seulement de toutes les autres demeures opulentes de Marion, mais aussi de celle de la mère de Jess à Washington Court House, sans parler du petit nid d'amour dont il avait longtemps rêvé pour Roxy et qui hélas était resté à l'état de rêve, car Roxy avait préféré vivre en appartement, laissant Jess affronter tout seul les horreurs de l'armoire à balais au bas de l'escalier. Jess sentit les larmes lui monter aux yeux en pensant à Roxy. Le docteur l'avait pourtant averti qu'en tant que diabétique à pression artérielle élevée, il serait sujet à de brusques crises de larmes pour des raisons purement physiques. Harry Micajah Daugherty apparut sur le seuil, un cigare éteint entre ses doigts boudinés.

« Jess, mon garçon.

— Quoi de neuf ? »

C'était généralement par ces trois mots que Jess saluait les gens qu'il connaissait au pays, et même ceux qu'il ne connaissait pas mais qu'il rencontrait dans les parages du tribunal, centre originel de son monde, lequel englobait à présent non seulement Columbus et l'hôtel de ville, mais la capitale fédérale elle-même et le Capitole.

« Ce que je sais, c'est que ça va barder ce soir, pour sûr, répondit Daugherty en sifflotant d'une voix atone la chanson qu'on associait d'ordinaire à la guerre hispano-américaine, et en particulier au héros de San Juan Hill, Theodore Roosevelt.

— Il paraît que T.R. est arrivé en ville hier au soir. »

Daugherty se laissa tomber dans un profond fauteuil dont la têtière était légèrement oblique, comme le regard de Daugherty. Jess ne savait jamais lequel de ses deux yeux vous regardait, le brun ou le bleu. Pour des raisons esthétiques il préférait la qualité cristalline du bleu. Mais quand il s'agissait d'éprouver sa confiance, il préférait la sincérité touchante du brun, en dépit du léger tic dont il était affecté. Pour le reste Harry M. Daugherty était un politicien de cinquante-sept ans, trapu, les cheveux en brosse comme des baguettes de tambour, au visage glabre et parfaitement inexpressif à part le tic nerveux auquel nous venons de faire allusion. Il se mit à siffloter trois notes en gamme ascendante.

« Comment va votre femme ? » demanda Jess.

Les mêmes notes, mais cette fois en gamme descendante. Daugherty secoua la tête et desserra les lèvres.

« Pas fort, Jess. Pas fort du tout. L'arthrite, Jess, on n'a pas idée de ce que c'est. Cette femme souffre le martyre, Jess, voilà ce qu'elle souffre. » Et comme il le faisait presque chaque fois qu'il parlait de sa femme invalide, Daugherty se mit à siffloter *Love's Old Sweet Song* avec un léger trémolo dans la voix. Même la duchesse, qui pourtant n'était pas sentimentale pour deux sous, était bien obligée de reconnaître que leur union à tous les deux était une véritable histoire d'amour, ce qui malheureusement n'était pas le cas du ménage Harding. Il est vrai que la duchesse avait cinq ans de plus que son mari. En réalité, elle avait le même âge qu'Harry Daugherty. Et quand une femme est plus âgée que son mari et qu'en plus elle n'a jamais tellement brillé par sa beauté, elle a intérêt, quand elle joue avec les allumettes, de s'en saisir par le bout soufré, comme on dit à Fayette County.

Harry avait été très satisfait de la façon dont Jess avait organisé la rencontre avec Mme Marcia. Jusqu'alors la duchesse n'avait jamais été tellement séduite par la perspective de se voir un jour avec son mari installés à la Maison-Blanche. Le Sénat lui suffisait amplement. A Warren aussi, disait-elle. Et celui-ci la laissait dire. Mais ce que Warren disait était une chose et ce qu'il pensait en était une autre, d'après Daugherty en tout cas qui était l'homme au monde qui connaissait le mieux Warren, ou plutôt W.G., comme il l'appelait.

Vingt ans plus tôt, lorsque Daugherty eut compris qu'il n'arriverait jamais à être plus que président de parti, il résolut de mener une carrière de haut vol par procuration. Et lorsque, quelque temps plus tard, il fit un beau matin la connaissance de Warren Gamaliel Harding dans la cour du Richmond's Globe Hotel, à une vingtaine de kilomètres de Marion, il décida séance tenante que ce beau et jeune législateur d'Etat et éditeur du *Marion Star* deviendrait un jour Président des Etats-Unis. C'est du moins ce qu'il aimait à laisser croire, et W.G. l'écoutait parler les paupières mi-closes, la tête à demi penchée, avec un sourire énigmatique aux lèvres. Jess les connaissait maintenant tous les deux depuis assez longtemps pour avoir été témoin des nombreux embellissements qu'au fil des années Daugherty avait fait subir à son histoire. Car l'ascension de Harding n'avait pas été aussi rapide, ni aussi irrésistible que Daugherty aimait à le laisser entendre. Après deux mandats à la législature d'Etat, W.G. avait rempli un mandat comme lieutenant gouverneur de l'Etat, puis il avait repris la direction du *Marion Star*, dont il avait doublé le tirage grâce à la duchesse, laquelle n'avait pas sa pareille quand il s'agissait de faire rembourser les débiteurs. Six ans plus tard, en 1910, W.G. avait essuyé son premier échec aux élections pour le poste de gouverneur. Mais deux ans après Daugherty avait rétabli la fortune de Harding en obtenant des gros pontes du parti républicain qu'ils accordent à Warren la faveur de prononcer le discours d'investiture de William Howard Taft à la convention du parti. Du jour au lendemain le sémillant politicien aux tempes argentées, à la voix claire et sonore, était devenu une figure nationale. Deux ans plus tard, en 1914, il était élu au Sénat lors de la première élection où les sénateurs étaient choisis non par les législateurs d'Etat, comme les pères fondateurs l'avaient prévu, mais par le peuple lui-même. A présent Daugherty intriguait pour faire élire son ami à la Maison-Blanche. Ce que W.G. pensait de tout cela dans son for intérieur était un mystère pour Jess. En revanche la duchesse, elle, ne craignait pas d'exprimer fréquemment le fond de sa pensée.

« J'ai déjà visité la Maison-Blanche, disait-elle. C'est meublé sans goût ni raffinement, ce qui est peut-être la faute des Wilson. D'ailleurs comment peut-on vivre avec tout ce monde autour de soi ? On ne peut pas faire un pas sans avoir le sentiment que quelqu'un vous observe caché derrière un de ces palmiers en pot. »

La duchesse était occupée en ce moment à remettre un peu d'ordre dans la pièce, ce qui consistait pour l'essentiel à vider les cendriers dans la cheminée.

« Où rencontrerez-vous le colonel Roosevelt ?

— Chez Mrs. Longworth. Votre maison préférée après la Maison-Blanche. »

Daugherty adorait taquiner la duchesse. Comme elle n'avait pas le moindre humour, on pouvait la charrier comme on voulait.

« Je n'ai encore jamais mis les pieds chez elle. Et elle non plus n'est jamais venue ici. Et pourtant, fit la duchesse en scandant ses mots, je suis la femme du sénateur de l'Ohio, alors que Nick Longworth n'est que le représentant d'une bande de propres-à-rien de Fridolins de Cleveland, et il ne le serait même pas si mon Warren (prononcé Wurr-r-r- en) ne l'avait pas aidé à se remettre en selle après la dérouillée qu'il a ramassée en 1912, et qu'il n'avait pas volée, soit dit en passant, un ivrogne et un débauché pareil...

— En tout cas, il est au Congrès maintenant, et Alice est toujours la fille du Président...

— De l'ex-Président. Ce qui ne l'empêche pas d'être toujours aussi prétentieuse. Avec ses grands airs, son visage fardé et sa cocaïne.

— Comment le savez-vous ? demanda Jess.

— C'est mon dentiste qui me l'a dit, répondit la duchesse avec un effrayant sourire angélique. Il se trouve que nous avons le même dentiste, toutes les deux. Vous savez qu'elle a toujours des problèmes avec sa mâchoire depuis cette ruade que lui a décochée un cheval. Alors il lui a prescrit de la cocaïne, et elle en demande de plus en plus. Elle est complètement droguée. »

Harry soupira :

« Si elle l'était vraiment, elle ne s'en vanterait pas, croyez-moi. Elle dit ça par bravade, pour choquer, ce qui est tout à fait dans son style.

— Vous avez beau dire, moi les dentistes ça me connaît », dit la duchesse d'un ton sans réplique.

A ce moment-là le sénateur républicain de l'Ohio, Warren Gamaliel Harding, entra dans la pièce sa redingote sur le bras. Il portait une paire de bretelles rouge écrevisse et un col dur détachable d'une blancheur immaculée tranchant sur son visage olivâtre dont les traits réguliers, quoique légèrement brouillés, semblaient accréditer la légende selon laquelle les Harding étaient une famille nègre qui aurait viré au blanc à l'avant-dernière génération.

« Harry. Jess. Duchesse », dit-il d'une voix barytonante. Bien qu'Harding n'eût pas encore franchi la subtile frontière entre le fort et le gros, on observait déjà une absence de délimitation inquiétante entre l'estomac et l'abdomen, qu'atténuait quelque peu la chute seyante des pantalons.

« Mangez un morceau, les garçons.

— Trop tard, déclara la duchesse, imperturbable. Tillie a déjà desservi. »

Jess aida W.G. à endosser sa redingote pendant que Daugherty, lui, considérait attentivement *sa* création. Jess s'était souvent demandé si ce n'était pas plutôt le contraire. Si ce n'était pas Daugherty qui était la création de W. G. Daugherty parlait stratégie matin, midi et soir, et W.G. l'écoutait sans rien dire, le regard au loin, perdu dans ses pensées. Il ne se livrait guère, émettait rarement une opinion politique. En revanche, il s'adonnait à de savants soliloques que lui inspirait la page sportive du journal, sa lecture favorite. Cependant, chaque fois que Daugherty se mettait à discuter de l'élection de 1920 — leur objectif essentiel, la raison d'être de leur association à tous les trois —, c'était toujours W.G. qui semblait conduire la discussion, comme par exemple en ce moment où, assis sur son vieux rocking, il dépouillait tranquillement son courrier tandis que la duchesse était partie houspiller la bonne à la cuisine.

« C'est le premier télégramme du colonel. Il date du mois dernier. Il est naturellement très content. Préparation militaire. Patriotisme. Tout le tremblement. » Harding chaussa ses lunettes. « Je me suis moi-même engagé dans une des divisions qu'il a l'intention de lever. Des volontaires. » Soupir. « Je ne vois pas très bien ce que je pourrais lui dire... »

Daugherty se leva. Il ressemblait à un moteur de Ford quand on le met en marche, songeait Jess qui enviait à son ami non seulement son brillant cerveau mais aussi sa formidable énergie.

« Vous avez fait tout ce que vous pouviez, W.G. Vous avez collé votre amendement — l'amendement Harding — à la loi sur la préparation militaire, et il a été accepté. Ce n'est pas votre faute si Baker et Wilson ont refusé de l'honorer, en ignorant délibérément la volonté du Congrès par esprit partisan...

— Pas de discours, je vous en prie, dit doucement Harding. C'est mauvais pour la digestion, surtout de bonne heure le matin. J'ai déjà des aigreurs d'estomac.

— Alors, qu'est-ce que vous allez dire au colonel aujourd'hui ? demanda Daugherty en se laissant tomber dans un fauteuil.

— Trois et non une, répondit Harding avec un sourire séraphique.

— Trois quoi ?

— Je veillerai, lors du vote du prochain projet de loi, à ce qu'une clause soit prévue autorisant le colonel à lever non pas une mais trois divisions de volontaires, comme il l'a fait durant la guerre contre l'Espagne, lorsqu'il a exhorté tous les braves à se rallier autour du drapeau ! »

W.G. lâcha un petit rot, puni qu'il était d'avoir enfreint la règle qu'il s'était fixée de ne pas prononcer de discours le matin.

« Ils vont vous descendre en flammes. Wilson n'autorisera même pas le colonel à creuser des latrines. »

Harding écarta ses papiers.

« C'est une affaire entre le Président et le colonel. Moi j'aurai fait mon devoir envers le colonel ; c'est tout ce qui compte, n'est-ce pas, Harry ? »

Daugherty hocha la tête.

« Ça, c'est drôlement malin, W.G., et en plus c'est la vérité. Vous êtes à peu près le seul lien entre ce fou et les Républicains réguliers, s'il désire vraiment se réconcilier avec nous...

— Il le désire autant que nous. Nous sommes prêts à l'accueillir, à lui pardonner, bien qu'il soit cause de la division du parti, et qu'il ait contribué par cette scission à faire élire les Démocrates. Ce qu'il regrette amèrement aujourd'hui. » Harding ralluma le cigare éteint qu'il tenait à la main. « Je pense, dit-il après avoir tiré quelques bouffées d'un air songeur, que je vais lui suggérer d'être notre porte-bannière lors des prochaines élections.

— Pourquoi ? demanda Daugherty en rendant oblique le plan de sa prunelle droite.

— Hughes est un peu juste, et Taft est définitivement enterré. Que reste-t-il ? dit Harding en souriant à Jess comme s'il représentait à lui seul toute une délégation de suffragettes.

— Vous le savez bien », dit Daugherty en détournant le regard.

Mais Harding, du moins en présence de Jess, ne répondait jamais aux insinuations de Daugherty.

« S'il obtient ses divisions, et qu'il parte à la guerre, il reviendra en héros pour la deuxième fois...

— Justement.

— C'est précisément ce que doit se dire Mr. Wilson ce matin. Quoi qu'il en soit, je tiens comme toujours à ce que mes amis soient heureux. »

Daugherty gloussa.

« Le colonel Roosevelt est votre ami à présent ?

— Bien sûr. Du moins il le sera après cette matinée. »

Pour sa plus grande joie, Jess fut autorisé à accompagner ses grands amis au domicile de Mrs. Nicholas Longworth dans M Street. La matinée était humide, le soleil pâle, la presse surexcitée. Une douzaine de journalistes et de photographes se tenaient devant l'étroite maison de briques rouges. Quand ils aperçurent le sénateur Harding, ils coururent vers lui, le pressant de questions. Jess était ému à l'idée qu'il venait de voir cet homme si recherché chez lui en bretelles et en bras de chemise, alors que la presse — qui est à la fois les yeux et la voix du peuple — devait se contenter d'un simple coup d'œil et de quelques mots.

« Maintenant les gars, doucement. Je ne suis que le propriétaire du *Marion Star*, un petit journal de province, ce n'est pas comme vous qui travaillez pour l'empire Hearst et... Oh, mais je vois que le *World* lui aussi est représenté. Je ferais donc mieux de la boucler... »

W.G. amusa les journalistes pendant quelques minutes sans leur donner la moindre information. Puis il entra dans la maison suivi par Daugherty et Jess.

Le vestibule était bourré de journalistes de gauche et d'amis du grand homme. Si Jess détestait les progressistes sans exception, Harding, lui, savait leur parler, plaisanter avec eux, les flatter. Mais Alice Longworth n'était pas disposée à lui laisser jouer dans sa maison d'autre rôle que celui de courtisan, sinon de suppliant, du roi-guerrier. « Sénateur ! » s'écria-t-elle en lui prenant le bras et en l'entraînant dans la salle à manger. Jess consulta Daugherty du regard. Que faire ? Daugherty n'hésita pas. Il entra dans la pièce d'un air décidé. Jess lui emboîta le pas, conscient qu'il entrait dans le saint des saints, dans l'officine sacrée où se fabriquait l'histoire, car au haut bout de la table Theodore Roosevelt était assis avec à sa droite le sénateur Lodge et une demi-douzaine d'autres ténors du parti. Jess s'assit près d'une console recouverte de cadeaux de mariage inutilisés qui le dérobaient partiellement aux regards.

L'apparition de Harding produisit un effet électrique sur l'assemblée. Roosevelt bondit sur ses pieds. Lodge se leva languissamment. Quoi qu'ils aient pu penser de Harding — et Jess était bien conscient de l'espèce de mépris social qu'éprouvaient ces gens-là pour des personnes toutes simples comme W.G. et sa duchesse —, la présence du représentant de l'Ohio dans cette pièce (avec tout ce que cela représentait de richesse, sans parler du poids électoral de cet Etat) ne laissait pas d'impressionner même le petit colonel rondouillard à la voix perçante.

« Monsieur Harding, lui dit-il en lui serrant vigoureusement la main, vous ne savez pas ce que votre visite signifie pour moi. Je n'oublierai jamais votre loyauté, sénateur. Jamais. » Roosevelt se tourna vers Lodge qui était en train de réprimer un bâillement. Mais Jess réalisa ensuite que le colonel n'avait pas pu voir le bâillement, parce qu'il avait perdu l'œil qu'il avait tourné vers Lodge en frappant dans un punching-ball lorsqu'il était à la Maison-Blanche. « Je ne parle pas pour moi, mais pour le pays tout entier. Mr. Harding a été le seul parmi tous les sénateurs à comprendre la nécessité d'organiser indépendamment des conscrits un corps de volontaires.

— Le seul ? » murmura Lodge.

Mais Roosevelt, le verbe haut, arpentait maintenant la salle à manger. Dans l'entrée Alice conférait avec son mari, Nick, un homme chauve, au regard triste, aux moustaches tombantes, qui appartenait à l'une des plus grandes familles de Cleveland, et était très lié avec les McLean. Le vieux John McLean avait commencé sa carrière dans l'Ohio lorsqu'il avait hérité du *Cincinnati Examiner;* et plus tard il avait acheté le *Washington Post.* Jess était très fier de son Etat d'origine, l'Ohio, qui avait donné récemment au pays trois Présidents : Hayes, Garfield, McKinley, sans compter les Longworth, les McLean — les Harding ?

Harding avait finalement pu placer un mot.

« Comme je me trouvais dans le voisinage, dit-il en baissant légèrement la tête (car il était timide, du moins en présence de ceux qui étaient incapables d'oublier ses origines ni les leurs du reste), j'ai pensé que ce serait bien de vous présenter mes respects, colonel, et de vous dire que, quel que soit le projet de loi qui va sortir à la prochaine session, il y aura un amendement Harding demandant trois et peut-être même quatre divisions de volontaires, et plus tôt vous pourrez les lever, colonel, et plus tôt la guerre sera gagnée. »

Pendant que Roosevelt saisissait la main de Harding dans les siennes, Jess observait comme le visage de Roosevelt était devenu gris, gris terreux. Gris aussi la moustache et les cheveux tandis que derrière le pince-nez poussiéreux les yeux étaient embués de larmes. A cinquante-huit ans, Roosevelt avait l'air d'un vieillard. L'année précédente il avait failli mourir d'une mauvaise fièvre qu'il avait attrapée en chassant le gros gibier en Amazonie.

« Je vous le jure, sénateur, je ne décevrai pas votre confiance, et laissez-moi vous confier ce que j'ai l'intention de dire aujourd'hui au Président, ajouta-t-il en baissant brusquement la voix jusqu'au murmure. J'irai en France à la tête de mes troupes, et je ne reviendrai pas. Parce que je sais qu'après trois mois sur le champ de bataille, je serai lessivé...

— Je crois, Theodore, dit Lodge, que, si vous arriviez à convaincre Mr. Wilson que vous ne reviendriez pas, vous obtiendriez votre division cet après-midi même.

— Root m'a déjà dit ça », dit le colonel qui était un bien trop grand personnage pour avoir le sens de l'humour.

Alice apparut sur le seuil.

« Mr. Tumulty vient de téléphoner de la Maison-Blanche. Le logothete vous recevra à midi.

— Le *Président* logothete », rectifia Nick.

Jess se demandait ce que pouvait bien être un logothete : quelque chose d'assez effrayant à n'en pas douter. Le colonel aimait bien les grands mots qui font peur.

« Bon, bon, dit Roosevelt en tapant dans ses mains. Je viendrai comme un mendiant, à genoux. Je supplierai... Alice, si vous nous versiez du café...

— Mr. Wilson aimera beaucoup ça, je vous assure », dit Lodge. Puis W.G. fit signe à Harry qu'il était temps de s'en aller. Mais comme les Ohiens s'apprêtaient à partir, il y eut un grand brouhaha parmi les reporters qui saluaient l'arrivée de trois nouveaux invités. Jess reconnut parmi eux le sénateur démocrate James Burden Day, qui avait été élu au Sénat en 1915, la même année qu'Harding. Day était accompagné d'un jeune couple élégant, dont l'homme était occupé à se frayer un chemin à travers la meute des reporters, tandis que sa compagne était engagée dans une opération délicate qui consistait soit à mettre sur sa tête un chapeau à larges bords soit à l'en ôter.

« Sénateur Day ! s'exclama le colonel en donnant une puissante poignée de main à Burden.

— Je suis chargé de vous accompagner à la Maison-Blanche, au cas où vous auriez oublié le chemin, dit Burden. Le Président a pensé qu'un Démocrate serait mieux à même d'assurer votre protection.

— Encore des Démocrates ! C'est un véritable guet-apens, sourit Roosevelt en embrassant la jeune femme sur la joue. Eleanor, cessez de tripoter ce chapeau. Il est maintenant trop tard soit pour le mettre soit pour l'enlever.

— J'ai l'impression de m'être enfoncé une épingle dans le crâne », dit-elle d'une voix flûtée.

La jeune femme en question était la nièce du colonel, dont Jess avait beaucoup entendu parler par les journaux, et l'homme qui l'accompagnait était son mari, un autre Roosevelt, prénommé Franklin. En tant que sous-secrétaire d'Etat à la Marine, Franklin avait souvent été approché par Daugherty, lequel était toujours intéressé par les ministères qui procurent des contrats.

« Eh bien, colonel, dit Franklin avec un sourire encore plus large que celui de son cousin Theodore (heureusement ses dents n'évoquaient pas aussi irrésistiblement au regard de ses interlocuteurs le souvenir d'un cimetière de la Nouvelle-Angleterre), c'est d'un homme comme vous dont nous aurions besoin en ce moment.

— Espérons que *votre* Président est du même avis que vous. J'ai déjà un millier de noms, dit le colonel en tapotant du doigt la poche intérieure de son veston. Des volontaires, prêts à signer dès que je leur en donne l'ordre.

— Je suis sûr que vous n'aurez aucun problème », dit le jeune Roosevelt qui sous ses dehors d'homme bien élevé dissimulait une redoutable perspicacité. Il serra immédiatement la main de Lodge, puis se tournant vers Harding, il ajouta : « J'espère que cette partie de golf tient toujours. »

Harding acquiesça de la tête.

« Samedi, si le temps et ma femme le permettent. Maintenant, colonel... »

Mais Roosevelt lui avait tourné le dos pour s'adresser à son cousin.

« Comme j'aimerais être à votre place, Franklin, et avoir votre âge !

— Mais vous l'avez été en 1898, et vous nous avez donné les Philippines. Je crains bien de ne pas avoir la même opportunité.

— Probablement pas. C'était un vrai coup de chance d'avoir trouvé l'amiral Dewey au bon moment, et ce pauvre Mr. Long qui n'était jamais là...

— Tandis que mon pauvre Mr. Daniels à moi est toujours là, avec le Président... »

Le sourire du jeune Roosevelt avait un rien d'affecté de l'avis de Jess (qui passait pour un connaisseur), même pour un politicien du genre fils à papa. On l'aurait d'ailleurs plutôt pris pour un Anglais que pour un Américain.

« Non, je ne pensais pas au ministère de la Marine en particulier. Une fois qu'une guerre est commencée, n'importe qui peut remplir ce poste. »

Roosevelt, les yeux brillants, avait repris sa déambulation à travers la pièce en faisant de grands moulinets avec ses bras, comme Jess l'avait vu faire si souvent par ses nombreux imitateurs.

« Non, je parlais d'aller se battre. De s'enrôler, comme simple soldat au besoin. Et ensuite d'aller au front. Il n'y a rien de plus beau pour un homme que de se battre pour son pays, avec ses mains nues, s'il le faut.

— Mais mon oncle, observa Eleanor, n'importe qui peut se servir d'un fusil, alors qu'il y a très peu de personnes qui ont l'expérience de Franklin à la Marine...

— C'est un travail de rond-de-cuir ! s'écria le colonel en assenant un violent coup de poing sur la table de la salle à manger. Les lauriers vont au guerrier, au héros, et non aux planqués de l'arrière. »

La phrase avait échappé à Theodore, et il rougit. Franklin avait blêmi. Il avait senti ce choc dans le foie que vous flanque la sonnette d'un réveil. Ce n'est rien. Cela passe. Il répondit d'un ton tout à fait calme, et un peu sarcastique :

« Nous devons servir notre pays là où nous sommes le plus utiles et non pour satisfaire une vaine gloire. »

Theodore accusa le coup, claqua trois fois des dents de façon menaçante, puis il cria :

« Si tu veux dire par là... »

Cette fois Alice Longworth ne put réprimer un tressaillement de joie.

« A la bonne heure, père. Ne vous laissez pas insulter. Souvenez-vous de vos leçons de judo.

— Je crois, colonel, commença le sénateur Harding en s'approchant de Roosevelt escorté de Jess et de Daugherty.

— Essayez plutôt ce crochet du droit avec lequel j'ai récemment envoyé à terre un pacifiste, suggéra l'élégant sénateur Lodge.

— Non, essayez plutôt ceci, père », dit Alice.

Et, joignant le geste à la parole, Alice exécuta un double saut périlleux en arrière, en retombant sur ses pieds avec une parfaite aisance.

« Vraiment ! Alice », fit Eleanor sur un ton de reproche. Jess, lui, était au comble de l'extase. Il lui tardait de pouvoir dire à la duchesse que son dentiste ne s'était pas trompé, et qu'Alice la prétentieuse, Alice la snob, était bel et bien une toxicomane.

Jess était sincèrement navré de devoir quitter M Street où il venait de vivre quelques minutes véritablement historiques, et cependant, à part lui, qui dans le grand public pouvait imaginer que ces murs tout ruisselants de gloire rooseveltienne renfermaient une vie de drame et de débauche ? Jess avait toujours rêvé de devenir détective. Il savait désormais qu'il avait l'étoffe d'un grand détective comme le célèbre Nick Carter, inspiré d'après un certain Mr. Pinkerton, un personnage qui avait véritablement existé et dont l'agence qui portait son nom perpétuait la gloire, même après sa mort. S'il n'avait pas hérité de son commerce de mercerie et qu'il n'eût pas eu aussi peur dans le noir, il aurait peut-être pu se rendre célèbre comme détective. Au lieu de cela, il devait se contenter de jouer les seconds rôles. Mais dans sa disgrâce même il jouissait néanmoins d'une position privilégiée. Il avait ses entrées dans le grand monde, où il pouvait surprendre des secrets tout à fait intéressants comme de savoir qui prend de la cocaïne en cachette et qui nourrit secrètement des ambitions présidentielles.

« Roosevelt va se représenter, commenta Daugherty tandis que les trois hommes prenaient le tram pour se rendre au Capitole.

— C'est pourquoi je ne le quitte pas d'une semelle, répondit Harding en souriant à une vieille dame qui détourna aussitôt la tête pour regarder à travers la vitre la chaussée toute boueuse de Pennsylvania Avenue.

— S'il réussit à partir en France, il obtiendra l'investiture, dit Daugherty en mâchouillant son cigare.

— Il n'ira pas en France », disait Harding en lissant ses sourcils épais d'un pouce humide. La vieille femme le regardait maintenant d'un air épouvanté.

« Si Wilson l'empêche de partir, il a sa nomination dans la poche.

— Harry, vous regardez parfois un peu trop loin », dit Harding, puis se tournant vers Jess qui tenait à la main un exemplaire du *Tribune,* il ajouta : « Jess, passez-moi la page sportive.

— Je me demande, reprit Daugherty en fixant des yeux exorbités (le brun aussi bien que le bleu) sur la vieille dame démoralisée, ce que Burden Day faisait au juste chez les Longworth.

— Il nous l'a dit, Harry. Il était venu servir d'escorte au colonel, histoire sans doute de lui tirer les vers du nez, répondit W.G. en se plongeant dans la page sportive. Tiens, il y a là un article qui explique pourquoi le capitaine de l'équipe de football de l'armée n'a pas pu jouer contre la marine. Il paraît qu'il aurait enfermé l'un des cadets dans le vestiaire et qu'ensuite il l'aurait oublié. Quel imbécile !

— C'est plutôt de la distraction, expliqua Jess, qui admirait le capitaine de l'armée à l'égal des autres idoles du football, y compris Hobe Baker.

— J'ai idée que les gars de West Point et d'Annapolis vont être promus un an plus tôt cette année à cause de la guerre, remarqua Daugherty en regardant l'Hôtel des Postes qui rappelait à Jess un de ces châteaux allemands du Moyen Age chers à Carrie Phillips et qui se serait égaré sur les bords du Potomac.

— Vous vous souvenez de son bateau ? soupira W.G. Une vraie splendeur. Je donnerais cher pour en avoir un pareil. »

2

Burden avait été effectivement choisi par le Président en personne pour piloter le colonel Roosevelt à travers la foule de journalistes massés devant le porche nord de la Maison-Blanche. Pour plus de précaution, celui-ci s'était fait accompagner d'un garde du corps, un certain Julian J. Leary. Devant la porte cochère, ils furent accueillis par une équipe de cameramen des actualités, une douzaine de journalistes et de photographes emmitouflés dans leurs manteaux, sans compter plusieurs agents des services secrets dont le nombre avait doublé depuis la déclaration de guerre. Les histoires les plus rocambolesques circulaient dans le pays : des Germano-Américains seraient en train de marcher sur la capitale, tandis que des espions allemands, les poches bourrées de dynamite, s'apprêtaient à rayer la ville de Washington de la carte.

Il soufflait un petit vent frisquet au moment où Burden et Leary aidèrent le colonel à descendre de voiture. Le lilas commençait à bourgeonner dans les massifs en bordure de la pelouse. Ce matin, au petit déjeuner, Kitty avait rappelé à son mari qu'avril avait toujours été un mois tragique dans l'histoire américaine. C'était toujours en avril que les guerres étaient déclarées et que les Présidents étaient assassinés. Cela avait-il quelque chose à voir avec le retour du printemps, la résurrection de la vie ? Mais alors pourquoi tant de tragédies et si peu de gloire, exception faite bien entendu du gala de Pâques que les McLean célébraient tous les ans dans leur propriété de Friendship.

« Colonel ! »

Une douzaine de voix crièrent le nom de Roosevelt. Celui-ci commença subitement à s'animer telle une marionnette qui fait aller ses bras dans tous les sens, tandis qu'à intervalles plus ou moins réguliers la paume de sa main gauche venait se refermer sur son poing droit. Il était à peu près semblable au Theodore Roosevelt qui avait subjugué pendant vingt ans l'imagination du public, en régnant dans cette maison pendant près de huit ans.

« Mr. Wilson briguera-t-il un troisième mandat ? lui demanda un journaliste.

— Demandez-le-lui. Pour ma part en tout cas il n'en est pas question. Il ne s'agit plus de faire de la politique en ce moment, mais la guerre. Le pays tout entier est en guerre. Il n'y a plus de Démocrates ni de Républicains. Il n'y a plus que des patriotes. Il n'y a plus que des Américains. »

Roosevelt pouvait comme tous les politiciens débiter ce genre de sornettes à volonté, mais Burden observait, tout en l'écoutant d'une oreille distraite, combien son regard avait perdu d'acuité et comme son visage avait encore bouffi depuis sa dernière apparition en public. Il n'était pas dans la nature de Theodore de vieillir. Mais la nature avait été vaincue par le temps. Et maintenant cet homme de cinquante-huit ans, vieilli prématurément, en était réduit à donner des imitations de lui-même de moins en moins convaincantes. Cela dit, Burden le croyait parfaitement sincère lorsqu'il parlait de mener ses hommes au combat et de mourir sur le champ de bataille. Il devinait également que vieux ou pas, patriote ou non, Theodore

Roosevelt était redevenu le premier personnage de son parti, et que personne, y compris Wilson, ne pourrait l'empêcher de retourner en souverain dans cette maison où il entrait en ce moment en tant que suppliant.

Dans le hall d'entrée une douzaine de vieux serviteurs étaient venus le saluer. Il eut pour chacun un mot aimable. Il avait comme tout bon politicien la mémoire des visages et la capacité de se mettre tout de suite de plain-pied avec les inconnus. Comme tout bon politicien à l'exception peut-être de l'homme qui l'observait en ce moment, debout devant l'entrée du salon Rouge, et qui s'était fait traiter par Roosevelt non seulement de rat de bibliothèque, mais également de lâche, insulte terrible dans la bouche d'un homme qui avait réussi depuis longtemps à convaincre la nation, sinon lui-même, de sa bravoure aussi bien morale que physique.

Brusquement Roosevelt leva les yeux et vit le Président. Les deux hommes esquissèrent un sourire. Wilson avait de longues incisives décolorées évoquant la denture d'un cheval, alors que celles de Roosevelt, bien qu'usées par des décennies de claquements et de grincements, étaient encore immensément bovines.

« Monsieur le Président ! »

Roosevelt traversa le hall suivi de Burden. Mr. Leary resta derrière avec les huissiers et le personnel. Au même moment, Joseph P. Tumulty, le secrétaire de Wilson, un politicien irlandais de l'école de Jersey, sortit du salon Rouge pour saluer à son tour le colonel. Quand un Irlandais sourit, se dit Burden, c'est qu'il se prépare un mauvais coup [1]... Les chansons qui brodaient sur ce thème étaient innombrables. Mais Wilson était écossais et il ne souriait pas même si ses dents brillaient dans sa bouche entrouverte, tandis que le visage de Roosevelt ressemblait à une de ces noix de coco sculptées que les guerriers polynésiens utilisent pour se battre.

« Colonel Roosevelt, je suis heureux que vous ayez pu prendre un moment pour venir me voir », dit le Président avec un sourire assassin (made in Virginie celui-là). « Entrez, sénateur Day, je vous en prie. »

C'est ainsi que Burden eut le privilège d'assister à une confrontation historique. Les deux hommes ne s'étaient pas rencontrés depuis l'élection de 1912. Auparavant Wilson avait reçu une fois le Président Roosevelt à Princeton. Roosevelt lui avait rendu la politesse en

---

1. *When Irish eyes are smiling...* titre d'une ballade irlandaise.

l'invitant dans sa propriété d'Oyster Bay, dans le Long Island. Pour le reste, les deux hommes n'avaient existé l'un pour l'autre qu'en tant qu'adversaires. Tout les séparait : le caractère, la formation intellectuelle, l'idéologie. L'un était pour la guerre partout et tout le temps. L'autre était pour la paix, ou du moins faisait-il semblant de l'être, car l'histoire avait depuis quelque temps une fâcheuse tendance à mettre à mal les nobles principes sur lesquels Wilson avait toujours voulu appuyer sa politique. Roosevelt en tout cas avait le mérite d'être inébranlable dans ses principes et constant dans son action politique. Lorsque Wilson eut été contraint par les événements de déclarer la guerre, il ne lui fut plus possible de dépeindre son rival comme un nationaliste à tout crin et un dangereux belliciste.

Wilson invita Roosevelt à s'asseoir près de la cheminée, face à la fenêtre, mais Roosevelt n'était pas homme à se laisser manœuvrer ; aussi déplaça-t-il sa chaise de manière à ne pas recevoir la lumière en plein visage. Wilson s'assit en face de lui en lui souriant d'un air poli. Près de la porte, Tumulty était assis sur une chaise à dossier droit, en faisant semblant de regarder ailleurs, tandis que Burden avait pris place sur un sofa un peu en retrait.

Roosevelt promena ses regards autour de lui.

« Nous avons apporté un certain nombre de modifications, mais je ne saurais vous dire lesquelles exactement, énonça Wilson d'une voix sourde.

— Il y a eu un Président entre nous, je crois. Je ne me rappelle pas lequel au juste : en ce temps-là on ne m'a pas invité très souvent. »

Burden n'avait encore jamais vu Roosevelt en train de passer de la pommade à quelqu'un, sinon à un aîné, du moins à un supérieur. Il fut stupéfait de voir combien il pouvait être charmeur quand il désirait quelque chose.

« Non, cette pièce reste dans ma mémoire comme celle où, après mon élection de 1904, j'ai déclaré que je ne me représenterais pas en 1908.

— Si vous n'aviez pas fait cette déclaration, je me demande si je serais là aujourd'hui.

— Je l'ignore, mais ce que je sais, c'est que Mr. Taft n'aurait jamais habité cette maison. Cela, je puis le garantir. Mais j'avais fait une promesse au pays et je l'ai tenue.

— De ne plus jamais vous représenter à une élection ? »

Wilson se comportait avec Roosevelt comme un professeur avec un élève prometteur.

« Exactement ! De ne pas me représenter en 1908 », dit Roosevelt en gratifiant Wilson d'un éblouissant sourire.

D'un coup d'épaule il venait d'ouvrir avec fracas la porte de 1920. Wilson pour un troisième mandat contre Roosevelt pour un second mandat à part entière, bien qu'en réalité il s'agisse pratiquement d'un troisième mandat, car il était devenu Président pour la première fois un an après la réélection de McKinley.

« Tout ça, c'est du passé, monsieur le Président. C'est le moins qu'on puisse dire. Je veux que nous gagnions cette guerre et que nous devenions la première puissance du monde. Et je veux jouer mon rôle dans cette guerre comme mes quatre fils, qui sont tous en âge de se battre, joueront le leur.

— Je sais. Mr. Baker a parlé à votre aîné, je crois. Il a été très ému...

— Je tiens à ce qu'eux aussi ils aient leur part de gloire, tout comme j'ai eu la mienne, et comme je compte bien en avoir de nouveau. » En homme rusé, le colonel ne laissa pas le temps au Président de lui répondre, il enchaîna aussitôt. « Je considère votre déclaration comme un modèle du genre, à l'égal de celles de Washington et de Lincoln. Mais il reste à lui donner corps, et c'est à nous, à vous et à moi, qu'il convient de donner au pays l'envie d'accomplir votre rêve. »

Wilson, qui après tout n'était qu'un simple mortel et qui en fait de vanité ne le cédait à personne, se montra sensible aux éloges de son prédécesseur. Le dialogue entre les deux hommes se déroula beaucoup mieux que Burden ne l'avait craint, compte tenu de la piètre estime dans laquelle ils se tenaient mutuellement et de toutes les gentillesses qu'ils avaient dites l'un sur l'autre, et que le colonel Roosevelt balaya d'un revers de la main comme « autant de turpitudes humaines qu'un peu de sable efface, si seulement nous parvenons à transmettre votre message à toutes les forces vives du pays ».

C'est ainsi que Roosevelt accueillit Wilson dans sa guerre à lui. Il fut ensuite question de la division de volontaires. Mais là encore Roosevelt avait pris Wilson de vitesse. Avant que celui-ci n'ait eu le temps de réagir, le petit colonel s'était lancé dans une superbe imitation de lui-même.

« Je suis prêt à donner ma vie pour mes frères américains, et à prêcher l'Evangile du Seigneur par la parole et par le glaive. Je puis lever plusieurs régiments de volontaires choisis parmi la fleur de la nation, comme nous l'avons déjà fait une fois de mon temps, et avant cela, du temps de Lincoln...

« — Mais du temps de Lincoln il n'y avait pas assez de volontaires », repartit Wilson d'une voix sifflante dans laquelle Burden perçut non pas tant l'élégante diction du professeur de Princeton que les accents d'un homme du Sud blessé dans sa dignité et dans son orgueil. « C'est là le problème auquel nous sommes confrontés. Nous devons enrôler nos jeunes gens. Inventer un autre mot pour conscription, au besoin, mais peu importe le mot, le temps presse, et il y a tant à faire... je sais que vous pensez que j'aurais dû déclarer cette guerre il y a un an, mais si je l'avais fait, il n'y aurait eu que vous, qui valez à vous seul dix divisions, il est vrai, pour me suivre.

— Tout ça, c'est du passé, dit le colonel en se rasseyant. C'est vous qui êtes le Président, ce n'est plus moi. C'est votre responsabilité. Dieu vous aide. Je vous apporterai ma contribution, pour ce qu'elle vaut. Clemenceau m'a demandé d'aller en France, pour montrer aux Alliés que nous sommes décidés à nous battre... »

Burden fut stupéfait de voir un politicien consommé comme Roosevelt commettre une gaffe aussi monumentale. Reconnaître que le président du Conseil français sollicitait l'aide d'un ancien Président américain, c'était encourir à coup sûr un veto de Wilson.

« Toute l'Europe est fascinée par vous, colonel. Comme nous tous, répliqua le Président qui avait réintégré son personnage de professeur de Princeton, mais nous ne devons pas décourager nos conscrits en créant un corps spécial de volontaires. Non, non, colonel, laissez-moi finir. Je ne nie pas qu'on puisse mettre à profit cet esprit de sacrifice et d'exaltation dont vous venez de vous faire le champion. Mais je ne voudrais pas non plus que nous prenions trop parti en faveur d'un camp plutôt que de l'autre, en quoi je suis peut-être plus proche du général Washington que vous-même. C'est pourquoi je suis partisan d'une paix sans victoire pour tous les belligérants, si une telle chose est humainement possible, car la victoire de l'un signifie la défaite de l'autre, et si une telle éventualité devait se produire, les canons recommenceront à cracher la mort et le sang se remettra à couler. J'ai donc présenté les Etats-Unis non pas comme un allié des Alliés ni non plus comme un ennemi des puissances d'Europe centrale, mais comme une " puissance associée ", comme une nation amie chargée d'assurer le triomphe de la paix et de la justice, bref de la vie. »

Fort adroitement Wilson avait détourné Roosevelt de l'objet de sa visite en tissant autour de lui une de ces toiles d'araignée verbales dont il avait le secret. Wilson avait confié un jour à Burden que, chaque fois qu'il avait affaire à un importun, le moyen le plus sûr de s'en débarrasser, c'était de « conduire vous-même la conversation et de porter le débat sur un plan moral. Vous verrez qu'il n'osera plus parler de sa requête ». Roosevelt connaissait bien sûr le truc. Il savait également, quand il le fallait, laisser se former un écran de fumée propre à obscurcir des intérêts conflictuels. Il fit donc dévier la conversation du particulier vers le général.

« Si nous marchons la main dans la main tous les deux, le pays tout entier nous suivra, dit-il en regardant par la fenêtre la blanche lumière d'avril. Je peux vous dire un mot maintenant de ce que je compte écrire dans le *Kansas City Star*. Ils m'ont demandé de tenir une colonne chaque semaine dans leur journal, et si j'ai le temps... »

Il y eut un petit silence qui indiquait clairement que, si le colonel n'obtenait pas satisfaction, il ne se ferait pas faute de claironner dans les journaux sa façon de penser sur les événements.

Si Wilson avait perçu cette mise en garde implicite, il feignit de l'ignorer. L'air digne, le menton en avant, Wilson laissait parler son interlocuteur en ponctuant son discours de petits signes de tête approbateurs. Aux points, ils étaient à égalité d'après les calculs de Burden.

« J'aimerais maintenant parler de la presse américaine d'expression allemande, qui depuis le début des hostilités s'est montrée déloyale envers ce pays. Ma première mesure serait d'interdire tous ces journaux, comme une nécessité militaire, bien sûr. »

Wilson ne dissimula pas sa surprise.

« Ne serait-ce pas une mesure quelque peu arbitraire ? La Constitution leur reconnaît les mêmes libertés que...

— Nous sommes en guerre, monsieur le Président. Lincoln a dû suspendre l'*habeas corpus*, et interdire les journaux. Nous devrons faire pareil...

— J'espère bien que non. Nous aurons une censure militaire qui s'appliquera à tout le monde. Cela devrait suffire à faire tenir tranquilles les Allemands...

— Ce sont des nids de traîtres — de traîtres potentiels en tout cas. Pourquoi faire courir un tel risque au pays ? Nous devons, *vous devez*, monsieur, serrer la bride à tout le monde dans l'intérêt de la victoire. De nombreux sympathisants allemands prétendent être des partisans de la paix, — comment est-ce qu'ils disent ? — des " objecteurs de conscience ". Eh bien, moi, je les traiterais consciencieusement ! Je vous le garantis. Je leur refuserais le droit de vote. Et s'ils sont en âge d'être enrôlés et qu'ils refusent de se battre pour leur pays, je les obligerais à renoncer à la citoyenneté américaine. »

Wilson laissait déferler sur lui la marée rooseveltienne avec un calme imperturbable. Il continuait d'hocher la tête poliment, judicieusement, quand tout à coup il observa :

« Je suppose que la Cour Suprême trouverait moyen de les priver de leurs droits d'électeur.

— La Cour Suprême ! vitupéra Roosevelt en frappant son poing sur son genou si fort qu'il se mit à grimacer et que son lorgnon tomba de son nez et se mit à pendouiller sur son plastron. C'est vous le commandant en chef. Et nous sommes en guerre. Vous êtes à la fois le Président, la Cour Suprême et le Congrès. Faites le nécessaire. Faites-le vite. Le monde entier sera bientôt à nous. Enfin ! (Roosevelt se leva.) Nous possédons maintenant les principales mines d'or du monde. Tout l'or et tout l'argent du monde. L'Angleterre et la France, l'Allemagne et la Russie ne se remettront jamais de ce carnage. Leurs empires sont déjà aussi morts que Ninive et Tyr. Oh, comme je vous envie !

— Voulez-vous que nous changions de place ? demanda Wilson avec un sourire candide.

— A l'instant même ! Ah, ne me tentez pas, dit Roosevelt en éclatant de rire. Si j'avais suffisamment de Rough Riders [1], je prendrais d'assaut la Maison-Blanche comme un bandit mexicain...

— Je vous donnerais un coup de main, soupira Wilson. Vous êtes mieux fait que moi pour ce rôle.

— Je le pense aussi. Mais l'histoire en a décidé autrement. Et si ce pays est toujours sous une bonne étoile, comme il l'était quand j'occupais ce poste, vous connaîtrez la gloire, monsieur Wilson, et je rétracterai toutes mes déclarations partisanes, tout ce que j'ai pu dire de méchant sur votre compte...

— Logothete aussi ?

— Je pensais que celui-ci ne vous déplairait pas trop. Ce n'est pas le pire. »

Wilson se mit à rire pour la première fois depuis le début de l'entretien.

---

1. Régiment formé de cow-boys, de chasseurs et d'Indiens auxquels se mêlaient quelques gradés de Harvard et de Yale à la tête duquel le colonel Roosevelt libéra Cuba des Espagnols.

« Non, je ne l'aime pas. Mais j'avoue que je suis un homme du verbe. Tout comme vous d'ailleurs. »

Roosevelt ne releva pas l'allusion. Il répondit tranquillement :

« Mais il n'y a pas que les mots. Il y a aussi l'action...

— Ah, colonel ! la langue est notre plus grande invention. Penser, parler sont des actes. Les mots sont ce qui nous relie au ciel et à l'enfer. A la fin comme au commencement, il n'y a que le verbe. »

Roosevelt se tenait devant la cheminée, jambes écartées, mains derrière le dos, comme ça lui était arrivé si souvent du temps qu'il était Président.

« En ce cas, dit-il en souriant, je ferais peut-être mieux de choisir mes mots avec plus de soin.

— Sur ce point, colonel, c'est vous qui êtes juge, pas moi. »

Burden eut tout à coup le sentiment que le temps se dédoublait : on était en 1917, et pourtant il avait l'impression de se retrouver en 1907. Un seul salon Rouge et deux Présidents.

Puis le colonel rompit le charme. Il alla vers Tumulty qui se leva respectueusement.

« Voilà un Irlandais comme je les aime, un de ces Irlandais qui eux au moins ne fuient pas le combat, dit-il en lui donnant une tape dans le dos. Vous êtes un homme selon mon cœur, Tumulty ! Bien sûr, vous avez six enfants... »

Burden sut alors avec certitude que Roosevelt serait candidat en 1920. Sinon pourquoi se souvenir du nombre exact d'enfants qu'avait Tumulty ?

« Laissez-moi vous dire ceci : envoyez-moi en France et je vous prendrai dans mon état-major. Votre femme n'aura aucun souci à se faire. »

Roosevelt se tourna vers Burden :

« Sénateur, vous êtes un solide gaillard. Venez avec moi.

— Dois-je emporter ma toge ?

— Non, ce n'est pas nécessaire. Il y a beaucoup trop de sénateurs dans ce pays.

— Sur ce point je vous rejoins tout à fait, dit Wilson en se levant. Je suppose que vous allez me demander à moi aussi de me porter volontaire. »

Roosevelt gloussa :

« Ce serait un bel exemple.

— Je pourrais m'enrôler comme chapelain, j'imagine.

— Ne vous sous-estimez pas, monsieur Wilson. Vous êtes un

artilleur-né, comme Mr. Taft et moi-même avons eu l'occasion de le découvrir en 1912. Mais vous avez déjà votre place. La première. Vous êtes mon commandant en chef. Je suis venu ici pour recevoir mes ordres. »

Roosevelt porta sa main à la tempe, et le Président lui rendit son salut. Puis le colonel disparut au milieu d'un tintamarre d'adieux et de bonnes paroles, laissant Burden avec le Président et Tumulty. On entendit encore quelques exclamations rooseveltiennes dans le vestibule. Wilson regarda Burden d'un air intrigué.

« Ma foi, c'est une expérience, dit-il. C'est un gamin. Un grand gamin.

— Un gamin qui sait charmer les petits oiseaux, dit Tumulty.

— Les gros aussi ? interrogea Burden.

— Personnellement je l'ai toujours trouvé agréable, reprit le Président. Mais il y a en lui maintenant une espèce de gentillesse qui n'y était pas autrefois. Il a quatre fils, ajouta Wilson en baissant la voix, et il veut tous les emmener à la guerre avec lui... Je suis bien content de n'avoir que des filles. En tout cas, il est difficile de lui résister. Je commence à comprendre pourquoi les gens l'aiment et ce qu'ils aiment en lui. »

Wilson avait prononcé ces dernières paroles avec une certaine mélancolie. En tant qu'homme public, Wilson suscitait l'admiration, ou la haine, mais rarement l'affection.

« Qu'allez-vous faire ? s'enquit Burden. Lui donnerez-vous sa division ?

— Le sénateur Harding serait prêt à lui donner trois divisions », dit Tumulty.

Wilson tendit ses bras en tournant les paumes de ses mains vers l'extérieur.

« S'il ne tenait qu'à moi, pourquoi pas ? Mais je laisse les militaires régler entre eux leurs affaires. Pour le moment ils redoutent que des corps de volontaires comme ceux-ci ne ruinent tout notre système de conscription. Et puis il n'est pas général. »

Wilson posa la main sur une tête en bronze d'Abraham Lincoln.

« Heureusement que nous avons eu Lincoln ! J'ai eu l'occasion d'étudier assez bien la période de Lincoln, et j'ai été frappé de constater que, lorsque la guerre civile a éclaté, il avait commis à peu près toutes les erreurs qu'il était possible de commettre. Grâce à lui, *cette fois* nous ne répéterons pas les mêmes erreurs.

« — L'une de ses erreurs, si je me souviens bien, n'était-ce pas d'avoir nommé généraux des politiciens de l'opposition ?

— En effet », répondit Wilson, puis se tournant vers Tumulty : « Voyez si le chemin est libre. Je ne tiens pas à être photographié avec le colonel. »

Tumulty et Burden quittèrent le salon Rouge. On apercevait par la porte entrouverte le colonel qui parlait aux journalistes. Tumulty rentra dans le salon Rouge.

« Il est en train de se faire filmer par les caméras des Actualités Pathé. Il n'y a pas de danger qu'il bouge. »

Wilson pointa son nez dans l'encadrement de la porte, puis après une mimique digne d'un film de Mack Sennett, il gagna l'ascenseur à pas feutrés en jetant des regards terrifiés par-dessus son épaule, comme s'il était poursuivi par un fantôme dans un cimetière.

Le colonel n'obtiendrait pas sa division, mais il avait de fortes chances d'obtenir un nouveau bail de quatre ans à la Maison-Blanche. Avec ou sans gloire militaire, Theodore Roosevelt ne pouvait plus perdre. Après une éclipse de dix ans, la chance lui souriait à nouveau, ce qui, étant donné son âge, voulait dire qu'elle lui sourirait jusqu'au bout.

3

Kitty, assise sur un rocher dominant Rock Creek, surveillait son bébé qui trottinait en direction d'un bosquet de sumac vénéneux situé au pied d'un noyer dont le fruit verdâtre luisait au soleil.

« Pourquoi ne pas mettre le salon ici, du côté de la rivière, et notre chambre à coucher de l'autre côté ? demandait-elle.

— C'est trop près de la route », répondit son mari.

Burden avait ôté son veston et déboutonné son col de chemise, et là, assis sur le gazon, il contemplait Kitty. C'est vrai qu'en prenant de l'âge elle était devenue ravissante. Ce n'était plus la jeune femme au visage dur et fermé qu'il s'était cru obligé d'épouser parce que son père était le chef du parti démocrate de leur Etat. Caroline lui avait appris entre autres choses à ne jamais se dissimuler les motifs de ses propres actes. Au début Caroline l'avait choqué par son cynisme. Maintenant c'était lui qui la choquait quand il voulait bien lui révéler comment les affaires de la République étaient conduites. Ce n'est pas qu'elle fût bégueule. Non, ce qui la défrisait c'était plutôt l'absence de forme de la vie américaine, à l'inverse de la France où chacun savait toujours à quoi s'attendre et où l'avenir même le plus improbable n'était jamais une surprise pour personne.

Kitty pour sa part était un politicien-né. Outre des dons de tacticien redoutable, elle avait hérité de son père, le juge légendaire, une fortune assez considérable consistant principalement en bons et obligations, qu'elle s'était aussitôt empressée de convertir en réalités solides et palpables comme le bois, la pierre ou la brique.

Burden lui-même n'avait jamais été capable de faire fortune. Le traitement pourtant assez rondelet qu'il touchait en tant que sénateur leur suffisait à peine pour vivre, même en louant à bon prix leur grande maison d'American City. Quand ils revenaient au pays au moment des élections, ils descendaient au Henry Clay Hotel, en face de l'hôtel de ville, et faisaient comme s'ils n'avaient jamais quitté la ville, à l'instar des gens du pays qui ne vont à Washington qu'une fois par an.

Le premier acompte sur l'héritage de Kitty avait servi à acheter un hectare et demi de Rock Creek Park, consistant essentiellement en collines boisées couvertes d'un sous-bois vert et dense comme une forêt vierge. En fait le parc ressemblait presque trop à une jungle, surtout pour une enfant, songeait Burden en saisissant sa petite fille par le tablier tandis qu'elle s'apprêtait à enfouir son visage dans un buisson de sumac dont les piqûres déclenchent en quelques heures une irruption de cloques purulentes et d'atroces démangeaisons.

« Diana ! cria Kitty. Qu'est-ce que j'apprends au sujet du sumac ? Jim Junior avait une baguette de sourcier pour s'en protéger. »

Burden s'assit sur une bûche en face de Kitty et installa Diana sur ses genoux. Des oiseaux décrivaient de grands cercles au-dessus de leurs têtes. La parade était terminée. Maintenant ils jouaient leur rôle de parents anxieux de nourrir leur progéniture et de leur apprendre à voler, malheureux quand les plus faibles tombaient à terre.

« L'architecte pense que le salon devrait être exposé au sud. »

Burden essaya vainement de se représenter une pièce toute meublée à l'endroit où ils étaient assis. Jungle ou pas jungle, il préférait l'extérieur. Contrairement à beaucoup de garçons élevés dans une ferme.

« Elle grandira ici », ajouta-t-il en baissant les yeux sur Diana, petite fille grave et silencieuse qui se contenta de soupirer.

Kitty prit un quignon de pain dans un sac en papier qu'elle se mit à émietter, puis elle tendit la main. Et alors, au bout de quelques secondes, le miracle se produisit. Une grosse grive tournoya quelques instants autour de Kitty pour sonder ses intentions avant de se poser sur son poignet. Puis elle prit ce qui restait du quignon dans son bec, le secoua pour en faire tomber les miettes et alla se percher sur la branche la plus proche où elle se mit à le picorer tout en observant Kitty.

« Comment y arrives-tu ?

— Je l'ignore. Je l'ai toujours fait, depuis toute petite. »

Kitty entretenait des relations intimes, passionnées, complices, extra-humaines avec le monde animal. Toutes les bêtes s'approchaient d'elle sans crainte, et elle était toujours là pour les recueillir. Petite fille, elle avait apprivoisé un loup adulte qui criait famine au cours d'un hiver particulièrement rigoureux. Le loup la suivait partout comme un chien. Mais un jour qu'elle était à l'école, son père lui dit que le loup avait attaqué un domestique et que celui-ci avait dû le tuer pour se défendre. A quoi Kitty avait répondu sèchement : « Non, père. C'est vous qui avez donné l'ordre de l'abattre. » Depuis lors le père et la fille n'en avaient plus jamais reparlé, mais des années plus tard le juge avait abordé ce sujet avec son beau-fils, et il lui avait demandé d'un air épouvanté : « Comment a-t-elle su que c'était moi qui avais tué cette bête, alors qu'il n'y avait personne pour me voir ? » On décréta alors que Kitty était dotée de pouvoirs psychiques mystérieux lui permettant de communiquer avec les animaux et les oiseaux. Avec les humains, par contre, c'était une autre histoire. Elle ne daignait s'y intéresser qu'en tant qu'électeurs. Elle en savait autant que Burden sur ses alliances et sur ses compromissions politiques. Et cependant il était certain qu'elle ignorait tout de sa liaison avec Caroline. Mais il avait également l'impression que, si elle venait à l'apprendre, ça lui serait égal. C'est tout de même curieux, songeait-il, de moins bien connaître sa femme qu'une simple grive... Lorsque Jim Junior mourut à l'âge de six ans, ce fut Burden qui pleura. Kitty, elle, s'absorba dans les préparatifs de l'enterrement, puis elle se disputa avec la cuisinière nègre à propos du repas qui devait accompagner la veillée funèbre. Celle-ci avait insisté pour faire les choses avec une pompe et un décorum qui étaient en usage dans leur Etat protestant. C'est ainsi qu'ils enterrèrent leur fils.

Bien qu'une petite brise fît frissonner les arbres, Burden souffrait de la chaleur. Il y avait longtemps qu'on ne se souvenait pas d'avoir eu un été aussi chaud. C'était aussi le premier été depuis la déclaration de guerre.

Kitty leva les yeux sur un chêne qui dominait tous les autres arbres du parc.

« Je veux des plafonds très hauts.

— Oui, le plus haut possible, approuva Burden. Avec une façade en pierre grise. Une terrasse, une pièce d'eau, une véranda sur le côté...

— Espérons que la guerre ne contrariera pas nos projets.

— La construction marche toujours, même si la nourriture vient à manquer. Le Président sera obligé de s'en tenir à l'article 23.

— C'est normal. »

Kitty avait troqué son rôle d'amie des bêtes pour celui d'animal politique tout court, rôle dans lequel elle excellait tout autant.

« Ils essaient de lui faire ce qu'ils ont fait avec Lincoln, lorsqu'ils ont institué cette commission bipartite pour limiter ses pouvoirs.

— Tout à fait, fit Kitty en hochant la tête. Et tout ça enveloppé dans le projet de loi sur la nourriture. Ce qui est très malin. Mais tu ne les laisseras pas faire ?

— Non, mais ça ne sera pas facile. La bataille sera chaude. Mais nous l'emporterons. Je les entends déjà ! Quelles pipelettes ! »

Plus que jamais le Sénat encourageait les excentricités personnelles. Dans un Sénat conçu à l'origine comme une Chambre des Lords destinée au patriciat américain ou à ses délégués, les membres de la Chambre Haute étaient choisis par les législateurs d'Etat, eux-mêmes rétribués par la classe possédante. Mais depuis 1913 les sénateurs étaient élus directement par le peuple. C'est ainsi qu'une nouvelle race de tribuns populaires était venue troubler la douillette quiétude de la vieille garde du patriciat. De plus, comme tout sénateur pouvait garder la parole aussi longtemps qu'il le jugeait bon, il était né une nouvelle génération de sénateurs aux poumons puissants capables de tenir le crachoir pendant des heures soit pour empêcher un projet de loi de passer soit pour en retarder le vote ou du moins menacer de le faire en échange de certaines faveurs.

Burden n'en était pas moins ravi d'appartenir à un club aussi puissant. Il jouait dans la Chambre actuelle le rôle de principal conciliateur du parti démocrate que son chef — le président maître d'école — avait toutes les peines du monde à contrôler. Il fallait donc apaiser, sinon parfois carrément soudoyer, les bryanites, les isolationnistes, les germanophiles et toute la clique de ceux qui aimaient mieux régner en comité que de soutenir leur Président et l'aider à gouverner.

« Je me demande qui elle épousera, dit Kitty en contemplant tendrement sa fille comme si elle était un raton laveur venu gratter à la porte de la cuisine pour réclamer sa pitance.

— N'est-ce pas tenter le destin ? »

Burden sentit un frisson lui parcourir tout le corps. Il avait jadis spéculé sur ce que pourrait être l'avenir de Jim Junior, et peu après la diphtérie l'avait emporté.

« Non, elle se mariera ici, affirma Kitty, comme si elle pouvait lire dans l'avenir. Je suppose qu'elle sera heureuse.

— Sans doute », répondit prudemment Jim.

Kitty aimait bien son mari, et Jim aimait bien sa femme. Sans plus.

« Est-ce que ton père aimait ta mère ? demanda-t-elle brusquement.

— C'était il y a si longtemps, j'ai oublié. »

Burden avait grandi dans une ferme en Alabama, au milieu d'anciens combattants de la guerre civile comme son père. Il avait toujours été stupéfait de voir comment Mark Twain avait réussi à rendre aussi idyllique ce monde de boue, de moustiques, de scorpions, de moiteur et de serpents venimeux couleur de boue. Entre le monde de Twain et le sien, il s'était produit un grand cataclysme que son père, contrairement à beaucoup d'anciens combattants, était toujours désireux d'expliquer et de décrire avec ses yeux pâles, exorbités, tels qu'ils durent l'être le jour où il fut blessé d'une balle à la bataille de Chickamauga et fut fait prisonnier. Plus tard, parmi les décombres, Obadiah Day devait recommencer sa vie dans le delta boueux. Sur ses sept ou huit enfants — Burden en ignorait le compte exact —, tous, sauf deux, étaient morts du choléra. Burden se souvenait d'avoir passé une bonne partie de son enfance dans le cimetière de son village à regarder de petites boîtes oblongues qu'on ensevelissait dans la terre rouge. Il se souvenait aussi des heures passées à écouter son père raconter comment « Ils » avaient ruiné le Sud, et corrompu les nègres. *Ils* était une entité variable composée de tous les Yankees, banquiers, propriétaires de compagnies de chemins de fer et parfois même de simples étrangers dont les catholiques et les Juifs étaient les pires. Curieusement, les nègres, aussi dévoyés fussent-ils, n'étaient jamais tenus pour directement responsables de leur comportement. Si un nègre tournait mal, c'était *Eux* qui l'avaient dévoyé.

Avec le temps, les Confédérés se tournèrent vers la politique, la seule arme dont ils pouvaient se servir contre *Eux*. Les pique-niques et les meetings politiques devinrent l'unique Eglise de ceux qui avaient été expropriés de leur propre terre, et Obadiah fut parmi ceux qui contribuèrent à la création du Parti du Peuple destiné à venger les torts subis par les Sudistes. Le parti prospéra partout dans le Sud, et Obadiah occupa même certaines fonctions politiques à l'intérieur du parti. Puis vint le jour où, ayant entendu parler son fils de quatorze ans au cours d'une réunion politique, il l'initia avec joie au grand combat politique, un peu comme saint Jean-Baptiste avait salué la venue du Messie sur les rives du Jourdain. C'est ainsi que James Burden Day était entré en possession du royaume de son père afin de bouter l'envahisseur hors du pays au nom du peuple.

Plus distinctement que de la foule elle-même — et chaque foule était pour Burden comme une maîtresse à conquérir — Burden se souvenait de l'image de son père. Il le revoyait étonnamment jeune d'allure, malgré ses cheveux blancs, l'œil toujours vif et encore assez svelte pour arborer l'uniforme bleu-gris de l'armée confédérée qu'il portait lorsqu'il était rentré chez lui, avec attachée à son cou au bout d'une ficelle la balle qu'il avait reçue à Chickamauga et qu'il avait demandé à un médecin ami de lui extraire aussitôt de la cuisse afin que, s'il mourait, on ne puisse rien trouver de yankee dans ses os le jour de la Résurrection. Père et fils avaient combattu ensemble dans les rangs du Parti du Peuple jusqu'au jour où Burden était parti dans l'Ouest exercer le droit. Et quoiqu'il n'eût jamais cessé d'être un véritable populiste — ainsi qu'il l'avait juré à son père — il avait été obligé de recommencer une vie entièrement nouvelle dans un Etat tout neuf et tout sec, comparé à celui tout boueux et tout humide où il était né. Forcé de faire jouer des relations familiales pour obtenir un poste à la Cour des comptes à Washington, il avait déçu son père. Mais ils se réconcilièrent lorsque Burden eut promis à son père qu'il ne renoncerait jamais à la lutte et que, lorsque les temps seraient arrivés, il retournerait dans son nouvel Etat pour prendre la tête de leur parti. Le moment venu, il épousa Kitty et avec l'aide de son beau-père, il fut élu au Congrès non comme populiste mais comme Démocrate bryanite. Ce jour-là Obadiah cessa de parler à son fils. Il continua néanmoins de vivre en Alabama avec sa seconde femme. Burden eut beau lui envoyer un message après son élection au Sénat — où après tout il continuait de *Les* combattre —, il ne reçut aucune réponse du vieillard qui était resté au fond de lui-même le jeune homme fougueux qu'une balle yankee, cinquante ans plus tôt à

Chickamauga, avait abattu deux minutes exactement avant midi (car il avait pris soin de noter l'heure avant de perdre connaissance). Vivre sans l'approbation de son père était pour Burden insupportable, d'autant qu'il n'avait jamais perdu foi dans le peuple — *leur* peuple. Qu'était-ce que l'étiquette d'un parti après tout ?

« Sera-ce toi ? »

Kitty s'était levée. Elle lui prit Diana des bras. L'enfant s'était endormie au soleil. La douce odeur de chèvrefeuille montait à la tête, tandis que sur les troncs des arbres la vigne vierge formait une tapisserie où le vert tendre se mariait au vert luisant du lierre.

« Moi quoi ?

— Si Mr. Wilson ne brigue pas un troisième mandat, ce qu'aucun Président n'a encore jamais fait. »

Kitty ne perdait jamais de vue les échéances importantes malgré la charge d'une maison, les soins à donner à un enfant, les bêtes des champs et les oiseaux du ciel.

« Il est encore beaucoup trop tôt pour hasarder le moindre pronostic. La guerre sera courte. Cela milite en sa faveur. Il aura gagné la guerre, et ne sera pas encore trop vieux. Je ne vois pas ce qui pourrait l'empêcher d'être élu, s'il le désire.

— Il est toujours bon de se placer, au cas où les choses tourneraient autrement, dit Kitty en retirant le pouce de la bouche de Diana. Dans cette éventualité, Mr. McAdoo serait notre seul adversaire.

— Ce ne sera pas un adversaire facile », observa Burden en fronçant les sourcils comme chaque fois qu'il pensait à l'énorme avantage que le gendre du Président *et* secrétaire d'Etat au Trésor avait sur tous ses concurrents au sein du parti. Tout le désignait si bien comme l'héritier légitime de Wilson qu'il semblait impossible de le battre, à moins que les rumeurs de corruption qui bruissent toujours autour de la vaste bâtisse de granit gris du ministère du Trésor ne s'avérassent exactes.

« Et puis il y a toujours le colonel.

— Il finira bien par mourir celui-là, repartit vivement Kitty.

— A soixante et un ans ? Avec l'investiture républicaine pour ainsi dire dans sa poche ? S'il existe un élixir de longue vie, c'est bien celui-là. C'est presque aussi infaillible qu'une pension fédérale. Sais-tu qu'il existe encore soixante-treize veuves de guerre qui touchent une pension du gouvernement ?

— Des jeunes filles qui ont épousé de vieux garçons.

— Maintenant ce sont de vieilles filles qu'une pension a rendues immortelles. »

A ce moment-là ils furent rejoints par Albert, leur chauffeur nègre. C'était un natif de Washington et un snob consommé. Pendant des années, alors que Burden siégeait à la Chambre des Représentants, Albert avait parlé de son employeur derrière son dos comme du « Sénateur ». L'élection de Burden au Sénat avait été selon Kitty bien plus mémorable pour Albert que pour ses patrons. « J'ai toujours trouvé la Chambre un peu vulgaire, elle n'a jamais senti très bon à mon nez, avec toute cette racaille de petits Blancs chiqueurs de tabac sortis d'on ne sait où. » La mère d'Albert s'était appelée Victoria, du nom de la reine d'Angleterre, et elle avait prénommé son fils Albert, comme le prince consort. « Il n'y a pas de doute, disait Kitty en prenant un petit air futé, c'est bien un fils à sa maman. »

Albert rappela à son maître qu'il avait accepté de faire une promenade sur la rivière avec le sous-secrétaire d'Etat à la Marine. Burden recueillit Diana, tandis que Kitty ramassait des feuilles de laurier pour en décorer le salon. Puis les deux hommes descendirent la colline jusqu'à la route où les attendait la voiture.

Le *Sylphe* portait bien son nom. C'était un superbe yacht, rapide, svelte, élégant, d'un type inconnu à Burden qui, il est vrai, en matière de bateaux, n'y connaissait pas grand-chose. Il n'en était pas moins ravi de cette petite escapade en mer, loin de la chaleur moite et étouffante de Washington.

Le sous-secrétaire d'Etat était entièrement vêtu de blanc comme il sied à un marin, de même que Cary Grayson, le médecin du Président et sa jeune femme, Altrude, la meilleure amie d'Edith Wilson. De toute évidence, le sous-secrétaire d'Etat à la Marine avait découvert que le chemin le plus court pour atteindre le Président passait par les Grayson, et pour comble de chance, Grayson était officier de marine. C'était au demeurant un homme de très petite taille que son épouse, la gracieuse Altrude, dominait d'une bonne tête. Il y avait là également un autre couple que Burden ne connaissait pas — des gens de « la haute » probablement, des richards de la côte Est comme il en rencontrait de temps en temps chez les Sanford. Il reconnut enfin dans son nouvel uniforme d'officier de marine la ravissante Lucy Mercer, la secrétaire personnelle d'Eleanor. Elle était accompagnée d'un jeune attaché d'ambassade britannique.

Une fois qu'ils eurent appareillé, Burden défit sa cravate, ôta son veston et respira à pleins poumons l'air du large, tandis qu'ils descendaient le Potomac en direction du mont Vernon et de Chesapeake Bay. Pendant quelques instants, il put oublier Washington en proie à sa fièvre guerrière. La guerre également, à l'exception d'une paire de destroyers (s'il ne se trompait pas) ancrés au large de l'arsenal militaire.

Un steward servit à Burden un whisky à la menthe tandis que Franklin souriait d'un air béat.

« Si Josephus Daniels pouvait nous voir en ce moment !

— Sa prohibition de l'alcool ne s'étend tout de même pas aux hôtes de la marine.

— Elle concerne tout le monde, y compris le Président. »

Burden observa que Franklin buvait pour sa part de la limonade pendant que les autres se portaient à l'avant du *Sylphe* pour ne pas rater le moment où celui-ci passerait devant le mont Vernon, que l'équipage saluerait d'une salve comme c'était l'usage dans la marine.

Franklin était un agréable causeur. Il avait beaucoup plus de charme que son cousin Theodore, du moins de l'avis de Burden qui avait une certaine expérience en la matière, vu que tout le monde à Washington cherchait à séduire les sénateurs, surtout ceux qui, comme Burden, appartenaient au parti majoritaire. Ordinairement Burden avait peu de rapports avec la marine. Ses commissions de prédilection étaient l'Agriculture d'abord, l'Agriculture encore, l'Agriculture toujours ; avec les Affaires étrangères comme passe-temps, et les Finances en cas de grave nécessité, car cette commission, jumelle de celle du Budget, était la clé de toutes les dépenses, et donc des subventions de l'Etat. Mais comme Burden en était à son premier mandat de sénateur, son influence consistait essentiellement dans son rôle de trait d'union entre les sénateurs bryanites et le Président, position récemment abandonnée par le sénateur aveugle d'Oklahoma, lequel détestait autant le Président que la guerre. Mais le véritable lien entre Burden et les jeunes Roosevelt était Caroline, et Blaise dans une moindre mesure. Les Roosevelt ne se mouvaient que dans des cercles extrêmement huppés, se gardant bien de frayer avec des nouveaux riches comme les McLean.

« Où est Mrs. Roosevelt ? »

Le whisky à la menthe était excellent et le soleil, filtré par une épaisse brume blanche, était supportable pour la première fois depuis de nombreux jours.

« Elle est au Canada avec les enfants. En principe je devrais la rejoindre en août, seulement... »

Franklin regarda le rivage de Virginie.

« Seulement ? »

Mais à quoi bon poser la question ? Burden connaissait la réponse. Franklin avait l'intention de se présenter au Sénat dans l'Etat de New York cet automne.

« Croyez-vous que je devrais me présenter ?

— Je ne connais pas tellement New York. Mais si j'étais à votre place, je garderais ce poste. Prenez simplement congé. »

Franklin eut un petit rire sans joie.

« C'est bien ce que je vais essayer de faire. Je crois que le vieux Josephus ne serait pas fâché de me voir débarrasser le plancher.

— Et le Président ?

— Il s'est montré extrêmement compréhensif. Tout le monde me dit que si je perds j'ai là une sinécure, seulement... »

Il y eut une nouvelle pause. Le mot « seulement » semblait servir de bouclier à Franklin qui, sous des dehors très ouverts, s'arrangeait pour éluder les questions indiscrètes avec une grâce extrême.

« Seulement vous préféreriez ne pas perdre.

— Exactement.

— Avez-vous le soutien de Tammany ?

— Non. Ils ont leur candidat. Je me présenterai sous l'étiquette réformateur. Un nouvel Oncle Theodore sous la défroque démocratique... » Il avala une gorgée de limonade en faisant la grimace. « J'ai mal à la gorge. C'est d'avoir trop parlé. Je discute, je discute, et personne n'écoute. Voyez-vous, j'ai trouvé un moyen pour étrangler les sous-marins allemands. Mais les Anglais, pour les faire bouger... et nos amiraux sont d'une lenteur, vous n'avez pas idée. La solution, Burden, est la suivante. »

En général Burden n'aimait pas beaucoup s'entendre appeler par son prénom, surtout par quelqu'un qui était non seulement son cadet de dix ans, mais qui était de loin son inférieur dans la hiérarchie nationale. Cependant l'un des charmes de Roosevelt consistait à hisser spontanément les autres à son niveau. Voilà, semblait-il leur dire, je vous introduis de plain-pied dans mon intimité, moi un membre de ce patriciat tout-puissant qui a régné sur le Sénat jusqu'au jour où nous avons choisi par sagesse et par libéralité (entendez par opportunité et par nécessité) d'y faire entrer des gens comme vous.

« C'est tout simple. Nous barrons la mer du Nord au moyen d'un barrage de mines allant de l'Ecosse à la Norvège, ce qui bloquera les sous-marins allemands dans leurs propres ports. Il m'a fallu des semaines pour être reçu par le Président, qui m'a maintenant donné le feu vert. Mais les Britanniques hésitent encore, bien que je leur aie dit que nous ferions la même chose dans le Pas-de-Calais, afin de protéger leurs propres eaux territoriales. Mais ça n'a pas eu l'air de les faire réagir. »

Il avala un peu de limonade et fit de nouveau la grimace. Burden remarqua que le visage de Franklin était couvert de sueur, malgré la brise. Un visage d'aristocrate maigre au nez finement ciselé. Un menton fuyant en arrière, mais qui, on s'en apercevait vite, jouait un rôle dans la conversation, chaque argument porté et souligné par ce mouvement du menton qu'il lançait devant lui comme une pierre. De petits yeux trop rapprochés qui, à cause de l'asymétrie du visage, semblaient situés à des hauteurs différentes.

Tout à coup ils se trouvèrent à la hauteur de l'ancienne demeure du premier Président des Etats-Unis. Les deux hommes bondirent sur leurs pieds et se mirent au garde-à-vous pendant qu'à l'arrière un marin sonnait du clairon.

Le couple d'amis de Franklin le rejoignit à la poupe, tandis que Burden se dirigeait vers l'avant où le diplomate anglais et Lucy Mercer étaient assis. Tous deux se levèrent par déférence pour son rang de sénateur.

Burden s'assit entre les deux. Comme tout le monde à Washington, Burden trouvait Lucy aussi séduisante que mystérieuse. Et d'abord pourquoi n'était-elle pas mariée ? Certes elle appartenait à la gentry catholique du Maryland, et il n'y avait pas beaucoup de célibataires catholiques disponibles dans la capitale. D'un autre côté, elle n'avait qu'à se rendre à Baltimore, qui était tout près, pour y retrouver les siens. Et pourtant elle avait préféré vivre à Washington dans l'ombre des Roosevelt jusqu'au jour où elle s'était engagée dans la marine.

« Vous voilà prête à défendre le drapeau américain, dit Burden.

— C'était l'idée de Mr. Roosevelt, sourit-elle en détournant le regard.

— Votre service militaire est extrêmement sélectif », constata l'Anglais.

Burden était assez fier d'avoir inventé ce sublime euphémisme : « service sélectif ». Le terme de « conscription » était tabou : il rappelait à tout le monde les sanglantes émeutes de la guerre civile. Mais comme Wilson ne pouvait pas plus compter sur les volontaires que Lincoln, il avait bien fallu forger une nouvelle expression. Quelques années auparavant, lorsque les incidents de frontière avec le

Mexique avaient menacé de dégénérer en une guerre totale, Wilson avait lancé un vibrant appel en faveur de volontaires, et presque personne n'avait rallié les couleurs. Cette fois il ne prenait aucun risque. La conscription serait rapide, obligatoire, et elle porterait un autre nom. Le 5 juin, dix millions d'hommes entre vingt et un ans et trente ans avaient été enrôlés dans les forces armées en vertu de la Loi Nationale sur la Défense pour le Service Sélectif. Ce qui sonnait tout de même un petit mieux que de dire, par exemple, « chair à canon pour la France ».

Personnellement Burden était hostile à cette guerre. Il avait vécu toute sa jeunesse parmi les blessés de la guerre civile, et la pauvreté générale du Sud pendant cette période était due directement à la perte en hommes et en argent causée par la guerre. Publiquement Burden était partisan de la guerre. Et cependant il était bien en peine de justifier pour lui-même la brutalité avec laquelle les Etats-Unis avaient violé leur sacro-sainte doctrine Monroe pour livrer une guerre en Europe, chose que les Pères fondateurs avaient juré au monde de ne jamais faire. Toutefois, en politicien réaliste qu'il était, il avait pu justifier cette guerre (par ailleurs criminelle à ses propres yeux) en arguant de la nécessité, non pas d'assurer le triomphe de la démocratie dans le monde — entreprise donquichottesque puisque les Etats-Unis n'avaient pas encore expérimenté cette forme de gouvernement éminemment périlleuse, ainsi que les suffragettes, qui demandaient le vote pour les femmes, ne cessaient de le rappeler à leurs maîtres et seigneurs — mais tout bonnement d'enrichir la nation. Processus qui avait déjà commencé, comme le lui remémora Mr. Nigel Law, l'Anglais.

« Votre discours en commission, monsieur, a été fort applaudi à Londres.

— Il suffisait d'un peu de bon sens. On ne peut tout de même pas laisser son meilleur copain dans la panade, rétorqua Burden que l'accent d'Oxford agaçait prodigieusement.

— De quoi s'agit-il ? interrogea vivement Lucy.

— Il s'agit du prêt consenti à l'Angleterre. Le mois dernier le Président a appris que, sans une aide rapide de notre part, l'Angleterre ne pourrait plus soutenir la livre. Du jour au lendemain ils auraient dû renoncer à l'étalon-or. Alors j'ai dit à mes collègues sénateurs, qui se soucient comme d'une guigne des étrangers en général et des Anglais en particulier, que si la livre chutait, le dollar chuterait aussi. C'est pourquoi on ferait mieux de les soutenir tous les deux, ce que nous avons fait aussitôt et que nous continuons de faire, grâce à Mr. McAdoo et à ses emprunts Liberty, qui sont en train de connaître un succès faramineux. »

La campagne en faveur des emprunts Liberty s'était accompagnée de slogans antiboches que Burden commençait de trouver de plus en plus insupportables. Même un vieux Républicain comme Harding avait protesté, sans succès d'ailleurs.

« Croyez bien, sénateur, que nous vous en serons éternellement reconnaissants.

— Pour le moment, monsieur Law, dit Burden en souriant, c'est vous qui risquez d'être nos éternels débiteurs. Quoi qu'il en soit, nous avons maintenant les caisses pleines, ce qui est bien agréable. » Puis se tournant vers Lucy : « Mr. Roosevelt est visiblement malade. Vous devriez l'emmener chez un médecin. »

Pour la première fois depuis le début de la conversation elle regarda Burden avec intérêt.

« A quoi avez-vous vu ça ?

— A sa façon de transpirer.

— Il dit qu'il a simplement mal à la gorge. Bien. Je lui dirai d'aller voir un médecin quand nous serons à terre.

— Est-ce que le Lever Bill sera accepté par le Sénat ? » demanda le diplomate anglais qui n'avait pas l'air de penser que les fièvres et les maux de gorge dussent contrarier l'exercice normal de la diplomatie.

Burden hocha la tête.

« Oui, moyennant quelques amendements. ».

Le Président, ayant voulu contrôler le prix et la distribution des denrées alimentaires, avait demandé à Herbert Hoover, un brillant ingénieur des mines, de s'en occuper. Mais la Chambre avait exigé, par mesure de rétorsion, la constitution d'un comité de congressmen chargé des affaires de la guerre et destiné à conseiller (c'est-à-dire à contrôler) le Président. Wilson avait aussitôt rallié ses troupes au Sénat, et Burden avait été chargé de supprimer le paragraphe 23 du Lever Bill.

« Votre Président est doté de pouvoirs extraordinaires, fit Mr. Law d'un air songeur.

— Seulement en temps de guerre.

— Donc si j'étais un Président ambitieux, je m'arrangerais pour que le pays soit toujours en guerre.

— Ce ne serait pas possible, coupa sèchement Burden. Notre peuple n'aime pas la guerre. Pourquoi l'aimerait-il ? Nous avons ici tout l'espace nécessaire. Tout ce que nous désirons, c'est de pouvoir commercer librement avec les autres pays. Tout Président qui chercherait à nous embarquer dans une guerre impopulaire ne durerait pas longtemps. Voyez comme Wilson a eu du mal à nous entraîner dans celle-ci. »

Burden sentit qu'il avait trop parlé. Mr. Law le regarda comme s'il allait en dire davantage. Mais Burden ne voulait pas attribuer à Wilson la responsabilité d'une guerre qu'il avait tout fait pour éviter et où il n'était entré qu'in extremis et pour ainsi dire à reculons.

« Si l'Allemagne avait eu le bon goût de ne pas nous provoquer, nous ne serions peut-être pas entrés en guerre et la livre sterling...

— Aurait pour le coup mordu la poussière, conclut Mr. Law.

— Votre famille est de Washington, n'est-ce pas ? » demanda Lucy pour changer de conversation.

Burden hocha la tête.

« En partie. La branche qui est restée en Virginie, alors que celle dont je suis issu a émigré dans l'Ouest. J'ai vécu quelque temps ici chez des parents, après que nous eûmes perdu notre ferme. »

Ils se mirent alors à remonter gentiment l'arbre généalogique de Burden, et c'est ainsi que Lucy apprit comment il était allié aux ubiquistes Apgar. Lucy également leur était apparentée, comme l'était du reste Caroline et comme presque tout ce qui comptait d'Albany à New York et de New York à Washington. Burden regarda Lucy dans les yeux, et son cœur se mit à battre un peu plus vite. Il éprouva soudain le besoin d'être à nouveau aimé d'une jeune femme, n'importe quelle jeune femme, pour peu qu'elle fût jolie. Elle n'avait pas besoin d'être catholique, compliquée et vierge, comme devait l'être Lucy. Mais il ne devait plus attendre trop longtemps. Dans trois ans il aurait cinquante ans, et alors adieu jeunesse. Il avait encore Caroline, mais c'était une vieille liaison. Avec les années il avait appris à connaître sa véritable nature, qui n'était pas celle d'une épouse ou d'une maîtresse, mais bien plutôt d'une sœur, d'une amie. Il l'estimait beaucoup, mais maintenant il lui fallait autre chose : une de ces femmes dont on est mordu et qu'on a dans la peau.

Franklin se joignit à eux.

« Que diriez-vous du Lock Tavern Club, annonça-t-il d'un air désinvolte, avec dîner sur la jetée et coucher de soleil en prime ? »

Comme il posait négligemment la main sur l'épaule de Lucy, Burden comprit qu'ils étaient amoureux tous les deux, et que lui ne l'était pas.

Blaise lui aussi se trouvait en mer non loin de là, mais à l'inverse de Burden son humeur était au beau fixe. Il songeait à Frederika et se félicitait de l'avoir épousée. Certes, elle n'était pas avec lui aujourd'hui, mais a-t-on toujours besoin d'avoir son épouse à ses côtés ? Frederika le comprenait d'ailleurs fort bien. Présente quand Blaise avait besoin d'elle, elle trouvait toujours à s'occuper quand il allait dans le monde sans elle. Elle était en plus extrêmement psychologue, contrairement à Blaise, ce qui est bien commode quand on est une hôtesse de maison. Les Sanford recevaient en effet beaucoup, et le Tout-Washington se retrouvait souvent dans leur magnifique demeure de Connecticut Avenue. Leurs chemins croisaient parfois ceux de l'autre Mrs. Sanford, mais Caroline fréquentait une société plus choisie, plus intellectuelle et plus cosmopolite, dont Henry Adams avait été jadis le brillant animateur. Depuis quelques années, il est vrai, Adams ne sortait plus guère de chez lui et sa société se réduisait à une poignée de « nièces » (dont Caroline), comme il les appelait.

« Au moins ici il y a un peu d'air. »

En se retournant Blaise aperçut Mrs. Wilson vêtue d'un petit deux-pièces marin approprié aux circonstances. La suite présidentielle était montée à bord du *Mayflower* un peu avant midi alors que le soleil dardait à plomb ses rayons poudreux sur une mer immobile. Le Président et sa femme étaient accompagnés de parentes de Mrs. Wilson, femmes du Sud à l'accent chantant qui se parlaient tout bas à l'oreille en s'abritant derrière leurs éventails. Le *Mayflower* avait mis le cap sur Chesapeake Bay et, grâce à la censure militaire instaurée par Mr. Daniels, personne à Washington ne se doutait que le Président, terrassé par la chaleur, avait momentanément quitté la capitale.

« Asseyez-vous, monsieur Sanford. »

Edith indiqua d'un geste gracieux l'une des deux chaises placées côte à côte à l'arrière du bateau. Elle prit l'autre.

« Pour autant que je sache, cette promenade en mer est à peu près le seul dérivatif qu'ils autorisent au Président, encore que dans leur esprit il s'agisse plus d'un exercice de santé qu'autre chose. J'avoue qu'il faut avoir une santé de fer pour supporter un tel régime. J'aime beaucoup votre sœur.

— Je crois que c'est réciproque.

— Nous ne la voyons pas assez souvent, ni vous et Mrs. Sanford non plus. Votre femme est à Newport ? »

Blaise acquiesça de la tête.

« Je reste ici pour immortaliser le gouvernement et la guerre. »

Edith émit un petit gloussement.

« J'avoue qu'il n'y a rien de pire pour un Président que d'avoir le Congrès en session tout l'été, qui cherche par tous les moyens à lui mettre des bâtons dans les roues, mais quand je pense à cette terrible chaleur et à certains de ces terribles hommes et à leurs femmes, je me réjouis de les savoir coincés ici avec nous.

— Ce pauvre Cabot Lodge, il désirait tellement aller retrouver Henry Adams à Beverly Farms...

— Pauvre Cabot Lodge, répéta Edith comme s'il s'agissait du refrain d'une chanson. Mais dites-moi, Beverly Farms, n'est-ce pas la maison que Mr. Adams a fait construire... ?

— Oui, dans les années soixante-dix, quand il avait encore sa femme. Mais depuis qu'elle est morte, il n'y était plus jamais retourné, jusqu'à aujourd'hui.

— Ce n'était pas un meurtre, n'est-ce pas ? »

Edith avait l'air d'une petite fille à qui on va raconter son histoire préférée. Mais Blaise ne put satisfaire sa curiosité.

« Elle s'est tuée d'après ce qu'on dit. Elle se serait empoisonnée en avalant ce liquide qu'on utilise pour développer les photos. Depuis il n'en a plus jamais reparlé, à ma connaissance. Mais c'est surtout ma sœur qui est sa grande amie. Moi, il me tolère tout juste.

— Moi, il ne me connaît même pas. »

Mais Edith n'en parut pas autrement chagrinée. Quand on est la femme de César on ne se formalise pas pour si peu. Depuis le début, Blaise avait été amusé de voir avec quel sérieux Edith entendait assumer son rôle de Première Dame. Une Première Dame croulant chaque jour un peu plus sous les orchidées. Gracieuse, bienveillante, voyante.

« Washington n'est pas une ville, mais un ensemble de villages, qui pour la plupart ne communiquent même pas entre eux, observa Edith.

— A l'exception de Pennsylvania Avenue qui relie tous les villages à la Maison-Blanche.

— C'est ce que j'avais toujours cru, mais ce n'est pas vrai. Nous sommes très isolés, vous savez.

— La guerre...

— ... n'arrange rien, c'est évident. En fait je comparerais les Présidents à des espèces de prisonniers sur parole. Et mon village à moi, les Galt, les Bolling et les autres, ne se préoccupe pas de savoir qui est à la Maison-Blanche. A propos, je désire vous remercier pour la façon dont vous traitez le Président et son gouvernement. La presse n'est pas très aimable avec nous en ce moment.

— C'est peut-être dû à la censure, dit Blaise en souriant.

— Mr. Creel est à bord. Vous m'aviez exprimé, je crois, le désir de faire sa connaissance. Vous voyez, je n'ai pas oublié », dit-elle avec son irrésistible sourire de petite fille.

George Creel était soudain apparu sur la scène nationale à la suite d'une tempête législative inspirée principalement par le Président, et destinée à instaurer le contrôle de l'Etat sur tous les aspects de la vie américaine. La censure de la presse dépendait notamment de Mr. Creel, qui avait été nommé en avril président de la commission d'Information publique. En tant que directeur de journal, Blaise était extrêmement attentif à la façon dont les nouvelles dispositions législatives concernant la censure allaient être utilisées. Dans l'euphorie antiboche qui avait suivi la déclaration de guerre, le Congrès avait voté une loi sur l'espionnage condamnant à une peine de vingt ans de prison ainsi qu'à une amende de dix mille dollars « quiconque répandrait de fausses informations concernant le déroulement des opérations militaires ou navales des Etats-Unis, ou destinées à favoriser le succès de leurs ennemis... ou à provoquer l'insubordination, la trahison ou la mutinerie parmi les forces militaires ou navales des Etats-Unis... ou à entraver intentionnellement le recrutement ou l'enrôlement des hommes ».

Lorsque fut votée le mois précédent, le 15 juin, cette splendide abrogation du Premier Amendement de la Constitution, Blaise reçut un message personnel de William Randolph Hearst à New York déclarant que cette loi les concernait spécialement tous les deux. « Faites quelque chose ! » avait conclu le Chef en terminant sa lettre à son ancien disciple.

Edith se leva en voyant s'approcher d'eux un homme d'une quarantaine d'années, encore jeune d'allure, le canotier posé en arrière de sa tête, qu'il ôta pour saluer la Présidente. Edith fit les présentations, puis dit :

« Je dois aller aider le Président à déchiffrer les derniers rapports du colonel House. Oh, vous n'avez pas idée de la complexité de la trame que nous sommes en train de tisser !... ajouta-t-elle mystérieusement en disparaissant à l'intérieur du salon.

— De quelle trame s'agit-il ? demanda Blaise en désignant un siège au nouveau venu, et en lui offrant un cigare que celui-ci accepta.

— De celle du colonel House. Je crois que Mr. Wilson est en train de réaliser qu'il lui a laissé les coudées un peu trop franches en Europe, et qu'il convient maintenant de le remettre au pas », répondit Creel en remettant son canotier.

Comme Blaise entendait cette nouvelle pour la première fois, Creel prit un air ennuyé.

« Je l'avais toujours pris pour un simple messager, une espèce de courtisan.

— Mrs. Wilson serait d'accord avec vous pour ce qui est du courtisan. »

Comme tant de jeunes hommes énergiques, nouveaux venus sur la scène politique, George Creel était incapable de dissimuler quoi que ce soit qui fût de nature à mettre en évidence sa participation personnelle dans les affaires publiques.

« Elle le trouve trop complaisant vis-à-vis du Président.

— Ne le sommes-nous pas tous ?

— En ce qui me concerne, j'essaie d'adopter une attitude différente. Bien sûr je n'occupe ce poste que depuis trois mois...

— En quoi consiste au juste ce poste ? »

Creel parut surpris.

« L'information, naturellement. Nous essayons de donner de bonnes nouvelles concernant notre camp, et de mauvaises nouvelles concernant les Boches. En un sens, c'est un peu comme la publicité, bien que le Président n'aime pas beaucoup ce mot. »

Blaise hocha la tête. La personnalité de Creel commençait de se préciser à ses yeux. Il s'était attendu à voir un journaliste du Midwest plein de suffisance ; au lieu de cela il avait en face de lui un publicitaire plein de suffisance, qui pensait en slogans, bref un de ces hommes comme Hearst les aimait.

« Qui a décidé de suspendre toutes les conférences de presse du Président ? »

Creel détourna les yeux.

« Ma foi, dit-il d'un air hésitant, je n'en vois pas la nécessité en temps de guerre. Oui, nos troupes sont actuellement en France, et elles se battront quand elles seront prêtes, mais il est bien clair que le Président ne peut pas parler de la situation militaire devant les journalistes, et comme il ne peut pas parler de politique de façon partisane pour ne pas diviser le pays, à quoi bon recevoir la presse ? Parler à quelqu'un comme vous en privé, monsieur, c'est différent.

— Vous avez le pouvoir d'interdire un journal ou d'arrêter un directeur de journal qui pourrait simplement désapprouver la façon dont la guerre est conduite...

— C'est là le but de la loi qu'a votée le Congrès et que le Président est chargé de faire exécuter, répondit prudemment Creel.

— Est-ce à dire que vous allez suspendre la liberté d'expression ?

— Dans les cas où la sécurité nationale l'exige, oui. Mais je ne suis pas le tzar, dit Creel en ricanant. Je dois travailler de concert avec les ministres des Affaires étrangères, de la Guerre et de la Marine. Mr. Lansing a déjà dit qu'il n'avait pas confiance en moi parce que j'étais socialiste ! Aussi, après notre première rencontre, j'ai renoncé à travailler avec le Département d'Etat. Maintenant je travaille uniquement avec la Guerre et la Marine. Vous savez, j'ai déjà parlé à votre sœur, Mrs. Sanford.

— Je l'ignorais.

— Le sénateur Day nous a arrangé une entrevue. Je lui ai dit que ce serait très bien si elle pouvait travailler officieusement dans ma commission.

— Pour quoi faire ? »

Blaise n'était pas surpris que Caroline ne lui eût rien dit, car elle n'avait pas l'habitude de lui faire ses confidences, mais il fut en revanche surpris d'apprendre que le censeur et propagandiste officiel du pays s'intéressait à elle.

« Je pense que les femmes peuvent jouer un rôle capital dans ce conflit. Prenez les emprunts Liberty. Mr. McAdoo va obtenir ses deux milliards de dollars grâce à la façon dont il a su utiliser des gens de cinéma comme Mary Pickford et Charlie Chaplin pour vendre ses bons, sans parler des ventes de charité à travers tout le pays auxquelles des femmes du monde ont prêté leur concours. Ce qui prouve qu'il y a dans notre pays des femmes qui croient fermement en notre démocratie.

— Ce qui n'est pas le cas des suffragettes ?

— Ne m'en parlez pas ! s'exclama Creel en envoyant des anneaux de fumée bleue en direction des côtes du Maryland. Elles sapent l'image que je cherche à donner de nous comme de la première démocratie du monde, se battant aux côtés des autres démocraties.

— Mais il est difficile de prétendre que nous sommes une véritable démocratie si nous n'accordons pas le droit de vote aux femmes, fit observer Blaise avec une tranquille hypocrisie, car il ne croyait ni à la démocratie ni au vote des femmes.

— C'est pourquoi nous devons une fière chandelle à Mary Pickford, exulta Creel. J'ai demandé à Mrs. Sanford d'aller à Hollywood afin d'intéresser l'industrie cinématographique à notre cause. Je travaille en étroite symbiose avec Pathé News. En fait avec toutes les compagnies de films d'actualités. Mais la plupart de ces compagnies se trouvent sur la côte Est. L'ennui, c'est que je n'ai personne à Hollywood, là où sont faits la plupart des films. Alors Mrs. Sanford m'a dit qu'elle irait peut-être là-bas pour voir ce qu'elle pourrait faire pour notre cause. »

L'ancienne rivalité entre le demi-frère et la demi-sœur se raviva.

« Qu'est-ce qu'elle peut bien faire, quand elle ne connaît personne parmi les gens de cinéma ?

— Mais ils la connaissent tous. Ils connaissent le *Trib*. C'est ça qui compte. D'ailleurs elle a rencontré Mary Pickford à New York en même temps que moi, au grand meeting Liberty Bond, où les stars ont récolté un million de dollars en une heure à peine...

— Elle va donc organiser des meetings ?

— Non, monsieur. Elle va essayer de persuader — en tant que ma représentante — les producteurs d'Hollywood de faire des films pro-américains, pro-alliés...

— C'est-à-dire anti-allemands... »

Les yeux de Creel étincelèrent.

« Oui ! Le public de cinéma constitue la plus large audience au monde. Si donc nous pouvons influencer la production d'Hollywood, nous pourrons contrôler l'opinion mondiale. Hollywood est la réponse à tous nos problèmes. C'est la clé de tout, le sésame qui ouvre toutes les portes. »

Le déjeuner qui suivit réunit autour du Président et d'Edith, qui présidaient chacun à un bout de la table, une demi-douzaine de parentes de Mrs. Wilson, toutes des Bolling, ainsi que plusieurs officiers de marine.

Blaise trouva le Président en meilleure santé et de meilleure humeur qu'il ne l'avait vu depuis quelque temps.

« Je pense qu'en ce moment il fait meilleur être ici qu'à Washington », observa Wilson, puis avec ce sourire qu'il savait rendre si attachant il ajouta : « Mon seul plaisir, c'est de savoir que le Congrès va siéger tout l'été, et grâce au sénateur Day, sans avoir à m'occuper du paragraphe 23 (ici un clin d'œil à Blaise).

— Nous prendrons du vin, dit Edith à voix basse au steward.

— Je compte sur vous tous pour n'en rien dire à Mr. Daniels, intervint Wilson, qui avait l'ouïe fine. Mr. Daniels est en passe de devenir un vrai loup de mer. (Wilson remua le bout de son long nez, ce qui chez lui était un signe de bonne humeur.) Il y a quelque temps il était assis un soir à bord d'un cuirassé en train de parler à l'amiral, quand l'officier de jour vint faire son rapport à son supérieur. L'officier se mit au garde-à-vous et prononça les paroles d'usage : " Je tiens à vous signaler, monsieur, que tout est en ordre. " L'amiral se tourna alors vers *son* supérieur, le secrétaire d'Etat à la Marine, Mr. Daniels, qui se contenta de le regarder en silence jusqu'à ce qu'il réalise enfin qu'*il* était censé dire quelque chose. Sur quoi Mr. Daniels ouvrit démesurément les yeux et dit : " Ça, par exemple ! (Wilson imita l'accent sudiste de Mr. Daniels.) C'est très bien. Je suis ravi de l'apprendre. Véritablement ravi. " » Tout le monde se mit à rire. Blaise, qui avait accompagné plusieurs fois le Président au théâtre, était au courant des talents de comédien, d'imitateur, et même de danseur de claquettes du grand homme. Un soir, lorsqu'il courtisait Edith, on l'avait vu danser des claquettes le long de Pennsylvania Avenue en chantant *Oh, You Beautiful Doll*.

La « poupée » en question dit en se servant de la langouste :

« Vous savez, quand il était petit, Mr. Wilson voulait toujours aller à Annapolis. Il aime beaucoup la mer, ce n'est pas comme moi. L'an dernier comme nous étions au large de Long Island, la mer était si mauvaise que j'ai pris une bouteille de brandy dans l'armoire au moment même où une grosse vague nous a heurtés de plein fouet, et j'ai été projetée par terre. Quand Mr. Grayon est entré dans la cabine, il m'a trouvée allongée sur le dos, les quatre fers en l'air, le visage verdâtre, serrant contre ma poitrine une bouteille de brandy.

— J'aurais bien voulu voir ça, dit Blaise. Ce devait être un superbe spectacle. »

Blaise s'était pris d'amitié pour les Wilson à sa grande surprise, car, en tant que Républicain, il aurait préféré Elihu Root, un homme qui avait toutes les qualités pour remplir brillamment ce poste. Mais Wilson était agréablement intelligent, et son premier mandat s'était remarquablement bien passé. A présent il naviguait à vue comme le monde entier.

« Est-il vrai que le sénateur Lodge a dit que Mr. Wilson était le pire Président que nous ayons eu après Buchanan ?

— En tout cas il ne me l'a jamais dit à moi », répondit prudemment Blaise. Cabot était bien connu pour ses intempérances de langage, à telle enseigne qu'un jour qu'il déjeunait chez Henry Adams, celui-ci avait dû lui dire : « Cabot, si vous ne retirez pas ce que vous venez de dire, je vous prierai de quitter cette maison. Je ne supporte pas qu'on fasse l'apologie des traîtres dans ma propre maison. »

« Si c'est vrai, reprit tranquillement Edith, je vais me mettre à étudier l'administration de Mr. Buchanan. Il devait avoir de grandes qualités pour justifier la haine du sénateur Lodge. »

Blaise observa une fois de plus que le Président ne parlait jamais de politique à table. Il remarqua également qu'un médecin de la marine, un adjoint de Grayson, ne quittait jamais des yeux le Président, dont la dyspepsie avait déjà failli faire de lui un invalide.

Tandis que le Président racontait des histoires irlandaises aux convives qui partageaient son bout de table, pour le plus grand plaisir de George Creel, Edith, assise entre un frère à elle et Blaise, se laissait aller à faire des confidences.

« C'est dommage pour le colonel Roosevelt, lui et Mr. Wilson ont tant de choses en commun...

— Y compris le poste de Président.

— ...ainsi qu'une guerre. Bien que celle-ci risque d'être bien plus terrible que notre petite guéguerre avec l'Espagne. Mais je ne sais pas pourquoi, ils n'arrivent jamais à se comprendre.

— C'est normal, ils sont rivaux, dit Blaise. Le colonel est à peu près certain d'être le candidat républicain en 1920 — contre Mr. Wilson, je suppose.

— Croyez-vous vraiment que Mr. Wilson se représentera ? » fit Edith avec une lueur espiègle dans ses petits yeux noirs.

Le savait-elle en réalité ? se demandait Blaise. Et Wilson, le savait-il lui-même ?

« Pourquoi pas ? Il aura gagné la guerre.

— Mais c'est le général Pershing qui en récoltera tout le mérite, et puis le peuple élit toujours des généraux quand il en a l'occasion. Mais jamais des amiraux. Je me demande pourquoi.

— Il pourrait faire une exception pour Mr. Daniels. »

Edith partit d'un petit éclat de rire, et Blaise suspendit son interrogation. Le Président était parfaitement capable et suffisamment vain pour briguer un troisième mandat. Malgré son charme et sa courtoisie, Wilson n'en restait pas moins un curieux mélange de professeur d'université qui avait horreur d'être contredit dans un monde qu'il avait un peu trop tendance à considérer comme une salle de classe, et de prédicateur presbytérien incapable de mettre en question les vérités divines dont il se croyait le vase d'élection.

Après déjeuner le Président exprima le désir de se dégourdir les jambes, et le capitaine accosta sur une petite île au large de Chesapeake Bay, portant le nom exotique de Tangier. Blaise et Creel accompagnèrent chacun une dame Bolling à terre.

Le village proprement dit consistait en deux rues parallèles bordées de chalets en bois peints en blanc alignés les uns à côté des autres. Derrière chaque maison il y avait un jardin, et devant un petit cimetière de famille.

La première rue dans laquelle ils s'engagèrent leur parut déserte. Ils étaient précédés d'un homme des services secrets qui furetait à droite et à gauche d'un air inquiet. Allaient-ils tomber dans une embuscade ? Même Blaise, qui n'était pourtant pas homme à perdre son sang-froid, ne se sentait pas très rassuré.

« Il y a quelque chose de louche par ici, dit Creel. Vous avez remarqué comme la peinture sur ce mur est encore fraîche, et pourtant on ne voit personne.

— Des espions ? demanda Blaise.

— Ou pire, lâcha Creel.

— Après tout, observa une des dames Bolling, c'est un village de pêcheurs. Donc tout le monde doit être en mer. »

Creel sursauta en voyant un chat traverser la rue.

« Les femmes aussi ? » fit-il.

Blaise regardait le Président qui se tenait immobile, l'air intrigué, au milieu de la rue.

« Aucune voiture, aucune charrette, commença Creel.

— Elles sont interdites, expliqua le capitaine du bateau qui les avait rejoints. C'est ce qui fait le charme de l'endroit. Cela dit, je me demande où les habitants ont bien pu passer. »

Blaise se rapprocha de Mr. Starling, des services secrets, qui était en tête du cortège présidentiel.

« Tiens, voilà enfin quelqu'un, dit Edith derrière eux. Sur le trottoir, là, il y a un vieil homme avec un enfant. »

En effet, un vieillard était assis à l'ombre d'un saule tenant sur ses genoux un petit garçon.

« Bonjour, monsieur, dit Edith.

— Belle journée », dit le Président qui s'avança vers le vieillard en donnant la main à sa femme.

Starling cria avec un grand sourire :

« Hé, grand-père !

— Dites, monsieur, répliqua le vieillard d'un air méfiant, qui est cet homme là-bas avec la femme ?

— Mais c'est Mr. Wilson, le Président des Etats-Unis.

— Ce n'est donc pas une conspiration comme la dernière fois ?

— Un complot, la dernière fois ? Quelle dernière fois ?

— C'est vraiment lui, le Président ?

— Tu me fais mal », gémit l'enfant. Sur quoi le vieil homme laissa tomber par terre le gosse et se leva. « Nous pensions que vous étiez des Allemands venus prendre Tangier comme les Anglais en 1912. Hé, vous autres, sortez ! » cria-t-il. Et aussitôt la rue commença à se remplir de villageois.

« J'imagine qu'on doit les appeler des tangerines », fit Creel qui se frottait les mains de plaisir.

Soudain Blaise se rappela où il avait entendu le nom de Creel pour la première fois.

« Vous ne travailliez pas par hasard pour le Chef au *Journal* ?

— Bien sûr. Je me demandais aussi si vous me reconnaîtriez. Ensuite je me suis rangé, j'ai été quelque temps au Kansas, et puis j'ai travaillé au *Rocky Moutain News*. Mais j'ai été formé par Hearst. Ce sont des choses qu'on n'oublie pas.

— Je ne vous le fais pas dire », fit Blaise.

Ils se rassemblèrent ensuite autour du Président qui jugea bon d'adresser une petite allocution non seulement aux insulaires mais également à ses invités.

« Tangier, dit-il, est l'endroit idéal pour envahir Baltimore depuis la mer. C'est pourquoi la flotte britannique a débarqué ici, il y a exactement cent cinq ans, et s'est emparée de l'île. Mais le pasteur du village, un certain Joshua Thomas, leur a prédit qu'ils échoueraient devant Baltimore car le dieu des armées n'était pas avec eux, et le fait est qu'il n'était pas avec eux à ce moment-là, et je puis vous certifier que le dieu des armées n'est pas davantage avec les Allemands à présent » (ici la voix du professeur Woodrow Wilson, homme courtois et de commerce agréable, était redevenue la voix du magicien, du rhéteur, du sophiste, du mage, bref de l'homme préposé au Mensonge et au Merveilleux, choisi pour personnifier l'essence même de la vertueuse République), « et qu'il ne le sera jamais tant que nous respecterons le pacte solennel que nous avons contracté avec l'esprit même de l'humanité, le jour où nous nous sommes émancipés du Vieux Monde, avec ses intrigues et ses injustices, ses privilèges et ses inégalités, et que nous avons embrassé comme un seul homme, *e pluribus unum,* la cause de la liberté pour tous, qui alors était vraiment une chose nouvelle sous le soleil. »

C'était comme un robinet, pensa Blaise, que ces orateurs pouvaient ouvrir et fermer à volonté. Est-ce que par hasard ils s'écoutaient aussi eux-mêmes ? Ou bien étaient-ils de simples conducteurs destinés à recevoir une certaine masse d'énergie à laquelle ils étaient reliés d'une façon mystérieuse, et leur permettant d'articuler clairement ce que la multitude pensait confusément et instinctivement ?

« Voilà, dit Wilson en refermant le robinet, le sermon a assez duré pour un dimanche après-midi à Tangier. »

Sur quoi le Président reçut une ovation enthousiaste.

CHAPITRE III

1

Caroline était ligotée sur la voie de chemin de fer, le soleil dardant à plomb sur son visage et dans les oreilles le bruit terrifiant d'une locomotive qui s'approchait. Une voix d'homme aiguë lui criait : « Ayez l'air effrayé.

— Mais je le suis.

— Ne parlez pas. Regardez un peu plus vers la gauche.

— Mais, Chef, il y a trop d'ombre sur son visage. On ne voit pas ses yeux.

— Regardez droit devant vous. »

La locomotive était maintenant à moins d'un mètre de Caroline. Elle pouvait l'apercevoir du coin de l'œil droit. Le mécanicien la regardait fixement, la main sur — quoi ? —, sur le frein, espérait-elle. Un caillou lui rentrait dans le dos, juste sous l'omoplate gauche. Elle aurait voulu hurler.

« Hurlez ! » lui cria William Randolph Hearst. Et tandis qu'elle remplissait l'air de ses hurlements, un cavalier s'approcha de la locomotive, sauta dans le tender et tira sur une chaîne qui libéra une grande quantité de fumée nauséabonde. Une fois le train arrêté, il courut vers Caroline et s'agenouilla à côté d'elle.

« Coupez ! fit le Chef. Restez là où vous êtes, madame Sanford.

— Je n'ai pas le choix. »

Le jeune cow-boy en nage — qui travaillait sur le ranch de Hearst — lui sourit pour la rassurer.

« Ça ne prendra pas plus d'une minute, m'dame, dit-il. Il doit changer de caméra pour qu'on puisse me voir en gros plan quand je serai en train de vous détacher.

— Pourquoi ne pas mettre un sous-titre sur l'écran disant que deux semaines après son sauvetage miraculeux, Lady Belinda prenait le thé avec ses amies dans son salon londonien ? Je crois que je pourrais faire ça très bien. »

Hearst se tenait maintenant près d'elle, les cheveux grisonnants, sa grande carcasse l'abritant miséricordieusement du soleil.

« C'était épatant, dit-il. Joe est en train de recharger la caméra. C'est l'affaire d'une minute. Je ne vous savais pas si douée.

— Moi non plus.

— En réalité, il n'y a rien de plus facile que le cinéma, dit Millicent Hearst, que Caroline connaissait depuis l'époque où elle jouait à Broadway avec sa sœur dans un numéro de duettistes. Ou vous êtes photogénique ou vous ne l'êtes pas. Si vous l'êtes, ils vous aimeront. Si vous ne l'êtes pas, vous aurez beau vous décarcasser, ça ne servira à rien.

— Vous avez en tout cas une grande présence à l'écran, lui répondit Caroline, toujours allongée sur le dos, avec à sa droite le cow-boy en nage, et à sa gauche Mr. et Mrs. Hearst qui lui tenaient gentiment le crachoir.

— Si Millicent n'était pas si vieille, je pourrais en faire une star, observa Hearst avec son manque de tact habituel.

— J'suis pas beaucoup plus vieille que Mary Pickford, reprit Millicent avec son inimitable accent irlandais mâtiné de new-yorkais, mais c'est un boulot de dingue, le cinéma. C'est des journées de dix heures qu'ils font ici, vous vous figurez pas.

— Je commence à en avoir une petite idée, dit Caroline. En fait, ça fait maintenant plus d'une heure que je suis attachée à ces rails.

— Nous sommes prêts, fit Joe Hubbell, le cameraman, qui était juste hors de portée du champ visuel de Caroline.

— O.K. On continue. »

Les Hearst se retirèrent. Le cow-boy et Caroline attendirent patiemment qu'on leur dît ce qu'ils devaient faire. Caroline profita de ce loisir forcé pour admirer une fois de plus l'instinct de Hearst qui

124

l'avait attiré vers le jeu le plus excitant que leur pays eût jamais conçu. De même qu'il avait inventé la presse à sensation, forçant la réalité à refléter non pas elle-même mais la version que Hearst voulait bien en donner, il s'était maintenant lancé dans le cinéma, à la fois amateur, comme avec ce film, et professionnel comme avec *Les Périls de Pauline*, le feuilleton le plus populaire de l'année 1913. Maintenant, installé dans sa résidence d'été de San Simeon, un ranch de cent vingt-cinq mille hectares situé au nord d'Hollywood, le Chef s'amusait à tourner un film long métrage dans lequel il avait gracieusement offert à Caroline (qui, bien que plus âgée que Millicent, avait une beauté beaucoup moins conventionnelle) de tenir le principal rôle féminin. Lorsque Caroline eut accepté, à l'instigation de George Creel, d'être l'émissaire du gouvernement auprès de l'industrie cinématographi-que, elle commença par rendre visite à son vieil ami Hearst qui désapprouvait la guerre en général et Wilson en particulier. Ce qui ne l'empêchait pas d'être un hôte munificent et un réalisateur extrême-ment méticuleux.

Une heure plus tard Lady Belinda était détachée de la voie par le cow-boy, qu'elle dut ensuite embrasser sur les lèvres. Il rougit jusqu'aux oreilles, et Caroline, dont l'expérience était plutôt limitée dans ce domaine, constata avec plaisir combien les lèvres d'un jeune homme pouvaient être douces. Elle remarqua également qu'il émanait de sa personne une forte odeur de transpiration. Plus exactement une odeur de cheval.

Caroline partageait une tente avec sa femme de chambre, Héloïse, près du chalet de Hearst au sommet de Camp Hill. Comme il y avait toujours une bonne douzaine d'invités ainsi qu'une armada de domestiques, de jardiniers et d'ouvriers agricoles travaillant sur le ranch, la colline ressemblait à un camp militaire entourant la maison d'habitation, immense construction en bois qu'on démontait en hiver et qu'on remontait en été.

« Et ici, à cet endroit même, dit Hearst, je vais faire construire un château qui sera la réplique exacte de celui que vous possédez avec Blaise à Saint-Cloud-le-Duc. »

Ils étaient assis dans le principal salon de la maison. C'était une grande pièce avec un plafond aux poutres apparentes et des murs lambrissés d'une boiserie de pin auxquels était accrochée la plus grande collection de faux qu'un milliardaire américain eût jamais accumulés. On disait que Hearst, après trente ans de prospection acharnée dans toutes les salles de vente du monde, avait acquis un flair infaillible pour distinguer un bon faux d'un mauvais. Les siens se signalaient en général par une facture très soignée.

Tandis que Caroline se remettait de ses émotions en buvant un verre de sherry, Hearst s'approcha d'une table ronde sur laquelle était posée une sorte de pièce montée couverte d'une nappe en velours. Puis, tel un matador, il enleva la nappe, révélant ainsi la maquette en plâtre d'un château à la française avec ses tourelles, sa cour intérieure et ses communs.

« Voilà ce que je vais faire construire ici.

— Cela ne ressemble en effet à rien d'autre, observa prudemment Caroline.

— En tout cas à rien d'autre en Californie. Il me tarde de commencer les travaux. »

George Thompson, le majordome de Hearst, un poussah qu'il avait à son service depuis vingt ans, rond comme une chouette et rose comme un petit cochon, entra dans le salon avec une timbale de Coca-Cola pour le Chef comme tous les jours à la même heure depuis vingt ans. « Bonsoir, madame Sanford », dit-il à Caroline qui le gratifia d'un large sourire. Après tout c'était George qui avait encouragé son patron à étendre le cercle de ses relations, consistant originellement en politiciens et acteurs de music-hall, à des gens plus huppés comme elle. La sympathique Millicent, pour sa part, évitait de frayer avec les amis de son mari. Elle préférait New York à la Californie, la maternité aux feux de la rampe, la respectabilité à la célébrité, et les rigueurs du catholicisme aux accommodements du protestantisme. Elle savait fort bien, aux dires de ses proches, qu'elle avait été supplantée dans les affections du Chef par une actrice de variétés d'à peine vingt ans, soit à peu près l'âge qu'elle avait lorsque avec sa sœur elle avait fait la connaissance de Hearst au Herald Square Theater où elles étaient toutes les deux chorus-girls dans la comédie musicale *The Girl from Paris*. Maintenant l'histoire se répétait avec une certaine Miss Marion Davies, fille d'un politicien de Brooklyn nommé Bernard Douras. Blaise avait approuvé le compte rendu de leur romance dans le *Tribune*, que Caroline, qui l'avait lu avec plaisir, avait néanmoins censuré. Depuis que le *Tribune* était devenu l'un des journaux préférés du Président, on ne pouvait pas se permettre de choquer les lecteurs. En réalité l'amateur de vaudeville qu'était le Président aurait sans doute fort apprécié l'histoire hautement évocatrice, quoique nullement diffamatoire, de la jeune chorus-girl pour laquelle le grand cœur de Hearst s'était enflammé, et qu'il chaperonnait — sans fumer, ni jurer ni boire de l'alcool — dans les boîtes à la mode du New York des années de guerre. Miss Davies avait quitté son couvent — encore un couvent ! s'était exclamé Blaise — à seize ans pour devenir chorus-girl dans la comédie musicale *Chu-chin-chow, Oh, Boy !* et connaître maintenant la gloire dans les *Ziegfeld Follies de 1917.* On chuchotait à San Simeon que la Miss arriverait aussitôt après le départ de la Missis. Mais Hearst avait toujours été discret sur sa vie privée, et Millicent, elle, semblait parfaitement sereine.

« George Creel vous a donc demandé d'organiser l'industrie cinématographique », dit Hearst en s'asseyant sur un trône en face de Caroline, tandis que George allumait la lampe à kérosène. L'électricité à San Simeon était de fabrication artisanale et donc peu fiable. « Des histoires de nonnes violées par les Boches ?

— Oh, vos journaux ont sûrement dû vous dire tout ce que nous désirons savoir à ce sujet, fit Caroline mise en joie par le sherry. Je verrais plutôt des histoires de Boches violés par des nonnes, afin d'encourager les femmes à résister.

— J'ai toujours pensé que c'était vous, et non Blaise, le journaliste de la famille.

— Après tout c'est moi qui ai acheté le *Tribune* et qui l'ai rendu populaire en m'inspirant fidèlement de vos méthodes.

— Non. Vous avez un meilleur journal. Une meilleure ville aussi. Surtout en ce moment. Au fait, vous saviez que Creel a travaillé pour moi au *Journal* ? Un ambitieux. Et maintenant le cinéma. »

Hearst regarda un Mantegna dont le cadre était vermoulu seulement sur un côté. Le faussaire n'avait visiblement pas eu le temps de terminer son travail.

« Je pense que le cinéma est la réponse.

— A quoi ?

— Au monde, répondit-il en fixant Caroline de son œil de rapace. J'avais toujours cru que ce serait la presse. Si simple à imprimer. Si simple à transmettre grâce au télégraphe. Mais il y a le problème de la langue. Lorsque Jamie Bennet publie toutes nos histoires dans son *Paris Herald*, les nouvelles sont déjà rassies. Ce qu'il y a de beau avec le cinéma c'est qu'il est muet. Juste quelques sous-titres pour qu'on sache de quoi il s'agit et ce que disent les acteurs. Tous les Chinois ont vu mes *Périls de Pauline*, quoiqu'ils soient incapables de lire mes journaux.

— Vous y croyez tant que ça. »

Hearst hocha la tête.

« Ce que nous avons fait aujourd'hui, je l'ai fait uniquement pour m'amuser. Mais si c'est bien, je le distribuerai, si vous le permettez. J'ai ma propre compagnie.

— J'en serais ravie, bien sûr. »

Parmi toutes les professions dont Caroline avait jamais rêvé pour elle-même, celle d'actrice n'avait jamais figuré. Quand elle était petite, son père l'avait emmenée un jour voir Sarah Bernhardt dans sa loge, mais la crasse, les pots de fard, les démaquillants sur la coiffeuse, l'odeur de transpiration l'avaient à tout jamais dégoûtée du théâtre. Quant au cinéma, Millicent l'avait résumé en un mot. Ou bien vous êtes photogénique, ou bien vous ne l'êtes pas. A quarante ans, Caroline ne se faisait guère d'illusions. Il n'existait pas, officiellement du moins, de vedettes de cinéma de quarante ans. Elle-même n'était d'ailleurs intéressée que par le côté purement professionnel de la chose. Elle avait été chargée d'étudier les possibilités de propagande qu'offrait ce nouveau moyen d'expression, dont le succès auprès des foules avait été foudroyant. Ce n'est que lorsque des vedettes de cinéma aussi populaires que Charlie Chaplin et Douglas Fairbanks eurent vendu des Liberty Bonds à des millions d'admirateurs au cours de cette fameuse kermesse que le gouvernement comprit la toute-puissance d'Hollywood. Et Creel avait donné son accord.

Mais Hearst avait comme toujours un point de vue très personnel sur la question.

« Ce qui compte surtout, c'est les compagnies de distribution et le réseau de salles de cinéma. Le reste, c'est une question de chance. Sauf que vous ne pouvez pas perdre d'argent sur un film, à moins qu'un réalisateur comme — comment s'appelle-t-il ? Vous savez bien : celui avec les deux initiales...

— D. W. Griffith, répondit Caroline qui connaissait par cœur les noms de tous les cinéastes pour les avoir lus dans son propre journal.

— ...décide de faire le plus grand film de tous les temps en dépensant le plus d'argent possible à reconstruire des villes disparues comme Babylone. Il paraît qu'il est maintenant fauché. La Triangle est au bord de la faillite. J'ai fait une offre. Mais Zukor et Lasky ont plus d'argent que moi, en liquide s'entend. Le cinéma, c'est un vrai pactole. Comme l'Alaska en 49. Un million de dollars rien que pour Mary Pickford. Incroyable. Le seul danger c'est les zigotos du genre Griffith. Des types venus de nulle part et qui se mettent à voir grand dès qu'on leur refile une caméra dans les pattes. Quoique, ajouta-t-il en esquissant un sourire, il n'y ait rien de plus amusant que de faire un film. C'est un peu comme un bloc d'imprimeur. On peut jouer avec les pièces. Mais sans les limitations d'un journal. Vous vous arrêtez une fois seulement que vous avez assemblé toutes les pièces. On appelle ça le montage. Ça ressemble à la composition. Seulement ça ne reste pas mort sur la page, ça bouge.

— Vendons nos journaux et installons-nous en Californie, dit Caroline qui s'enflammait toujours facilement pour les idées de Hearst.

— Si j'étais plus jeune, c'est ce que je ferais, mais il y a New York.

— C'est juste. Vous ne deviez pas vous présenter cet automne à la mairie de New York ? »

Hearst se rembrunit.

« Le *Tribune*, à la demande de Wilson, je suppose, m'a conseillé de m'occuper de mes journaux et de soutenir la candidature de l'actuel titulaire, cette nullité de John Purroy Mitchel. »

Caroline écarquilla les yeux.

« Ce devait être notre nouveau rédacteur en chef...

— Non, c'était mon vieil ami Blaise. Vous n'avez pas dû le lire. Quoi qu'il en soit, j'ai Murphy. J'ai Tammany. Donc si je gagne...

— Vous serez le candidat démocrate pour l'élection présidentielle de 1920.

— Et Président en 1921 lorsque je prêterai serment. Il est temps, vous ne trouvez pas ? »

Caroline n'avait jamais compris ce qui poussait un homme comme Hearst à vouloir devenir Président. Elle attribuait ses ambitions politiques à un excès de vitalité.

« Je n'ai encore jamais vu d'élection aussi âprement disputée.

— Comment l'entendez-vous ?

— Nous ne sommes qu'en 1917 et le nombre de candidats qui affichent déjà leurs prétentions est impressionnant.

— Il n'y a aucune honte à cela, dit Hearst en se rinçant bruyamment la bouche avec du Coca-Cola. Le peuple américain n'aime pas les troisièmes mandats. Il n'aime pas non plus Wilson. Roosevelt est une épave et un gâcheur, et puis les gens en ont assez de lui. McAdoo...

— James Burden Day ? » Caroline prononça ce nom par loyauté pour Burden, mais Hearst ne parut pas intéressé. « Champ Clark ? » Le Speaker de la Chambre, chef de l'aile bryanite du parti démocrate, était déjà en train de se placer. « Et je ne parle là que des Démocrates.

« — Les Républicains désigneront Roosevelt, qui est fini, ou Leonard Wood, qui ne fait pas le poids. D'ailleurs c'est un général, ajouta-t-il avec dédain.

— Pershing aussi, et quand nous aurons gagné...

— Je ne crains pas les généraux. Cette guerre est trop importante. L'homme de la rue déteste les officiers. Surtout les West Pointers. Tous ceux qui auront été enrôlés en voudront à ceux qui les auront fait baver.

— Pourquoi n'était-ce pas le cas dans les autres guerres ?

— Ça l'a été dans ma petite guerre contre l'Espagne. Je mets à part Roosevelt qui était déjà un politicien quand il est monté à l'assaut de cette colline avec mes meilleurs reporters pour le couvrir. Le candidat issu de la guerre aurait dû être normalement l'amiral Dewey. Le héros de Manille. Et que s'est-il passé ? Rien.

— C'était un imbécile.

— Ce n'est pas toujours un désavantage. Mais cette fois il y a quelque chose de nouveau appelé service sélectif, qui ne rendra pas les militaires très populaires. Nos gars ne sont pas volontaires pour cette guerre. On va les forcer à se battre aux côtés de gens qu'ils détestent comme les Anglais, contre leurs propres frères de race.

— Vous parlez de vos électeurs irlandais et allemands ?

— Bien sûr. Et s'ils sont de simples Américains, ils ne comprendront pas davantage pourquoi on les envoie se battre en Europe, ni pourquoi ils sont censés détester un type appelé le Kaiser. Ce qui veut dire que lorsqu'ils rentreront — s'ils rentrent jamais — ils feront porter le chapeau à Wilson et à ses officiers pour tout ce gâchis. Vous savez, maintenant qu'on a ce nouveau procédé en couleur, vous devriez décorer votre première page avec des petits drapeaux. Un beau rouge, un joli bleu. Ça fait très gai, très patriotique. Les gens aiment ça. »

Caroline avait toujours considéré Hearst comme une espèce de génie simpliste, de savant idiot, bref comme une sorte de phénomène inclassable qu'on ne pouvait juger d'après les critères ordinaires d'intelligence. Cependant son esprit pratique, la sûreté de ses intuitions étaient indéniables, et ses incursions occasionnelles dans le socialisme n'étaient jamais entièrement dénuées d'intérêt. Récemment il avait convaincu Tammany Hall de la nécessité d'octroyer aux municipalités la propriété des services publics. Si une telle mesure venait à passer, et si d'aventure Hearst était élu Président des Etats-Unis, le Sénat tout entier s'abattrait sur lui le jour de son investiture, pour le transpercer de coups, comme César, au nom des sacro-saints trusts qui avaient payé leurs toges.

Vingt personnes étaient réunies pour dîner dans une longue salle à manger dont les boiseries disparaissaient sous les tapisseries d'Aubusson. Sur la table d'immenses girandoles de cristal alternaient avec des bouteilles de ketchup et de Worcester sauce. Caroline était assise entre le Chef et Timothy X. Farrell, un metteur en scène qui venait de réaliser une vingtaine de films à succès au cours des deux dernières années. Farrell était venu voir Hearst pour affaires. Il était plus ou moins question d'une carrière cinématographique pour Marion Davies et d'une nouvelle compagnie de production pour Hearst qui, incidemment, venait de racheter la compagnie Pathé à ses propriétaires français.

Farrell était un homme entre trente et quarante ans, l'œil noir, brun, svelte, qui parlait l'anglais avec un accent irlandais de Boston. Il se trouvait à Holy Cross lorsqu'il se sentit soudain une vocation pour le cinéma. Après avoir travaillé quelque temps à Flushing, près de New York, il s'était installé à Santa Monica en Californie, où il était devenu l'homme à tout faire de Thomas Ince. Maintenant c'était un metteur en scène à succès, réputé particulièrement pour son utilisation de la lumière. Caroline devait s'habituer à un nouveau vocabulaire, qui n'était pas sans rappeler — bien que totalement différent — celui du journalisme. Farrell était extrêmement désireux de faire des films célébrant les Etats-Unis, la liberté, la démocratie, tout en fustigeant, bien entendu, les Boches, la monarchie, et la dernière horreur à la mode, le bolchevisme, émergeant des ruines de la Russie tzariste et entretenant, d'après Creel des rapports étroits avec certains syndicats américains, et notamment ceux qui cherchaient à réduire la journée de travail d'un ouvrier de douze à huit heures.

« Ce qu'il nous faut, c'est une histoire, dit Farrell. On ne peut pas se mettre à filmer comme ça, au hasard, comme fait le Chef. Tout ça c'est démodé. Il s'imagine que *Les Périls de Pauline* c'est le dernier cri en matière de cinéma, mais il se trompe. Ce feuilleton a déjà quatre ans. Quatre ans c'est comme un siècle au cinéma. Tout est différent maintenant. Le public n'est plus prêt à allonger ses dollars pour voir n'importe quoi bouger sur un drap. Mais il est prêt à payer jusqu'à deux dollars pour voir une véritable histoire, un véritable spectacle. Griffith a tout changé.

— Vous aussi », dit Caroline après s'être raclé la gorge. Question flatterie, un cinéaste n'était guère différent d'un sénateur.

« J'avoue que l'an dernier j'ai eu de la chance. *Missy Drugget* est le film qui a fait les plus grosses recettes de l'année aux Etats-Unis. La guerre a évidemment compliqué un peu les choses. Nos distributeurs d'outre-mer en profitent pour nous estamper. Goldstein voulait faire quelque chose à ce sujet, mais maintenant j'ai bien peur qu'il n'aille en prison.

— Qui est Goldstein, et pourquoi irait-il en prison ?

— *Spirit of 76*, vous vous rappelez ? Ça traitait de la Révolution américaine. Le film est sorti en mars, juste avant que nous n'entrions en guerre. Vos amis à Washington, ajouta-t-il sans aucune acrimonie, ont pensé que la moindre allusion à notre révolution constituait une insulte envers notre alliée, l'Angleterre. Vous comprenez, cela pourrait troubler nos concitoyens s'ils apprenaient que nous avons dû nous battre contre les Anglais afin de devenir un pays libre. Bref, en vertu d'une de ces nouvelles lois que vient de décréter le gouvernement, le producteur Bob Goldstein a été inculpé, et il paraît qu'il risque dix ans de prison.

— Simplement pour avoir produit un film qui montre comment nous sommes devenus un pays libre ?

— Libre d'envoyer n'importe qui en prison. Oui.

— Pourquoi la presse n'en a-t-elle pas parlé ?

— Posez la question à Mr. Hearst. Posez-vous vous-même la question. »

Il avait des prunelles d'un bleu arctique ombrées de cils et de sourcils noirs.

« De quoi l'accuse-t-on exactement ?

— Je n'en sais rien. Mais cela tombe sous le coup de cette loi contre l'espionnage qui n'existait même pas lorsque nous avons tourné ce film.

— Vous y avez collaboré vous aussi ? »

Farrell rougit.

« Oui, moi aussi. J'ai fait l'éclairage, et j'ai servi de cameraman pour rendre service. Mais le menu fretin ne les intéresse pas. Maintenant je travaille pour Triangle. C'est le groupe avec lequel Mr. Ince a fait *Civilization*. C'est un ami de Mr. Hearst, c'est pourquoi je me trouve ici ce soir.

— Mr. Ince va-t-il lui aussi être arrêté ? »

Caroline se rappela que *Civilization* de Ince avait été un film pacifiste. Comme Hearst avait été non seulement opposé à la guerre, mais qu'il était en plus considéré comme pro-allemand, Caroline soupçonnait un lien entre les films pacifistes de certains des meilleurs producteurs de cinéma et Hearst lui-même. Hearst avait même été si anti-Alliés que les gouvernements français et anglais avaient refusé à ses journaux l'utilisation de leurs câbles internationaux. Le Canada avait même banni tous les journaux de Hearst de son territoire, et tout Canadien surpris en train de lire un de ses journaux était passible d'une peine d'emprisonnement de cinq ans.

« Je ne pense pas. Il a des relations. Il connaît personnellement le Président. Mais il doit regretter amèrement d'avoir abandonné les westerns. »

Après dîner Hearst conduisit ses invités sous une tente servant de salle de cinéma où ils assistèrent à la projection d'un de ses propres westerns : *La romance du Ranch*. Le héros était Hearst (qui paraissait encore plus grand que son cheval géant) et l'héroïne Millicent.

« Vraiment, j'ai l'air d'un pékinois, dit-elle à Caroline. C'est affreux de se voir comme ça.

— Ça, je ne saurais vous le dire », répondit Caroline, que le cinéma séduisait non pas tant comme procédé artistique destiné à capter la lumière ou le mouvement, par exemple, mais plutôt comme un moyen de préserver le temps, de fixer l'éphémère et le fugitif sur une pellicule de celluloïd. Millicent était assise en ce moment à côté d'elle, le visage en partie éclairé par la lumière tremblotante réfléchie par l'écran, tandis que sur l'écran lui-même on voyait Millicent telle qu'elle était il y a plusieurs semaines, et telle qu'elle resterait à tout jamais — inchangée et inchangeable.

On applaudit *La romance du Ranch*, puis Hearst se leva et après une légère inclinaison du buste :

« C'est également moi qui ai écrit les sous-titres, annonça-t-il. C'est bête comme chou. Et maintenant, ajouta-t-il en se tournant vers Caroline, nous allons voir les rushes du super-western que nous avons tourné cet après-midi. »

Les lumières s'éteignirent. Un rayon lumineux émanant du projecteur fut dirigé sur l'écran, et l'on vit tout à coup apparaître l'avant de la locomotive. Caroline reconnut le cow-boy avec lequel elle avait travaillé toute la journée. Elle fut frappée de constater comment ce visage carré, plutôt grossier dans la réalité, acquérait à l'écran une beauté extraordinaire. Elle remarqua également la ligne droite des sourcils, pareils à ceux d'un athlète minoen.

Un murmure admiratif salua ensuite l'apparition de Lady Belinda. On vit une jeune femme élégante accueillie à sa descente de train par le cow-boy, qui tenait son chapeau à la main. Un porteur lui tendit sa valise. Gros plan sur le visage de Lady Belinda. Une mèche sur le front et une fossette au menton accentuaient la symétrie de sa figure. Des pommettes saillantes cernaient ses grands yeux d'ombres flatteuses. Puis la femme se mit à sourire lentement. Les spectateurs retenaient leur souffle.

« Vous alors, on peut dire que vous en jetez ! murmura Millicent, admirative.

— Je n'arrive pas à y croire », fit Caroline.

Un sous-titre disait : « Bienvenue à Dodge City, Lady Belinda. » Le cow-boy et Lady Belinda se dirigèrent vers un buggy. Caroline était hypnotisée par l'image d'elle-même que lui renvoyait l'écran. Mais ce n'était déjà plus elle. C'était elle il y a deux semaines, tandis que là sur l'écran elle aurait quarante ans pour l'éternité. Elle fouilla son visage pour y chercher des rides. Le mascara avait fait des merveilles. Les seules rides discernables sous l'azur de cette radieuse journée d'été étaient comme des espèces de guillemets au coin des yeux pareils à des queues d'hirondelles. Cela dit, elle était véritablement ravissante, surtout lorsqu'elle souriait de ce sourire sincèrement hypocrite qu'elle réservait d'ordinaire aux dignitaires étrangers ou au Président du moment. La projection dura vingt minutes.

Quand on ralluma, l'assistance se leva pour applaudir Caroline. « Une nouvelle étoile est née », déclara Hearst un peu comme il aurait annoncé la naissance d'une nouvelle starlette dans la page des spectacles du *Journal*, où une bonne demi-douzaine de fois par an au moins une nouvelle chorus-girl devenait la « Femme de l'Année ».

Arthur Brisbane, le principal rédacteur de Hearst, serra gravement la main de Caroline.

« Même sans avoir les yeux bleus, vous tenez fichtrement l'écran ! »

Brisbane avait une théorie selon laquelle tous les hommes célèbres (et sans doute aussi les femmes) avaient les yeux bleus.

« Peut-être que mes yeux vireront au bleu au soleil de Californie », dit Caroline avec son ravissant sourire. Elle se sentait littéralement possédée. Elle était devenue tout à coup deux personnes. L'une existant sur l'écran et vouée à l'immortalité et à l'immutabilité, tandis que l'autre, guettée inexorablement par la vieillesse et par la mort, papillonnait au milieu d'une tente pleine de monde.

« C'est dommage que vous ne soyez pas plus jeune, dit Millicent. Vous auriez pu faire une carrière.

— Heureusement que ça ne me dit rien, répondit Caroline.

Comme ça je pourrai jouir tranquillement de mon statut de femme mûre. »

Le cameraman, Joe Hubbell, s'approcha d'elle.

« C'est moi qui ai eu l'idée du montage, afin que vous puissiez voir le film. »

Hearst hocha la tête.

« C'est Joe qu'il faut remercier. Je ne regarde jamais à travers la caméra, et je ne vois pas non plus les rushes. Aussi quand Joe m'a dit que vous creviez l'écran, j'ai cru qu'il disait ça pour vous faire plaisir.

— Il y a réussi. »

Caroline était médusée par ce tour de sorcellerie dont elle venait d'être l'héroïne. Elle se sentait un peu comme ces sauvages qui s'imaginent qu'une photographie peut leur ravir leur âme.

Après que la plupart des invités eurent regagné leurs tentes, Caroline et quelques amis choisis retournèrent au chalet. Pendant que George leur servait à tous du Coca-Cola, Caroline interrogea Farrell sur l'utilisation du cinéma à des fins de propagande.

« Je ne crois pas que vous ayez beaucoup de peine à les convaincre. De toute façon, tout le monde à Hollywood fait la même chose, surtout maintenant depuis qu'on est en guerre et qu'on risque la prison si on se permet la moindre critique à l'égard de l'Angleterre ou de la France ou même...

— Du gouvernement. Pour assurer le triomphe de la démocratie dans le monde, nous devons commencer par supprimer la liberté d'expression chez nous, dit Caroline en parodiant un de ses propres éditoriaux.

— C'est à peu près ça, dit Farrell en la scrutant du regard. Personnellement je ne vois guère de choix entre les Boches et la loi sur l'espionnage.

— C'est normal. Vous êtes irlandais et vous détestez l'Angleterre. Vous auriez souhaité que nous restions en dehors de tout cela.

— Oui, mais comme je ne tiens pas à rejoindre Bob Goldstein en tôle, je ferai des films pour exalter les petits gars de chez nous qu'on envoie au casse-pipe. »

Caroline jeta un coup d'œil à Hearst à l'autre bout de la pièce. Il était en grande conversation avec certains de ses rédacteurs ou plus exactement c'étaient les rédacteurs, rassemblés sous la houlette de Brisbane, qui discutaient entre eux sous l'œil énigmatique du Chef. Pour la première fois de sa vie Caroline eut conscience d'un véritable danger. La République bon enfant qu'elle avait toujours connue était en train de changer. Bien que le *Tribune* eût contribué pour sa part à propager dans le pays une psychose de guerre — le *Trib* avait été le premier quotidien à soutenir la cause des Alliés — Caroline n'avait pas prévu les conséquences de ses prises de position. Elle avait appris de Hearst que la fiction entrait autant que la vérité dans la rédaction d'un article, mais elle avait trouvé normal que, tandis que le *Tribune* présentait les Allemands sous un jour uniformément atroce, la presse Hearst de son côté propageât des sentiments exclusivement pro-allemands. Chacun inventait des « faits » à seule fin de vendre des journaux. Chacun avait son araignée au plafond, qui avait besoin de la page imprimée pour être satisfaite. Mais à présent l'araignée de Hearst se tenait tranquille. La grande démocratie américaine avait décrété qu'il n'y avait qu'un seul point de vue autorisé sur une guerre aussi complexe, et que la prison était prête à accueillir ceux qui refusaient de s'aligner sur les positions du gouvernement. En réalité le gouvernement ne faisait que refléter l'espèce d'hystérie collective que la presse avait si opportunément déclenchée, avec l'aide de politiciens démagogues et d'agitateurs à la solde de l'étranger. Maintenant l'Administration avait invité Caroline à encourager l'industrie cinématographique à donner des explications de plus en plus simplistes d'un conflit qu'elle en était venue à considérer, malgré ses sentiments profrançais, comme parfaitement inutile. Elle n'en était pas moins stupéfaite d'apprendre que quelqu'un était allé en prison pour avoir fait un film. Où donc était la sacro-sainte Constitution dans tout cela ? N'avait-elle jamais été autre chose qu'un torchon de papier auquel les maîtres du pays se référaient quand ça leur convenait, et qu'ils ignoraient le reste du temps ?

« Votre ami, Mr. Goldstein, comparaîtra-t-il devant la Cour Suprême ?

— Je doute qu'il en ait les moyens. De toute façon, comme c'est la guerre, il n'y a pas de liberté d'expression. Non qu'il y en ait jamais eu beaucoup.

— Vous êtes trop sévère. On peut — ou du moins on pouvait — dire et écrire presque n'importe quoi.

— Vous vous souvenez de ce film avec Nazimova, *Epouses de Guerre*, en 1916 ?

— C'était une exception. »

En 1916 on avait donné une version moderne de *Lysistrata* qui avait tellement enragé le lobby pro-guerrier que le gouvernement avait dû l'interdire.

« On n'était pas encore en guerre.

— En tout cas personne n'est allé en prison. »

La réponse était faible. Caroline reconnaissait que depuis la guerre le climat social s'était insensiblement dégradé.

— On verra bien s'ils y mettent Mr. Hearst.

— Ils ont déjà essayé. Rappelez-vous quand le colonel Roosevelt l'a accusé du meurtre du Président McKinley.

— C'était avant la guerre. Mais maintenant ils peuvent le boucler s'il refuse de dire des gentillesses sur l'Angleterre et des méchancetés sur l'Allemagne...

— Et sur l'Irlande ? Pour n'être pas venue au secours de l'Angleterre ? »

Farrell accepta un verre de Coca-Cola de George.

« Ma foi... Votre ami Mr. Creel va vite en besogne. Il m'a proposé de faire partie de la division cinéma de sa commission, de travailler avec les services secrets de l'Armée, et de glorifier nos soldats...

— Mais ils n'ont encore rien fait. S'ils se battent, je ne dis pas...

— Nous serons prêts. Vous êtes très belle, vous savez. »

Comme personne ne lui avait dit cela depuis l'âge de neuf ans, elle en avait déduit que la beauté qu'elle pouvait avoir était de celles qui passent inaperçues.

« Vous voulez dire que mon image projetée une douzaine de fois grandeur nature sur un drap de lit est belle, ce qui n'est pas la même chose que moi, précisa-t-elle non sans une certaine coquetterie.

— Non, c'est de vous que je parle. Je suis désolé. Je suis très mal élevé, dit-il en toussotant. Mon père tenait un bar à Boston. Dans le quartier mal famé.

— Vous avez d'excellentes manières, au contraire. C'est votre goût que je me permets de critiquer, mais sans y mettre trop de zèle. A mon âge, une femme peut supporter quelques compliments sans perdre aussitôt la tête. »

Caroline permit néanmoins à Mr. Farrell de la raccompagner jusqu'à sa tente, où elle se laissa embrasser au clair de lune, sous les hurlements appréciatifs des coyotes, par un homme qui n'était pas son amant. Elle remarqua que ses lèvres étaient bien moins douces que celles du cow-boy minoen.

« Les femmes ne peuvent pas tout avoir, confia-t-elle à Héloïse qui l'aidait à se déshabiller. Je veux dire : de ce qu'elles désirent vraiment. »

2

Pour Jess Smith, Noël c'était avant tout la rue principale de Washington Court House, avec le sapin de Noël tout illuminé dans la cour du tribunal, et suffisamment de neige, de glace et de jambes cassées pour occuper les docteurs. Il n'y avait pas que Noël non plus pour le rendre joyeux. Jamais les affaires n'avaient mieux marché que depuis la déclaration de guerre. Les gens se ruaient littéralement sur tout ce qu'ils voyaient. Jess se frottait les mains de plaisir, debout près de l'entrée du magasin, avec derrière lui dans l'alignement la caissière et sa haute caisse enregistreuse toute noire, respirant cette odeur capiteuse de laine mouillée et de caoutchouc qui pour lui était synonyme de la prospérité liée aux fêtes de Noël. Machinalement il saluait la moitié de ses clients de son éternel : « Quoi de neuf ? »

C'est avec cette même phrase qu'il accueillit Roxy qui descendait de l'appartement de sa mère. Roxy s'était demandé s'il était bien convenable de continuer d'habiter au-dessus du magasin de son ex-mari, mais Jess n'avait pas voulu entendre parler de déménagement. « Tu es ma meilleure amie », lui avait-il dit. A quoi elle avait répliqué : « Après Harry Daugherty. »

Roxy lui appliqua un gros baiser sonore sur la joue, et ils sortirent tous les deux dans la nuit glacée. Une chouette petite femme, Roxy, et qui aimait bien son gros bébé cadum d'ex-mari. Elle rêvait toujours d'aller à Hollywood et de devenir une vedette de cinéma. Mais avant de se décider à entreprendre le voyage, elle voyait tous les films qui passaient en ville. En ce moment on donnait au Strand : *Joan, the Woman* avec Geraldine Farrar dans le rôle principal. Roxy adorait les films historiques en général et en particulier Geraldine Farrar, une ancienne chanteuse d'opéra aux formes plantureuses. Comme il n'y avait pas de film de gangsters à l'affiche, Jess avait accepté d'emmener Roxy au cinéma après un petit dîner sur le pouce au Blue Owl Grill. Avec un peu de chance il y aurait peut-être même un bon feuilleton, indépendamment du grand film qui datait déjà d'une année et qu'on redonnait à cause de la guerre.

« C'est sur Jeanne d'Arc, expliqua Roxy tandis qu'ils descendaient la rue verglacée, à moitié aveuglés par les phares des automobilistes venus en ville faire leurs achats de dernière minute.

— C'est un nom qui ne me dit rien, dit Jess en saluant joyeusement les passants.

— Tu devrais t'intéresser à autre chose qu'à la politique », reprit Roxy en trébuchant contre un pavé.

Jess y vit un avertissement du ciel à l'endroit de Roxy pour avoir osé insinuer que tout dans sa vie à lui ne baignait pas dans l'huile hormis, il est vrai, une légère tendance à l'embonpoint. Jess poussa Roxy contre le mur, puis ils entrèrent bras dessus bras dessous au Blue Owl. Le propriétaire, qui était un vieux copain de Jess, les salua d'un « Quoi de neuf ? », histoire de plaisanter. Le Blue Owl était une ancienne brasserie allemande qui, hier encore, s'appelait l'*Heidelberg*. Les propriétaires étaient un couple de Suisses allemands farouchement attachés à leur neutralité.

« Bratwurst et sauerkraut, comme d'habitude, commanda Jess.

— Saucisse et *choux Liberty*, rectifia la serveuse, une grande bringue d'Allemande au masque impassible.

— Voyez-vous ça, s'écria une voix de femme derrière eux. On change les noms simplement parce qu'ils sont allemands ! »

C'était Carrie Phillips, seule à la table d'à côté. Bien qu'elle eût le même âge que Jess, elle ressemblait plus que jamais à une déesse viking avec ses grandes boucles d'or mat encadrant un visage vierge de tout cosmétique.

« Décidément un vent de folie souffle sur ce pays, ajouta Carrie.

— Chut, fit Jess en se retournant. Ce n'est pas le moment. »

Le moment paraissait en effet assez mal choisi pour prendre publiquement la défense des Allemands ou même de quoi que ce soit d'allemand. La musique de Wagner était interdite dans de nombreuses villes, ce qui certes n'était pas pour déplaire à Jess, mais au début de la semaine le Congrès avait déclaré la guerre à l'Autriche, et Jess se demandait si on n'allait pas interdire aussi les valses de Strauss, la seule danse qu'il était capable de danser avec une certaine grâce. Jess ne s'était pas attendu à une telle hostilité contre les Allemands. W.G. non plus, dont la maîtresse était précisément assise à la table voisine de celle de Jess et Roxy.

« Où est Jim ? » demanda Roxy.

Carrie se leva, et Jess l'aida à enfiler son manteau.

« Il est parti chercher la voiture. Nous rentrons à Marion ce soir.

— Sur ces routes verglacées, bigre ! » s'exclama Roxy.

Les rapports entre Jess et Jim Phillips son concurrent de Marion avaient toujours été excellents, chose étonnante, d'autant qu'au siècle de l'automobile la distance entre les deux villes s'était considérablement rétrécie, au point de devenir pratiquement insignifiante. Ce qui aurait pu faire de Jim et de Jess des rivaux. Mais Jess n'était pas ambitieux, tandis que l'ambition de Jim était amplement satisfaite par la succursale d'Uhler-Phillips qu'il venait d'ouvrir à New York, en plein Broadway. Après les Harding, les Phillips étaient la première famille de Marion, peut-être même de Fayette County. La chose était d'autant plus drôle que W.G. et Carrie Phillips entretenaient une liaison depuis une douzaine d'années à l'insu de la duchesse et de Jim. Au début Daugherty en avait été contrarié, mais comme il n'était pas question de mariage entre eux ni d'avoir d'enfants, il en avait vite pris son parti, comme tous ceux qui se doutaient de quelque chose, et qui du reste n'étaient pas nombreux, contrairement à ceux qui savaient et qui étaient la majorité, du moins à Marion.

Leur liaison avait débuté peu après l'opération du rein qu'avait subie la duchesse, et qui avait coïncidé avec l'entrée de Jim Phillips au sanatorium de Battle Creek dans le Michigan. Durant l'été qui avait suivi, lorsque W.G. avait fait la tournée du Chautauqua, parlant chaque jour dans une ville différente, Carrie venait le rejoindre dans l'anonymat douillet des hôtels de petite ville.

Jess trouvait leur aventure extrêmement romantique. Ils formaient incontestablement le plus beau couple de l'Ohio. Cela dit, ils auraient pu être mieux assortis. Carrie était un peu snob et prétentieuse comme Alice Longworth. Elle aimait l'Europe, et plus grave encore, elle était fière de ses origines allemandes, et le pire c'est qu'elle n'arrêtait pas d'en parler.

« C'est bien notre chance, dit-elle. Jim et moi nous avions réservé cet été sur le *Bremen*. J'avais espéré rester peut-être une année en Allemagne, pour améliorer mon allemand. Et patatras, voilà cette guerre qui vient tout ficher par terre... »

Elle fit la grimace. Plusieurs têtes se retournèrent aux tables voisines. Jess devint cramoisi, et fit semblant d'être un soldat au front.

« Ça ne durera pas longtemps », dit Roxy qui était bien décidée à ce que rien ne vienne assombrir sa soirée. Jess l'avait finalement persuadée de couper ses boucles rousses à la Mary Pickford, ce qui la faisait paraître plus jeune que ses trente-cinq ans. Plus *gamine*, comme elle disait. Roxy avait aussi passé une année en Europe, et elle pouvait être aussi snob que Carrie. « Maintenant que nos garçons sont presque tous en Europe », ajouta-t-elle, en élevant la voix. Et toutes les têtes de repiquer dans leur assiette.

« Je doute que nos gars aient la tâche facile face à la plus grande armée du monde, reprit Carrie en ralentissant son débit pour mettre encore mieux en relief les mots qu'elle avait l'air de modeler avec la moue de ses belles lèvres et tout en attachant un regard dur, fixe, implacable sur Roxy. Nous... je veux dire ils, ajouta-t-elle en prenant tout son temps pour passer d'un pronom à l'autre, sont en train de gagner en France, et maintenant que les Russes se retirent de la guerre, Ludendorff n'aura aucune peine à repousser les Alliés jusqu'à la mer.

— Nous y compris », dit sèchement Roxy.

Jess se couvrit le visage avec sa serviette. Il venait d'être blessé au combat. Il frissonnait comme toujours chaque fois qu'il pensait au sifflement des balles, au bruit des canons, à la mort.

« Nous ne sommes pas les Alliés, fit Carrie avec une moue inquiétante de petite fille espiègle. N'avez-vous pas lu ce que Mr. Wilson a dit ? Nous sommes là pour mettre fin à la guerre et c'est tout. Nous ne prenons parti pour aucun des deux camps. Nous sommes pour une paix sans vainqueurs ni vaincus. Non, ajouta Carrie en souriant à l'image d'elle que lui renvoyait une cuiller en argent massif au dos de laquelle le nom d'Heidelberg était gravé en lettres gothiques, le seul moyen pour nous de battre les Allemands, c'est de confier le commandement de nos troupes à un général comme Johann Joseph Pfoersching.

— Qui ? interrogea Jess en laissant tomber sa serviette et en piquant une boulette de viande dans l'assiette de Roxy.

— John J. Pershing. C'est ainsi que s'écrit son nom en anglais », s'écria triomphalement Carrie. Le commandant en chef des armées américaines appartenait par la naissance à la race des seigneurs. Maintenant tout le monde parlait à la fois autour d'eux. L'intérieur du restaurant s'emplissait de l'âcre fumet des choucroutes et des cigares auxquels se mêlaient les relents de schnaps, les fumets enivrants du rhum bouillant et des whiskies chauds.

« Ça alors ! s'exclama Roxy, oubliant ses années en Europe et retombant dans son patois de l'Ohio.

— Je ne crois pas que beaucoup de gens savent ça », dit Jess.

Il était perplexe. Et si Pershing était un agent double recevant ses ordres du Kaiser... ça en ferait une histoire ! Depuis le début de la guerre il se passionnait pour les histoires d'espionnage tout comme autrefois il avait été un lecteur assidu de romans policiers, capable de repérer un assassin dans une pièce pleine de monde simplement à sa façon de marcher.

« Je suis contente que W.G. ait réussi à faire tomber un peu l'hystérie qui s'était emparée des sénateurs à propos des Liberty Bonds. J'en étais écœurée, et je le lui ai dit. Comme s'il n'y avait que les Allemands qui commettent des atrocités ! Et les Français, ils n'en commettent peut-être pas ! Quant aux Anglais, ils ont assez montré ce dont ils étaient capables contre les Boers...

— Et aussi contre les Irlandais », ajouta machinalement Roxy.

Ils furent alors rejoints par Jim Phillips, un petit homme maigrichon au teint terreux.

« La voiture est là, Carrie. »

Jim salua amicalement Jess, sourit à Roxy et aida Carrie à se lever.

« Nous avons une sale route à faire, avec la neige qui se remet à tomber. »

Carrie dominait son mari d'une bonne tête, un peu comme la reine d'Angleterre dominait son George, et elle se tenait aussi raide qu'elle.

« Dites bien à nos amis à Washington combien ils nous manquent...

— C'est ça », dit Jim.

On se souhaita un joyeux Noël, puis les amis se séparèrent.

« Ça continue, dit Roxy en regardant Jess.

— Je le regrette, dit Jess en trempant ses lèvres dans une chope en étain. Je le regrette sincèrement.

— Monsieur. »

Jess leva les yeux et vit un homme corpulent d'une trentaine d'années au visage rond coupé d'une maigre moustache.

« Puis-je me permettre de vous interrompre pendant votre repas ? »

L'homme sortit un portefeuille de la poche intérieure de son veston et l'entrouvrit de manière à ce que Jess fût seul à voir qu'il contenait un badge.

« Silas W. Mahoney, membre des services secrets des Etats-Unis.

— Asseyez-vous », balbutia Jess. La panique et l'excitation lui avaient littéralement coupé le souffle. Les services secrets, c'était l'échelon le plus élevé dans le monde des enquêteurs. C'étaient des gens chargés spécialement par le gouvernement de capturer les criminels, de protéger les Présidents et de défendre la liberté. Les services secrets ne dormaient jamais, étaient toujours en alerte, car la liberté était toujours menacée.

« Qu'est-ce que tu as encore fait, Jess ? » demanda Roxy d'une voix plus grondeuse qu'alarmée.

Mr. Mahoney s'assit sur une chaise entre Jess et Roxy. Heureusement il y avait maintenant tellement de monde dans la salle de restaurant que les allées et venues à la table de Jess passèrent inaperçus.

« C'est au sujet de Mrs. Phillips, dit l'homme des services secrets, en sortant un calepin et un crayon d'une de ses poches. Comme vous le savez, nous sommes en guerre. » Mr. Mahoney avait cru que cette information produirait plus d'effet qu'elle n'en eut en réalité. Jess continuait de respirer avec difficulté, tandis que Roxy, la loi, elle s'en tamponnait le bourrichon, et plus encore de Mr. Mahoney qui poursuivit d'une voix très lente : « Mrs. Phillips est quelqu'un de très connu ici dans l'Ohio, et même à Washington.

— Leur succursale n'est pas à Washington, interrompit Roxy avec un sang-froid et un sens de l'à-propos qui firent l'envie et l'admiration de Jess. Mais à Broadway, à New York. Uhler-Phillips n'est connu que dans la mercerie, monsieur Mahoney.

— Je ne suis pas sûr d'avoir très bien compris votre nom, dit Mr. Mahoney, le crayon suspendu au-dessus de son calepin.

— C'est ma femme, commença Jess.

— Son ex-femme, Roxy Stinson...

— Smith », compléta Jess, qui commençait à savourer le piquant de la situation.

Mr. Mahoney inscrivit le nom de Roxy sur son calepin.

« Voulez-vous me dire au juste pourquoi vous enquêtez sur Mrs. Phillips ?

— Nous avons tout lieu de croire qu'elle est une espionne allemande, et qu'elle fournit des renseignements secrets à la Wilhelmstrasse. »

Roxy partit d'un éclat de rire chevalin.

« Tout ce qu'elle pourrait dire aux Allemands, c'est de combien sera la réduction sur le prix des couvertures après les ventes de fin d'année, et elle s'y entend très bien, je crois, en ce qui concerne les articles de lingerie. Uhler-Phillips a le meilleur assortiment de tout l'Ohio...

— Roxy ! » s'écria Jess outré. Il s'enorgueillissait à juste titre de son rayon de soieries féminines cousues main.

«Je ne crois pas que vous réalisiez le danger qu'une femme de son acabit fait courir à une grande nation en temps de guerre. »

Mr. Mahoney essayait de se montrer raisonnable, mais visiblement Roxy lui tapait sur les nerfs.

« Je doute, dit Jess qui avait repris en partie possession de ses moyens, qu'elle puisse avoir la moindre information digne d'intéresser la Wilhelmstrasse.

— Monsieur Smith, dans notre métier, le moindre détail a son importance.

— Ça, c'est vrai ! »

Mr. Daugherty aurait pu sortir d'un roman de Nick Carter.

« Ecoutez-moi, monsieur Mahoney, dit Roxy en faisant signe au garçon d'apporter l'addition, Mrs. Davis est une passionnée de la culture allemande, c'est vrai. A part ça elle travaille pour la Croix-Rouge, comme toutes les dames patriotes de chez nous, et ce n'est vraiment pas là qu'elle pourrait espionner qui que ce soit.

— Mais à Washington ?

— A Washington, que voulez-vous dire ? fit Roxy en regardant l'homme des services secrets d'un air à la fois finaud et narquois. Je suis sûr qu'il y a des années qu'elle n'y a pas été. Qu'en penses-tu, Jess ? »

Jess acquiesça d'un signe de tête.

« Elle n'a pas l'occasion d'y aller. Elle ne va même pas à New York sauf pour s'embarquer sur... »

Roxy lui donna un coup de pied sous la table. Par bonheur, Mr. Mahoney était incapable d'écrire et d'écouter en même temps. Le verbe dangereux lui avait échappé.

« Alors c'est Washington qui vient à elle, lorsque le sénateur Harding rentre chez lui à Marion. »

Un signal d'alarme retentit dans la tête de Jess. Il arriva cependant à dominer ses nerfs en prétendant être un spécialiste du contre-espionnage, un as de la profession, qui en savait bien plus que ce type insignifiant qu'il avait en face de lui et qui n'était après tout qu'un simple rouage dans la vaste machine pinkertonienne.

« Le sénateur et Mrs. Harding sont des amis intimes de Mr. et Mrs. Phillips. Ils ont même fait un voyage ensemble en Europe, il y a quelques années...

— Pour visiter l'Allemagne, sans doute ?

— Non, pas du tout, figurez-vous », répliqua Jess d'un ton suavement ironique à la manière de Roland Griffith, son acteur de

144

cinéma préféré, un pince-sans-rire toujours tiré à quatre épingles. « Non, je crois que c'était plutôt en France et en Italie. Un voyage culturel en quelque sorte. »

W.G. était revenu avec deux nus de femme en marbre et la duchesse avait rapporté une statue de marbre d'une matrone romaine appelée Prudence la puritaine.

« Je comprends, dit Mr. Mahoney, qui, comme Jess l'avait observé, était également incapable de parler et de réfléchir en même temps, ce qui, il faut en convenir, simplifiait énormément la tâche de Jess. Ils partent souvent en voyage ensemble...

— Ça leur est arrivé autrefois. Mais maintenant le sénateur est occupé à Washington, quand il n'est pas en tournée, et avec Mr. Phillips qui n'est pas en très bonne santé et la Croix-Rouge qui lui prend pas mal du temps...

— D'après vous, pourquoi a-t-elle dit ce qu'elle a dit au sujet du général Pershing ?

— Comment, vous avez entendu ? fit Roxy.

— C'est mon travail, Miss Stinson... je veux dire madame Smith.

— Elle a dû penser que c'était très rigolo d'avoir un Allemand comme commandant en chef de nos armées contre l'Allemagne. Je le pense aussi. »

Là-dessus Roxy s'était levée.

« Vous nous excuserez, mais nous ne voulons pas rater le film principal. »

Jess l'aida à enfiler son manteau.

« J'aimerais bien savoir », reprit Mr. Mahoney avec insistance, mais Roxy l'interrompit aussitôt : « Si vous tenez vraiment à savoir si le général Pershing est un espion allemand, je vous suggère d'aller en France et de lui poser vous-même la question. Mais si vous voulez mon avis, ajouta-t-elle avec ce grain de sel inimitable qui n'appartenait qu'à elle, j'estime qu'un grand gaillard comme vous serait plus à sa place en France en train de se battre pour son pays que d'importuner d'innocentes dames de l'Ohio qui ne demandent rien d'autre que de pouvoir vaquer tranquillement à leurs affaires. »

Voilà qui réglait le problème Mahoney, pensa Jess. Mais s'il devait y avoir vraiment une enquête au sujet de Carrie, sa liaison avec W.G. éclaterait au grand jour, et tout serait fichu. Tout en complimentant Roxy sur la façon dont elle avait cloué le bec à cet enquêteur, Jess se demandait ce qu'il oserait dire à Daugherty au téléphone, au cas où leur communication serait enregistrée par les services secrets. Brusquement le pays tout entier était devenu un endroit passionnant et dangereux, et Jess était à la fois terrifié et ravi parce que ses rêves d'espions, d'enquêteurs et de fantômes dans le cagibi aux balais se mettaient peu à peu à prendre forme.

3

Burden Day félicita le Président pour son récent anniversaire. Le visage de Wilson semblait plus maigre et plus sombre qu'à l'accoutumée.

« Merci, sénateur. Soixante et un ans est un âge redoutable. Vous verrez quand vous y arriverez. En attendant, dites au sénateur Reed du Missouri que je fête mon anniversaire le 28 et non pas le 25 décembre, comme il le croit. »

Les deux hommes s'assirent près de la cheminée, Burden sur un canapé, et le Président sur une chaise en face de lui. On ne se demandait plus pourquoi le Président avait choisi comme cabinet de travail le petit bureau du premier étage plutôt que le bureau présidentiel situé dans la nouvelle aile ouest. Il devait apprécier la proximité du fantôme de Lincoln, ou, plus vraisemblablement, l'ample présence d'Edith.

Bien que le Sénat eût suspendu ses travaux pour les vacances de Noël, la plupart des Westerners étaient restés à Washington. Burden et Kitty avaient invité de la famille, et le Sénat continuait de tourner, tel un kaléidoscope qui se reconstitue chaque jour selon de nouvelles combinaisons. L'allié d'hier devenait l'ennemi de demain. Seule la pratique des pots-de-vin prêtait un semblant de forme à ce club très spécial qui s'était arrogé une place si importante dans la vie politique américaine que même le Président, malgré les pouvoirs exceptionnels que lui octroyait la Constitution en temps de guerre, était souvent à la merci du féroce Jim Reed — pourtant un membre de son propre parti —, sans parler d'un Cabot Lodge dont les attaques portaient de plus en plus la marque d'un esprit partisan et fanatique.

Le Président avait demandé à Burden de venir le voir en cette fin d'après-midi du 31 décembre 1917, pour examiner avec lui un certain nombre de problèmes qu'il désirait soumettre à l'attention du Congrès concernant l'évolution de la guerre, et, plus important encore, la paix qui s'ensuivrait. Burden avait découvert depuis longtemps que Wilson n'aimait guère les conseils ; aussi se contentait-il de hocher de temps en temps la tête en signe d'assentiment, tout en appréciant d'être au coin du feu. La moitié de la Maison-Blanche avait été fermée pour conserver la chaleur, comme Tumulty en avait informé scrupuleusement la presse. Et assurément Burden avait trouvé qu'il faisait plus froid dans le hall d'entrée que dehors sous le porche.

Pendant que le Président développait ses arguments de cette voix docte et professorale qui avait assuré une partie de sa réputation, Burden faisait de son côté de louables efforts pour rester éveillé. Si Wilson ne voulait pas de conseils, Burden n'était pas venu non plus assister à un cours. Finalement le Président ôta son lorgnon, et posa sur le bord de son bureau les feuillets sur lesquels il avait tapé lui-même son discours (Burden avait reconnu le ruban bleu de la machine à écrire de Wilson).

« Vous avez saisi l'idée, je pense. J'ai un groupe d'experts chargés d'étudier les détails. Une étude de prospective en quelque sorte. Parce que si nous sommes intervenus dans ce conflit, c'est uniquement afin de trouver un moyen de mettre une fois pour toutes un terme à ce genre de carnage.

— Vous approuvez donc Mr. Taft, ce qui devrait réjouir les Républicains réguliers. Si je puis me permettre une remarque, il me semble qu'il est un peu prématuré de parler comme si nous avions déjà gagné la guerre, alors que les Allemands viennent d'écraser les Anglais, et que nous n'avons pas encore montré grand-chose — sur le champ de bataille, je veux dire.

— Je suis d'accord avec vous. Aussi n'ai-je pas l'intention de prononcer un discours demain. Non, je cherche plutôt à définir quelle devrait être notre position quand viendra le moment de...

— De justifier une guerre aussi impopulaire, surtout auprès des électeurs du Sud, qui sont vos principaux supporters. »

Un petit disque d'un rouge maladif se forma sur chacune des deux pommettes du Président.

« J'avais l'impression que la guerre était maintenant plus populaire auprès de nos compatriotes qu'il y a une année, en dépit des mauvaises nouvelles de France.

— Y aura-t-il pénurie de charbon ? interrogea Burden à qui plusieurs sénateurs d'Etats miniers avaient demandé de poser cette question au Président. Et si oui, quelles mesures comptez-vous prendre ? »

Wilson se rembrunit. Le lendemain de Noël le Président avait réquisitionné les chemins de fer qu'il avait placés sous le contrôle de McAdoo.

« Nationaliserez-vous aussi le charbon ?

— Il y a certains impératifs... oui, New York risque bientôt de manquer de charbon, et ce soir la température est en dessous de zéro. Nous leur avons demandé de faire des coupures d'électricité...

— Broadway sans néons... »

Les directeurs de théâtres avaient été furieux, mais le Président était resté inflexible.

« Il y aura encore pire. »

Wilson se leva. A la lumière du feu de cheminée, il ressemblait à un épouvantail. Il alla à son bureau d'un pas traînant et ouvrit un tiroir (appelé « le Tiroir ») où il rangeait ses messages les plus importants. Wilson sortit plusieurs documents.

« La Russie s'est maintenant retirée de la guerre. Les bolcheviques ont accepté les conditions de l'Allemagne. Ils n'avaient d'ailleurs guère le choix. J'avais espéré que nous pourrions conserver le nouveau gouvernement russe comme allié, mais à présent le pays tout entier est en train de se démembrer. » Wilson jeta un œil sur l'un des papiers. « De notre consul à Harbin. Il dit qu'Irkoutsk, qui est en Sibérie, je crois, est en flammes. Les bolcheviques ont massacré un certain nombre de leurs compatriotes, ainsi que certains officiels français et anglais.

— Pensez-vous que ce soit vrai ?

— Je ne *pense* pas, sénateur. J'ai lu le compte rendu de ce qui se passe quand les extrémistes s'emparent d'un pays de la grandeur de la Russie, qui est également celle des Etats-Unis. » Wilson se rassit sur sa chaise. « Je crois que nous avons fait tout ce qui était possible pour conserver une ligne de communication ouverte avec ces gens. Je n'ai pas le choix. Si la Russie se retire de la guerre, cela libérera une armée allemande entière qui viendra renforcer le front occidental. Et alors que se passera-t-il ? » Wilson poussa un soupir. « Les nouvelles sont très mauvaises. » Le Président enleva son pince-nez, frotta du bout des doigts les deux petites taches rouges de part et d'autre de son nez, qui reproduisaient en miniature les disques rouges qui s'étaient formés un peu plus tôt sur ses pommettes, et qui maintenant commençaient à disparaître. « Il y a aussi l'Angleterre, qui cherche à nous attirer de plus en plus dans ses filets. Je n'ai rien vu de pareil à leur " propagande ", comme l'appelle George Creel. Comment convaincre le monde que nous sommes véritablement désintéressés — ne demandant rien, aucun territoire — quand l'Angleterre s'efforce de donner de nous l'image d'un allié impérialiste, au lieu de ce que nous sommes réellement, une République qui veut seulement la paix... »

Wilson pouvait parler ainsi à longueur de journée, et quoique Burden trouvât souvent du plaisir à l'entendre, il avait personnellement une approche des choses plus réaliste, plus pragmatique. Voyant Burden relâcher son attention, Wilson produisit un autre document.

« Ceci est arrivé hier. Cela vient de Brest-Litovsk. C'est un appel du bolchevique Trotsky. Il est américain, je crois, ou il l'a été à un certain moment. Il est à présent à la tête de la délégation russe. Il rejette, Dieu merci, la proposition allemande, et il demande que les Alliés fassent la paix, ce qui certes n'est pas pour me déplaire, et bien sûr il ne peut s'empêcher de citer son ridicule catéchisme communiste... Attendez, voici ce qu'il écrit : " Si les gouvernements alliés, avec l'obstination aveugle qui caractérise les classes décadentes... "
— Nous ? »

Wilson hocha la tête :

« " ...refusent à nouveau de participer aux négociations, alors la classe ouvrière se verra dans l'obligation d'arracher le pouvoir des mains de ceux qui ne peuvent ni ne veulent faire régner la paix dans le monde. " Ceci est grave. Si les bolcheviques l'emportent, avez-vous pensé à l'influence qu'un tel triomphe pourrait avoir sur notre propre peuple, sur nos radicaux et nos communistes à nous, et autres agitateurs syndicalistes ? »

Burden n'entra pas dans les inquiétudes de Wilson, si tant est qu'elles fussent sincères et non pas simplement un des numéros dont sont coutumiers les hommes politiques.

« Puisque nous n'avons pas imité la Russie lorsqu'elle avait un tzar, je doute que Mr. Trotsky, de New York ou d'ailleurs, ait beaucoup d'influence sur nous. Mais je croyais, ajouta Burden, que Mr. Root avait conclu un accord avec le gouvernement provisoire l'été dernier. »

Elihu Root, le plus brillant et le plus conservateur des hommes d'Etat américains, avait en effet été envoyé à Petrograd par le Président pour demander aux Russes de rester dans la guerre. Pour faire contrepoids, Wilson lui avait adjoint deux collègues, dont l'un était un authentique socialiste américain. Au même moment se tenait à Stockholm un congrès mondial socialiste. Après maint atermoiement, dont la presse s'était faite l'écho, Wilson avait refusé de délivrer des passeports aux délégués américains, dont les déclarations lui avaient paru « frôler la trahison ». Aux yeux de Burden, qui était à la fois populiste et isolationniste comme tous ceux de sa classe, de sa génération, et de sa race, le Président tendait de plus en plus à s'identifier à la classe dirigeante américaine de la côte Est, toujours plus ou moins encline à soutenir des régimes que Burden, pour sa part, aurait tout juste tolérés.

« Accord n'est peut-être pas le mot juste, dit Wilson en remuant le bout de son nez d'un air dédaigneux. En mai, leur gouvernement a accepté de poursuivre la guerre avec l'Allemagne, tandis que nous leur accordions un prêt de trois cents millions de dollars à un taux d'intérêt très bas.

— En somme, on les a achetés.

— Oui, mais pas pour longtemps, comme le disait Mr. Frick du colonel Roosevelt. » Il agita son document comme un drapeau. « Cela se passait en mai, et à ce moment ils nous aimaient bien. Maintenant nous sommes en décembre et... ils ne nous aiment plus. Ils encouragent les pires éléments de notre mouvement ouvrier. Lisez ceci... Non. Je vous ai déjà lu Mr. Trotsky. Cela suffit comme ça. En deux mots il suggère à nos ouvriers de nous renverser. » Wilson alla replacer les documents dans leur tiroir. « L'an prochain, d'après nos calculs, nos syndicats ouvriers auront augmenté leurs adhérents de quatre millions et demi.

— C'est une bonne nouvelle pour le parti démocrate.

— Espérons que Mr. Trotsky n'aura pas trop lieu de s'en réjouir. Il cherche en ce moment à faire croire que Thomas Mooney est innocent des attentats à la bombe de San Francisco.

— C'est également mon sentiment. »

En juillet 1916 une bombe avait explosé au cours du défilé du Preparedness Day [1]. Neuf personnes avaient trouvé la mort et le syndicaliste ouvrier Mooney avait été arrêté, reconnu coupable de meurtre et condamné à mort.

« Je n'étais pas au procès, répondit Wilson. Mais notre ambassadeur en Russie m'a demandé de commuer sa peine, ce qui m'est impossible, car l'affaire dépend du gouverneur de Californie. Le colonel House estime que je devrais intervenir ou du moins faire semblant. J'ai donc institué une commission de médiation, chargée de

_____

1. Préparation militaire.

150

découvrir tout ce qui pourrait militer en faveur de Mooney, auquel cas je prierai très respectueusement le gouverneur de surseoir à son autodafé jusqu'à ce qu'on instruise un nouveau procès, et cætera et cætera. C'est du chantage ! »

Wilson passa sa main sur son front. Il avait l'air malade. Un ami de Burden, qui était médecin, lui avait certifié que Wilson souffrait d'artériosclérose, et qu'il avait déjà eu de nombreuses attaques. Comme tous les médecins liés par le secret professionnel, il avait été incapable de tenir sa langue. Il est vrai qu'il n'était pas le médecin du Président, lequel montait autour de lui une garde extrêmement vigilante. Grayson ne permettait à son patient que trois à quatre heures de travail par jour, interrompues par de fréquentes promenades à cheval ou en voiture. La Maison-Blanche constituait un havre de paix et de tranquillité dans le Washington frénétique des années de guerre. Et pourtant personne n'aurait pu affirmer que le Président n'était pas le maître absolu de la politique du pays et probablement aussi de celle de ses alliés. Burden n'avait jamais rencontré d'esprit plus apte à relier un fait à un autre, afin d'obtenir la vision la plus large possible d'une situation politique dans son ensemble. Certes la vision de Wilson n'était pas nécessairement celle d'un Trotsky, d'un Lloyd George ou d'un Clemenceau, alors que beaucoup de sénateurs dans son propre parti la jugeaient pour le moins excentrique. Il y avait encore au Congrès quelques vieux populistes rétrogrades qui pensaient comme Trotsky que les Etats-Unis étaient entrés en guerre pour garantir les emprunts de J. P. Morgan aux Alliés. Burden lui-même, dans ses moments de démagogie, n'était pas loin de partager ce point de vue.

Comme toujours après les nuées, les vapeurs et les ciels de la métaphysique, le Président redescendait sur terre. Et au fond Burden avait tendance à penser qu'entre tous les « moi » qui composaient la personnalité du Président, celui de chef de parti était celui qui lui convenait le mieux. Il connaissait par cœur toutes les circonscriptions électorales. Il avait sur son bureau un grand album où figuraient les photos de tous les membres de la Chambre des Représentants et du Sénat. Durant les premiers temps de son Administration, il avait étudié soigneusement chaque visage, et depuis ils étaient gravés dans sa mémoire. Burden était l'un des rares à savoir que pour l'élection de l'an prochain Wilson était décidé à purger le parti des Démocrates, Sudistes ou Westerners pour la plupart, qui avaient osé le défier. Burden l'avait mis en garde contre ce genre de représailles, mais

Wilson était resté inflexible. Il était résolu à désherber *son* jardin. Un point c'est tout.

Pour le moment Wilson ne songeait pas aux élections ; il était encore secoué par la récente élection à la mairie de New York du candidat Hearst-Tammany, un certain John F. Hylan, juge de paix de Brooklyn. Lorsque Hearst eut compris que sa propre candidature allait diviser le parti démocrate, de conserve avec Murphy, le boss de Tammany, il choisit Hylan pour battre le maire sortant, John Purroy Mitchel. L'élection avait été âprement disputée. Le colonel Roosevelt avait fait campagne pour Mitchel, dénonçant son ancien ennemi, Hearst, comme « l'un des suppôts les plus efficaces de l'Allemagne de ce côté-ci de l'Atlantique ». Hearst était le Boche de l'intérieur, infiniment plus dangereux que celui de l'extérieur. « Hearst, Hylan et les Hohenzollern, tel aurait dû être le slogan victorieux pour Mitchel », avait déclaré Roosevelt. Mais le candidat de Hearst l'avait emporté par 147 000 voix, au grand dam du colonel.

« Je ne comprends pas cette ville, dit Wilson en hochant la tête, je ne l'ai jamais comprise.

— Moi si, fit Burden. Elle est contre la guerre, contre les Anglais, contre les Français. Ce que j'ai plus de peine à comprendre, c'est Hearst lui-même. Avec tout ce qu'il a déjà, qu'est-ce qu'il veut encore ?

— Me remplacer, mon cher. Il pense qu'il aura l'investiture du parti en 1920 et qu'il sera élu. C'est l'accord qu'il a conclu avec Murphy. Hearst reste en dehors de la course à la mairie de New York, finance Hylan, fait campagne pour lui dans ses journaux, et Tammany lui apporte la délégation de New York pour l'été 1920, c'est-à-dire à la Saint-Glinglin.

— Si nous y arrivons, ce sera vous le candidat, monsieur le Président, et non pas Hearst. »

Wilson sourit.

« Si j'arrive à mettre fin à cette guerre et à jeter ensuite les bases d'une paix durable, je pourrai alors m'estimer digne...

— Vous êtes modeste. Vous serez plébiscité.

— Non, sénateur. Il n'y a pas de danger. Je ne suis pas quelqu'un de populaire comme Roosevelt. Rien ne sera jamais facile pour moi. »

Burden courba la tête devant ce stupéfiant mensonge. En deux ans exactement Wilson avait été élu à la fois gouverneur du New Jersey et Président des Etats-Unis. Aucun homme politique américain n'avait connu une ascension aussi fulgurante. Il est vrai que Wilson avait toujours affiché une modestie étonnante concernant ses prouesses politiques. Il était bien plus vain de ses exploits intellectuels. D'aucuns, comme Burden, pensaient que ç'aurait dû être le contraire. Comme professeur Wilson était, aux dires de Lodge, somme toute assez moyen, mais comme négociateur politique et comme moraliste, il était unique.

« Connaissez-vous Hearst ? »

Burden hocha la tête.

« Je le voyais assez souvent lorsqu'il siégeait au Congrès.

— On a peine à l'imaginer dans un rôle aussi modeste.

— Lui-même en était étonné. J'ai dû lui apprendre à présenter un projet de loi.

— Je me demande s'il n'y aurait pas moyen de l'accuser de trahison. »

Burden décroisa ses jambes, et ses deux pieds heurtèrent simultanément le plancher.

« Pour quel motif ?

— Pour favoriser la cause allemande en temps de guerre. Je ne suis pas spécialiste en droit constitutionnel et je n'ai jamais étudié à fond la loi contre l'espionnage, mais il me semble que nous pourrions, par exemple, l'accuser d'avoir aidé l'infâme Paul Bole Pasha, un espion allemand notoire. Si je me souviens bien, Hearst le recevait à son domicile de New York. »

Durant l'élection on avait beaucoup parlé des rapports de Hearst avec ce douteux personnage. Bole aurait ensuite reçu de l'argent de Bernstorff afin de soudoyer les services secrets français, lesquels l'avaient prestement emprisonné. Hearst s'était défendu en affirmant qu'il n'avait rencontré Bole qu'une seule fois, puis il s'était remis à imprimer des petits drapeaux de couleur en première page du *Journal.*

« Si je puis me permettre de vous donner un conseil, monsieur le Président, c'est d'être très prudent avec Hearst. Il est capable de tout.

— Moi aussi, rétorqua l'ancien pasteur presbytérien assis en face de Burden.

— Je sais.

— Vous souvenez-vous de cet horrible feuilleton, *Patria,* que Hearst a produit il y a deux ans ? »

Burden hocha la tête. Chaque fois que l'actualité était terne, Hearst invoquait le Péril Jaune. Mais dans *Patria,* il s'était surpassé.

Il avait combiné le Péril Jaune avec des bandits mexicains voués à la destruction des Etats-Unis. Le gouvernement japonais avait protesté énergiquement.

« J'ai vu ce film chez Keith, dit Wilson, et je l'ai trouvé ridicule. J'ai même dû lui écrire une lettre pour lui demander d'interrompre la projection. Les films ont une grande influence sur l'opinion publique. Ils peuvent littéralement modifier les circonstances. Tiens, ajouta Wilson en riant, je viens de faire une paraphrase de la célèbre maxime de Burke qui pourrait convenir à tout le monde : " L'opportunité est la sagesse des circonstances. " »

Burden approuva de la tête, puis il articula sa propre glose :

« Il est parfois expédient de ne rien faire. »

Edith entra dans la pièce à ce moment :

« Nos invités sont là. Restez, sénateur.

— Je vous remercie, madame la Présidente, mais il est tard. Je suis déjà invité.

— Chez les McLean ?

— Oui. »

Burden souhaita la bonne année au Président. Il avait obtenu non seulement le renseignement qu'il cherchait concernant une éventuelle nationalisation des mines de charbon, mais également quantité d'autres petites messages que les politiciens se communiquent entre eux sans avoir besoin de recourir aux mots, souvent compromettants et presque toujours ambigus.

Edith reconduisit Burden sur le palier. Il était glacial et à peine éclairé. La seule lumière réconfortante venait du salon Ovale où les voix de sa parenté à elle couvraient d'un poil celles de sa parenté à lui. « J'ai le livre », dit Edith en se dirigeant vers le bureau de sa secrétaire au fond du vestibule. Burden ne se rappelait absolument pas quel livre il lui avait demandé. Elle revint avec un mince volume dont le titre portait : *Philip Dru, Administrator*. Burden se rappela tout à coup : il s'agissait d'un roman publié par le colonel House six ans plus tôt. Maintenant que House était l'alter ego du Président en Europe, Burden était curieux d'en savoir un peu plus long sur ce riche courtisan texan qui se voulait à la fois l'argus et le cerbère du Président et qui, d'après Edith, était surtout un béni-oui-oui.

« Il y a quelque temps, dit-elle, je lui ai montré le discours que Mr. Wilson devait prononcer devant le Congrès, où il était question de nationaliser les chemins de fer. Le colonel House n'était pas d'accord. Il m'a donné ses raisons, qui m'ont paru très fondées. Je lui ai alors dit

154

d'en parler au Président. J'en avais naturellement parlé de mon côté à Woodrow, qui était très embêté parce qu'il a beaucoup d'estime pour le jugement du colonel House. Le lendemain donc, Woodrow dit au colonel qu'il est désolé que son discours lui ait déplu, mais celui-ci répond en balbutiant : " Je l'ai relu depuis, et maintenant je le trouve parfait en tous points. " »

C'était, d'après Burden, la seule façon de se comporter avec le Président, et son admiration pour le colonel s'en accrut d'autant. Burden prit ensuite congé de Mrs. Wilson et partit le livre sous le bras. Le roman racontait l'histoire du premier dictateur des Etats-Unis, homme bon et éclairé qui, après avoir réglé les problèmes intérieurs à la satisfaction générale, résout également ceux du monde entier, en s'instituant chef d'une ligue mondiale des nations.

4

Le fait que Friendship, la propriété des McLean, ait été autrefois un monastère ne cessait de ravir Blaise tandis qu'il aidait Frederika à descendre de voiture, une immense limousine rouge (que Frederika avait surnommée « notre yacht de terre ») conduite par un réfugié russe parlant français et qui prétendait avoir été capitaine dans la garde personnelle du tzar. « Ce n'est pas une très bonne référence », avait dit Frederika.

Friendship était une propriété extraordinaire pour le District de Colombie, avec ses cinquante hectares de parcs, de bois, de cours d'eau et d'étangs. En revanche, la maison avait l'air un peu vieillot avec ses plafonds bas et ses radiateurs sinistres datant du siècle passé. Mais au sortir de la nuit glacée, la chaleur des pièces n'en était que plus agréable. On cultivait dans les serres de Friendship toutes sortes de plantes exotiques, et les pièces sentaient bon le feu de bois et le gardénia. Une fois débarrassés de leurs manteaux, Blaise et Frederika furent accueillis chaleureusement par le maître d'hôtel. Somme toute, se disait Blaise, les seules personnes avec lesquelles on a quelque intimité dans l'existence sont les domestiques, les barmen et les maîtres d'hôtel. Il avait échangé plus de paroles avec le premier barman du Cosmos Club qu'avec sa belle-mère, qu'il aperçut au seuil du salon, appuyée sur sa canne d'aveugle.

« C'est mère », murmura Frederika du ton qu'une femme du Moyen Age aurait pris pour mettre en garde les siens contre la peste.

Le maître d'hôtel annonça : « Mr. et Mrs. Blaise Delacroix Sanford » tandis qu'Evelyn s'approchait d'eux, le Hope Diamond en sautoir, et l'Etoile du Levant scintillant dans ses cheveux.

« N'est-ce pas merveilleux ! s'exclama-t-elle en posant sur la joue de Blaise un baiser tout mousseux de champagne.

— Vous êtes superbe, comme toujours.

— N'est-ce pas ? » fit Evelyn en embrassant Frederika, puis jetant un coup d'œil oblique à Blaise, tout en se tournant de trois quarts vers Frederika, elle ajouta : « Je suis enceinte, j'espère que ça ne se voit pas trop.

— C'est mer-veil-leux, dit Frederika en espaçant ses syllabes pour bien faire sentir à son interlocutrice qu'elle était la seule personne au monde à avoir su capter son attention.

— J'ai dit à Ned que Vinson avait besoin d'un petit frère.

— Et qu'a dit Vinson ? demanda Frederika.

— Il n'a que six ans. Il est encore trop jeune pour avoir voix au chapitre.

— A votre place, je me débarrasserais d'abord de ce diamant, interrompit Mrs. Bingham, toujours ravie de semer l'effroi autour d'elle.

— Oh, à présent je ne crains plus rien. Je l'ai fait exorciser par un prêtre, et en latin en plus. »

Evelyn désigna une pyramide d'orchidées pourpre violacé d'une hauteur de six pieds :

« Vous savez ce qu'a dit Alice en voyant ça ? " Bonsoir, monsieur Wilson ! " »

On passa ensuite dans la salle à manger. Une pièce toute en longueur, rouge et or, avec des fleurs sans tiges dans les coupes, des chaises laquées, chinoises, une table pour deux cents couverts et l'apparat de la desserte. Blaise était placé à côté d'Alice Longworth comme cela leur arrivait souvent à leur demande respective. Alice vieillissait bien, et Blaise se demandait ce qu'eût été sa vie s'il l'avait épousée, comme l'idée leur en était venue à tous les deux mais à des moments différents. Elle avait incontestablement beaucoup de charme, mais Frederika était loin d'être ennuyeuse. D'un autre côté, Alice serait toujours « la fille du Président ». Washington, Jefferson, Lincoln n'avaient été que de pâles précurseurs destinés à préparer les voies de Theodore le Grand, qu'un proche avenir verrait de nouveau

Président des Etats-Unis. Du moins Alice et Blaise le pensaient-ils. Or comme tout ce qui n'avait pas trait directement ou indirectement avec la mission messianique de son père intéressait peu ou prou Alice, elle était probablement mieux assortie à un homme falot, alcoolique et inconsistant comme Nick Longworth, un riche congressman de l'Ohio. Celui-ci était assis en face d'eux à côté d'une femme d'apparence quelconque, plutôt mal fagotée, qu'Alice présenta à Blaise comme Mrs. Warren Gamaliel Harding, « la femme de notre sénateur », avec un soupçon de dédain dans la voix comme s'il s'agissait d'une possession encombrante dont elle aurait eu honte.

« Nick les invite à la maison pour jouer au poker. Je ferme les yeux et fais preuve d'un tact merveilleux. Il paraît qu'elle n'a plus qu'un rein.

— Autrefois vous n'auriez dit ça que si on nous avait servi des rognons.

— Oh, maintenant je surveille mes paroles. Nous avons besoin de tout le monde en ce moment.

— Qui nous ?

— Père et moi, bien sûr. Elle compense le rein qui lui manque par un double menton, dit-elle en piquant dans son assiette d'un joli mouvement de poignet.

— Pas si fort, elle peut vous entendre. »

Mrs. Harding en rendant oblique le plan de ses prunelles y roula tout à coup une couleur d'un bleu cru et tranchant qui en eût glacé de moins intrépides qu'Alice, tandis que Nick susurrait des paroles de miel à son oreille.

Les McLean avaient comme toujours fait les choses en grand. Deux cents invités au bas mot, mais pour une fois Ned n'était pas encore ivre, et Evalyn nageait dans son élément. On la disait encore plus riche que son mari. Sa fortune provenait de mines d'or de l'Oregon. Mais à l'inverse de la plupart des nouveaux riches, Evalyn était à la fois fière de sa fortune et de son humble extraction. Elle possédait plus de diamants que Marie-Antoinette et créait une atmosphère d'euphorie partout où elle se trouvait. Qui d'autre qu'elle aurait eu l'idée d'illuminer son palais alors que l'électricité était rationnée dans tout le pays et que Broadway était plongé dans le noir ?

« Où est Caroline ?

— A l'autre table, je pense. »

Blaise avait aperçu sa sœur en grande conversation avec la tante de Ned, femme de l'ancien ambassadeur tzariste à Washington. En bonne journaliste, elle ne manquerait pas de glaner quelques renseignements précieux.

« C'est vrai qu'elle a tourné dans un film ? demanda Alice avec une pointe de jalousie dans la voix.

— C'était une plaisanterie de Mr. Hearst.

— Hearst ! Père pense que c'est l'homme le plus dangereux du pays, et qu'en plus c'est un espion allemand.

— Je vois mal ce qu'il pourrait espionner en dehors des *Ziegfeld Follies*. »

Elle s'était rapprochée de Blaise, le coude sur la table, le menton posé sur le dos de la main.

« Vous l'avez rencontrée, elle ? »

Blaise hocha la tête. Tout le monde semblait intéressé par la liaison « secrète » du Chef avec Marion Davies.

« Elle est très jeune, très blonde. Elle bégaie et elle l'appelle " Pops ". »

Alice s'esclaffa, puis elle se mit à répéter *Pops*, *Pops* en bégayant jusqu'au service suivant. Blaise put alors se tourner vers son autre voisin de table.

Après dîner, d'autres invités arrivèrent et un orchestre se mit à jouer dans la salle de bal. Tout en regardant les danseurs, Blaise sentit que quelqu'un s'était assis sur la chaise à côté de la sienne. C'était l'ambassadeur de Grande-Bretagne, Cecil Spring Rice, l'air vieux et fatigué.

« Cher Blaise, il est dur d'imaginer que le monde est en guerre.

— La moitié du monde... et à l'autre bout du monde, en plus ... Je n'arrive pas à y croire, moi non plus, et pourtant je suis français, comme vous savez. »

C'était un de ces demi-mensonges qu'on dit pour consoler un ami malheureux. Les fils d'Albion avaient l'habitude d'engraisser la terre de France, et pour quelles moissons ?

« Ce sera mon dernier réveillon à Washington. Je suis venu assister au spectacle une dernière fois. »

Blaise savait qu'il y avait eu des problèmes entre Spring Rice et les lords Reading et Northcliffe, envoyés dernièrement par le gouvernement britannique en mission exploratrice. Par ailleurs, la vieille amitié de Spring Rice avec Roosevelt et Lodge ne le recommandait pas spécialement aux Wilson.

« Quand partez-vous ? »

Spring Rice leva les épaules.

« Quand on me le dira. En avril, je suppose, quand j'aurai soixante ans et que je toucherai une pension. Comme tout est changé depuis ma jeunesse... Je suis venu ici pour la première fois comme jeune secrétaire d'ambassade. C'était une petite ville de province en ce temps-là. Buenos Aires nous semblait plus attrayante, plus brillante, plus mondaine. Et maintenant, regardez... »

Blaise regardait le Hope Diamond osciller comme le pendule d'une sinistre horloge.

« Oui, c'est notre tour maintenant, acquiesça Blaise. Mais je me demande si nous saurons quoi en faire.

— De quoi donc ?

— Du monde.

— Vous trouverez bien. De toute façon vous n'êtes pas l'Allemagne, dit Spring Rice en fronçant les sourcils. Il est vrai que l'Allemagne n'est plus l'Allemagne. Je croyais qu'on pouvait énoncer certaines généralités sur un peuple, une nation. Je me trompais. L'Allemagne de ma jeunesse était le pays le plus civilisé du monde, et mes collègues allemands étaient parmi les diplomates les plus intelligents et les plus compétents. Et maintenant ce sont...

— Des Boches ?

— Chaque pays a ses Boches. Les militaires m'ont confisqué mon Allemagne.

— Pourquoi vos Boches à vous ne vous ont-ils pas confisqué votre empire ?

— Nous sommes trop paresseux. La paresse a toujours sauvé l'Angleterre.

— Nous sauvera-t-elle nous autres ? »

Blaise avait été sidéré de voir avec quelle rapidité George Creel et ses pareils avaient su rendre haïssable tout ce qui était allemand. Si on avait pu déclencher une pareille explosion de xénophobie à l'égard du peuple dont les descendants constituaient une fraction importante du peuple américain, que ne ferait-on pas à l'égard de races qui lui seraient totalement étrangères ?

« Vous n'êtes pas un peuple paresseux. Mais vous êtes un peuple très émotif, très enflammable.

— C'est bien ce que je pense. Ma sœur était dernièrement à Hollywood, où maintenant ils sont en train de tourner toute une série de films sur les Boches. Des millions de gens vont voir ces films et ils croient à ce qu'ils voient.

— Tout comme ils croient à mes dépêches et à vos éditoriaux, fit Spring Rice en souriant.

— Mais il nous arrive d'en avoir honte, n'est-ce pas ? »

L'ambassadeur hocha la tête.

« En effet. Mais je n'oserais pas en dire autant de ceux qui nous gouvernent. Le Président m'a fait la courtoisie de m'expliquer en quoi consiste son rôle.

— Dites-le-moi, car je ne l'ai jamais très bien su.

— C'est apparemment une espèce de baromètre. Il enregistre avec précision les variations de l'opinion publique. Et puis quand celle-ci a cessé de varier (mais comment déterminer ce point, et son essence n'est-elle pas précisément d'être toujours variable ?) il agit en conformité avec l'humeur, ou faut-il mieux dire la température ? du moment.

— Que vous, moi et les films ont contribué à créer.

— Oui, nous avons une certaine influence sur la température de l'opinion publique. Mais nous ne sommes pas les seuls. D'autres facteurs interviennent. Le Président me fait plutôt penser à un nageur qui, évitant d'être submergé par une vague, en cherche une autre à l'aide de laquelle il pourra regagner le rivage. Ce n'est pas plus compliqué.

— Je sais que vous préfériez Roosevelt. Je m'excuse. Je n'aurais pas dû dire ça.

— Je n'ai entendu que la musique, mon cher Blaise, et n'ai vu que ma femme bien-aimée en train d'enseigner le fox-trot à un sénateur.

— Ce que vous avez fait, faites-le pour l'Angleterre !

— Je n'ai fait que mon devoir. Voyez-vous, le Président et le colonel House pensent qu'après la guerre, il devrait exister une espèce de ligue, de Société des nations destinée à préserver la paix.

— Moi aussi. Taft aussi. C'est d'ailleurs lui qui lui en a donné l'idée.

— Moi aussi, je suppose. Mais je ne suis qu'un baromètre, un vieux baromètre étranger et infirme, mais encore capable de prévoir le temps dans cette partie du monde. Et je prévois encore pas mal de tempêtes à l'horizon. Mais retenez bien ceci : le peuple américain ne fera jamais partie d'une telle organisation. »

Blaise parut surpris. Après tout, c'était l'opinion admise parmi les politiciens et par tous ceux qui modèlent l'opinion publique qu'une telle organisation était infiniment désirable. S'ils avaient réussi aussi facilement à rendre haïssable tout ce qui était allemand, ils n'auraient certainement aucun mal à rendre désirable une institution bureaucratique chargée de faire régner la paix entre les nations.

« Je ne vois pas d'obstacle. Les Républicains sont encore plus partisans de la ligue que les Démocrates.

— Ça ne se passera pas comme ça. Les Américains ont trop l'habitude de faire cavalier seul dans le monde. Votre empire vient à peine de naître, et aucun empire qui se trouve dans sa phase ascendante n'est prêt à embrasser la cause de la paix alors qu'il y a encore tant de guerres profitables à livrer.

— Vous m'étonnez. »

Au même moment, Caroline s'approcha d'eux, accompagnée d'un homme mince, aux yeux bleu foncé qui, visiblement, n'était pas de Washington. Elle rayonnait dans une robe de soie lilas rose. Hollywood lui avait réussi. Gloire à Creel, le propagandiste ! Elle paraissait dix ans de moins qu'avant son voyage en Californie. Spring Rice se laissa entraîner par Ned McLean, dont la sobriété, comme l'année 1917, touchait à son terme.

« J'ai beaucoup entendu parler de vous », dit l'inconnu avec un fort accent irlandais de Boston. C'était donc ça le genre de type qu'on rencontre en Californie, pensa dédaigneusement Blaise. Et il se demanda si Caroline était sa maîtresse.

« Et moi, par contre, je n'ai jamais entendu parler de vous », dit Blaise d'un ton tranchant en le regardant dans les yeux, puis il ajouta d'une voix qui se voulait plus suave : « Mais c'est la faute de Caroline.

— C'est aussi de ta faute, précisa Caroline. On ne se voit jamais en dehors du bureau.

— On ne se voit jamais non plus au bureau. Il y a toujours un rédacteur avec nous. Que faites-vous ici ?

— Je suis venu rendre visite à Caroline. »

Oui, c'était bien son amant. Il n'y a décidément que les femmes, songeait Blaise, pour avoir aussi mauvais goût en matière d'hommes. Certes l'Irlandais était plus jeune qu'elle, mais Dieu merci, leur éducation française les avait libérés de ce tabou éminemment américain : la femme plus âgée qui, telle une mante religieuse, absorbe, dévore, dissipe la substance même de l'innocente et jeune virilité. Les Françaises, au contraire, ont toujours préféré les primeurs, que ce soit au lit ou à table.

« C'est la première fois que Timothy vient à Washington. J'ai voulu lui montrer une soirée typiquement de chez nous.

— On dirait du Cecil B. De Mille, dit Timothy.

« — De Mille qui ? » interrogea Blaise.

A ce moment-là les lumières s'éteignirent dans la salle de bal. Puis à une extrémité de la salle, mille petites lumières rouge, bleu et blanc, souhaitèrent « Bonne chance aux Alliés en 1918 ». Tout le monde applaudit. L'orchestre joua *Auld Lang Syne*, qui fut ensuite repris en chœur par toute la salle. Blaise baisa Caroline sur la joue et serra la main de Timothy. Caroline et Timothy s'embrassèrent sur les lèvres.

« Je vais tourner un film en 1918 », dit-elle à Blaise à travers le brouhaha.

La lumière reparut, et le bal reprit.

« Ma parole, je deviens sourd, dit Blaise. Tu ne m'as pas dit que tu allais faire un film en 1918 ?

— Mais si, c'est exactement ce que j'ai dit. »

Caroline et Timothy rejoignirent les danseurs. Frederika s'approcha de Blaise pour l'embrasser.

« Son nom est Timothy X. Farrell, dit-elle en oubliant de lui souhaiter la bonne année. Il est directeur — à moins qu'on ne dise conducteur — de films.

— J'aurais préféré qu'il soit chauffeur, dit Blaise en riant. Il suffit que Hearst fasse une chose pour qu'elle en fasse autant. Elle l'a peut-être dégoté parmi les chorus-girls des *Ziegfeld Follies*.

— Je suis heureuse pour elle. Elle commençait à s'ennuyer, dit Frederika en acceptant un verre de champagne.

— Elle n'a pas l'air de s'ennuyer en ce moment. »

Puis Blaise et Frederika débutèrent la nouvelle année par une valse.

CHAPITRE IV

1

Pour Caroline l'amour avait toujours été synonyme de séparation. Aux jours glorieux de sa liaison avec Burden, elle ne pouvait le voir que le dimanche à Washington, avec de rares excursions dans des villes comme Saint Louis, où elle avait été conquise par le merveilleux anonymat des chambres d'hôtels. Mais Caroline n'était pas de ces femmes qui ont besoin d'avoir un homme à demeure. Elle avait eu une vie d'adulte bien remplie, qui avait commencé par sa guerre de sept ans avec Blaise pour récupérer sa part de la succession des Sanford. Et bien que Blaise eût gagné la guerre proprement dite dans la mesure où elle n'avait touché son capital qu'à 27 et non à 21 ans, comme son père l'avait stipulé dans son testament, elle avait remporté une victoire bien plus probante en acquérant le *Washington Tribune*, un journal moribond à qui elle avait rendu vie et prospérité, en s'inspirant des méthodes de Hearst, l'ami et ex-employeur de Blaise. Finalement, lors d'une conférence de paix à Saint Louis, le frère et la sœur avaient décidé d'enterrer la hache de guerre, et Caroline, qui avait besoin d'argent à ce moment-là, avait accepté de vendre à Blaise 48 % des parts du journal, dont elle avait conservé le contrôle.

Mais le contrôle de quoi ? se demandait-elle en traversant pécautionneusement la chaussée toute verglacée pour se rendre chez Henry Adams. Il habitait une espèce de castel à meneaux de style néo-gothique en face de l'église néo-byzantine de Saint John, dont la coupole dorée ternissait quelque peu la modestie compassée de Lafayette Park. Si Caroline avait pu être autrefois tentée par la politique, l'envie depuis longtemps lui en était passée. Vus de près, les gouvernants ne différaient en rien des gouvernés, ou s'il existait une différence entre eux, il fallait de bien meilleurs yeux que les siens pour l'apercevoir. Pour les uns comme pour les autres, une seule chose comptait : l'argent. Pour quelqu'un qui, comme Caroline, avait été élevée dans un pays dont la pièce la plus célèbre s'appelait *L'Avare*, l'argent n'était pas un problème, surtout quand on en a, ce qui était son cas. Le problème, maintenant, c'était de savoir quoi faire des années qui lui restaient à vivre. Tim était entré dans sa vie comme une rafale au cours d'un pique-nique, et avait tout mis sens dessus dessous.

A Los Angeles, ils passaient leurs journées dans des sortes de hangars semblables à des granges où les films se tournaient à une cadence effrénée. Et le soir ils dînaient de bonne heure en compagnie d'hommes et de femmes célèbres dans le monde entier. Chose curieuse, dont on eût peut-être trouvé l'explication dans les théories darwiniennes sur l'évolution, les plus brillantes de ces vedettes étaient celles qui avaient à la fois la plus grosse tête et le plus petit corps. Aussi quand la déesse Evolution avait besoin de stars de cinéma, elle dépêchait un contingent de grosses têtes et de petits corps en Californie du Sud où, comme on pouvait le lire sur les prospectus, « le soleil brillait toute l'année ». En réalité il y avait du brouillard presque tous les matins, et Hollywood ne dut d'être choisie comme capitale du cinéma que grâce à un détail crucial : la proximité de la frontière mexicaine. Comme tous les producteurs de cinéma utilisaient un matériel mis au point par ce génie protéiforme qu'était Edison, et comme personne n'était disposé à reconnaître ses brevets, le village d'Hollywood était rempli de détectives avides de mettre le grappin sur un truc appelé le Latham Loop qui, s'il était utilisé, pouvait donner lieu à des procès interminables ou pire.

Caroline avait aimé cette vie de pionnier. Elle était également très satisfaite de sa première liaison depuis de nombreuses années. Bien qu'Irlandais et souvent ivre, Tim était, pour parler crûment, d'une sexualité insatiable. Et Caroline se sentit rajeunir de jour en jour. Depuis quelque temps elle avait tout le temps mal dans les articulations. Héloïse lui en donna la raison : « C'est parce que vous faites enfin travailler tous vos muscles. » Elle habitait avec Tim Garden Court Apartments, d'où tous les gens de cinéma avaient été expulsés par la direction, eux excepté. Tim lui avait expliqué que la plupart des résidents d'Hollywood étaient de paisibles fermiers retraités du Midlewest, stupéfaits de voir leur village envahi soudain par le stupre et le lucre, les Juifs et les huissiers. Aussi, chaque fois que Tim et Caroline faisaient l'amour, s'appliquaient-ils à faire le moins de bruit possible, ce qui donnait un ragoût supplémentaire à la chose.

Tim était retourné en Californie après les fêtes. Caroline devait le rejoindre plus tard, mais pour le moment elle restait à Washington. Hearst lui avait déjà proposé une participation dans sa nouvelle maison de production, la Cosmopolitan Pictures, qui tournait en ce moment des films dans ses propres studios de New York, au coin de la Deuxième Avenue et de la Cent Vingt-Septième Rue. Mais Caroline se méfiait de Hearst. Primo, elle craignait de se laisser absorber par lui. Secundo, elle et Blaise avaient été choqués d'apprendre que Hearst était en pourparlers pour acheter le *Washington Times*, dont il rêvait de faire le rival du *Tribune*. Blaise s'était entendu avec elle pour empêcher Hearst de venir s'installer à Washington, même si cela les obligeait à acheter le *Times* et à fusionner avec le *Tribune*. Finalement, si Caroline voulait remplir ses devoirs patriotiques, la Californie était l'endroit indiqué. C'était aussi là-bas que se trouvait Tim. *Carpe diem*, comme disait Burden lorsque leurs corps étaient encore *terra incognita* l'un pour l'autre.

Henry Adams avait toujours été de taille lilliputienne, mais la vieillesse aidant, il était devenu presque invisible. Sa grosse tête chauve et barbue semblait raser le plancher de son bureau qui, quelle que soit la saison, embaumait toujours le lys et la rose. C'était là, songeait Caroline en l'embrassant, qu'avait commencé sa vie washingtonienne. Etait-ce là aussi qu'elle prendrait fin ? Ou bien était-elle destinée à terminer ses jours à l'autre bout des Etats-Unis, affublée de bandes molletières et de culottes d'équitation, criant des ordres à travers un mégaphone à de minuscules acteurs, une fois que le soleil eût réussi à percer le brouillard de Santa Monica ?

« Je suis en avance.

— Et moi je suis en retard, bien trop en retard », répondit Adams en aidant Caroline à s'asseoir près de la cheminée. Aileen Tone les rejoignit, leur demandant s'ils n'avaient besoin de rien. Il était dorloté comme un coq en pâte, ou pour mieux dire couvé comme un œuf de

Fabergé dans un nid soigneusement arrangé et douillettement capitonné : l'œuf éclorait-il ? Oui, si la mort était l'ultime éclosion.

« Theodore ex-Rex est en ville. Mais pourquoi est-ce que je vous dis ça, à vous qui êtes notre Argus ?

— Oui, j'ai appris cela. Vous l'avez invité à déjeuner ?

— Grands dieux, non ! J'ai tout de même quelques principes, certes pas très élevés, sauf en ce qui concerne le choix de mes nièces, mais il y a certains gros poissons qui ne remonteront jamais la rivière jusqu'à moi. J'ai toutefois invité Edith, l'aînée de mes nièces. Elle viendra avec Alice.

— C'est quelqu'un que j'aime beaucoup. »

Le fait qu'Edith Roosevelt eût accompagné son mari à Washington était interprété par certains comme un signe de la mauvaise santé de Theodore. On ne parlait plus depuis quelque temps que des Quatorze Points (soit quatre de plus que le Décalogue, disaient les mauvais plaisants) qui avaient été soumis au Congrès. Le point le plus important impliquait la création d'une Société des nations qui, au moindre signe de tension entre deux de ses membres, s'entremettrait auprès d'eux de manière à les aider à régler pacifiquement leurs différends.

Theodore était accouru en ville pour prendre la parole devant le Club national de la presse. Il avait dénoncé le département de la Guerre (et indirectement le Président) pour avoir refusé ses services. Il avait une fois de plus parlé avec mépris de la « paix sans victoire » de Wilson et déclaré : « Imposons la paix au son des canons, et non pas au cliquetis des machines à écrire. » Caroline avait tiqué devant le mot « imposons ». Mais Blaise avait censuré un éditorial du *Tribune* sur la nécessité d'un dictateur en temps de guerre, ce qu'un homme pourtant aussi pacifique que le sénateur Harding jugeait souhaitable. La vie politique américaine n'avait connu ni Roi Soleil ni Bonaparte. Seul Lincoln aurait pu aspirer à ce titre de dictateur. Caroline et Blaise, à cause de leur éducation française, avaient été immunisés contre ce virus. Mais Brooks, le frère d'Henry Adams, était partisan des solutions énergiques.

« Il pleure après un dictateur comme un bébé, dit Adams en souriant à travers sa barbe, et puis il pousse les hauts cris, comme Cabot, chaque fois que Wilson prend une mesure d'exception. Il n'est jamais content.

— Et vous ?

— Oh, moi, j'assiste avec joie et humilité à l'effondrement de tout ce que j'ai le plus chéri au monde. Il est vrai que j'ai toujours été épouvantablement en avance sur tout le monde. Ce pauvre Brooks vient de découvrir que le monde courait à l'abîme comme un dératé, et moi je le console comme je peux en lui disant qu'il y a dix ans que le monde court à sa perte. Peut-être même depuis sa création.

— Charmante consolation. »

Caroline avait peine à croire que l'Oncle Henry, comme elle l'avait toujours appelé, aurait quatre-vingts ans dans quelques semaines. Adams prit un livre sur une console :

« Connaissez-vous George Santayana ? »

Caroline fit oui de la tête. Bostonien d'origine espagnole, George Santayana avait enseigné la philosophie à Harvard du temps de William James, le frère d'Henry. Il avait écrit plusieurs ouvrages sur la raison de la vie ou la vie de la raison. Caroline ne l'avait jamais lu, mais elle se souvenait très bien de l'impression qu'il lui avait faite lorsqu'elle l'avait rencontré à Boston, et de ses yeux sombres et pétillants.

« Il vient d'écrire un excellent livre de propagande, si j'ose dire, sans doute inspiré par le grand Theodore. Aileen, voulez-vous lire la page cornée ? »

Comme cette dernière prenait le livre des mains d'Adams, celui-ci attacha son regard sur Caroline.

« Je suis maintenant aveugle.

— Oh, non !

— Si. J'ai perdu la vue il y a trois mois. Aileen, lisez, je vous prie.

— " D'une façon confuse et maladroite, les Allemands cherchent depuis quatre siècles à revenir à leur paganisme primitif... " commença Miss Tone.

— Ce n'est pas bête, interrompit Adams. Rappelez-vous que les tribus teutonnes furent les dernières à avoir été christianisées, et qu'elles ne l'ont été qu'à leur corps défendant. C'est pourquoi l'Allemagne a toujours été d'une façon ou d'une autre en guerre avec la chrétienté.

— N'en dites pas plus, vous allez me les rendre sympathiques, dit Caroline, qui s'était détachée sans douleur du christianisme sous l'influence de Mlle Souvestre et qui depuis ne l'avait jamais regretté.

— Je ne savais pas que vous étiez devenue bolchevique. C'est la dernière mode. C'est aussi l'avenir. Brooks a raison. Nous avons assisté à la fin d'une forme républicaine de gouvernement qui n'était après tout qu'un stade intermédiaire entre la monarchie et l'anarchie, entre le tzarisme et le bolchevisme.

— Tout le monde prétend que vous vous êtes converti au catholicisme », déclara Alice Longworth en entrant dans la pièce avec sa belle-mère Edith. Edith la longanime, comme l'avait surnommée Caroline, car, après avoir élevé cinq garçons, dont le plus difficile avait été son mari, et supporté les foucades d'une belle-fille, Edith avait bien mérité de la patrie.

« J'ai également entendu cette rumeur, répondit Adams en saluant les nouvelles arrivantes. Ma conversion est un acte de patriotisme, une contribution à notre effort de guerre. C'est ce pauvre Springy qui a répandu ce bruit pour ranimer nos esprits abattus.

— Il me manque beaucoup », dit Alice.

Edith s'assit sur le trône près du feu, jadis réservé à Clara Hay. Mais maintenant Clara était morte, et sur les *Cinq de Cœur* d'origine, Adams était le seul survivant.

« Theodore est persuadé que Mr. Wilson l'a renvoyé chez lui par dépit.

— Ça ne m'étonne pas de Theodore. Je regrette qu'il n'ait pas pu venir. La politique ?

— Quoi d'autre ? soupira Edith. Il trône dans la salle à manger d'Alice comme un pacha et tout le monde vient lui rendre hommage. En ce moment il reçoit la délégation de New York. Tout cela le fatigue beaucoup, et en plus il a l'estomac malade.

— Attendez qu'il ait dîné ce soir chez cousine Eleanor, coupa Alice dont les yeux gris-bleu étincelèrent dans la lumière hivernale de Lafayette Park. Eleanor est devenue la Lucrèce Borgia de Washington. Nul ne survit à sa cuisine.

— Je vois que nous sommes en petit comité, observa Caroline.

— Oui, fit Adams. Je vous veux toutes les trois pour moi tout seul. Je suis las des hommes, les politiciens m'horripilent et la vue d'un uniforme me rend enragé.

— Tous mes frères sont en France. Père est jaloux.

— Je le crois volontiers », dit Adams d'un air lugubre, puis, se tournant vers Edith, il ajouta pour égayer l'atmosphère : « Vous allez sans doute rendre visite à votre devancière à la Maison-Blanche. »

Il passa son bras sous celui d'Edith et l'entraîna vers la salle à manger où la table était dressée comme tous les jours à cette heure-là pour le brunch.

« Elle ne doit pas être pressée de me voir, fit Edith amusée. Elle me prendrait pour un fantôme.

— Il paraît, dit Alice, que ses frères raflent tout ce qu'ils peuvent.

— Voyons, Alice.

— Mère prétend que, si vous n'êtes pas là au moment du crime, il n'a pas pu se produire. »

Mais Alice laissa tomber ce sujet. Edith était la seule personne qui semblait l'intimider. Son père n'avait jamais eu la moindre autorité sur elle. Un jour qu'on le critiquait à cause des frasques d'Alice, Roosevelt avait eu ce mot resté célèbre : « Je peux régenter ma fille ou gouverner les Etats-Unis, mais pas les deux à la fois. »

Tandis qu'Adams et Edith se racontaient les dernières nouvelles — maladies, enterrements, successions — Alice dit tout bas à Caroline :

« Franklin pense qu'Eleanor ne le sait pas, mais moi je crois le contraire.

— Elle ne dirait rien même si elle savait.

— Pourquoi pas ?

— Tu te rappelles Mlle Souvestre ?

— Notre directrice ? Ah, oui, je vois ce que tu veux dire. »

Il y avait dans la malice d'Alice la même spontanéité joyeuse que dans l'hypocrisie de son père.

« Eleanor fera semblant de ne rien voir tant qu'elle pourra, et comme Lucy Mercer est catholique, je doute qu'elle accepte de coucher avec Franklin tant qu'elle ne sera pas mariée. »

La nouveauté d'un tel point de vue ne manqua pas d'impressionner Alice.

« Tu veux dire mariée à Franklin ?

— De préférence. Mais le mariage rend l'adultère possible, voire probable. Ne penses-tu pas ? »

Caroline vit rougir Alice pour la première fois depuis qu'elle la connaissait. Caroline avait touché juste. Mais si Alice avait un amant, elle avait été d'une discrétion exemplaire.

« Je comprends enfin le vice. Nous autres Américains nous sommes tellement plus simples. Si ça vous démange, grattez-vous, c'est à peu près notre politique en ces matières. Mais à quoi bon se marier, à quoi bon divorcer, si c'est juste pour *ça ?* Je les ai vus tous les deux, Franklin et Lucy, qui rentraient de Chevy Chase en voiture. J'ai dit à Franklin que je les avais vus, et que s'il continuait de conduire en la regardant il finirait par avoir un accident. Il m'a répondu avec son flegme habituel : " Elle est belle, n'est-ce pas ? " Je les invite à la maison quand Eleanor est absente. Mais ils ne pourront jamais se marier. Elle est catholique et lui pas.

— C'est surtout un homme politique. Il ne peut pas espérer faire une carrière politique et divorcer. »

Caroline avait toujours pensé que la position d'Eleanor était imprenable, grâce justement à l'étonnante ambition politique de Franklin. Etonnante, parce que malgré son charme et son amabilité, Franklin semblait curieusement dénué de véritable sens politique, ainsi qu'il l'avait récemment démontré en se faisant littéralement laminer par la machine à sous Hearst-Tammany pour l'élection au poste de sénateur de New York. Heureusement il lui restait son poste à la Marine, et son nom. Le nom magique des Roosevelt. Pendant ce temps Henry Adams et Edith Roosevelt déploraient la perte de Springy.

« C'était notre garçon d'honneur lorsque nous nous sommes mariés à Londres. Theodore n'a jamais eu de meilleur ami. C'était en plus un conseiller très avisé.

— Un homme infiniment courtois, dit Adams en portant à sa bouche un épi de maïs qu'il se mit à mastiquer mélancoliquement. Le grand mérite de Springy — et dont on ne parle jamais — c'est d'avoir su convaincre les banquiers juifs de New York de se ranger à nos côtés. Eux et leur presse. Au début ils étaient presque tous en faveur du Kaiser...

— Le rédacteur en chef du *New York Times* a tenu bon lui aussi. »

Caroline avait suivi de près la campagne de presse liée à la déclaration de guerre de 1914 en Europe. La compagnie Loeb avait menacé de s'emparer du *New York Times*, journal pro-allié, tandis que Jacob Schiff et le frère américain des Warburg d'Allemagne avaient exercé des pressions de plus en plus intolérables sur la presse. Wilson avait alors dû manœuvrer au plus juste. Un certain nombre de banquiers juifs pro-allemands avaient financé sa campagne, dans l'espoir qu'il n'entraînerait pas les Etats-Unis dans un conflit avec l'Allemagne. Wilson les avait amadoués en nommant Warburg à la Banque fédérale de réserves, et Louis Brandeis, le leader sioniste américain, à la Cour Suprême. Caroline se trouvait à la Maison-Blanche le jour où Wilson avait brusquement cité les Saintes Ecritures à Spring Rice : « Celui qui protégera Israël ne pourra plus s'en débarrasser et le sommeil le fuira. »

« Springy est également responsable de la déclaration de Mr Balfour en novembre dernier, par laquelle celui-ci a détruit l'œuvre séculaire de la chrétienté en restituant la Sainte Sion aux Juifs. Je crois que Mr. Schiff a désormais l'intention de rebâtir le Temple avec ses propres deniers.

— Je vous croyais sioniste, Oncle Henry. » Comme tout le monde à Washington, Caroline savait que la seule pensée des Juifs rendait Adams apoplectique. « Comme cela ils seront tous parqués dans un endroit que vous n'aurez pas besoin de visiter.

— Mais je veux visiter la Terre Sainte. Et maintenant que les Britanniques ont arraché Jérusalem aux Turcs, je désire ardemment aller contempler le Saint des Saints, le cœur pétrifié de la chrétienté.

— Je crains, Henry, dit Edith du ton qu'elle aurait pris pour calmer son mari, que vous soyez en train de proférer des blasphèmes...

— Et au petit déjeuner, encore », ajouta Alice.

Aileen Tone biaisa sur autre chose, et Caroline s'absenta au moment de la conversation. Elle pensa à l'amour et à la vieillesse. Depuis quelque temps Caroline avait tendance à se laisser absorber par ses propres problèmes, comme toutes les femmes de sa connaissance et de son âge. Ce matin encore Emma lui avait dit :

« Vous êtes toujours en train de vous regarder dans un miroir.

— Où veux-tu que je me voie, sinon dans un miroir ?

— Oh, vous êtes insupportable », s'était écriée Emma, qui était maintenant dans sa seconde année à Bryn Mawr et qui avait la bosse des maths. Mais ça c'était l'affaire d'Emma. Caroline avait d'autres chats à fouetter, à commencer par elle-même. Il existait bien sûr une autre façon de se voir que dans un miroir : c'était sur un écran. « Décidément je suis en train de devenir folle », se dit-elle en regardant Adams, vieil Œdipe vaticinant entouré de ses trois Antigone. Arrivée à la porte du bureau, elle embrassa brusquement le vieil homme sur la joue.

« Tâchez de ne pas nous oublier », dit-il.

C'est ainsi que le cinquième et dernier Cœur prit congé de Caroline.

Un récent bombardement avait foudroyé un bouquet d'arbres, le
dénudant de ses branches et de ses feuilles. Dans la lumière diffuse, ils
ressemblaient à une compagnie de squelettes décharnés. Entre les
arbres on apercevait des tranchées bordées de barbelés. Des morts
jonchaient le sol. Des morts américains. Certains semblaient dormir.
D'autres ouvraient des yeux horrifiés. Quelques autres n'étaient
même plus identifiables.

L'infirmière de la Croix-Rouge avançait lentement à travers les
bois. De temps à autre, elle s'arrêtait devant un cadavre et examinait
son visage. Elle portait un manteau de couleur foncée, défraîchi et des
brodequins d'homme tout crottés. Arrivée à la lisière du bosquet, elle
s'agenouilla devant un cadavre, tendit la main comme pour toucher
son front, puis s'immobilisa, pétrifiée.

« Coupez! cria Tim à travers son mégaphone. C'était très bien,
Emma. »

Caroline — ou plus exactement Emma Traxler de son nom d'actrice
— se releva et sortit du champ de la caméra pour se retrouver sous le
brillant soleil de Santa Monica. La lumière grise et diffuse du bois de
Belleau en France était obtenue grâce à un filet de gaz interposé entre
la caméra et le plateau, où toute une escouade de figurants et de
mannequins, représentant les morts, avaient été soigneusement
disposés par Timothy X. Farrell et son directeur artistique.

« On va faire un plan rapproché », dit Tim, puis se tournant vers
Caroline : « Nous avons un visiteur. Mr. Ince en personne. »

Bel homme, la quarantaine à peine, Thomas H. Ince était de son
vivant même un personnage légendaire. Avec Griffith et Mack
Sennett, il était l'un des trois pontes de la Triangle. En théorie, Ince
écrivait, dirigeait, produisait. En pratique, il supervisait la plupart des
productions du studio, faisant des heures supplémentaires pour
satisfaire la fringale de films qui s'était emparée de l'Amérique. Il
avait construit à Santa Monica un village-studio destiné uniquement
au tournage de films en intérieur et en extérieur. Mais Inceville,
comme tout le monde l'appelait, y compris son créateur, était déjà
trop petite, et un nouveau studio-village était en construction à
quelques miles au sud de Culver City.

La première surprise de Caroline avait été de découvrir qu'il n'existait pas à proprement parler de capitale du cinéma appelée Hollywood, mais un ensemble de villages disséminés à travers des champs d'oignons et des orangeraies, reliés entre eux par un réseau de routes poudreuses. A cause de la proximité de la mer, Inceville était le plus agréable des quelque trente ou quarante villages qui constituaient Hollywood.

Le principal rival, et futur propriétaire de la Triangle, Famous Players-Lasky, occupait une espèce de hangar au coin de Sunset Boulevard et de Vine Street. C'était là dans un flamboiement de lumières klieg (du nom des frères Kliegl avec deux « l », s'il vous plaît ; où diable était passé le second « l » ? qu'on avait filmé des pièces célèbres avec des acteurs célèbres. La première grande actrice à tourner à Hollywood avait été Sarah Bernhardt, qui avait joué la Reine Elisabeth et *La Dame aux Camélias*. D'après Plon, le demi-frère français de Caroline, Sarah s'était évanouie d'horreur en se voyant sur l'écran. « Nous l'avons tous imitée, par respect pour elle », avait ajouté Plon.

Actuellement la plus célèbre star de cinéma du monde était sous contrat chez Famous Players. A vingt-cinq ans Mary Pickford jouait encore les adolescentes évaporées, rôle pour lequel elle avait reçu un million de dollars pour deux ans de MM. Zukor et Lasky. Elle avait déjà tourné *The Little American* pour la plus grande joie de George Creel, et maintenant elle jouait dans un autre film intitulé *M'liss*. Le patriotisme faisait fureur dans tout le pays, et Caroline y apportait une contribution non négligeable dans un film de sept bobines qui, de l'avis de Mr. Ince, « ferait un tabac. Je le sais, j'en suis sûr, mais ne me demandez pas comment ».

Ince et Caroline prenaient le thé sous un parasol, tandis qu'un orchestre de six musiciens, utilisé spécialement pour « inspirer » les acteurs, jouait de la musique légère. Lors de sa première scène de larmes, Caroline avait constaté, comme tant d'autres débutantes avant elle, qu'il est très difficile de pleurer sur commande. Tim lui avait alors suggéré de penser à un être cher ou disparu. Elle pensa d'abord à sa fille, Emma, mais aucune larme ne vint. Elle pensa ensuite à Plon, qui était mort, mais elle était trop furieuse de l'avoir perdu dans une guerre aussi stupide. On se tourna alors vers l'orchestre. Le chef, un violoniste, dit : « J'ai exactement ce qu'il vous faut. Mary, Doug et Mr. Chaplin pleurent tous comme des veaux chaque fois que je joue ce morceau. »

L'orchestre, qui était installé dans un décor d'hôpital, où Caroline soignait les blessés et les mourants, joua *Danny Boy* et Caroline se mit à rire. On donna alors un bâton de camphre à Héloïse qui l'approcha du visage de sa maîtresse et les larmes se mirent enfin à couler, à la satisfaction générale, tandis que l'orchestre jouait en sourdine : *There's a Long, Long, Trail a'Winding.*

« Le problème c'est que...

— Miss Traxler, vous permettez, lui dit le maquilleur.

— Vous me faites les lèvres, c'est bien, je me tais. »

Caroline maintenant ne se regardait plus dans les miroirs. Quand elle voulait se voir, elle regardait les rushes. Mais après s'être vue sur l'écran pendant une demi-heure le premier jour, elle en eut assez. Que les autres l'habillent, la fardent, la dirigent. Elle était une esclave docile entre leurs mains. Elle s'en remettait à eux. C'était à eux de l'inventer.

« Vous disiez, monsieur Ince ?

— Je me demandais combien de temps nous pourrions garder le secret en ce qui vous concerne. Mais vous êtes sans doute mieux placée que nous pour le savoir, madame Sanford. C'est vous la journaliste.

— Pas vraiment.

— Comment cela ? »

On lui avait fait les lèvres ; maintenant le maquilleur s'appliquait à faire disparaître les pattes d'oie au coin des yeux.

« Ça finira bien par se savoir. Qu'importe, pourvu que je n'aie pas l'air trop horrible. »

Ince la regarda d'un air appréciatif, comme une œuvre d'art qu'il aurait empruntée à un musée. Caroline avait souvent vu ce même regard dans les yeux de Hearst.

« De ce côté-là il n'y a pas de danger. Croyez-moi, je vous dirais s'il y avait le moindre risque, car ça me retomberait sur le nez à moi aussi. Non, vous êtes une nouveauté, et ça, ça marche toujours. Nous avons ici une cargaison d'altesses russes qui toutes cherchent à travailler avec nous. Même les gens de la haute commencent à s'intéresser à nous. Je viens de recevoir un coup de fil de Mrs. Lydig Hoyt de New York me disant qu'elle ferait volontiers un film ou deux pour soutenir l'effort de guerre.

— Attention, votre tasse va déborder, interrompit Caroline, qui connaissait très bien la dame en question.

— Mais elle, ce n'est qu'un nom, autour duquel la presse peut faire un peu de battage, c'est tout, tandis que vous, vous êtes un visage. C'est dommage que nous ne vous ayons pas connue plus tôt. Quand je pense à toutes ces années perdues ou nous aurions pu vous utiliser ! Nous aurions fait de vous une seconde Marguerite Clark...

— Pourquoi pas une seconde Mary Pickford ? »

Depuis que Caroline était entrée dans ce monde de pure fantaisie qu'est le cinéma, elle était sujette à toutes sortes d'engouements et d'antipathies qu'elle n'aurait jamais éprouvés autrement. Elle considérait Mary Pickford, qui était presque assez jeune pour être sa fille, comme sa principale rivale, alors que le charme alangui des sœurs Gish l'exaspérait.

« Non, pas Mary. Il n'y a qu'une Mary, et vu ce qu'elle nous coûte, c'est bien suffisant. Non, on ne peut pas vous comparer. Vous êtes quelque chose d'entièrement nouveau dans le cinéma, une femme de quarante ans qui fait plus jeune, bien sûr...

— Qui fait son âge.

— Peu importe. Ce qui compte, c'est que vous paraissez extraordinairement belle à l'écran. Nous avons eu un tas d'actrices célèbres autour de la quarantaine, à commencer par Sarah Bernhardt. Mais vous n'êtes pas une actrice. Le public ne vous connaît pas, et vous jouez des rôles de votre âge...

— Et voici justement mon fils. »

Un grand brun d'une trentaine d'années avec un petit nez et des yeux ronds et bleus, parfaits pour les scènes de mort, les salua. Il portait un uniforme de soldat français tout déchiré. L'intrigue était la suivante. Un jeune Américain qui s'est engagé dans l'armée française est porté disparu au cours d'un combat dans les bois de Belleau. Sa mère, une femme du monde, se fait infirmière pour le retrouver. Son héroïsme et son dévouement font l'admiration de tous les soldats. Elle parcourt les champs de bataille à la recherche de son fils perdu, et « son calvaire est comparable à un chemin de Croix ou à la descente de Dante aux enfers » (Tim dixit). Plus la guerre et la destruction faisaient rage autour d'elle et plus Caroline accumulait les actions héroïques. Caroline avait également réussi à se mettre dans un état hallucinatoire : elle se persuadait qu'elle était réellement en France, en train de chercher Plon. A cet égard le transfert de son moi réel sur son moi fictif fonctionnait parfaitement, et Tim était impressionné par la facilité avec laquelle elle était entrée, comme on dit, dans la peau de son personnage.

« Salut Emma. Monsieur Ince. Vous êtes venu contrôler combien de mètres de pellicule nous avons utilisés aujourd'hui ?

— Non, je suis venu en touriste.

— En tout cas, n'oubliez pas ce western dont vous m'avez parlé. Saviez-vous, dit-il en se tournant vers Caroline, et ouvrant des yeux encore plus ronds que d'habitude, que Mr. Ince a découvert William S. Hart ? »

Sur quoi Tim entraîna le « fils » de Caroline sur le plateau et le recouvrit de boue.

« J'ai dû faire une bonne centaine de westerns, dit Ince. C'est sans problème. Toujours la même histoire.

— Ce n'est pas comme *Civilization*? »

L'une des raisons pour lesquelles Creel avait choisi Caroline comme son porte-parole auprès des gens de cinéma, c'était précisément pour s'assurer qu'on ne réaliserait plus jamais des films comme *Civilization*. Bien que ce film de deux heures et demie fût considéré comme le chef-d'œuvre de Ince, son thème pacifiste, populaire en 1916, était éminemment suspect en 1918, voire blasphématoire, comme le sous-titre, *Celui qui est revenu*, le laissait entendre. L'histoire était la suivante : le Christ revient sur terre en tant que mécanicien de sous-marin allemand qui prêche la paix — sans succès. Mais Ince avait pris ses précautions. Comme Wilson allait se représenter en 1920 comme le candidat de la paix, Ince avait ajouté un épilogue au film montrant Wilson en train de remercier Ince pour sa contribution à la paix (et indirectement à sa propre réélection). Homme sans croyances particulières, politiques ou autres, Ince se concentrait à présent sur des films comme *Les Boches de l'Enfer*, qu'était en train de tourner Caroline. Pendant ce temps, son associé D. W. Griffith était parti à Londres tourner des films pro-alliés ; et le bruit courait qu'une fois la guerre terminée il irait travailler sur la côte Est. Après l'échec d'un film aussi ambitieux qu'*Intolérance*, Triangle (y compris deux de ses plus populaires acteurs, Douglas Fairbanks, le séducteur débonnaire, et le bucolique William S. Hart) avait été racheté aux deux tiers par Famous Players.

« C'est le dernier film produit par Triangle. C'est pourquoi nous allons mettre toute la gomme. La première au Strand à New York, un dollar cinquante la place. »

Tout en l'écoutant, Caroline ne songeait pas au cinéma, mais à la France. Elle n'avait pas cherché à retourner en France où elle aurait pourtant pu se rendre utile de tant de manières, quoique peut-être dans un genre moins héroïque que celui qu'elle incarnait en ce moment à l'écran. Mrs. Wharton, l'ancienne amie d'Henry James,

avait mis sur pied une organisation de couturières qui confection-
naient des vêtements pour les soldats. Saint-Cloud-le-Duc avait été
réquisitionné par le gouvernement français et servait momentanément
d'hôpital. Elle se voyait allant d'un lit à l'autre, souriant aux blessés...

Caroline chassa cette image de son esprit. Elle commençait à penser
comme un film — ce qui était toujours mauvais signe. Mais pendant
des années n'avait-elle pas pensé comme un journal — en gros titres,
sous-titres, caractères romains, italiques, et bien sûr en images
soigneusement arrangées sur la page, en images de plus en plus
grandes ? Chose curieuse, plus les procédés de reproduction s'amélio-
raient et moins les gens semblaient capables de lire le texte. Une fois
par an le critique littéraire du *Tribune* écrivait un article désespéré sur
la fin prochaine de la littérature, tandis que le critique dramatique, de
son côté, déplorait la désaffection progressive du public pour le
théâtre, à cause de sa passion grandissante pour le cinéma. Il n'y avait
pas encore de critique de cinéma. Mais cela ne tarderait pas, se disait
Caroline en prenant congé de Mr. Ince. Ils se reverraient ce soir pour
dîner. Mr. Ince avait une femme et des enfants. Une vie sociale très
élaborée s'était déjà développée dans ce qu'on appelait « la colonie du
cinéma », posée comme une colonne de feu au milieu des Iowans
éberlués.

Tim l'entraîna ensuite sur le plateau qui représentait une église en
ruine. On apercevait une partie de la nef, avec au-dessus de l'autel un
crucifix surgissant au milieu des décombres. Derrière l'autel un vitrail
éventré. Au-dessus du plateau on retrouvait le filet de gaze qui avait
servi à filtrer la lumière du bois de Belleau.

« On s'y croirait. » Caroline félicita le directeur artistique, un Russe
fraîchement débarqué, qui ne parlait pas anglais, mais qui avec
quelques mots de français et force gestes arrivait toutefois à exécuter
ce que Tim lui demandait. Le maquilleur s'affairait autour du visage
de Caroline, comme un peintre en train de mettre la dernière touche à
une toile. Il ajouta une touche de fard à la couche de blanc déjà en
place. Nous ressemblons à des cadavres, songeait-elle. Et pourtant sur
l'écran la métamorphose avait lieu : ces visages macabres s'anime-
raient, deviendraient vivants, exprimeraient des sentiments, tandis
que l'imagination du public mettrait du rouge aux lèvres et du rose sur
les joues.

Tim et le cameraman échangèrent quelques paroles à voix basse.
Deux techniciens furent chargés d'éclairer le crucifix, qui s'auréola
aussitôt d'une espèce de lumière surnaturelle, pendant qu'un troi-

sième projecteur illuminait le visage de Caroline. Elle observa, professionnellement, que l'arc lumineux était placé suffisamment haut de manière à effacer ses rides. La lumière du jour était impitoyable pour une femme vieillissante. C'est seulement quand le soleil était bas — soit au lever soit au coucher — qu'on avait l'air naturel et non pas hagard. C'est justement à cause de cette cruauté de la lumière naturelle que les premières stars du cinéma avaient été extrêmement jeunes comme Mary Pickford et les sœurs Gish. Mais à présent, grâce aux nouvelles caméras et aux nouveaux procédés d'éclairage, tout cela était en train de changer. Mais tout changeait si vite dans le cinéma, contrairement à ce qui se passait dans la vie.

Maintenant Caroline n'avait plus qu'à se persuader qu'elle aurait l'air absolument « ravissante », debout devant l'autel, avec l'arc lumineux en plein visage. Comme toujours il suffisait qu'elle pense à la lumière pour se mettre à pleurer. C'était purement mécanique. Elle souffrait de ce qu'on appelait « l'effet klieg » : une inflammation de la rétine, causée par la poussière ou par les rayons lumineux, qui pouvait entraîner une cécité temporaire. Le maquilleur s'empressa de lui essuyer les larmes. Si la douleur empirait, on lui appliquerait de la glace sur les paupières.

Tim et Pierre, un acteur français qui jouait le rôle d'un officier allemand, rejoignirent Caroline devant l'autel. Comme presque tous les acteurs professionnels, Pierre avait un petit corps, une grosse tête et un crâne si bien rasé qu'il ressemblait à un œuf. Il portait en outre un monocle.

« C'est là, expliqua Tim, que vous découvrez que votre fils a été fait prisonnier. Pierre, cette situation vous ravit, bien sûr. Vous êtes assis à votre table, devant l'autel. Vous êtes en train d'écrire des dépêches. Pendant qu'elle vous supplie, vous continuez de lire et d'écrire. Ne levez pas les yeux. Puis, lorsqu'elle vous implore de lui dire où est emprisonné son fils, nous suivrons le script. A propos, vous le connaissez tous les deux ? »

Ils firent oui de la tête. Caroline apprenait toujours son rôle en se rendant en auto au studio. Il y avait eu une époque où les acteurs inventaient tout bonnement leurs répliques au fur et à mesure de l'histoire, en se racontant des plaisanteries ou des histoires cochonnes qui n'avaient rien à voir avec la scène qu'ils étaient en train de jouer. C'était compter sans l'ingéniosité du public. Bon nombre de spectateurs, en effet, avaient appris à lire sur les lèvres,

178

et ils étaient horrifiés chaque fois qu'un acteur les trompait en proférant des sornettes, ou pire des obscénités.

« Ensuite, Pierre, vous levez les yeux. Vous voyez qu'elle est belle. Vous vous levez. Vous contournez la table. Par la droite. Vous essayez de la prendre dans vos bras. Elle vous résiste. Vous la poursuivez jusqu'à l'autel. Elle saisit le crucifix — ne vous inquiétez pas, il est en bois très léger — et elle vous en assène un grand coup sur le crâne. Vous basculez en arrière. Et nous terminons par un plan rapproché de Madeleine horrifiée, tenant dans ses bras le crucifix.

— Je préfère " clouée au sol ", dit Caroline qui raffolait de ce genre de scènes.

— Comme vous voudrez. O.K. Allons-y. »

Ils prirent leurs places. La caméra commença par cadrer Pierre. Puis Caroline alla se placer de manière à être au centre de l'image, à la limite de la distance de neuf pieds séparant la caméra de l'aire de tournage proprement dite. Dans les premiers films, la caméra ne bougeait pas. Mais depuis qu'on avait inventé le travelling, les acteurs étaient moins contraints.

« O.K., dit Tim d'une voix autoritaire.

— Silence sur le plateau ! » cria l'assistant.

L'orchestre était placé derrière la caméra. Le chef demanda :

« Qu'est-ce que ça sera, Miss Traxler ?

— *Les Maîtres chanteurs,* maestro. »

Caroline avait déjà trouvé la musique propre à lui inspirer des actes héroïques.

« Mais c'est de la musique allemande, dit une voix.

— La ferme, cria Tim. On tourne.

— Mon fils... On m'a dit que vous saviez où il est. Où est-il, colonel von Hartmann, *où* est-il en ce moment ?

— Son nom ? »

Caroline pénétra ensuite dans le cercle douloureux (et magique) de la lumière klieg, qui brûlait les yeux tout en conférant la gloire. Heureusement cette fois la gloire arriva sans les larmes. O grande lumière dispensatrice de gloire et d'immortalité, priait-elle, tandis que le fard commençait à fondre sur son visage et que la musique de Wagner commençait de lui ramollir le cerveau.

« Vous autres Américains, vous n'apprendrez jamais à vous battre. Jamais. L'Allemagne triomphera de votre race abâtardie. »

Caroline faillit sourire. Il était comique d'entendre ce « sale Boche » parler anglais avec un accent français à couper au couteau.

« Nous ferons tous notre devoir, comme mon fils a fait le sien, déclamait Caroline à la caméra.

— Continuez, dit Tim.

— Je n'ai plus de texte.

— Inventez, tous les deux. Après qu'il s'est levé de sa chaise.

— Henry Adams, commença Caroline de son air le plus évaporé, prétendait que vous autres Allemands êtes une race essentiellement païenne, et que toutes vos guerres ont toujours été dirigées contre la chrétienté.

— Très intéressant, dit Pierre en louchant vers elle. Cela explique peut-être pourquoi ils aiment tellement bombarder les églises. Je n'ai plus qu'un poumon, madame, sinon je me battrais pour mon pays, vous pensez bien. »

Le colonel boche se leva, vissa son monocle, et jeta un regard lascif à Caroline.

« Vous êtes très belle, madame.

— C'est ce que vous dites toujours, vous autres Boches.

— Dans mon texte il est écrit que maintenant je vous viole, madame.

— Dans le mien aussi. Mais je ne me laisserai pas faire. Je me défendrai comme une tigresse. Les Françaises sont réputées pour leur bravoure.

— C'est parce que vous n'avez encore jamais eu en face de vous un homme véritable. »

Pierre se tenait maintenant devant Caroline, plus près qu'elle de la caméra afin de paraître plus grand.

« J'ai déjà tourné plus d'une centaine de films en Europe.

— Mes compliments, monsieur. Est-ce aussi amusant qu'ici ?

— Mais oui, chère madame. Qui est Henry Adams ? murmura-t-il d'une voix gutturale.

— C'était un ami très cher que j'ai perdu au printemps dernier. »

Pierre bondit sur elle.

« Attention, monsieur, vous êtes en train de me bousculer, dit-elle en s'écartant.

— Vieux ?

— Passé quatre-vingts ans. C'était l'être le plus sage, le plus intelligent que j'ai jamais rencontré. »

Caroline découvrit ses dents. Des dents de tigresse ? La musique des *Maîtres chanteurs* développait en elle des ressources insoupçonnées.

« Je trouve ses observations sur les Allemands très justes. »

Pierre se mit soudain à grimacer. Caroline prit peur. Il essaya de l'attraper par le cou. Elle recula vers l'autel. La terreur et la résolution se peignaient alternativement sur son visage.

« Vous devriez lire son dernier livre, *L'Education d'Henry Adams.* »

Pierre lui déchira le haut de sa robe, lui dénudant la clavicule.

« Je ne sais malheureusement pas assez bien l'anglais », murmura-t-il entre ses dents.

A l'autel ils étaient de nouveau dans le texte.

« Non, jamais ! cria Caroline.

— Il le faut, si vous voulez revoir votre fils vivant.

— Comment, vous oseriez ? »

Pierre la repoussa vers l'autel. Ses yeux étincelaient. Il était prêt à la violer.

« Oh ! » s'exclama Caroline.

En se retournant elle aperçut le crucifix, le souleva dans ses bras comme une relique, compta jusqu'à trois, puis en assena un grand coup sur le crâne de Pierre. Celui-ci trébucha en arrière et s'écroula sur le sol, mort ou inconscient. Le texte ne précisait pas. Caroline s'évadait ensuite du bois de Belleau et retrouvait les marines américains qui à eux seuls avaient vaincu l'armée allemande tout entière. C'est du moins ce que le public était invité à conclure.

Tim jubilait.

« Vous étiez merveilleux, tous les deux. »

Pierre s'était relevé. Il se massait maintenant la nuque. Caroline souriait amoureusement à Tim à travers son maquillage qui lui dégoulinait dans les yeux et le long des joues. Le maquilleur accourut vers elle avec une éponge.

« Notre petite conversation ne vous a pas trop gêné pendant que j'étais en train de me faire violer ?

— J'étais tellement pris par le spectacle que je n'ai rien entendu. Pourquoi ? Vous n'avez pas suivi le script ?

— Non. Le script manquait, répondit Pierre. Alors nous avons parlé de littérature.

— Ça ne fait rien, dit Tim en ramassant le crucifix. Vous vous déplaciez trop vite tous les deux pour qu'on pût lire sur vos lèvres. En tout cas c'était superbe. Ça vous prenait aux tripes.

— Ce genre de scène émeut toujours un Irlandais, observa Caroline.

— C'est-à-dire ?

— Le crucifix, l'église...

— Nous sommes catholiques, n'est-ce pas ?

— Non, vous ne l'êtes pas. Moi, je suis catholique, Tim chéri, toi tu es irlandais. Ce n'est pas la même chose.

— Encore une prise », enchaîna Tim qui pour le moment ne pensait qu'au film. Caroline rouspéta un peu en voyant le maquilleur lui prendre à nouveau le visage.

« Est-ce que je dois encore me faire violer ?

— Non, c'était parfait. A présent je voudrais faire un gros plan de vous devant l'autel. Lorsque vous vous retournez, vous ramassez le crucifix et vous regardez vers la caméra. Je serai tout près de vous.

— On ne refuse jamais un gros plan », dit Caroline entre ses dents, tandis qu'on lui appliquait sur les lèvres une espèce de rouge bleuâtre.

Tim se tourna vers Pierre.

« Quand vous apercevez le crucifix, vous êtes soudain horrifié par ce que vous avez fait. Vos regards se portent ensuite sur la femme que vous alliez violer...

— Très bien. J'ai compris.

— Est-ce qu'on lira tout ça dans le sous-titre ? »

Mais Tim ignora Caroline et retourna se replacer à côté de la caméra. Quelques instants plus tard Caroline se tenait devant l'autel, prête à obéir aux instructions du metteur en scène. C'était un autre personnage.

Pendant ce temps, dans la vie réelle, l'armée allemande poursuivait son offensive victorieuse sur tous les fronts, contrairement à ce que les producteurs de films de Santa Monica cherchaient à faire croire à des millions de spectateurs dans le monde entier. En juillet 1918, au moment même du tournage des *Boches de l'Enfer*, les armées allemandes étaient à quatre-vingts kilomètres de Paris. Elles occupaient le nord de l'Italie, les Balkans, la Pologne, les Etats baltes, l'Ukraine, et elles avaient encerclé Kiev, la ville sainte de la Sainte Russie. Il était plus nécessaire que jamais pour les Alliés de prétendre qu'ils étaient en train de gagner. Aussi voyait-on sur les écrans, sinon sur les champs de bataille, les marines américains continuer de détruire les Boches, tandis qu'une simple mère de famille américaine, armée d'un crucifix et de son joli minois, était capable d'échapper à l'emprise bestiale des Boches. C'était en tout cas bien plus efficace que les journaux, songeait Caroline en regardant Pierre dans sa « scène de repentir », les yeux révulsés par l'horreur, les mains croisées devant son visage pour se protéger des coups. Une fois de plus Hearst avait eu raison. Mais que faire d'un procédé aussi révolutionnaire ? A quel usage l'employer ? George Creel aurait répondu : à la propagande. Mais c'était trop simple, et à la longue le public finirait par connaître tous les trucs. Les Alliés pouvaient bien perdre la guerre que l'Américain moyen, à cinq mille kilomètres de là, resterait convaincu que tout était pour le mieux dans le meilleur des mondes et que le Boche avait été arrêté dans sa course vers Paris par Emma Traxler, alias Caroline Sanford, la dernière trouvaille d'Hollywood.

En tant que Mrs. Sanford en revanche, Caroline était déjà courtisée par les gens de cinéma. Bien qu'Hollywood ne fût en réalité qu'une suite de petits villages disséminés le long du Pacifique, entre Culver City et Santa Monica, son nom était devenu synonyme de cinéma, et ceux qui y travaillaient étaient désignés par les autochtones sous le nom de *movies*, c'est-à-dire de gens qui courent dans tous les sens, occupés à transgresser à longueur de journée les commandements de Dieu.

A vrai dire Caroline avait trouvé ces fameux acteurs plutôt ternes. Ternes et surmenés. Ils habitaient dans de confortables maisons de style espagnol le long de Franklin Boulevard, au bord de la mer ou encore dans les cañons qui fissuraient les collines d'Hollywood. Comme par ailleurs le public américain ne pouvait par définition tomber amoureux d'une star de l'écran mariée dans la vie réelle, maints acteurs pères de familles nombreuses comme Francis X. Bushman étaient obligés de jouer les célibataires vertueux en attendant que miss Tartenpion voulût bien croquer chaque soir avec lui dans l'obscurité d'une salle de cinéma le fruit défendu (mais toutefois permis) d'une idylle platonique. Pendant ce temps, Mrs. Bushman et les mouflets restaient bien sagement à la maison.

Mrs. Smythe reçut Tim et Caroline dans sa « somptueuse » villa de Beverly Hills, au sommet d'une colline dominant des étendues de vergers illimitées et tout au fond l'océan Pacifique. C'était une petite femme nerveuse, toujours assez bizarrement accoutrée. Elle parlait un anglais raffiné mâtiné de cockney quand la langue lui fourchait, et connaissait tout le monde. Elle s'était installée en Californie pour des raisons de santé. Son mari, Mr. Smythe, propriétaire d'une savonnerie, était resté courageusement en Angleterre, laissant sa femme, Pamela, partir toute seule à Hollywood. En un rien de temps elle était devenue l'une des hôtesses les plus en vue d'Hollywood, grâce à sa prétendue fortune et à ses amis soi-disant titrés. Les acteurs de cinéma adoraient les titres, sans doute parce qu'ils avaient souvent l'occasion de jouer à l'écran des personnages historiques. Depuis la chute du tzar les Russes blancs avaient envahi Hollywood. Ils étaient bien sûr tous titrés, jouaient de la balalaïka en mangeant des blinis, et Mary Pickford se mettait à pleurer chaque fois qu'elle entendait une de ces chansons russes, si tristes, si nostalgiques, si poignantes.

On soupait de bonne heure, les stars devant être au lit à dix heures, sauf le samedi où l'on pouvait danser au Biltmore Hotel de Los Angeles, boire et jouer gros dans l'un des rares tripots de la ville, ou se faire inviter chez de gracieuses hôtesses comme Mrs. Smythe.

« Caroline ! »

Mrs. Smythe avait pris l'habitude d'appeler les gens par leur prénom comme c'était l'usage dans le Nouveau Monde.

« Pa-me-la ! répondit Caroline en détachant les trois syllabes de son prénom, comme faisait Frederika.

— Rien que des vieux copains, ce soir », dit Mrs. Smythe en adressant à Tim un sourire radieux. Puis, voyant s'approcher de Caroline une femme lourdement fardée, les bras grands ouverts, elle ajouta : « Permettez que je vous présente la comtesse d'Inverness.

— Millicent !

— Caroline ! »

Les deux femmes s'embrassèrent. Caroline connaissait Millicent depuis le collège. Elles avaient été dans la même classe chez Mlle Souvestre. Millicent était la nièce d'un Président américain, un de ces personnages inconsistants qui s'étaient succédé entre Lincoln et Theodore Rex, et dont tout le monde, à commencer par Caroline, avait oublié le nom. Après le collège Millicent et sa mère étaient restées à Londres, et Caroline avait même été présentée à Buckingham Palace par la mère de Millicent. Caroline était venue ensuite habiter New York, tandis que Millicent avait épousé le comte d'Inverness, un sinistre imbécile qui l'avait rendue malheureuse, comme tout le monde le lui avait prédit.

« Vous vous connaissez, je vois », fit tristement Mrs. Smythe. Mais à ce moment-là l'arrivée de Douglas Fairbanks détourna sur lui tous les regards, laissant Millicent pleurer sur l'épaule de Caroline.

« C'est un mufle, un être immonde ! gémit-elle.

— Je le trouve plutôt séduisant », fit Caroline en regardant hardiment dans les yeux le petit homme à la grosse tête (moins toutefois que celles de la plupart de ses collègues) dont la moitié des femmes de la terre étaient amoureuses.

« Je ne parle pas de cet acteur, mais de mon mari. Je ne peux pas comprendre comment j'ai jamais pu l'aimer. Oh, je sais bien qu'il ne faut jamais discuter ces choses-là, ajouta-t-elle avec une jolie moue de philosophe et de sentimentale désenchantée. Je sais que n'importe qui peut aimer n'importe quoi, et c'est même ce qu'il y a de drôle dans l'amour, parce que c'est justement ce qui le rend mystérieux.

— Mystérieux ?

— Mais si, c'est très mystérieux l'amour », reprit Millicent avec un doux sourire de femme du monde aimable mais aussi avec l'intransigeante conviction d'une wagnérienne qui affirme à un homme du monde qu'il n'y a pas que du bruit et des longueurs dans Wagner. « Du reste on ne sait pas pourquoi une personne en aime une autre. D'ailleurs on ne sait jamais rien, conclut-elle d'un air sceptique et désabusé.

— Il est ici ?

— Qui ?

— Ton mari.

— S'il était là, est-ce que j'y serais ? » dit-elle avec un geste de la main si éloquent qu'elle faillit renverser une coupe d'orchidées. De toute évidence Millicent trouvait dans la boisson un remède aux misères que lui faisait endurer son ivrogne de mari. Le comte d'Inverness n'était pas seulement un soulographe attitré, il avait également, à l'instar de Jamie Bennett, le directeur du *Paris Herald*, ou de Ned McLean, le propriétaire du *Washington Post*, la réputation de se soulager en public, surtout dans les grandes occasions. Jamie, il y a longtemps, avait uriné dans un vase un jour qu'il rendait visite à sa fiancée, ce qui lui avait valu d'être chassé de chez la belle à grands coups de cravache par le frère de celle-ci, et d'être expédié une bonne fois pour toutes de l'autre côté de l'Atlantique. Ned, lui, préférait éteindre les feux de cheminée, alors que le comte d'Inverness avait un faible pour les bols de punch.

« C'était à l'ambassade des Etats-Unis, en présence de Mr. Page, notre ambassadeur. Devant tout le monde.

— Qu'as-tu fait ?

— Je lui ai flanqué une gifle, répondit Millicent en levant une main constellée de bagues.

— Il a dû la sentir passer.

— Tant mieux ! s'écria Millicent avec une joie méchante. Il l'avait bien mérité. Nous divorcerons quand la guerre sera terminée. C'est pourquoi je suis venue ici. Pour fuir mon ancienne vie. Tu connais ce sentiment.

— Non. C'est pourquoi je suis ici. »

Caroline aurait bien voulu se mêler à la faune des lilliputiens, mais Millicent l'entraîna sur un canapé. Des serviteurs japonais leur offrirent du vin. La cérémonie du thé était une chose révolue dans cette partie du monde, sauf bien entendu pour les Anglais qui transportent leur patrie à la semelle de leurs souliers. En revanche, le dîner de six heures et demie était une nouveauté locale que Caroline ne supportait que parce qu'elle aussi devait se lever à l'aube pour affronter la lumière clémente du matin. Puis elle arrêtait de travailler à midi, et ne recommençait qu'en fin d'après-midi quand les rayons obliques du soleil favorisaient de nouveau les acteurs.

« Je vais retourner vivre à Washington.

— Tu vas nous réveiller.

— J'espère bien réveiller Alice. Non, mais quelle pimbêche ! »

Millicent avait été jadis l'unique relique présidentielle de la capitale, et ce n'est pas de gaieté de cœur qu'elle avait cédé sa place à Alice Longworth. Mais son mariage avec un comte avait quelque peu rétabli l'équilibre. Caroline prévoyait une intéressante reprise des hostilités entre ces deux dames, et pas mal de pain sur la planche pour la « Commère » du *Tribune*.

« Ils ne m'ont pas oubliée, n'est-ce pas ? » dit Millicent en se versant une rasade de whisky à l'aide d'une petite gourde en argent suspendue par une chaînette à son cou.

A moins de cinquante ans, Millicent avait réussi à s'enlaidir très proprement. Les McLean se l'arracheront, à défaut des Wilson. Connecticut Avenue et Dupont Circle en feront leurs choux gras, songeait Caroline.

« Tu savais pour Quentin ?

— Non, quoi ?

— Il est mort. Un ami m'a télégraphié la nouvelle de Londres. Un garçon si charmant. Il a été tué dans un duel aérien avec un Allemand. Un duel aérien, tu vois ça ? »

Caroline réfléchit qu'elle était restée trop longtemps à l'écart du monde réel. Elle ne lisait même pas les journaux locaux, à l'exception de *Kine Weekly*, qui ne parlait que de cinéma. Elle se levait trop tôt, travaillait trop, et se couchait avec les poules. Elle avait l'impression d'être dans un sanatorium. Les seules nouvelles de l'extérieur étaient des télégrammes d'affaires de Blaise. Elle prit la résolution d'écrire à Edith Roosevelt et au colonel, et peut-être aussi à Alice.

Un des lilliputiens s'approcha de Caroline comme Millicent se retournait pour saluer un Russe blanc qui avait traversé la mer Noire (ou était-ce la Caspienne ?) à la nage pour fuir le régime communiste.

Caroline planta son regard dans les yeux vitreux et injectés de sang de Douglas Fairbanks, qui remarqua aussitôt l'état de ses yeux à elle.

« L'effet klieg ? dit-il. Vous tournez un film ?

— C'est un signe de reconnaissance, comme pour les francs-maçons, répondit Caroline qui ne put retenir ses larmes. Voyez, rien que d'y penser ! »

Prestement, galamment, comme à l'écran, Fairbanks tira non pas un glaive de son fourreau mais un atomiseur de sa poche à l'aide duquel il lui vaporisa les yeux, non sans s'être assuré au préalable qu'elle n'avait pas de rimmel.

« Tenez, dit-il en lui tendant une pochette de soie. Gardez-la en souvenir.

— Vous êtes trop aimable, fit Caroline en se tamponnant les yeux. Ça fait du bien, c'est vrai. Je suis en train de tourner un film pour M. Ince. Pour la France. En français. C'est là que j'ai grandi, vous comprenez.

— Pourquoi en français ? Les sous-titres sont toujours traduits.

— Ce ne serait pas la même chose, bégayait-elle. Ce ne serait plus tout à fait moi... C'est différent de parler à ses compatriotes dans leur propre langue. Ce n'est pas que je sois française. J'ai simplement été élevée en France...

— Je comprends. Vous vous rappelez l'autre soir, chez Mr. De Mille, je vous ai dit que j'avais écrit un livre que je voulais vous faire lire. Le voici », dit-il en lui offrant un mince volume intitulé *Prendre ses responsabilités*.

Le visage de Caroline s'épanouit.

« Comment faites-vous pour trouver le temps ? C'est extraordinaire. »

Fairbanks le lui expliqua. Il avait autant de charme à la ville qu'à l'écran, à l'inverse de la plupart des acteurs qui, en dehors du plateau, n'étaient plus que d'insipides petits pantins.

« ... Theodore Roosevelt est mon idole, conclut-il.

— En tout cas on peut dire que vous êtes tous les deux des hommes énergiques. Il suffit de vous regarder. »

Un sourire éclaira aussitôt le visage de Fairbanks, pareil à ces enseignes au néon qui éclairent les marquises des théâtres. Au moins il ne portait pas de dentier, contrairement à ce que prétendaient des méchantes langues.

« Vous avez eu une chouette idée au *Washington Tribune*, en demandant à votre critique dramatique de faire également la critique des films. »

Caroline était stupéfaite de voir avec quelle avidité des hommes et des femmes célèbres dans le monde entier se jetaient sur le moindre article qui paraissait sur eux dans la presse nationale. Douglas Fairbanks était sans doute le seul à savoir ce qu'on écrivait sur lui à Shanghai, Lisbonne ou Caracas, ce qui ne l'empêchait pas, tout en comptant ses vastes revenus, d'avoir l'œil fixé sur le critique dramatique du *Tribune* : « Après cet article magnifique qu'il avait écrit sur *L'Américain*, il y a deux ans, il a cessé de faire la critique de films. C'est dommage. »

Caroline ne se souvenait de rien de tout cela.

« Je suppose, dit-elle, que *L'Américain* a marqué une date si importante dans la jeune histoire du cinéma, d'un point de vue purement artistique, qu'il en a parlé comme il aurait fait pour une pièce de théâtre, ou pour *L'Américain* d'Henry James...

— Je vous demande pardon ?

— Mais je suis d'accord avec vous. Il est temps qu'on réalise qu'un film peut aussi être une œuvre d'art, aussi importante qu'une pièce de Belasco...

— Ça c'est bien vrai, s'écria-t-il avec ce mouvement en avant de la mâchoire qu'elle avait dû lui voir une bonne douzaine de fois à l'écran. Nous sommes en train de créer quelque chose d'entièrement nouveau dans l'histoire, et nous faisons ça pour tout le monde, et tout le monde peut nous voir, n'importe où. C'est une arme extraordinaire. Je ne sais pas si vous vous en rendez compte.

— Oh si ! N'oubliez pas que c'est George Creel qui m'a envoyée ici, pour vous demander d'apporter votre concours à la cause alliée. »

Fairbanks eut un hochement de tête à la fois gracieux et vigoureux. Caroline se demanda pourquoi elle n'était pas attirée par lui sexuellement. Etait-ce par ce que le monde entier l'avait vu des millions de fois hocher la tête, sourire, embrasser une femme de la même façon ? Comment être la maîtresse d'un homme avec lequel la moitié de la terre couchait en esprit ?

« Bien sûr, j'avais oublié. Moi je viens du théâtre.

— Le Gentilhomme du Mississippi ! »

Caroline se ressouvint tout à coup d'un séduisant jeune premier sur une scène de Broadway. Elle se rappelait sa vivacité, et sa grâce. Oui, sa grâce. Et maintenant elle comprenait pourquoi il gesticulait sans cesse sur la scène : c'est qu'il était plus petit que sa partenaire.

« Ce spectacle a tenu l'affiche deux ans. Vous deviez être une petite fille à l'époque. C'était quand ? Voyons. En 1910. J'étais comme tous les comédiens de théâtre en ce temps-là, je pensais que le cinéma était un moyen commode de ramasser quelques dollars. Ils sont encore nombreux à le penser. Et puis il y a eu Griffith, Chaplin et...

— Pickford », ne put s'empêcher d'ajouter Caroline.

Fairbanks était censé être séparé de sa femme, et avoir une liaison avec celle qu'on avait surnommée « la petite fiancée de l'Amérique ». Jusqu'ici le romanesque et naïf public américain ignorait tout de l'inconduite de ses idoles. La censure militaire avait permis à Hollywood de contrôler sa propre presse. Et ce contrôle était nécessaire. Bien que la plupart des gens eussent accepté le fait que Mary Pickford était une femme de vingt-cinq ans qui jouait encore les jeunes premières, si « Notre Mary » avait été soupçonnée d'entretenir une liaison adultère avec un homme de trente-cinq ans, marié et père de famille, leurs films à tous les deux eussent été boycottés séance tenante, et toutes les Eglises du pays eussent appelé la colère du Seigneur sur la Sodome californienne.

Fairbanks enchaîna tout naturellement sur le nom de Pickford :

« Vous venez de citer les membres de notre compagnie. Nous allons fonder notre propre studio qui aura son propre réseau de distribution. Pourquoi Zukor, et vous, Tom, dit-il en incluant dans la conversation Mr. et Mrs. Thomas Ince, qui venaient d'arriver, seriez-vous les seuls à vous partager les bénéfices ? Maintenant nous garderons tout pour nous, et nous ne ferons que les films que nous aurons envie de faire. »

Mrs. Ince sourit vaguement à Caroline. Les épouses, quand elles n'étaient pas de la profession, à un titre ou à un autre, passaient le plus clair de leur temps à se sourire vaguement les unes aux autres, et à discuter de problèmes domestiques, et notamment de la supériorité des domestiques japonais sur les domestiques philippins. Caroline ne s'était jamais sentie vraiment dépaysée dans cette petite colonie qui vivait en vase clos. Washington et Hollywood avaient chacune son obsession. Pour l'une c'était la politique et pour l'autre le cinéma. En tant que propriétaire de journal, Caroline jouissait du privilège insigne de pouvoir être utile aux uns et aux autres.

« Dès que Griffith rentrera de Londres, nous nous mettrons au travail. »

Ince eut une petite moue mélancolique.

« Il est unique, c'est sûr. C'est certainement notre plus grand réalisateur. Mais il ne sait pas ce que c'est que l'argent, à voir la façon dont il le dépense. Rappelez-vous ce qu'il a fait de la Triangle... »

Caroline adorait entendre parler boutique, surtout depuis qu'elle-même travaillait dans le même magasin.

Plus tard, allongée sur le lit à côté de Tim, une compresse glacée sur les yeux, elle lui dit :

« Que vais-je faire quand tout le monde s'apercevra que je suis Emma Traxler ?

— Tout le monde ne s'en apercevra pas. Juste les quelques personnes que tu connais, le public lui n'est intéressé que par ce qu'il voit sur l'écran. Et ce qu'il voit c'est Emma, et non Caroline. Et après, ça t'importe ?

— Non, sinon je ne ferais pas ce métier, n'est-ce pas ?

— Je ne sais pas. L'important c'est que nous fassions d'Emma Traxler une vraie star.

— J'en suis déjà jalouse. Elle aura l'amusement et la gloire, et moi je resterai Mrs. Sanford, une matrone de Washington.

— Et après ? », dit Tim en bâillant.

Caroline enleva sa compresse et ils firent l'amour. Puis Tim s'endormit. Elle essaya d'en faire autant, mais elle ne pouvait s'empêcher de songer à ce crucifix, et de se demander en quel bois il pouvait être fait pour être si léger.

3

Burden était assis à la terrasse du club-house, regardant les allées et venues des golfeurs. Dans la lumière argentée d'octobre, le Chevy Chase golf-club ressemblait à un tableau de Gainsborough avec ses verts mats et ses bruns mordorés. Un peu plus tôt dans l'après-midi, il avait fait neuf trous avec William G. McAdoo. Il faisait exceptionnellement doux pour la saison. Une brume vaporeuse estompait le contour des collines. L'air était chargé d'exhalaisons méphitiques. Depuis un mois l'épidémie de grippe espagnole exerçait ses ravages dans l'hémisphère occidental. Kitty avait été sérieusement touchée. Heureusement Diana avait été épargnée pour le moment. Burden, quant à lui, évitait le plus possible le contact de la foule. On comptait également pas mal de victimes parmi les sénateurs. L'infection était contagieuse, sans qu'on sût très bien pourquoi certaines personnes l'attrapaient et d'autres pas. Certains y voyaient un châtiment divin, et d'autres l'imputaient au haut commandement allemand. Beaucoup croyaient que les savants allemands avaient empoisonné les réserves d'eau du monde occidental. Le fait que la grippe eût sévi en Allemagne avec le plus de virulence était attribué soit à la négligence, soit aux jugements insondables de Dieu. Les plus alarmistes affirmaient que le fléau ferait encore des millions de victimes avant de disparaître. Certains allaient même jusqu'à déclarer que l'épidémie ne prendrait fin qu'après avoir exterminé la race humaine tout entière, brûlée d'abord par la fièvre et ensuite noyée dans une vague (un raz de marée ?) de pneumonie. Et comme de bien entendu, tout cela, sans parler de la guerre, ne pouvait arriver que dans une année électorale !

Au départ du neuvième trou, un steward du club était accouru vers McAdoo : la Maison-Blanche. Très urgent. Les deux hommes avaient regagné le club-house en silence. McAdoo était rentré à l'intérieur, et Burden s'était assis sur la terrasse en se demandant pour quelle raison McAdoo l'avait sondé sur ses intentions. La réponse n'était pas difficile. McAdoo désirait obtenir l'investiture du parti démocrate en 1920. Pensait-il à un ticket McAdoo-Day ? C'eût été probablement une combinaison gagnante. Burden avait le soutien de Bryan, de Champ Clark ainsi que des autres Sudistes et Westerners qui constituaient encore le groupe le plus homogène et le plus important à l'intérieur du parti démocrate. McAdoo avait pour lui les bosses de la côte Est, et les banquiers de Wall Street. Il avait été également un excellent secrétaire d'Etat au Trésor, et faisait partie du Conseil de la guerre qui gouvernait actuellement les Etats-Unis. Le fait d'être le beau-fils du Président était à la fois un avantage et un handicap, et donc pouvait être déduit de l'équation finale. Mais quelles étaient au juste les intentions du Président ? Il ne lui restait plus que deux ans pour assurer le triomphe de la démocratie dans le monde.

Jusqu'ici l'Allemagne n'avait pas été vaincue — bien au contraire. Et les troupes américaines fraîchement débarquées n'avaient pas encore fait preuve sur le champ de bataille de cette force irrésistible que la presse bien pensante se plaisait à proclamer. Néanmoins l'arrivée en France d'un million de soldats américains avait modifié psychologiquement la physionomie de la guerre, et donné raison à Henry Adams lorsqu'il avait déclaré, dès 1914, que l'Allemagne était une puissance bien trop insignifiante pour prétendre un jour dominer le monde. Sitôt la guerre finie, Woodrow Wilson pourrait en toute honnêteté s'attribuer le mérite de la victoire. L'intervention des Etats-Unis avait été parfaitement calculée. Leur entrée tardive dans la guerre signifiait un nombre limité de pertes, tandis que les appels du Président en faveur de la paix aux peuples du monde entier, par-dessus la tête de leurs dirigeants, et par-delà les égoïsmes nationaux, n'avaient pas été très éloignés, du moins en esprit, des proclamations du bolchevique Trotsky. Et comme « la paix sans victoire » était utopique et impossible, elle était donc acceptable pour tous. Autrement dit, si Wilson désirait briguer un troisième mandat présidentiel, il avait toutes les chances de l'obtenir. A moins qu'il ne souhaite, comme le dictateur américain dans le roman du colonel House, devenir le président d'une hypothétique Société des nations. S'il devait s'instituer le lord protecteur de la démocratie dans le monde, pourquoi pas un ticket McAdoo-Day en 1920 ? Ou bien l'inverse.

McAdoo prit place au bar à côté de Burden dans un large fauteuil de bois laqué blanc et commanda un whisky.

« C'est pour combattre la grippe », dit-il.

C'était un homme grand, dégingandé, aux oreilles pointues et aux lèvres pincées. Par moments, il ressemblait à une ébauche maladroite de son beau-père.

« L'exécutif peut-il confier un secret au législatif ? interrogea-t-il.

— Jamais de la vie, répondit joyeusement Burden.

— Je m'y risquerai quand même. Mais c'est un secret, ne l'oubliez pas.

— Je serai muet comme une carpe.

— Le Président vient de rentrer de New York avec le colonel House... »

Les deux hommes burent une gorgée de whisky. L'éminence grise du Président, le Machiavel texan, comme on l'avait surnommé, n'était pas un de ces sujets qu'on aborde le gosier sec.

« Le Président vient de recevoir un message du chancelier allemand. L'Allemagne est prête à accepter les Quatorze Points et à arrêter la guerre tout de suite. »

Burden écouta cette nouvelle sans broncher. La guerre ne lui avait jamais semblé tout à fait réelle. Il n'était donc pas étonné de la voir finir.

« Et les Alliés ? »

McAdoo poussa un soupir et regarda le ciel. Il était tout pommelé de petits nuages.

« Ils ont conclu tellement d'accords secrets...

— Comme Trotsky s'est chargé de nous l'apprendre... »

Wilson avait eu beau déplorer ces accords, il n'en avait pas moins conclu, de son côté, un traité secret avec le Japon, concernant l'occupation de Shantoung par l'armée japonaise. Mais en ce qui concerne l'Europe, Wilson restait inflexible. Pour lui les Quatorze Points étaient la raison même de l'entrée en guerre des Etats-Unis, voilà tout. Maintenant c'était une Allemagne à bout de souffle qui lui demandait la paix ; et non pas les Alliés qui tenaient leur revanche et voulaient leur récompense.

« Nous avons aussi nos jusqu'au-boutistes, reprit McAdoo d'un ton las. Ils exigent une reddition sans conditions.

— Pour cela il faut d'abord avoir remporté une victoire indiscutable. Ce qui est loin d'être le cas. Nous n'avons pas montré grand-chose jusqu'à présent, et l'armée allemande est toujours en France, toujours intacte...

— Le département de la Guerre estime qu'il nous en coûterait un million de vies américaines pour prendre Berlin.

— Je pense que même Cabot ou Roosevelt trouverait le prix exagéré. »

En dépit de ses rodomontades et de ses déclarations bellicistes, le colonel Roosevelt avait été extrêmement affecté par la perte d'un de ses fils.

« Ils veulent un armistice tout de suite.

— Que dit le Président ?

— Il a l'intention de mettre la question à l'ordre du jour du Conseil des ministres, demain. Ce ne sera pas facile.

— Les Alliés ? »

McAdoo hocha la tête :

« Ils ont eux aussi leurs jusqu'au-boutistes. »

Burden comprenait fort bien les jusqu'au-boutistes américains. De vastes fortunes s'étaient édifiées, légalement ou non, grâce à la guerre. Burden avait été nommé récemment à la commission navale du Sénat concernant les fournitures militaires. Il ne se passait pas de jour qu'il ne reçût d'offres de pots-de-vin. Ouvertement ou non. Il avait résisté jusque-là, mais d'autres sénateurs s'étaient montrés plus faibles. Ou faut-il dire plus forts ? Comme la moralité politique varie au gré des circonstances, le Gethsémani de l'un pouvait être le Coney Island de l'autre.

« Confidence pour confidence, vous aurez des problèmes avec l'armée. Le général Pershing s'opposera à tout armistice. Il veut combattre encore une année afin d'entrer à Berlin en triomphateur.

— Pershing ? »

McAdoo se retourna vers Burden pour bien le regarder dans les yeux. Avec le soleil derrière lui, il ressemblait plus que jamais à une gigantesque chauve-souris.

« Il n'osera pas.

— J'ignore ce qu'il osera, mais je sais de bonne source qu'il s'opposera publiquement à toute espèce de paix négociée. »

McAdoo secoua la tête.

« Les généraux ! murmura-t-il.

— Ils en tiennent une couche, je vous l'accorde.

— Merci du renseignement. Maintenant il faudra réussir à convaincre les Alliés. Ils veulent leur tonne de chair. Mais c'est nous qui avons les atouts.

— L'argent ? »

Burden avait mis un certain temps à comprendre la signification d'expressions comme « nation créancière », ou « nation débitrice », et pourquoi il était important de savoir qui était qui. La Grande-Bretagne avait été le premier créancier du monde jusqu'en 1914. Lorsque J. P. Morgan — plus tard soutenu par McAdoo — avait remboursé le découvert de la Grande-Bretagne, les Etats-Unis étaient devenus à leur tour la principale nation créancière du monde. Et pourtant New York, à part la Cinquième Avenue, avait toujours l'air aussi miteux, alors que Londres, après quatre ans de guerre, avait gardé, disait-on, son lustre de capitale impériale. Burden regarda sa montre. Il ne voulait pas être en retard deux dimanches de suite.

« De toute façon, le Président n'aura qu'à dire trois mots et ils se rallieront.

— Lesquels ? demanda McAdoo en souriant. " Je vous aime " ?

— Non. " Une paix séparée. " Nous sommes entrés en guerre non pas pour aider les Alliés mais pour obliger l'Allemagne à accepter les Quatorze Points. Qu'on le veuille ou non, la guerre est finie, et nous l'avons gagnée.

— C'est vrai. Mais les Anglais et les Français devront faire un pas dans notre direction. Le colonel House m'a confié que les leaders politiques anglais et français se méfient comme de la peste du

Président et qu'ils détestent ses idées. Je dois dire que c'est réciproque. Et si Pershing voulait faire traîner la guerre pour pouvoir jouer les héros ?

— Afin d'être élu Président ? »

McAdoo dirigea sur Burden un regard pénétrant : enfin on abordait le vif du problème.

« Si le peuple américain apprenait qu'il a sacrifié un million de vies américaines rien que pour pouvoir remonter la Wilhelmstrasse à la tête de ses troupes, je crois bien qu'on l'étriperait.

— Ils ont bien voté pour Grant. Et pourtant il a fait tuer plus d'un million d'hommes.

— C'était différent, la guerre, l'époque étaient différentes. C'était également une meilleure cause. Selon vous, devrais-je donner ma démission ? »

Burden s'attendait à cette question.

« Non. Vous avez remporté un immense succès avec les Liberty Bonds. Vous êtes au centre d'un gouvernement qui a gagné une guerre. Restez-y.

— Oui, mais je n'ai pas les coudées franches.

— C'est mieux que de bayer aux corneilles pendant deux ans, à essayer de récolter des délégués. »

McAdoo fit la sourde oreille en ce qui concernait les délégués. Il répondit évasivement :

« Savez-vous quel est le meilleur moyen d'être bien vu du Président ? Parlez-lui de quelqu'un qu'il déteste. Dites-lui quelque chose qu'il ignore à propos d'un de ses ennemis. Inventez au besoin. Il se dégèlera instantanément. Ensuite vous pourrez en faire ce que vous voudrez. »

Burden se leva :

« Merci pour le tuyau. »

Ils se serrèrent la main. McAdoo dit qu'il devait attendre qu'une voiture de la Maison-Blanche vînt le chercher. Comme c'était un « dimanche sans essence », chacun était venu au golf en buggy. Tout en traversant le hall du club-house, Burden se demanda ce qui pouvait bien clocher entre le beau-père et le beau-fils. Il songeait également avec envie à tout l'argent de Wall Street sur lequel McAdoo pourrait compter au cas où il briguerait la présidence. Et comme Burden pouvait apporter autant de voix que McAdoo de dollars, la combinaison paraissait imbattable. Mais pourquoi McAdoo-Day ? Pourquoi pas plutôt Day-McAdoo ? Le secrétaire d'Etat au Trésor était certes mieux connu dans le pays que le leader de la majorité démocrate au Sénat, mais la force de Burden c'était qu'il savait où dénicher les électeurs. Un second Bryan, sans le côté primaire de Bryan, mais aussi, il faut bien le dire, sans son charisme.

Au milieu du hall Burden se trouva brusquement nez à nez avec Franklin Roosevelt. Il était blanc comme un linge, et il avait les yeux tout rouges. Roosevelt esquissa un sourire, puis il enfouit son visage dans un mouchoir et se moucha.

« Vous avez une mine de déterré, mon vieux, lui dit Burden.

— Je viens de sortir d'hôpital.

— La grippe?

— Non, une pneumonie. Je l'ai attrapée en Europe, où j'ai passé deux mois. Je n'ai jamais été aussi mal en point. »

Sous ses dehors sportifs, Franklin Roosevelt était de santé fragile. Burden en avait d'ailleurs eu confirmation lors de leur bordée sur le *Sylphe*. Le *Sylphe* lui fit penser à Lucy Mercer, et comme par enchantement, Lucy se matérialisa aussitôt sous ses yeux. Elle était cette fois-ci en tenue civile.

« Sénateur », dit-elle en souriant.

Elle était d'une beauté radieuse. Que disait-on à leur sujet? Il avait oublié.

« Il y a eu une offre de paix, commença Franklin.

— Oui, McAdoo vient de me l'apprendre.

— Il est ici? »

Burden fit signe que oui, et prit congé. De Chevy Chase jusqu'à Connecticut Avenue, cela faisait guère plus d'une demi-heure en buggy. Il aurait dû prier McAdoo de le déposer avec la voiture de la Maison-Blanche.

Frederika l'attendait tranquillement dans son petit salon de bois de rose. On avait servi le thé devant la cheminée. Le dimanche après-midi, seule sa femme de chambre était de service. C'était elle qui était chargée de le faire entrer à l'insu des autres domestiques. En fin d'après-midi elle le faisait sortir par une entrée de service donnant sur l'arrière de la maison. La chambre à coucher du maître de céans se trouvait à l'autre extrémité du palais, alors que lui-même était en ce moment à l'autre bout du pays.

« Il devrait revenir demain », dit Frederika.

Comme elle était beaucoup plus jeune que lui, Burden l'avait toujours considérée comme faisant partie du sérail de jeunes filles riches et bien nées que la ville mettait pour ainsi dire à la disposition de la classe politique. Maintenant c'était elle qui lui servait le thé le dimanche. Grâce à Caroline, le dimanche était désormais associé non seulement au plaisir mais à la liberté. Et d'abord à la première de toutes les libertés : celle qu'on prend vis-à-vis de soi-même. En revanche, il eût été bien en peine de dire ce que le dimanche pouvait signifier pour une femme. Après tout, finaudes comme elles le sont, il leur reste six autres jours dans la semaine pour comploter avec leur cameriste.

« Pourquoi Franklin Roosevelt pleurait-il au Chevy Chase Club avec Lucy Mercer ? »

C'était une excellente question pour un dimanche.

« Parce que c'était sans doute leur dernière rencontre, répondit Frederika en lui tendant une tasse de thé et une assiette de macarons de chez Hyler. A moins, ajouta-t-elle d'un air pensif, que ce soit au contraire leur première rencontre sous le nouveau régime. Eleanor les a démasqués.

— Enfin. »

Même Kitty avait été surprise de la lenteur avec laquelle Eleanor avait découvert ce qui était de notoriété publique dans le petit monde de Washington.

« Comment ?

— Il est rentré d'Europe avec une double pneumonie, qui comme son nom l'indique est deux fois plus grave qu'une pneumonie simple, laquelle est déjà bien suffisante pour la plupart d'entre nous. Quoi qu'il en soit, Eleanor l'a fait hospitaliser. Puis elle est rentrée chez elle et a profité de l'absence des enfants pour mettre de l'ordre dans la maison. Elle a donc vidé les poches de ses complets avant de les donner à la teinturerie, et elle y a trouvé les lettres d'amour de Lucy. C'est comme dans un vaudeville. Il faut que je dise ça à Caroline quand elle reviendra, fit-elle avec un petit rire pouffé.

— Qui t'a dit ça ? Alice ?

— Entre autres.

— Et après ?

— Après ? Eh bien il paraît qu'Eleanor — " la noble Eleanor ", comme dit toujours Alice — aurait dit à Franklin qu'il pouvait divorcer, à condition que Lucy accepte d'élever leurs cinq enfants. C'était une idée géniale. Lucy, qui a été la secrétaire d'Eleanor, sait qu'il n'y a pas plus diables que ces gosses. Elle a donc accepté de ne plus revoir Franklin. Et maintenant la paix règne de nouveau dans le ménage. Une triste paix...

— Mais ils se sont rencontrés aujourd'hui...

— Au Chevy Chase Club, où le sénateur Day et Mr. McAdoo et tout le monde ont pu voir combien ils étaient malheureux. J'ai l'impression qu'ils ont voulu nous montrer comment une jeune vierge catholique, en butte à une mère de famille protestante, a décidé de rompre avec l'homme qu'elle aime faute de pouvoir l'épouser. Franklin pleure donc toutes les larmes de son corps, et Lucy entre au couvent. La morale est sauve et tout le monde applaudit. »

Burden médita quelques instants sur l'adultère en général, puis il dit :

« Il y a cependant quelque chose qui cloche dans cette histoire.

— Quoi donc ? demanda Frederika en ramenant en arrière une mèche de cheveux rebelle.

— Je ne connais bien sûr rien aux femmes...

— Tu aurais dû attendre que ce soit moi qui te le dise. Un jour que tu m'aurais mise en colère, par exemple... Qu'est-ce qui cloche ?

— C'est là un point de vue exclusivement féminin. Le point de vue de l'homme est différent.

— Vraiment ?

— Oui, surtout quand cet homme est un politicien — et là j'en sais un bout sur la question. Primo, Franklin ne pourrait jamais, quoi qu'il arrive, épouser une catholique. Secundo, Franklin, divorcé avec cinq enfants, ne pourrait jamais, double pneumonie ou pas, épouser une catholique et espérer être élu ne fût-ce qu'au poste de shérif de Dutchess County.

— Alors, que s'est-il passé selon toi ?

— Eleanor a menacé de faire un esclandre. Il a cédé. C'est évident. En fait, il a toujours su qu'il ne pourrait jamais épouser Lucy. Mais elle, est-ce qu'elle le savait ?

— Tu veux dire qu'il aurait pu la mener en bateau ? C'est possible. Alors Eleanor l'a mis au pied du mur et l'a forcé à choisir. Ce que les hommes peuvent être fourbes tout de même !

— S'ils ne l'étaient pas, ils ne tromperaient jamais leur femme. Et je crois que sur ce point les femmes n'ont rien à nous envier.

— Je voulais dire : *doublement* fourbe, ce qui, tu en conviendras, est une fois de trop. Passe encore de tromper sa femme, mais tromper en plus sa maîtresse...

— Caroline estime, elle, qu'il est triplement fourbe.

198

— Pourquoi triplement ?

— Elle pense qu'Eleanor est amoureuse de Lucy, et que Franklin a rompu dans leur intérêt à tous, y compris le sien.

— Si c'est vrai, c'est très habile de sa part. »

Ils passèrent ensuite dans la chambre à coucher de Frederika. Tout en faisant l'amour, Burden songeait à Caroline, lorsqu'il l'avait connue pour la première fois. Chose étonnante, elle n'avait jamais connu d'homme avant lui. Puis il lui avait fait un enfant, Emma, dont la paternité fut attribuée à son cousin, John Apgar Sanford, qu'elle s'était empressée d'épouser. En tout cas ce secret avait été bien gardé. Blaise le connaissait, mais Frederika l'ignorait. Et pourtant les deux belles-sœurs étaient assez liées. En somme, Burden était reconnaissant à Blaise de n'avoir rien dit à sa femme, maintenant la maîtresse de Burden, en remplacement de Caroline qui vivait actuellement en Californie avec un certain Timothy X. Farrell, dont le dernier film, *Les Boches de l'Enfer,* remportait simultanément un triomphe au Capitol Theater de Washington et au Strand de New York. C'était le film de guerre destiné à mettre fin à tous les autres films de guerre, et il venait de sortir opportunément au moment où la guerre qui devait mettre fin à toutes les guerres était sur le point de se terminer.

4

Jess et la duchesse étaient assis au dernier rang d'orchestre du Capitole afin qu'elle pût voir le film sans son pince-nez. Mais comme lui était myope, il ne voyait pas grand-chose. Ça n'avait du reste pas d'importance. Quand la duchesse voulait une chose, il n'y avait pas moyen de lui résister. Et bien que les personnages sur l'écran ne fussent pas aussi nets que Jess aurait pu le souhaiter, le peu qu'il en voyait montrait assez qu'il s'agissait là d'un film véritablement extraordinaire. La bravoure de cette mère américaine lui avait arraché les larmes des yeux, et même la duchesse, qui pourtant n'avait pas les larmes faciles, dut regarder le film en tenant des sels dans une main et son mouchoir dans l'autre. L'orgue jouait une musique funèbre parfaitement adaptée aux horreurs de la guerre : les attaques de nuit ; les obus qui éclatent ; les gaz toxiques ; les hommes se tordant de douleur sur les barbelés ; les salles d'hôpitaux remplies d'estropiés.

Pour la première fois, Jess comprenait quelque chose à la guerre. La plupart des films de guerre qu'il avait vus jusqu'ici étaient des films de propagande faits en quatrième vitesse. Personne n'avait l'air vraiment mort ou blessé dans ces films. Et les décors ressemblaient à des décors. Mais là c'était différent. On y croyait. On s'y croyait. On disait même qu'une grande partie du film avait été tournée en France, avec une vraie mère américaine qui cherchait au bois de Belleau son véritable fils. Tout le monde s'était extasié sur la beauté de la mère. Une madone selon les uns, et même une mater dolorosa selon les autres. A présent, l'orgue grondait. La mère était dans une église en ruine. Jess ne comprenait pas qu'on puisse détruire une église de sang-froid comme l'avaient fait ces Boches. Il fallait être des monstres pour commettre un crime pareil. Mais il y avait pire encore. Devant le maître-autel était assis un officier allemand. Il était chauve et portait un monocle. Jess s'était toujours demandé comment on pouvait faire visser un monocle dans une orbite. Lui-même avait les yeux trop ronds et il était trop joufflu pour faire tenir quoi que ce soit dans ses arcades sourcilières, et son petit nez aurait à peine pu porter un lorgnon. L'officier prussien profanait l'église en en faisant son bureau. La musique annonçait maintenant que quelque chose d'encore plus terrible allait se produire. Jess avait les mains moites. En louchant vers la duchesse il vit qu'elle s'était avancée sur son siège et qu'elle grimaçait (de douleur ?) comme la mère qu'on voyait souffrir sur l'écran.

La madone implorait la grâce de son fils. Elle suppliait qu'on lui dise où il était prisonnier. Alors — mais non ce n'était pas possible, se dit Jess dont le cœur se mit à battre plus fort — le Boche se mit à ricaner. Puis il se leva et se rua sur la femme qui recula épouvantée. Le public respirait à l'unisson. C'était comme un immense halètement qui se transforma en gémissement lorsque la salle réalisa que le Boche allait violer la madone *dans une église*. Elle se débattit, le repoussa, courut vers l'autel. Jess n'en pouvait plus. Il avait la respiration coupée. C'est alors qu'elle brandit le crucifix au-dessus de sa tête.

Le public poussa un cri d'effroi. En voyant le crucifix s'abattre lentement sur lui, le visage du Boche exprimait un mélange de frayeur et d'horreur. Le visage de la mère, lui, était transfiguré. Elle paraissait habitée par un pouvoir surnaturel. Elle ne faisait plus qu'un avec Dieu. Le crucifix frappa le crâne du Boche, qui tomba à la renverse sur les degrés de l'autel, tandis que l'orgue accompagnait sa culbute d'un puissant fortissimo. La duchesse étouffa un sanglot dans son mouchoir. Jess contrôlait sa respiration, crainte d'avoir une attaque. Le film se terminait sur une image de la mère et du fils réunis par les marines américains sur les bords de la Marne, aux accents émouvants de *La Marseillaise*. La lumière se fit dans la salle, mais les spectateurs étaient si émus qu'ils n'osaient se regarder les uns les autres. Le public quitta la salle dignement et en silence pour se retrouver dans la lumière crue d'un après-midi hivernal.

Une fois dans la Quatorzième Rue, la duchesse dit après s'être mouchée bruyamment :

« Je connais cette femme.

— Qui ? La mère ? »

La duchesse acquiesça de la tête et se mit à étudier les affiches à l'extérieur du cinéma.

« Elle s'appelle Emma Traxler.

— C'est pas un nom de chez nous, ça.

— Chicago, peut-être. A moins que ce ne soit un nom inventé, comme Mary Pickford. »

La duchesse héla un taxi.

« Le Capitole, entrée côté Sénat.

— En tout cas c'est un des meilleurs films de guerre que j'ai jamais vus, dit Jess, encore sous le coup de l'émotion. On se serait cru dans les tranchées, avec tout ce vacarme. »

La duchesse se dirigea vers le vestiaire du Sénat situé juste derrière le trône du Vice-Président. Au moment où ils allaient entrer — les gardes du Capitole aimaient tous bien la duchesse en dépit ou peut-être même à cause de ses manières un peu brusques — le sénateur Harding sortait de la salle de bains vis-à-vis du vestiaire, bras dessus bras dessous avec le sénateur de l'Idaho Borah, un solide gaillard à la crinière de lion qui passait pour un radical. Il était symptomatique d'un homme comme Harding de chercher à sympathiser avec quelqu'un comme Borah, qui s'était opposé avec violence à la conscription, à la loi sur l'espionnage et aux Liberty Bonds. 1) Parce qu'on ne détruit pas la Prusse en prussianisant les Etats-Unis. 2) Parce que le Premier Amendement garantit la liberté d'expression. 3) Parce que l'émission de bons fait monter les prix et crée de l'inflation. En tant que commerçant, Jess était bien entendu hostile à l'inflation, tout comme W.G. d'ailleurs. Seulement il était plus prudent de ne pas afficher des opinions aussi impopulaires dans un pays qui ne voyait plus que par la guerre. Au fond les deux hommes avaient la même approche politique des choses, mais l'un était prudent et l'autre téméraire. Leurs femmes étaient également en bons termes ; les deux ménages habitaient tout près l'un de l'autre, dans Wyoming Avenue.

« Mais, duchesse, dit Harding avec un grand sourire, je vous croyais à votre cercle de couture.

— Il paraît que la guerre est finie. Monsieur Borah, comment va ?

— Madame Harding. » Borah engloba Jess dans son sourire, bien qu'il ne se souvînt pas de lui sur le moment. Jess était habitué à ce genre d'oublis. Mais un sourire était toujours bon à prendre. La politique avait comme ça de ces gentillesses que Jess appréciait avec une candeur d'enfant. La tête de Borah ressemblait à une pomme dont la queue figurait la raie et la mouche la fossette du menton.

« Vous avez lu la réponse du Président au Kaiser ?

— Je sors du cinéma », dit la duchesse comme si elle venait de gagner la guerre au Capitol Theater.

Borah hocha la tête.

« Wilson a dit au Kaiser qu'il devrait abdiquer avant de pouvoir négocier. Enfin une parole raisonnable.

— Et moi je vais prendre la parole tout à l'heure, dit W.G. Nous sommes en train de vivre des moments historiques. »

Jess fut autorisé à accompagner les Harding dans le saint de saints du Sénat : le vestiaire. C'était une longue pièce étroite, bordée d'un côté d'une rangée d'armoires, et de l'autre de fauteuils, de tables, de banquettes. Deux portes à chaque extrémité donnaient accès au parquet. Comme partout ailleurs durant cette période, le Sénat était chichement fréquenté. Ceux qui avaient échappé à la grippe évitaient autant que possible les lieux publics. Une douzaine de sénateurs se trouvaient au vestiaire ; certains écrivaient, d'autres bavardaient entre eux en prenant des airs de conspirateur ; enfin un petit groupe faisait leur cour au sénateur de Pennsylvanie, le boss républicain, Boies Penrose, un homme si énorme qu'une fois installé dans le plus large fauteuil du vestiaire, il ne fallait pas moins de deux grooms pour l'en extraire. Malgré son grand âge et sa santé déficiente, Penrose faisait la pluie et le beau temps au parti républicain. Et ce serait encore lui qui déciderait qui serait le candidat républicain en 1920. Il fit un petit signe de la main à Harding, puis il reprit sa conversation avec un couple de sénateurs de l'Ouest. Borah entra dans la salle.

Harding et la duchesse s'assirent l'un à côté de l'autre sur une banquette de cuir noir, et pendant que le sénateur étudiait ses notes, la duchesse bavardait avec Jess.

« Ce que Daugherty donnerait pour être ici !

— Il y sera peut-être un de ces jours », dit Jess, qui aurait donné un bras et une jambe pour être membre de ce club extraordinaire, à condition bien sûr qu'il n'eût jamais à prononcer de discours. L'idée de parler en public le terrifiait plus encore que le noir, les armes à feu ou le cagibi au bas de l'escalier. Une grande partie de la vénération qu'il éprouvait pour W.G. provenait de son aisance à parler en public. En plus quand on était aussi bel homme et aussi aimable que W.G., toutes les portes vous étaient ouvertes.

« Non. Daugherty s'est fait lessiver il y a deux ans. Si vous ne pouvez pas battre Myron Herrick dans une primaire républicaine, vous ne serez jamais élu dans l'Ohio. »

Le sénateur du Nouveau-Mexique rentra au vestiaire. C'était un authentique cow-boy, à la figure avenante et cordiale avec d'immenses moustaches tombantes aux deux bouts. Il avait fait partie des Rough Riders de Roosevelt durant la guerre hispano-américaine, et il était un habitué des soirées de poker chez les Harding.

« Bonjour, duchesse. Jess. »

Albert G. Fall, lui, n'oubliait jamais le nom de Jess.

« Je vous croyais chez vous en train de réparer vos haies. »

La duchesse s'intéressait plutôt à la cuisine électorale qu'à la politique à proprement parler. Tel un supporter de base-ball, elle connaissait les scores de tous les candidats. Fall allait se représenter en novembre.

« J'y vais de ce pas. »

Fall jeta un regard intéressé à Harding, qui était en train de relire ses notes. Avec ses lunettes sur le nez et son épaisse tignasse grisonnante, W.G. ressemblait plus que jamais au directeur-rédacteur du *Marion Star* que Jess avait connu alors qu'il n'était qu'un gosse.

« Vous prenez la parole ?

— Juste quelques mots pour chauffer la salle, Brother Fall, répondit Harding en souriant par-dessus ses lunettes. Je prêcherai l'amour entre les peuples, puisque nous allons réintégrer dans le concert des nations le bon peuple allemand, débarrassé à tout jamais de ses méchants dirigeants...

— C'est Carrie Phillips qui va être contente », dit la duchesse d'une voix sifflante. Jess se sentit rougir jusqu'à la racine des cheveux, ses mains devinrent toutes moites. W.G. se rembrunit.

Le sénateur Fall, qui ignorait tout de Carrie Phillips, se contenta de dire :

« Je viens de faire à peu près le même discours. A propos, le colonel Roosevelt a accepté de faire campagne pour moi.

— Félicitations !

— Il vous estime beaucoup, W.G.

— Il a confié à Daugherty en mai dernier que s'il était candidat en 1920, il aimerait avoir Warren sur son ticket. C'était lors de son discours de Columbus, dit la duchesse.

— Il aura besoin de l'Ohio, et l'Ohio c'est vous, W.G. »

Harding ôta ses lunettes et empocha ses notes :

« Le colonel m'a dit un jour : " Je crois que je maîtrise à peu près tout excepté la politique de l'Ohio. "

— C'est pourtant simple, dit Fall. Columbus, c'est Columbus et Cincinnati, c'est Cincinnati. La plupart des gens confondent. »

Là-dessus Fall s'approcha de Penrose et lui dit quelque chose à l'oreille.

« Où est Daugherty ? demanda la duchesse.

— A Cincinnati ou à Columbus. Je ne sais pas, j'étais en tournée », répondit W.G.

Grâce à la bénédiction du Président, le Chautauqua Circuit n'avait jamais été aussi populaire. Les politiciens, qui gagnaient l'essentiel de leur salaire en parlant en public, pouvaient maintenant s'en donner à cœur joie à condition de soutenir, directement ou indirectement, l'effort de guerre. Le discours fétiche d'Harding depuis des années était la carrière d'Alexander Hamilton, parce qu'il avait lu un jour qu'il prenait les eaux à Battle Creek un roman basé sur la vie d'Hamilton. Jess avait entendu ce discours une bonne douzaine de fois, mais il ne s'en lassait jamais. Harding n'y avait jamais changé le moindre mot, la moindre intonation, ni aucun des six gestes chargés de souligner tel ou tel point, comme il l'avait appris dans un traité d'élocution. Seule variait la péroraison. Dans la bouche d'Harding, Hamilton avait toujours quelque chose de pertinent à dire sur les problèmes de l'heure, en l'occurrence sur la nécessité de remporter la guerre qui assurerait le triomphe de la démocratie dans le monde et mettrait fin à toutes les guerres.

« Daugherty est un homme brillant, affirma W.G. en se recoiffant sans se regarder dans un miroir (ce que Jess avec le peu de cheveux qu'il avait n'aurait jamais pu faire), mais il a accumulé tellement de haines politiques que je commence à me faire du souci à son sujet. Il prend les choses trop à cœur.

— C'est un ami loyal », professa la duchesse, qui avait été associée dès le début aux efforts de Daugherty visant à faire élire Harding Président des Etats-Unis, entreprise des plus incertaines, si T.R. se présentait comme il en avait manifesté l'intention. Mais Vice-Président, ce n'était déjà pas si mal, comme Daugherty lui-même semblait en convenir, chaque fois qu'il en discutait avec Jess, c'est-à-dire presque tout le temps.

« J'aimerais seulement, reprit W.G. en se levant et en époussetant d'une chiquenaude quelques pellicules tombées sur le revers de son habit, qu'il cesse de confondre ma politesse à l'égard des gens avec de l'acquiescement, voire de la faiblesse. Quelque part il a l'air de penser que politiquement je ne fais pas tout à fait le poids. Que je suis trop bon type en quelque sorte.

— C'est vrai, tu es trop gentil avec les gens, tu fais confiance à tout le monde, renchérit la duchesse.

— C'est le meilleur moyen de ne se fier à personne. De toute façon on attrape plus de mouches avec du miel qu'avec du vinaigre. »

Harding rentra son estomac et redressa la tête. Il n'y avait pas de plus bel homme dans la vie politique américaine, pensa Jess. Le sénateur poussa ensuite le tambour et entra dans la salle du Sénat.

CHAPITRE V

1

Au moment où Emma Traxler brandit le crucifix, Caroline ferma les yeux. Elle avait déjà vu *Les Boches de l'Enfer* une bonne douzaine de fois, et à chaque fois elle trouvait quelque chose à redire à son jeu. Bien qu'on l'eût comparée favorablement à la Duse, actrice pourtant réputée pour sa sobriété, elle avait plutôt le sentiment d'appartenir à l'école grandiloquente, orageuse, déclamatoire de Sarah Bernhardt.

Passé ce moment difficile, elle rouvrit les yeux et lorgna vers le Président. Il dévorait l'écran des yeux. A sa droite Mrs. Wilson eut un halètement d'effroi lorsque le crucifix vint s'abattre une fois de plus sur le crâne de ce pauvre Pierre. Caroline était condamnée jusqu'à la fin des temps (au fait, combien de temps dure une bobine de celluloïd ?) à lever et à abaisser ce crucifix, tandis que Pierre tombait à la renverse, à la renverse, à la renverse. Etait-ce cela l'enfer ? L'éternel retour du Même ?

On avait ajouté à la fin du film un nouveau sous-titre destiné à saluer l'impressionnante série de victoires américaines depuis la Marne jusqu'à l'Argonne, repoussant le Boche vers son repaire, de l'autre côté du Rhin. Les invités dans le salon Est applaudissaient les victoires sans se soucier le moins du monde du fait que les Alliés, qui avaient soutenu seuls pendant près de quatre ans tout le poids de la guerre, n'étaient même pas mentionnés. « Il y aura des sous-titres différents pour chaque pays, avait dit Ince. Comme ça tout le monde aura l'impression d'avoir gagné la guerre. » A quoi Tim avait répliqué : « Nous avons aussi un public allemand très important. Pourquoi ne pas leur laisser gagner la guerre sur le marché allemand ? »

La fin du film fut saluée par de nouveaux applaudissements. On voyait Caroline marchant vers l'avenir d'un pas décidé, les cheveux au vent (soufflés par une machine), les yeux brillants (à cause de l'effet « klieg »), dans un univers dévasté par la guerre, tandis qu'à l'horizon le soleil se levait derrière un nuage ! Il avait fallu attendre deux jours sur la plage de Santa Monica pour obtenir cet effet de nuage.

La lumière reparut dans le salon Est. Les hôtes du Président se levèrent. Tous avaient les yeux rouges. Wilson serra la main de Caroline :

« C'est un film dont vous pouvez être fière.

— J'ai peur que comme contribution de guerre ça n'arrive un peu tard. »

Caroline était comme toujours stupéfaite de constater qu'après l'avoir vue pendant deux heures sur l'écran, les gens pouvaient ensuite se tourner vers elle sans faire le moindre rapprochement entre l'image géante vue sur l'écran et le personnage grandeur nature qu'elle était dans la vie réelle. Elle avait accepté de produire le film, parce que la Triangle s'était trouvée à court d'argent au milieu du tournage et que mettre la clé sous la porte eût été fatal pour la carrière de Tim. C'était du moins ce qu'elle aimait à croire, et lui à dire.

Les Boches de l'Enfer avaient obtenu un immense succès, et il y avait une grande curiosité dans le public au sujet d'Emma Traxler. Elle avait également reçu de nombreuses propositions de films adressées à Mr. Ince, qui l'encourageait vivement à prendre sa nouvelle carrière au sérieux. Mais Caroline, qui ne croyait à rien, croyait du moins au hasard. Elle savait qu'il existe dans la vie certains accidents heureux qui ne se produisent qu'une fois. Celui-ci en était un. Et tout compte fait, elle préférait devenir une vieille dame qui n'est plus obligée de se regarder dans un miroir plutôt qu'une vieille actrice incapable d'oublier ce qu'elle a été.

Edith prit Caroline par le bras et l'entraîna dans le salon Vert situé de l'autre côté du couloir.

« Vous prendrez bien le café avec nous...

« — Bien sûr, mais...

— Mr. Farrell également. Je n'avais encore jamais réalisé l'importance, devrais-je dire la toute-puissance ? du cinéma. En un sens c'est plus captivant que le théâtre.

— C'est plus rapide en tout cas.

— Nous aurions dû avoir de la musique. J'avais demandé a Woodrow de faire venir le pianiste de l'orchestre de la marine, mais le pauvre homme vient de mourir. La grippe. Et comment trouver au pied levé un remplaçant aussi bon ? »

Le salon Vert commençait à se remplir. Caroline reconnut parmi les invités le Californien Herbert Hoover, membre du Conseil de la guerre, qui passait d'après le *Tribune* pour un génie de l'organisation. Elle l'avait trouvé agréablement modeste durant le dîner. Ils avaient parlé de la Chine où Hoover avait été ingénieur lors de la révolte des Boxers. Par contre, ils avaient évité de parler des rationnements de nourriture, sujet que l'abondance de la table et le visage poupin de Hoover semblaient également exclure.

Creel et Tim rejoignirent Caroline. Creel avait l'air ravi.

« Nous projetterons ce film dans toute l'Europe, dit-il à Caroline. Afin qu'ils sachent exactement ce qu'ils nous doivent. »

Caroline fut sidérée par une telle muflerie.

« J'imagine qu'ils savent mieux que nous ce qu'ils nous doivent, si tant est qu'ils nous doivent quelque chose.

— Vous devriez lire leur presse ! A les entendre on dirait qu'on n'a rien fait. C'est pourquoi un film comme celui-ci est si important. Après cela ils ne pourront plus prétendre qu'ils ont gagné la guerre tout seuls, et ils seront bien forcés d'accepter l'offre de paix des Allemands. »

La pièce était divisée en petits groupes. Le plus important était réuni autour du Président et du colonel House, lequel devait retourner en Europe pour convaincre les Alliés que les Quatorze Points étaient la condition sine qua non imposée par l'Amérique à la signature de la paix.

« Je doute qu'ils veuillent continuer de se battre sans nous, dit Creel en souriant. Rappelez-vous l'été dernier. La France était au bord de l'effondrement. L'Angleterre ruinée. Ne vous inquiétez pas. Nous ferons la paix avec ou sans les Alliés. Quel sera votre prochain film, monsieur Farrell ? »

Tim sourit de son sourire d'enfant de chœur.

« Maintenant que la guerre est gagnée, j'aimerais bien faire quelque chose sur Eugene V. Debs.

— Debs ? Mais il sera bientôt en prison ! » s'exclama Creel.

Le chef du parti socialiste américain n'avait, il faut bien le dire, jamais beaucoup intéressé Caroline, mais depuis qu'elle commençait à voir le monde avec les yeux de son amant, elle avait appris un certain nombre de choses sur ce curieux personnage. Par exemple qu'il avait obtenu un million de voix lors de l'élection présidentielle de 1916. Debs s'était en outre violemment opposé à la guerre ainsi qu'au capitalisme. Il ne tarissait pas non plus d'éloges sur Marx et Lénine, à défaut peut-être de les avoir lus, et ne considérait pas la révolution bolchevique comme inimitable. Sur quoi le gouvernement américain avait aussitôt accusé Debs d'avoir violé par ses propos la loi contre l'espionnage de 1917. Et il avait été condamné à une peine de dix ans de prison. Ayant fait appel, il se trouvait momentanément libre. Mais tout le monde savait que la Cour Suprême le jugerait coupable à l'unanimité en vertu du subtil distinguo établi par le Juge suprême Oliver Wendell Holmes : « La liberté d'expression est absolue, sauf quand il existe un danger précis et imminent. »

Tim avait montré du doigt à Caroline les contradictions de cet étrange pays sur lesquelles elle n'avait jamais eu l'occasion ou le goût de s'interroger. Si elle n'avait pas comme lui le culte fanatique de réalités aussi abstraites que la justice ou la démocratie, son éducation cartésienne la rendait plus sensible qu'une autre à tout ce qu'il y avait d'illogique dans la vie américaine. Ou bien l'on pouvait parler librement de sujets politiques, ou bien on ne pouvait pas. Dans ce cas, qu'on cesse de dire que la liberté d'expression existe dans un pays qui condamne à dix ans d'emprisonnement quiconque prétend user de ce droit. Le danger « précis et imminent » auquel faisait allusion le juge Holmes constituait à ses yeux un danger précis et imminent pour la liberté elle-même. Elle s'en était ouverte à Blaise qui lui avait répondu qu'elle s'était méprise sur la nature d'une République dont les contradictions faisaient en quelque sorte la force.

Cependant Creel, avec son esprit cru et énergique, avait saisi au vol l'idée d'un film sur Debs.

« C'est une idée géniale, monsieur Farrell. Vous avez parfaitement raison. Vous nous avez montré les Boches de l'Enfer, et nous leur avons réglé leur compte. C'était l'ennemi extérieur. Mais l'ennemi intérieur s'appelle bolchevisme, communisme, socialisme, syndicalisme. C'est là maintenant que réside notre principal danger. Montrez

Debs et Trotsky travaillant la main dans la main pour asservir notre pays, chose que même les Boches n'ont jamais pensé à faire, parce que nous sommes deux nations chrétiennes, dotées du même système capitaliste. Mais les bolcheviques ont créé une nouvelle religion qui pourrait bien prendre dans ce pays. Prenez les grèves dans les mines, dans les chemins de fer, vous n'allez pas me dire qu'il n'y a pas quelque part quelqu'un qui est en train de manipuler nos ouvriers afin de détruire nos libertés...

— Dont la liberté d'expression est la plus précieuse, dit Caroline d'un ton sentencieux.

— Absolument.

— Même en présence d'un danger précis et imminent...

— Tout à fait ! »

Creel avait enfourché un nouveau dada, et il n'y avait plus moyen de l'arrêter. Caroline jeta un regard lourd de reproche à Tim qui répondit par un haussement d'épaules. Il était inévitable que les Creel et consorts cherchent un nouvel ennemi pour remplacer les Boches. Pendant que Tim narrait à Creel le procès de Debs, Edith Wilson entraîna Caroline dans l'orbite du Président.

« Vous savez, cette merveilleuse actrice, elle vous ressemble un peu, sauf qu'elle est plus âgée. » C'était la première fois qu'une personne de sa connaissance faisait allusion à une quelconque ressemblance entre Caroline et Emma Traxler. Au début Caroline était stupéfaite de voir que personne ne réalisait qu'elle était Emma. « C'est parce qu'on ne regarde pas vraiment les gens quand on les connaît », lui avait expliqué Tim dont le travail consistait précisément à voir ce qu'il voyait. « Mais quelqu'un qui ne vous connaît pas en vous voyant dans la rue reconnaîtra aussitôt Emma Traxler. » Cela lui était d'ailleurs arrivé à plusieurs reprises à New York aussi bien qu'à Washington. Mais ses connaissances l'avaient tellement identifiée à elle-même qu'elle ne pouvait être personne d'autre à leurs yeux. La coiffure d'Emma était bien sûr différente, et son célèbre visage de madone était le résultat d'un savant éclairage que la lumière du jour lui refusait cruellement.

« Emma Traxler est originaire d'Unterwald en Suisse. Elle descend d'une très ancienne famille. Je l'ai connue à Paris quand elle faisait du théâtre. »

Caroline aimait à enrichir son personnage. La presse également, qui lui donnait comme province d'origine l'Alsace, cette charmante contrée limitrophe entre la France et l'Allemagne qui venait de causer bien des soucis au monde entier, sans parler de Carl Laemmle, le créateur d'Universal, originaire du Wurtemberg.

Le colonel House serra chaleureusement la main de Caroline. Edith s'éloigna. Tel un gros rat débonnaire, House chuchota des compliments à l'oreille de Caroline, notamment pour les éditoriaux politiques du *Tribune*.

« Les Alliés seront difficiles à manier, n'est-ce pas ? »

Caroline n'avait jamais pu déterminer quelle était au juste la nature de l'influence de House sur Wilson. Visiblement le petit Texan était passé maître dans l'art de distiller les flatteries. De plus il avait l'air désintéressé : il ne désirait ni argent ni poste important, ce qui impressionnait tout le monde sauf Caroline qui savait qu'il n'y a pas de plus grand plaisir au monde que d'exercer le pouvoir. Le mystère, si on peut parler de mystère, résidait dans la personnalité plutôt que dans les desseins réels ou supposés du petit colonel. Wilson n'avait pas d'amis masculins. Sans doute croyait-il, en bon professeur d'université qu'il était, qu'il n'avait pas d'égaux. C'était assurément l'impression qu'il avait donnée aux leaders de son propre parti, lesquels, d'ailleurs, se prenaient tout autant au sérieux que lui. Pour quelqu'un d'aussi isolé par sa fonction, son caractère, ses principes, ainsi que par les pouvoirs exceptionnels que lui conférait la Constitution en temps de guerre, un homme comme le colonel House était un lien nécessaire entre le Président et le monde extérieur.

« ... J'appareille le 18. J'espère, avant mon départ, avoir de bonnes nouvelles d'Allemagne.

— Et pour ce qui est de la France et de l'Angleterre ?

— Nous avons en main presque tous les atouts, madame Sanford. Peut-être même tous, à l'heure qu'il est. Le vrai problème consistera à faire la paix.

— J'ai été fortement impressionnée par certains de vos jeunes hommes.

— Le groupe de recherche ? »

Caroline hocha la tête. Un an plus tôt, le colonel House avait créé une commission de jeunes universitaires ayant pour tâche de remodeler la physionomie de l'Europe. Un groupe d'historiens avait été chargé d'étudier les frontières entre pays européens, leurs langues, leurs groupes ethniques, leurs religions. Ils avaient également pu étudier les traités secrets que les Alliés avaient conclus entre eux, ainsi qu'avec des pays amis comme l'Italie, à qui ils avaient promis un bon bout de l'Empire austro-hongrois, en échange de leur neutralité bienveillante puis de leur participation à la guerre. Les bolcheviques de leur côté avaient publié ces documents, au grand dam du Président qui prétendait n'en avoir rien su. Comme les Quatorze Points signifiaient le remodelage de l'Europe, la tâche du groupe de recherche, tâche somme toute assez délicate, consistait à faire coïncider la « paix sans victoire » de Wilson — formule inventée par l'un des membres du groupe de recherche, un certain Walter Lippmann, rédacteur en chef du *New Republic* — avec ces fameux traités secrets, qui signifiaient une victoire totale pour les Alliés et très peu de paix.

« ...le Kaiser abdiquera, reprit le colonel d'un ton de voix confidentiel, et on mettra à la place une république. Puis il y aura un armistice suivi d'une conférence de paix où avec mes gars nous serons, sans trop me vanter, je crois, les mieux préparés du lot. Nous sommes prêts à tout, y compris à la partition du Schleswig-Holstein selon des critères ethniques.

— Les Français seront bien étonnés ! Ils nous croient totalement ignorants de la politique européenne.

— Le Foreign Office a un peu la même mentalité que les Français en ce qui nous concerne », dit House en clignant de l'œil d'un petit air goguenard. Derrière eux, au fond de la pièce, le Président, les yeux à demi fermés, semblait faire un sermon.

« Qui négociera pour nous ? »

Caroline n'attendait pas de réponse à sa question, mais la façon de ne pas répondre à une question est souvent très révélatrice.

« Je suppose que nous continuerons comme nous sommes.

— Avec vous à Paris ou ailleurs et...

— Le Président ici me disant ce que je dois faire.

— Et Lansing ? »

Tout le monde savait à Washington que le Président était à couteaux tirés avec son secrétaire d'Etat. House eut un petit gloussement.

« Oh, peut-être pas trop de Lansing. De toute façon, ça ne devrait pas durer trop longtemps. Pour une fois nous sommes prêts.

— Le Président reste ici ? »

House hocha la tête.

« Ce n'est pas un travail pour un chef d'Etat. Le Président chez nous cumule les fonctions de roi d'Angleterre et de Premier ministre. Il est bien trop important pour une conférence comme celle-ci. Il devrait juste faire une brève apparition, comme le Bon Dieu, et remonter ensuite dans les cieux. »

En rentrant à Georgetown, Tim laissa éclater sa joie.

« Si ma famille avait pu me voir !

— Boston ou ici c'est pareil, dit Caroline d'un air rêveur. Ils ont une ou deux générations d'avance, c'est tout. »

Le chauffeur s'arrêta dans Wisconsin Avenue pour laisser passer une longue file de corbillards qui se rendaient à la morgue.

« Je me demande si tout le monde va mourir », dit Caroline en sortant son masque de gaze de son sac à main, et en l'appliquant sur son nez et sur sa bouche. La plupart des gens portaient un masque quand ils étaient dehors ou dans un lieu public.

« Cela résoudrait pas mal de problèmes », répondit Tim avec insouciance. Il ne portait pas de masque.

« Il paraît que la grippe a déjà fait plus de victimes que la guerre. Ma belle-sœur Frederika l'a attrapée.

— C'est grave ?

— Oui. »

Une authentique Emma les attendait au salon. Elle était grande, blonde, et ressemblait à Burden. Elle avait tous les éléments de la beauté, sauf la beauté elle-même. Ce qui lui manquait : la grâce, la vie, l'animation. Caroline aurait bien voulu la modeler, mais Emma ne donnait prise à rien. Elle était tout d'un bloc, sur lequel se brise le ciseau du sculpteur. Elle était en revanche passionnée de mathématiques, domaine qui était complètement étranger à sa mère. Maintenant, comme l'école avait dû fermer à cause de la grippe, Emma était à la maison. Donc des rapports, froids, distants, polis entre la mère et la fille. Suffisamment polis toutefois pour que Caroline n'eût pas à se sentir gênée à l'égard d'Emma quand Tim passait la nuit chez elle. Emma avait surtout un grand fond d'indifférence. Etait-ce là un signe d'intelligence ? Caroline n'aurait su le dire, d'autant que sous ce rapport elle n'avait rien à envier à sa fille.

« Il paraît que cinq mille personnes sont mortes hier », dit Emma en saluant sa mère. Elle était pelotonnée en boule sur un canapé devant un feu de cheminée.

« Où ça ? Dans tout le pays ? demanda Caroline en ôtant son masque.

— Non, ici, dans le District. Bonjour, monsieur Farrell.

— Bonjour Emma. »

Tim était encore tout émoustillé par son succès à la Maison-Blanche.

« Tu as vu la tête de Creel quand je lui ai dit que je voulais faire un film sur Debs ?

— Oui. Heureusement qu'il a tout compris de travers.

— La démocratie doit commencer à la maison, affirma Tim en se servant un whisky. Les émeutes raciales de Chicago l'été dernier...

— Tante Frederika va plus mal, interjeta Emma.

— Oh, mon Dieu », fit Caroline en s'asseyant près du feu. Après tout c'était peut-être la fin du monde. La peste visiterait chaque maison, jusqu'à ce que tout le monde soit mort.

« Et comment va Oncle Blaise ?

— Il est auprès d'elle. Il va bien. Il pense qu'il a déjà attrapé la grippe sous une forme bénigne.

— Es-tu sérieusement catholique ? demanda Tim en se tournant vers Caroline.

— Moi, je ne crois à rien du tout. C'est cette vie que je crains, non pas l'autre.

— Tu as bien de la chance de croire ça, dit Tim. Au fait, je crois bien que le Président t'a reconnue. Je l'ai surpris en train de te regarder après la scène du crucifix...

— Nous sommes de vieilles connaissances (Emma ignorait l'existence de la mythique Emma ; elle n'allait pas au cinéma). Emma, que lis-tu ? »

Emma lui montra la couverture du livre qu'elle avait sur ses genoux.

« Le dernier livre d'Oncle Henry. Il y parle de son éducation. Je suis allée voir Miss Tone aujourd'hui. Elle habite encore la maison. C'est bien triste.

— C'est encore plus triste pour nous que pour lui. Il est mort dans son sommeil, dit Caroline en jetant un coup d'œil à Tim, comme si c'était là un détail important.

— Il souriait, m'a dit Miss Tone, quand elle est venue pour le réveiller.

— Une page d'histoire qui se tourne », observa Caroline tout en se demandant si elle n'allait pas se mettre maintenant à parler comme au cinéma, avec des tirets et des points d'exclamation.

Mais Tim n'était pas décidé à s'apitoyer sur Henry Adams.

« Le problème noir, voilà un sujet intéressant. Personne ne l'a encore traité.

— Qu'a-t-il de si intéressant ? demanda sèchement Emma.

— Regardez dans quel pétrin ils se trouvent. Ils sont douze millions à vivre dans un pays qui se bat pour faire triompher la démocratie dans le monde entier, alors que la plupart d'entre eux n'ont même pas le droit de voter.

— Ils n'y tiennent peut-être pas », remarqua Emma.

Emma n'avait pas beaucoup d'imagination ni même de générosité, pensait Caroline qui n'était pas plus généreuse qu'elle, mais qui avait du moins assez d'imagination pour se mettre à la place des autres. C'était peut-être même cette faculté qui lui avait permis d'entrer si facilement dans la peau d'Emma Traxler et de jouer les mères éplorées.

« S'ils ne veulent pas les mêmes droits que nous, pourquoi crois-tu que des centaines de gens ont été tués ou blessés au cours des émeutes de l'été dernier à Chicago ? demanda Tim.

— Les Blancs ont peut-être cru que les nègres voulaient quelque chose qu'ils ne devraient pas avoir, et ils les ont attaqués les premiers comme dans le Sud lorsqu'ils les lynchent.

— Très ingénieux », applaudit Caroline.

Pour Caroline une grande partie du charme de Washington résidait justement dans son côté africain, à la fois dans le climat et dans la population. L'égalité raciale ne signifiait pas grand-chose pour elle, ni pour la plupart des nègres, croyait-elle, qui ignoraient le monde des Blancs tout comme le monde des Blancs les ignorait, chaque race vivant dans des univers à la fois séparés et contigus.

« Non. Ils veulent les mêmes droits. Surtout depuis qu'ils ont fait la guerre et qu'ils se sont battus pour la démocratie.

— C'est un mot qui ne veut rien dire », s'écria Caroline, agacée par les flots de rhétorique que ce mot de démocratie avait le don de déclencher chez tous les hommes politiques américains. Le célèbre professeur George Santayana, de l'université d'Harvard, qui maintenant vivait en Europe, avait déjà relevé la curieuse propension des Américains à croire les pires bobards, jointe à leur incapacité foncière à détecter la moindre contradiction dans un discours ou dans un programme politique, parce que, comme il l'avait écrit, « un peuple à la fois inculte et doué d'une grande vitalité est mûr pour l'idéalisme ». Oui, ce qu'il y avait de plus insupportable chez les Américains, c'était leur idéalisme, autrement dit leur crédulité et leur niaiserie, songeait Caroline. Pour la première fois depuis des années, elle fut prise d'une envie de s'enfuir, de quitter ce pays, de retourner en France, d'aller à

Tombouctou, n'importe où, mais loin de ses compatriotes, de ces tartuffes.

Tim n'était pas un tartuffe, mais il était tout près de le devenir chaque fois qu'il se gargarisait de mots comme liberté, égalité, fraternité, droits de l'homme... A l'inverse des Français qui agitent ces notions comme de simples épouvantails destinés à les préserver de choses aussi désagréables que les révolutions, Tim y croyait ou faisait semblant d'y croire.

« Bien sûr la démocratie ne signifie rien pour eux. Ils avaient avec eux une pancarte qu'ils brandissaient dans les rues de Chicago — des rues noires de monde, les Blancs qui poussaient des hurlements, les Noirs serrés les uns contre les autres, les policiers armés de fusils et de gourdins — et cet écriteau disait : " Introduisez d'abord la démocratie en Amérique avant de l'exporter en Europe. " Merveilleux, non ? »

Emma considéra Tim d'un air perplexe.

« Etes-vous communiste ?

— Non. Je suis catholique, répondit Tim en souriant à Caroline. Et croyant.

— Tim s'intéresse aux masses parce qu'il fait des films pour elles, expliqua Caroline de sa voix de femme du monde.

— Griffith aussi, et *La Naissance d'une Nation* a fait plus pour ressusciter le Ku Klux Klan que n'importe quoi.

— Mr. Griffith, répliqua Caroline, fait des films pour les masses blanches qui sont prêtes à payer trois dollars la place pour voir un long métrage.

— Mon professeur d'histoire était à Princeton du temps de Mr. Wilson, dit Emma en ranimant les braises avec un tisonnier. (Elle avait le visage trop rouge au goût d'Emma. Fièvre ? Grippe ? Mort ?) Il paraît que chaque fois qu'un nègre demandait à être admis à Princeton, Mr. Wilson lui écrivait une lettre personnelle disant qu'il était très heureux qu'un étudiant de couleur ait été jugé digne d'entrer à l'université, mais qu'il était de son devoir de l'avertir que, comme bon nombre d'étudiants venant du Sud, il n'aurait pas la vie facile s'il décidait quand même de s'inscrire.

— C'est pourquoi ils ne sont pas venus, dit Tim en finissant son verre.

— Ils ne sont pas venus en effet, répéta Emma en posant le tisonnier et en contemplant le feu.

— Je pars en France, dit Caroline en se levant. Quoi ? Qu'est-ce que je viens de dire ? J'ai simplement voulu dire que j'allais me coucher.

— Tu as voulu dire les deux choses, précisa Emma. Tu devrais partir. Oncle Blaise parle lui aussi de partir. Il sera à la Conférence de la Paix.

— " La paix sans victoire " », dit Tim en restant assis.

Caroline aurait bien voulu aller se coucher toute seule. Le désir sexuel lui venait par cycle et la quittait de même. En outre, elle refusait de penser à la mort en faisant l'amour. Il était impensable que Frederika la sereine, la compétente, la drôle, puisse mourir.

Caroline téléphona à Blaise depuis la chambre à coucher. Il paraissait fatigué.

« Comment va-t-elle ?

— Toujours pareil. La crise n'est pas encore venue. Ces médecins sont tous des incapables.

— Est-elle consciente ?

— Par moments. Mais elle délire le plus souvent. Et à la Maison-Blanche, comment ça s'est passé ?

— Les Quatorze Points ont gagné la guerre, et le colonel House s'embarque pour la France dans quatre jours, pour signer une paix éternelle.

— C'est lui le négociateur officiel ?

— C'est en tout cas ce qu'il laisse entendre. Lui et son équipe de la Dix-Neuvième Rue...

— Tous des Juifs et des socialistes !

— J'aimerais partir à Paris le plus tôt possible.

— J'ai déjà entendu cette antienne quelque part.

— Elle me trotte dans la tête depuis un bon bout de temps.

— Et le journal ?

— Mr. Trimble serait ravi de nous voir débarrasser le plancher définitivement.

— Nous verrons, je ne peux encore rien décider pour le moment.

— Bien sûr. Bonne nuit. »

Avant d'éteindre la lumière Caroline regarda un long moment le portrait de sa mère, Emma Première. Sa ressemblance avec l'impératrice Eugénie était frappante. Bien qu'elle parût regarder Caroline de ses grands yeux sombres, il n'y avait là aucun message, seulement le simulacre peint d'une femme qu'elle n'avait jamais connue. Et pourtant Caroline avait donné deux fois le nom de sa mère à ses propres inventions, comme si le passé avait encore besoin du présent pour régler définitivement certains comptes.

2

Burden était assis dans son bureau en train de signer des lettres, tandis que Miss Harcourt, sa secrétaire, prenait des notes à ses côtés, perchée sur un tabouret. Elle portait une chemise d'homme, une cravate et une veste tailleur ; seule la jupe était une concession aux préjugés de sa malheureuse époque. Miss Harcourt vivait avec sa mère dans le nord-est de Washington. Elle était la secrétaire silencieuse et efficace de Burden depuis sa première élection au Congrès, il y avait près de vingt ans.

Les lettres étaient des appels lancés à divers leaders politiques à travers le pays, leur demandant de soutenir le parti démocrate lors des prochaines élections. Comme Burden n'avait pas à se représenter, sa demande pouvait paraître relativement désintéressée. Mais bien entendu la liste comprenait surtout des supporters éventuels lorsqu'il jugerait le moment venu de briguer la couronne — si ce jour devait jamais arriver.

La dernière lettre signée, Burden se renversa sur son fauteuil et se sentit un peu étourdi. Le pâle soleil de février éclairait d'un dernier rayon le buste de Cicéron en face de son bureau. De part et d'autre de la cheminée de marbre blanc, deux bibliothèques vitrées contenaient des livres de droit et les codes de lois des Etats-Unis d'Amérique. Au-dessus de la cheminée une gravure représentait la reddition de Lee à Appomattox, ce qui n'était pas pour déplaire à ses électeurs, des Westerners descendant pour la plupart d'anciens soldats confédérés. Sur la cheminée se trouvait la balle qui avait frappé son père à Chickamauga — un petit bout de métal noirci posé obliquement sur un support en marbre. Son père lui en avait fait cadeau lorsqu'il avait été élu au Congrès, afin qu'il se souvînt de lui et de ce qu'était la guerre. Et aussi du peuple dont il était le représentant. Ainsi que le peuple, le peuple, le peuple. Depuis quelque temps les mots avaient une fâcheuse tendance à se répéter dans sa tête. Brusquement un train de mots se mettait en branle dans sa tête, et se répétait indéfiniment jusqu'au moment où il s'arrêtait tout aussi mystérieusement.

La meilleure chose à faire c'était de parler pendant que tout ce tintouin se faisait dans son crâne.

« Le congressman Momberger est-il à son bureau ? demanda-t-il à Miss Harcourt.

— Non, monsieur. Lui aussi a été frappé. La grippe espagnole. Mrs. Momberger m'a téléphoné hier au soir.

— En ce cas il faut ajourner la séance. Faites-moi penser aujourd'hui à téléphoner au sénateur Martin. »

Le « peuple » l'avait enfin quitté en lui laissant la migraine.

« J'ai appelé chez les Sanford. Ils pensent que la crise est passée.

— Ah, bien. Je dirai à Kitty d'aller rendre visite à Mrs. Sanford quand celle-ci ira mieux. »

Au début, il était certain que Frederika mourrait. Le destin vous joue parfois de ces tours. Mais elle s'était accrochée à la vie ou la vie s'était accrochée à elle, et lorsqu'il avait vu Blaise au Cosmos Club, celui-ci lui avait dit qu'elle s'en sortirait.

Le téléphone sonna, Miss Harcourt décrocha et se tourna vers Burden :

« Mr. Tumulty désire savoir si vous pouvez voir le Président cet après-midi.

— A cinq heures. »

Burden se leva et alla vers la fenêtre qui donnait sur le Capitole. Mais ce n'est pas le Capitole qu'il regardait, c'était son propre visage. Le visage d'un homme de cinquante ans, pâle et fatigué. Il se dit qu'il devrait faire davantage d'exercice, monter à cheval plus souvent. Il pensa à Caroline et à tous ces dimanches où il était monté le long du canal avant de finir la matinée chez elle. Comme ils n'étaient pas mariés, leur liaison s'était terminée de façon naturelle, plaisante même. Sans la moindre jalousie de part et d'autre. Peu à peu ils s'étaient vus de moins en moins en cachette et de plus en plus en public. Finalement après la difficile élection de 1916, lors de laquelle Burden avait passé des semaines à parcourir le pays, leur liaison avait pris fin.

« Dites à Kitty que je rentrerai à la maison pour dîner. »

Miss Harcourt inclina la tête en signe d'assentiment. Comme la plupart des secrétaires de sénateurs, elle était souvent en butte aux récriminations, voire aux soupçons de la femme de son patron. Après tout, les secrétaires passaient plus de temps que les épouses avec leurs patrons, et ces dernières étaient naturellement jalouses de toutes ces heures, ces journées, ces années dont elles étaient exclues.

Le Président et l'amiral Grayson étaient en train de faire du putting sur la pelouse sud de la Maison-Blanche, juste derrière les bureaux de l'Exécutif. Un agent des services secrets salua Burden par son nom. En apercevant le sénateur, Wilson dit à Grayson :

« Nous avons suffisamment pris l'air, amiral.

— Ce n'est jamais assez, monsieur, dit Grayson en prenant le putter du Président.

— J'ai de la névrite dans l'épaule, c'est pourquoi on me prescrit le golf. Un vrai supplice. »

Burden n'avait jamais vu le Président aussi détendu, aussi gamin même, malgré ses maux et ses douleurs.

« Allons regarder les moutons », dit-il.

La pelouse sud de la Maison-Blanche était un parc miniature où Edith faisait paître des moutons du Shropshire dont la laine se vendait un bon prix dans le pays — comme un encouragement pour les femmes américaines de tricoter pour la « paix sans victoire ».

« C'est pour quand, monsieur le Président ?

— L'armistice ? Une semaine, peut-être deux. Il n'y a aucun problème du côté allemand... »

Wilson n'acheva pas sa phrase. Au milieu de la pelouse, il y avait un banc invisible depuis les grilles, tandis que l'homme des services secrets, d'où il était, pouvait voir à la fois le banc et les passants. Burden avait souvent rêvé de la présidence, mais la réalité était moins brillante que ses rêves. De la grandeur, oui, mais aussi que de médiocrité, et puis toute cette puissance concentrée entre les mains d'un seul homme, cela faisait peur.

« On me reproche de ne jamais consulter le Sénat, mais vous je vous consulte toujours, n'est-ce pas ?

— De temps en temps. »

La haine de Wilson pour le Sénat était réciproque. Chaque sénateur formait à lui tout seul une sorte de microcosme du gouvernement, dont la multiplication constituait une entité souveraine indépendante, que le véritable souverain, le Président, n'était nullement disposé à admettre.

« Je n'ai pas encore discuté de ceci avec le Cabinet, dit Wilson en tendant à Burden une déclaration qu'il avait soigneusement tapée sur sa machine à écrire. Je désire d'abord avoir votre avis. Tumulty l'approuve, le colonel House également. Mais ce ne sont pas des politiciens comme nous », ajouta-t-il gracieusement. Pendant que Burden lisait la déclaration, Wilson fredonnait une chanson tirée du dernier vaudeville à la mode, avant que l'épidémie de grippe n'oblige les théâtres à fermer. Tandis que la chansonnette résonnait à ses oreilles, Burden eut l'impression de vivre un véritable cauchemar. Le premier tacticien politique du pays venait de commettre, du moins sur le papier, une énorme gaffe. Burden plia soigneusement la déclaration en deux, regarda le Président et fit marcher ses sourcils. Wilson s'arrêta de chantonner.

« Vous n'êtes pas d'accord ?

— Non, monsieur le Président. Vous vous adressez directement au peuple pour lui demander de vous donner — à vous personnellement — une majorité démocrate au Congrès qui vous permettra de faire la paix à vous tout seul. C'est ce que ne manqueront pas de dire vos adversaires. »

Wilson répondit tout tranquillement :

« J'ai également rappelé à l'électorat toutes les réformes que nous — le parti démocrate — avons accomplies à l'intérieur, et qui seraient mises en péril si les Républicains venaient à l'emporter. »

Burden contempla les moutons d'un air lugubre. Que faire ?

« Vance, McCormick, Homer Cummings et tout le Comité national voudraient que je fasse cette déclaration maintenant.

— Monsieur le Président, je suis sûr que nous arriverons, sans aucune déclaration de votre part, à réunir une majorité de cinq à dix voix au Sénat et peut-être de quinze à vingt voix à la Chambre. Mais si vous intervenez personnellement pour dire au pays que les Républicains sont incapables de faire la même paix que vous, c'est comme si vous tentiez le diable...

— Lincoln, McKinley et même le colonel Roosevelt ont adressé des appels semblables.

— Je n'ai pas relu récemment leurs appels aux armes, mais entre une invitation à ne pas changer de cheval gagnant et dire au pays que s'il ne vote pas comme vous le souhaitez, les Européens penseront que vous n'avez plus la confiance du peuple, il y a un monde. Vous êtes trop personnel, si je puis me permettre. »

Deux petites taches rouges apparurent au sommet de chaque pommette.

« La fonction présidentielle comporte également un côté personnel, sénateur.

— Raison de plus pour ne pas en faire une question personnelle.

— Mais j'y suis obligé. Si nous perdons le Sénat, Lodge sera le chef de la majorité. Il sera également le président de la commission des

Affaires étrangères. Chaque fois que je voudrai faire voter un traité, il pourra faire traîner indéfiniment les choses, comme il l'a fait avec son ami John Hay, ce qui a hâté sa fin, d'après ce qu'on m'a dit. Vous comprenez maintenant pourquoi je dois faire tout mon possible pour que nous conservions la majorité au Congrès. »

Burden hocha la tête.

« Je suis d'accord avec vous. Et la meilleure façon de la conserver c'est de déchirer ce document. Et puis de parler humblement au peuple. Car c'est de lui que vous tirez votre pouvoir. Or vous savez qu'avec son bon sens naturel et son jugement essentiellement droit, il vous fera confiance comme en 1912 et en 1916. Vous connaissez le topo. »

Wilson regarda les moutons qui, même du point de vue d'un homme de la campagne comme Burden, ne présentaient qu'un intérêt des plus modestes. Puis le Président poussa un soupir et se leva.

« Il paraît qu'un Américain sur quatre a eu ou aura la grippe. »

Burden se leva à son tour.

« On dit que dans le monde entier la grippe aura fait vingt millions de morts. »

Les deux hommes regagnèrent ensuite lentement les bureaux de l'Exécutif devant lesquels un agent des services secrets montait la garde.

« Je me demande si je devrai porter un masque la prochaine fois que je parlerai devant le Congrès.

— Mettez-vous plutôt des boules dans les oreilles.

— Vous avez raison. Quelle bande de pipelettes ! Ils n'arrêtent pas de jacasser. C'est une vraie volière. Heureusement qu'ils ne m'ont pas encore donné la grippc. Touchons du bois. » Les deux hommes touchèrent le même chêne. « Comment mon dernier discours a-t-il été accueilli ?

— Ceux qui sont contre le suffrage féminin sont restés insensibles. Mais je suis sûr que toutes les femmes auront le droit de vote dans un an ou deux.

— Personnellement j'étais plutôt contre. Mais je me suis dit qu'elles ne pouvaient pas être plus bêtes que nous.

— Sur ce point nous sommes entièrement d'accord.

— J'ai aussi remarqué que dans les Etats où elles ont le droit de vote, elles avaient tendance à voter pour moi. J'y vois là un signe de grande sagesse.

— Ma foi, monsieur le Président, c'est Eve qui la première a croqué la pomme de la connaissance... »

Wilson se mit à rire.

« Quelle drôle d'histoire tout de même ! »

Le lendemain matin Burden se réveilla avec une forte fièvre, des courbatures dans les membres, et une toux incontrôlable. Le médecin déclara qu'il avait attrapé la grippe. Sur quoi Burden entra dans un univers cauchemardesque où Kitty jouait tantôt les anges gardiens et tantôt les démons tourmenteurs. Dans l'un de ses cauchemars, le Président avait prononcé la déclaration qu'il lui avait lue, et il ne s'était rien passé. Dans d'autres cauchemars Roosevelt et Lodge faisaient campagne pour dénoncer Wilson. Mais il entendait également des cloches carillonner. Il y avait un armistice qu'on célébrait prématurément. Puis un autre, et cette fois c'était le bon. Toutes ces images tourbillonnaient dans ses rêves où de temps en temps il recevait la visite de son père en tenue de caporal, qui lui répétait inlassablement ces deux mots : « le peuple ».

Burden revint à la vie et décida qu'il préférait la mort, ou du moins cette espèce de no man's land où il avait vécu entre deux cauchemars. Il ouvrit les yeux et vit Kitty qui lisait un journal assise à son chevet.

« Quelle heure est-il ? demanda-t-il.

— Youpi ! » s'exclama Kitty en jetant son journal en l'air.

D'abord il eut du mal à la reconnaître. Elle avait un comportement inhabituel. Mais aussi tout lui paraissait bizarre. On lui avait notamment enlevé son corps d'homme vigoureux pour le remplacer par celui d'un vieillard. Il ferma les yeux car la lumière lui faisait mal.

« La fièvre est tombée, a dit le docteur, mais il faudra du temps — beaucoup de temps — avant que tu sois complètement rétabli. Tu as faim ?

— Non, soif. »

Kitty l'aida à se mettre sur son séant, puis elle lui donna un verre d'eau qu'il but avec peine, à cause des ampoules qui s'étaient formées sur ses lèvres.

« J'ai été malade ? dit-il en se renversant sur l'oreiller.

— Très malade. Tu as même failli mourir », lui dit Kitty en souriant.

Elle avait le visage hagard ; ses yeux bleus avaient perdu leur éclat, et il y avait plus de gris que d'habitude dans ses cheveux blonds.

« Maintenant tu es tiré d'affaire. Ce n'est que hier au soir très tard que tu as commencé d'aller mieux. »

Burden leva une main décharnée, toute grise, hormis les articulations des doigts qui étaient rouges.

« Tu as perdu du poids, dit Kitty en ramassant le journal. Désormais je serai ton infirmière. Tu en as eu deux tout le temps que tu étais malade, une de jour et une de nuit.

— Ça a duré combien de temps ?

— Deux semaines.

— Jésus ! »

Deux semaines hors du temps, de la chair, de la vie. En vérité la mort n'est rien du tout.

« Nous sommes aujourd'hui le 12 novembre, et l'Allemagne a signé l'armistice. Tu vois ? »

Elle lui montra le journal. Un gros titre annonçait : « La paix ! » Le Président s'adresserait au Congrès à midi.

« Il y a eu une grande déception la semaine dernière quand tout le monde a cru que la guerre était terminée, parce que le Kaiser avait abdiqué, et quelqu'un a dit qu'on s'était mis d'accord pour signer l'armistice, mais ce n'était pas vrai. Cette fois, c'est sûr. Tout le monde a écrit ou demandé de tes nouvelles », ajouta-t-elle.

Kitty indiqua des piles de lettres, de télégrammes et de cartes de visite sur le secrétaire près de la fenêtre.

« Le Président a téléphoné deux fois pour savoir comment tu allais. »

Burden aurait voulu lui demander des nouvelles de Frederika, mais avec ce corps de vieillard, il avait également acquis une prudence de vieillard.

« L'élection... ? »

L'élection avait eu lieu le 5 novembre.

« Tu avais raison, répondit Kitty en retrouvant ses automatismes de vieux briscard de la politique, le Sénat est devenu républicain par une voix de majorité et la Chambre par quarante-cinq voix. »

Dans sa stupeur Burden oublia son grand âge.

« Ce n'est pas possible ! Que s'est-il passé ?

— Primo, cet appel idiot du Président, comme tu ne t'es pas gêné pour le lui dire, j'espère. Secundo, T.R. et les Républicains, comme tu penses, n'ont eu aucune peine à l'accuser de vouloir devenir une espèce de dictateur mondial, ce qui nous a fait perdre les suffrages des Allemands et des Irlandais, ainsi que ceux des femmes qui pouvaient voter...

— Pourquoi les femmes ?

— A cause des Démocrates sudistes du Sénat qui avaient refusé de leur accorder le droit de vote.

— Je le leur avais pourtant dit...

— Et puis nous avons eu contre nous les fermiers du Middlewest qui trouvaient que nous en avions fait assez pour les producteurs de coton et pas assez pour eux...

— Qui a été battu ? »

Kitty lui récita la liste de tous les vaincus. Elle connaissait chaque sénateur non seulement en tant qu'homme, mais également en tant que politicien, savait comment et pourquoi il votait. En l'entendant égrener les noms des vaincus, Burden éprouvait comme toujours deux sentiments mêlés : de la tristesse pour ses amis exclus du club, et de la joie pour sa propre survie. Wilson avait réussi à susciter contre lui le même genre de Congrès hostile avec lequel Lincoln avait dû batailler les derniers mois de sa vie, et qui avait rendu la tâche impossible à son successeur.

« C'est un désastre. »

Il avait les lèvres pareilles à du papier de verre. Il demanda encore de l'eau. Kitty lui approcha le verre des lèvres.

« Et le plus triste, c'est qu'il n'a à s'en prendre qu'à lui-même. Certes le Comité national lui avait demandé de faire une déclaration ferme, mais à quoi bon rappeler aux gens les raisons qu'ils ont de ne pas vous aimer ? On dit qu'il n'est pas fâché de voir autant de Sudistes battus.

— C'est idiot. Sans eux le parti de Bryan n'est plus un parti. Et sans Bryan Wilson n'est plus rien. Il n'a pas l'air de le comprendre.

— Il a été question de toi en Californie. Deux journaux t'ont placé en tête de liste pour 1920. »

Burden poussa un soupir. Retrouverait-il assez de vigueur pour marcher dans la pièce ? Alors la présidence...

Kitty lui lut ensuite des extraits des messages de prompt rétablissement qu'il avait reçus durant sa maladie. Elle avait rangé ceux qui avaient une signification politique dans une boîte spéciale. Elle débuta par les gouverneurs, puis les chefs de parti. Il commençait à se constituer une clientèle. Avec Wilson handicapé par un Congrès hostile, tout pouvait arriver d'ici deux ans.

« McAdoo ? demanda-t-il.

— Très gentil. Positif. »

Quand il s'agissait de politique, Kitty et Burden s'entendaient à mimot. La lettre de McAdoo était en effet très positive, ce qui voulait dire un ticket McAdoo-Day. Comment inverser l'ordre ? Kitty continuait de lire. Il y avait une lettre de Blaise. « Pauvre Frederika ! » s'exclama-t-elle soudain sans la moindre malice. Elle n'était pas au courant. Il en était sûr. Il ne conservait pas de lettres d'amour dans ses poches, comme Franklin Roosevelt. Et d'abord Frederika n'aurait jamais songé à lui en écrire. Pauvre Frederika ! Il la voyait morte, et son cœur se mit à battre plus fort. Qu'allait-il devenir maintenant ?

« Elle a perdu tous ses cheveux. Elle en avait de si beaux, pourtant ! On ne sait pas s'ils repousseront. »

Burden respira plus largement.

« Elle est guérie ?

— Comme toi. Elle a eu de la chance. »

Kitty lui communiqua ensuite la dernière liste des morts, des mourants, des malades.

« Quel hiver nous avons eu ! Mais il paraît que l'épidémie va s'arrêter maintenant. Nul ne sait pourquoi. »

Burden se laissa envahir peu à peu par le sommeil. Il rêva qu'il volait au-dessus d'un pré où une foule était rassemblée pour l'entendre parler et non pour le regarder voler, mais il volait pour leur plus grand étonnement à tous et pour sa plus grande joie, en faisant de grands moulinets avec ses bras.

3

Frederika avait l'air diaphane. Elle portait une robe noire lamée d'argent et sur la tête un turban incrusté de pierreries. Mari et femme se retrouvèrent dans le bureau de Blaise où le maître d'hôtel maltais — Washington était en train de devenir une ville de plus en plus exotique à cause de la concentration de population due à la guerre — leur servit un sherry. C'était leur première sortie depuis que la mort avait rappelé à Frederika qu'un jour elle lui fixerait un autre rendez-vous auquel cette fois il lui serait impossible de se dérober.

« J'ai l'impression que le turban est transparent et que tout le monde pourra voir l'espèce d'œuf dur qui présentement me tient lieu de crâne.

— Les gens ne se douteront de rien. Vous n'aurez qu'à leur dire que vous avez voulu ressembler à cette femme de Président qui portait toujours un turban. Comment s'appelait-elle ?

— Dolley Madison. Le docteur vient de voir Enid. Il a dit qu'il n'y avait pas lieu de s'inquiéter. »

Blaise avait du mal à s'habituer à ce prénom d'Enid. Sa belle-mère avait insisté pour que leur fille portât le même prénom qu'elle, et quand Mrs. Bingham avait décidé quelque chose, il n'y avait pas moyen de la faire changer d'avis.

Le maître d'hôtel annonça que la voiture les attendait. Ils dînaient ce soir-là chez le secrétaire d'Etat Robert Lansing. C'était l'antithèse parfaite du Président, qui d'ailleurs le consultait le moins possible. Le Président, homme de principes et d'intuition ; Lansing, sec, précis, logique, pragmatique, connaissant son dossier en parfait juriste qu'il était. Parfois imprévisible. Par exemple, Lansing était persuadé que les Allemands visaient à l'hégémonie mondiale et que si les Etats-Unis n'étaient pas entrés en guerre, le Kaiser aurait fini par occuper un jour ou l'autre la Maison-Blanche. Blaise appréciait la compagnie de Lansing, car le secrétaire d'Etat était un de ces raseurs comme il les aimait. Lansing ne manquait pas toutefois d'une certaine subtilité. Il était particulièrement préoccupé par le Péril Jaune dont Hearst se servait pour effrayer périodiquement les Américains. Par profession Lansing était un juriste, spécialiste du droit international et des problèmes de frontières. Il était partisan, comme Blaise, d'une détente entre les Etats-Unis et le Japon, dont la politique expansionniste en Chine blessait le sens moral de Wilson. Lorsque le représentant du Japon, l'amiral Ishii, s'était rendu à Washington pour sonder les intentions des Etats-Unis en Extrême-Orient, Wilson avait parlé vaguement de Portes Ouvertes et de l'intégrité de la Chine, tandis que Lansing avait tenté de régulariser les relations entre les deux puissances expansionnistes. Lansing était soucieux d'entretenir de bonnes relations tant avec le Japon qu'avec la Chine à cause des marchés dont l'industrie américaine aurait besoin après la guerre. Il était également prêt à accepter la présence du Japon non seulement à Shantoung mais également en Mandchourie et en Mongolie. Le résultat de ces négociations était un chef-d'œuvre de diplomatie qu'on ne pouvait rendre entièrement publique par égard pour l'opinion japonaise.

Mrs. Robert Lansing les accueillit devant la porte du salon. Blaise l'avait vaguement connue autrefois lorsqu'elle était Eleanor Foster, la fille du secrétaire d'Etat Harrison, dont les Lansing occupaient actuellement la maison. « C'est un poste héréditaire chez vous, ma parole ! » lui avait dit Blaise lorsque son mari avait succédé à Bryan à la surprise générale.

Frederika fut félicitée pour sa bonne mine, et son turban fit l'admiration de tous. Parmi les invités il y avait les William Phillips du département d'Etat, et les éternels Jusserand représentant la gloire et la civilisation françaises. Lansing était courtois et précis, s'exprimant avec prolixité et faconde, ce qui avait le don de mettre Blaise en joie. Blaise avait toujours été attiré par les raseurs. Tout jeune, lorsque Henry James rendait visite au colonel Sanford dans sa propriété de Saint-Cloud-le-Duc, il pouvait rester des heures entières à écouter le Maître dérouler ses longues phrases, dans lesquelles l'enfant s'enveloppait comme dans de la ouate. Les phrases de Lansing étaient plus courtes, mais elles étaient aussi plus nombreuses.

« Les McAdoo devaient venir, mais ils se sont décommandés.

— C'est très français, remarqua Blaise en jetant un coup d'œil à Jusserand qui babillait au milieu d'un groupe de dames charmées par sa façon exquisément française de phraser l'anglais.

— Je dirais plutôt britannique. Hanovrien. »

Blaise regarda fixement le beau visage de Lansing, coupé d'une petite moustache argentée, presque invisible.

« Y aurait-il de l'eau dans le gaz entre le souverain et... le prince de Galles ?

— Je pense, dit Lansing (indiscrétion délibérée ?), que Mac va donner sa démission maintenant que la guerre est terminée. Ils sont trop souvent en désaccord, oh certes dans les termes les plus courtois, mais enfin...

— Que va-t-il faire d'ici 1920 ?

— En général les politiciens profitent de ces périodes de repos forcé pour parcourir le pays et faire des discours. »

Lansing venait de faire une faveur à Blaise, que celui-ci lui revaudrait le moment venu. La démission de McAdoo signifiait que Wilson serait candidat aux prochaines élections, et que dans ce cas il n'y avait pas d'avenir présidentiel pour l'héritier présomptif.

Après le dîner les dames passèrent au salon. On servit du porto. Les hommes allumèrent des cigares. Blaise était assis entre Lansing et Jusserand. Si la grippe espagnole avait été le principal sujet de conversation pendant le dîner, la causerie qui suivit le dîner fut consacrée à la Conférence de la Paix. Lansing se montra circonspect, Jusserand diplomate et Blaise curieux.

« Le colonel House représentera-t-il les Etats-Unis à la Conférence de la Paix ?

— Il est déjà sur place, répondit Lansing en balançant son verre de porto entre ses doigts. Avec son groupe d'étude. Il paraît que Mr. Clemenceau est pressé de commencer, ajouta-t-il en jetant un coup d'œil à Jusserand qui avec sa longue barbe blanche ressemblait à une espèce de Jupiter bénin.

— Il y a beaucoup à faire, dit évasivement Jusserand.

— Notre correspondant à Paris m'a dit que Mr. Clemenceau aurait déclaré que, puisque le Président Wilson ne pourrait rencontrer les Premiers ministres européens sur un pied d'égalité, il s'attendait à ce que la délégation américaine soit conduite par Mr. Lansing ou par quelque autre délégué haut placé. »

Blaise adorait dire aux gens les choses qu'ils savaient déjà mais sur lesquelles ils ne jugeaient pas nécessaire de s'expliquer.

« Un colonel texan ne compte guère en dehors du Texas, observa William Phillips en souriant.

— A moins, dit Blaise, que le Président n'en fasse son ambassadeur privilégié. »

Lansing hochait la tête.

« Le colonel a obtenu l'adhésion des Premiers ministres européens sur les Quatorze Points, ce qui prouve à l'évidence ses talents de négociateur. En outre la Constitution reconnaît au Président le pouvoir de déléguer son autorité à qui il veut. Il sera en revanche intéressant de connaître la composition de la délégation qui accompagnera le négociateur.

— Elle devait comprendre des sénateurs républicains, s'il est habile, intervint Brandegee, sénateur républicain du Connecticut réputé pour sa langue acérée et son franc-parler.

— J'ai suggéré mon prédécesseur Mr. Root, reprit Lansing. Mais le Président le trouve trop âgé et peut-être aussi trop conservateur...

— Seulement pour Mr. Clemenceau », dit Blaise en jetant un clin d'œil à Jusserand qui lui murmura en français : « Par chance je suis sourd de l'oreille droite. »

Mrs. Lansing apparut brusquement sur le seuil de la porte et fit signe à Lansing de venir avec elle. Il s'excusa. Blaise et Jusserand continuèrent à se parler en français. Blaise connaissait Jusserand depuis si longtemps qu'il le croyait inamovible. Et puis il lui rappelait ses origines françaises.

« Nous avons, ma femme et moi, beaucoup aimé le film de votre sœur Caroline. On se serait cru au front. Tous les détails étaient justes. Et l'actrice était superbe, absolument superbe. La scène du crucifix, c'était quelque chose... »

Blaise seul savait que Caroline était Emma Traxler, mais elle lui avait fait jurer de garder le secret. Jusqu'à présent personne parmi leurs connaissances n'avait identifié Emma Traxler, et la presse n'y avait vu que du feu. Bien sûr, tôt ou tard la vérité finirait par être connue.

« Il paraît que le film se donne actuellement à Paris et qu'il connaît un grand succès...

— Trop réaliste, je pense, pour plaire au grand public. Vous savez, ils sont fous de ne pas nous envoyer Root, dit Jusserand en baissant la voix. Il a de l'autorité, il est respecté ; certes il n'est plus tout jeune mais...

— Il est en tout cas plus jeune que Mr. Clemenceau qui a... combien peut-il avoir ?

— Soixante-dix-sept ans. Personnellement je pense, comme Mr. Lansing, que nous devrions d'abord négocier le traité de paix — ce qui sera déjà assez difficile — et puis après s'attaquer à la création d'une espèce de ligue des nations — une idée qui est assez populaire ici, grâce à Mr. Wilson et à Mr. Taft, mais qui dans notre vieille Europe n'est guère prise au sérieux. Avez-vous des nouvelles de votre propriété de Saint-Cloud ?

— C'est toujours un hôpital. Je tâcherai d'y aller le mois prochain... »

Blaise se sentit soudain pris d'une furieuse envie de se soulager. Une faiblesse de la vessie qui avec l'âge s'était aggravée. Il s'excusa.

En ouvrant la porte des toilettes du rez-de-chaussée, Blaise aperçut Woodrow Wilson devant la glace en train de se peigner.

« Monsieur le Président... »

Wilson le tranquillisa d'un geste.

« Je ne suis pas là », murmura-t-il en rangeant son peigne.

Arrivé devant la porte il s'arrêta :

« Pouvez-vous venir dans la bibliothèque une minute ? »

Quand Blaise entra dans la bibliothèque, il trouva Wilson debout devant la cheminée et Lansing assis à côté de lui. Un portrait du secrétaire d'Etat Foster les foudroyait du regard.

« Entrez », dit le Président, puis se tournant vers Lansing : « Excusez-moi. Mais Mr. Sanford m'a vu, et je voulais m'assurer qu'il ne dirait rien...

— En tant que journaliste ?

— Non, en tant que gentleman, sourit Wilson. Asseyez-vous. Le *Tribune* nous a noblement soutenus, du moins la plupart du temps...

— Il est difficile de toujours plaire à un gouvernement.

— Les politiciens sont difficiles à satisfaire, je sais, observa gaiement Wilson. C'est pourquoi je laisse à Tumulty le soin de me lire la presse. Il sait ce que je peux supporter sans trop de déplaisir. »

Blaise n'en croyait pas ses oreilles. Dans un pays comme les Etats-Unis il était imprudent pour un Président de ne pas étudier la presse, ne fût-ce que pour déterminer à quelles superstitions était en proie l'opinion. Wilson était isolé du monde par une triple barrière composée de sa femme, de son médecin et de son secrétaire.

« J'espère au moins qu'il vous donne à lire la rubrique de T.R. dans le *Kansas City Star*.

— Il m'arrive de la lire en effet, mais lui et Taft sont mes prédécesseurs, mes voix ancestrales, et mon devoir est de les écouter... »

Blaise compléta la citation :

« Ces voix qui prophétisent la guerre...

— Exactement, monsieur Sanford. Monsieur Lansing, verriez-vous un inconvénient à ce que nous exposions notre problème à quelqu'un d'aussi bien renseigné que notre ami ici présent ?

— Je vous en prie, monsieur le Président, faites seulement, dit Lansing avec un petit sourire forcé.

— J'ai décidé de me rendre à Paris le mois prochain. Mr. Lansing préférerait que je n'y allasse pas. C'est-à-dire qu'il n'a rien contre le fait que je fasse une apparition, mais il estime que je ne devrais pas participer à la Conférence de la Paix, parce que, du point de vue constitutionnel, je suis plus haut placé que les Premiers ministres et autres présidents du Conseil européens. Ce sont des chefs de gouvernement, alors que je suis un chef d'Etat. Monsieur Sanford, vous connaissez les Français mieux que moi. Vous connaissez également le problème. Que me conseillez-vous de faire ? »

Blaise n'était pas prêt à répondre au pied levé à une telle question. Il savait tout le prestige dont était auréolé outre-Atlantique l'homme qui, par ses fournitures incessantes d'hommes, de vivres et de matériel, avait, plus que par des engagements militaires proprement dits, forcé l'Allemagne à arrêter la guerre et à remplacer le Kaiser par une république.

« Si vous pouvez le faire rapidement, je vous dirai : allez-y.

— Pourquoi rapidement ? demanda Lansing.

— Parce qu'ils chercheront à impliquer le Président sur des points de détails, des traités secrets, des vieilles querelles comme la question d'Alsace-Lorraine. Il ne faudrait pas qu'il se laissât entraîner sur ce terrain. Mais qu'il y aille, oui. Qu'il rassemble l'opinion publique mondiale derrière les Quatorze Points. Qu'il les fasse accepter une fois pour toutes, et qu'il rentre aussitôt en vous laissant à vous le soin de négocier. »

Sans avertissement ni préparation, Blaise estimait ne s'en être pas trop mal tiré. Le Président semblait content, et Lansing paraissait moins sombre que lorsque Blaise était entré dans la pièce. Après tout il existait peut-être un moyen terme.

« Je vois ce que vous voulez dire, fit Wilson en se balançant sur la pointe des pieds comme cela lui arrivait souvent quand il prononçait un discours. Il est certain que je ne puis rester trop longtemps absent pour des raisons politiques, voire constitutionnelles.

— Aucun Président n'a jamais quitté les Etats-Unis pour assister à une conférence, quelle qu'elle soit, repartit sèchement Lansing. Le Président doit être comme le pape, mystérieux, séparé du reste des hommes. Il doit inspirer une sorte de respect sacré. C'est lui qu'on vient voir, ce n'est pas à lui de se déplacer.

— Qu'en pense le colonel House ? »

Blaise avait posé exprès la question qu'il ne fallait pas poser.

Wilson haussa les sourcils et cessa de se balancer.

« Je suppose qu'il continuera comme avant. Il n'a rien dit qui puisse faire penser le contraire. Jusqu'ici il a parlé en mon nom. Quand je serai à Paris, je parlerai pour moi-même. Bien sûr, pour les détails, je le consulterai, lui et ses conseillers. J'aurai également avec moi Mr. Lansing et son équipe. Le point important sera naturellement l'article 10, la ligue, le pacte entre les nations. Sinon, notre intervention n'aurait servi à rien. Nous ne sommes pas entrés en guerre pour annexer des mines de charbon ou pour conquérir des ports maritimes. Nous sommes entrés en guerre pour mettre fin à cette façon barbare et sanglante d'obtenir certains avantages qui peuvent être atteints pacifiquement par une négociation entre toutes les parties concernées. Je pense que je suis mieux placé pour exposer ce point de vue devant l'opinion internationale que les leaders alliés qui n'acceptent les Quatorze Points que parce que leurs peuples respectifs sont pour le moment avec moi. C'est pourquoi il faut agir vite. L'opinion varie.

« — Pour faire la paix, oui, dit Lansing. Mais lier la paix à la création d'une ligue des nations, c'est peut-être beaucoup pour une conférence.

— Mais agir autrement, c'est reconnaître que nous ne sommes qu'un belligérant de plus, avide de butin comme les Français, les Britanniques et les Italiens.

— Quel mal y a-t-il à cela ? » demanda Blaise.

Le visage de Wilson se rembrunit soudain. C'est le pasteur presbytérien qui répondit :

« Mais tout. Nous ne sommes pas comme les autres peuples. Nous ne devons pas leur ressembler. Nous ne serons jamais comme eux, du moins tant que je gouvernerai ce pays.

— Mais nous ne sommes que des hommes, monsieur le Président, protesta doucement Blaise de peur de déchaîner la colère du Seigneur.

— C'est pourquoi nous devons au moins essayer d'être meilleurs que nous ne sommes. Ne voyez-vous pas le peu de temps qu'il me reste ? Lodge contrôle le Sénat et préside la commission des Affaires étrangères. Roosevelt, ajouta-t-il en détachant les trois syllabes de ce mot comme s'il les expulsait littéralement de sa bouche, a déjà dit que personne ne m'écouterait à la Conférence de la Paix car j'avais été désavoué par mon propre peuple il y a deux semaines, et il a ajouté (et ici un sourire vint encore durcir sa physionomie) que la contribution de l'Amérique à la victoire n'était que de 2 % — il parlait du nombre total de pertes encourues par les Alliés —, de sorte que l'Angleterre peut demander n'importe quoi, vu qu'elle a souffert davantage ! Il s'en mordra les doigts aux prochaines élections. »

Wilson s'interrompit brusquement. Il venait de rompre sa promesse de ne pas parler de politique avant la paix.

« Vous devriez peut-être demander à vos deux prédécesseurs de vous accompagner en France, dit Blaise. De cette façon les Etats-Unis présenteraient un front entièrement uni.

— Je n'aurais rien contre Mr. Taft, mais... »

Wilson secoua la tête.

Blaise se leva.

« J'ai suffisamment abusé de votre temps.

— Vous ne direz rien. Je peux compter sur vous ?

— Bien entendu. Mais vous, monsieur le Président, quand parlerez-vous ?

— La semaine prochaine lorsque je parlerai devant le Congrès. Ensuite Mr. Lansing et moi prendrons la mer. »

Blaise laissa les deux hommes à une discussion qu'il prévoyait orageuse. Heureusement pour Wilson, Lansing était avant tout un juriste, qui ferait ce que son chef lui ordonnerait de faire. Cela dit, Lansing ne serait sans doute pas fâché de saisir la chance qui lui était offerte de supplanter le colonel House à Paris. Cependant Blaise frémissait à l'idée de savoir cet idéaliste, flanqué de deux groupes de conseillers antagonistes, face à face avec les politiciens les plus retors de la vieille Europe. Clemenceau et Lloyd George n'en feraient qu'une bouchée. Blaise rejoignit les dames et tranquillisa Mrs. Lansing.

« Je garderai le silence.

— Vous êtes très bon. C'est un souci, n'est-ce pas ? »

Blaise, supposant qu'elle voulait parler de la décision du Président, abonda dans son sens. Plus tard, comme il mettait son masque pour sortir — opération ridicule, car il avait bien plus de chances d'attraper la grippe au cours d'un dîner comme celui-ci que dans l'air glacé de novembre —, il se dit qu'elle ne pouvait pas connaître l'objet de la visite du Président. Quel était donc son souci ?

Frederika, qui ne portait pas de masque, comme tous ceux qui avaient triomphé des atteintes de la grippe, répondit partiellement à sa question :

« Mrs. Lansing pense que le Président est en train de décliner.

— Il m'a l'air de bien contrôler la situation au contraire, répondit Blaise qui ne voulait pas parler à Frederika de sa rencontre avec le Président.

— Elle n'est pas de cet avis. Il a des oublis, il est de plus en plus irritable...

— C'est normal après l'échec des élections...

— C'est plus grave que ça.

— Que veux-tu dire ?

— Elle croit, c'est-à-dire que Lansing croit, que le Président souffre d'artériosclérose.

— Comme tout le monde passé soixante ans. »

Blaise était maintenant un homme d'âge mûr. A vingt ans, quarante-deux ans lui avaient semblé un âge canonique. Maintenant qu'il les avait, il se trouvait le même qu'à vingt ans. Il avait conservé ce que Caroline appelait, pour plaisanter, son physique de « garçon d'étable », avec ses jambes musculeuses et légèrement arquées. Récemment il s'était adonné à des aventures sexuelles du genre de celles qu'il avait connues dans sa jeunesse : l'ultime floraison avant l'artériosclérose ? Et ça l'amusait de penser que pratiquement au même âge que lui Caroline connaissait un renouveau analogue avec son metteur en scène. Mais pour une fois elle avait manqué singulièrement de goût. C'est curieux, songeait Blaise, autrefois nous étions souvent attirés par le même type.

4

Caroline attendait dans la cabine de sonorisation que Tim eût fini d'installer le décor : l'intérieur d'un entrepôt de chemin de fer. C'est là dans un ancien casino de Harlem, transformé en studio, que Hearst tournait les films de la Cosmopolitan qui étaient ensuite distribués par Paramount, une compagnie de distribution appartenant à Famous Players-Lasky. Hearst avait refusé d'immigrer à Hollywood de peur de briser la carrière de comédienne de Marion Davies. En réalité le Chef briguait une fois de plus le poste de gouverneur de l'Etat de New York, voire la présidence en cas de faux pas de Wilson. Aussi n'osait-il quitter son appartement de Riverside Drive, cette enfilade interminable de pièces toutes remplies d'œuvres d'art, dont certaines étaient authentiques.

Caroline avait de son côté fondé sa propre compagnie de production, la Traxler Productions, et malgré les moqueries de Blaise elle avait déjà produit trois films à succès en six mois. Il est vrai qu'à moins de dépenser sans compter, il avait été impossible de perdre de l'argent avant l'épidémie de grippe. Le pays tout entier s'était emballé pour le cinéma, et les producteurs, capables et désireux de travailler avec les magnats de l'industrie cinématographique, n'avaient aucune peine à s'enrichir.

En réalité on s'enrichissait plus facilement en distribuant les films qu'en les produisant. Un Juif hongrois, Adolph Zukor, était devenu l'un des premiers producteurs de films du pays lorsqu'il eut l'idée de demander à des comédiens célèbres comme Sarah Bernhardt de paraître dans ses films. Au cours des sept dernières années la compagnie de Zukor avait absorbé une douzaine d'autres compagnies de cinéma, et maintenant il était en train de racheter, par l'entremise de la Paramount, des centaines de salles de cinéma dans tout le pays. Wall Street était également intéressé par l'achat de salles de cinéma, à titre de placement immobilier : First National était leur véhicule et

Zukor leur principal rival. La publicité était extrêmement importante pour Hollywood, et la presse Hearst était là pour encenser les productions Hearst. Pour ses millions de lecteurs, Marion Davies était la reine d'Hollywood, bien qu'elle vécût à New York et tournât ses films (à perte) dans la Cent Vingt-Septième Rue.

Tim, qui pouvait tourner n'importe où, avait choisi de rester sur la côte Est pour être plus près de sa maîtresse. Quant à Caroline, elle se demandait combien de temps durerait son bonheur. Un an, deux ans, trois ans ? Autant d'années qu'il y avait de doigts aux deux mains ? Combien de temps pouvait-elle espérer plaire encore ? Il est vrai qu'à son âge les années comptaient double. Les années et la fureur amoureuse. Avec Burden elle avait compté sur l'absence pour stimuler leur amour. Avec Tim, au contraire, c'était de présence dont elle avait besoin : jour et nuit. Au fait que signifiait le pouce ? Comptait-il pour une demi-année ? une année sabbatique ? Elle regarda ses mains et vit deux poings crispés aux articulations exsangues.

« Alors, José, c'est bien compris. Tu es effrayé. Le syndicaliste est un communiste. Tu le sais. Mais lui il ignore que tu le sais. Tu fais semblant de marcher avec lui, mais tu as la trouille. Seulement tu essaies de ne pas le montrer. »

Le jeune premier, un ancien danseur des Follies, était petit de taille comme tous ses pareils. Il avait un assez joli visage de type latin, et sa grosse tête paraissait encore plus énorme à cause des grappes de boucles brunes qui encadraient son visage. Le syndicaliste, lui, était de taille moyenne, ce qui voulait dire qu'il aurait l'air sinistre à l'écran. Il avait un visage plutôt ascétique qui, selon Caroline, ne convenait pas au rôle mais Tim lui avait expliqué qu'il était toujours intéressant de distribuer un acteur à contre-emploi. Le film avait été écrit par un des meilleurs scénaristes d'Hollywood : une femme. Du reste, la grande majorité des scénaristes étaient des femmes. La plus célèbre d'entre elles s'appelait Frances Marion, qui était payée deux mille dollars par semaine pour faire pour Marion Davies ce qu'elle avait fait autrefois pour Mary Pickford. La scénariste de Tim était moins onéreuse, mais elle était fantasque, inégale, imprévisible. Elle était toujours en train de discuter avec Tim du « thème du film », ce qui étonnait beaucoup Caroline car l'histoire était en général d'une simplicité enfantine. George Creel avait d'ailleurs donné des directives pour que les Boches soient remplacés par les bolcheviques comme le nouvel ennemi numéro un des Américains.

Actuellement une douzaine de films anticommunistes étaient en cours de tournage. Tim avait surpris Caroline en lui disant un jour qu'il désirait en tourner un. Ils avaient donc acheté les droits à un magazine spécialisé dans ce genre d'histoires. Le film racontait comment un syndicat de cheminots se laisse infiltrer par des communistes américains à la solde de Moscou. L'un des ouvriers, José, refuse d'abord de marcher avec les meneurs, jusqu'au moment où la fille du directeur de la compagnie le persuade de devenir un agent double. Caroline trouvait l'intrigue beaucoup trop compliquée. A la fin les travailleurs comprennent que leur intérêt n'est pas de marcher au son de *L'Internationale* mais de la Bannière étoilée. La grève est annulée, mais il est trop tard pour sauver José. Poignardé dans le dos par le principal meneur (joué par un prince géorgien présumé authentique), il marche le long de la voie ferrée vers la fille du directeur qui, ignorant qu'il est mortellement blessé, l'attend les bras ouverts.

Caroline pensait également qu'il y avait un peu trop de scènes le long des voies. Il est vrai que jusqu'ici son statut de femme du monde l'avait toujours tenue éloignée des voies de chemin de fer, du moins en dehors des gares. Mais Tim lui avait assuré que l'effet serait saisissant.

Au moment où José rejoint sa bien-aimée, il ouvre grands les bras — à nouveau la crucifixion — et tombe mort. Alors un groupe d'ouvriers, la mine béate, soulèvent le corps et l'emportent loin de l'héroïne, de la caméra, de la vie.

Caroline détestait cordialement ce genre de sujet, mais Creel était aux anges, et Tim, malgré sa préférence pour les vaincus et les exploités, semblait pour une fois ravi d'être l'instrument du capitalisme.

« Moteur ! » cria Tim, et la scène commença. Caroline sortit de la salle de sonorisation pour se rendre dans son bureau. Le lieu était vétuste et minable, ainsi qu'il convenait à un ancien casino de Harlem tombé en délabrement. A l'intérieur du casino, Hearst avait fait construire plusieurs studios sans se soucier d'améliorer la valeur foncière des locaux.

La secrétaire de Caroline, dans le petit bureau contigu au sien, était occupée à répondre au téléphone, qui sonnait constamment. Tout le monde voulait jouer, écrire, faire n'importe quoi pour s'introduire dans le monde magique des images géantes et des salaires réduits. Les recettes de cinéma pour 1918 avaient diminué de moitié par rapport à celles de l'année précédente, et si l'épidémie de grippe continuait à vider les salles, 1919 serait une année catastrophique pour tout le monde, à l'exception des banquiers et des propriétaires immobiliers. La production européenne était en train de devenir compétitive, et Hollywood courait le risque de perdre son monopole. Mais Caroline, qui avait consacré plusieurs années de sa vie à remettre à flot le *Tribune*, n'était pas femme à baisser les bras. Le travail qu'elle faisait en ce moment, malgré ses risques et ses traverses, lui apportait plus de satisfaction que la réussite du *Tribune*, parce qu'au journal elle avait été toute seule dans sa vie privée, alors que maintenant sa vie privée et son travail se combinaient harmonieusement.

La secrétaire lui remit une liste de messages téléphoniques, ainsi qu'un long câblogramme de Blaise qui se trouvait à Paris. Il s'était rendu à Saint-Cloud-le-Duc. L'aile qui avait servi d'hôpital était désormais vide et avait besoin de réparations. Wilson était acclamé comme le Messie. Le colonel House était en disgrâce. Blaise ne s'expliquait pas davantage. Il avait été invité par le Président à assister à la conférence à titre d'observateur, mais à force d'observer il en oubliait de renseigner leurs lecteurs.

En décembre Blaise s'était embarqué avec le Président et Mrs. Wilson à bord du *George Washington*. La suite présidentielle comportait plus de mille personnes, et Blaise avait signalé que Wilson était d'excellente humeur. La délégation officielle ne comprenait aucun sénateur, ce qui d'après Burden était une lourde erreur, mais depuis qu'il avait échappé à la mort, il était enclin à tout voir en noir. A part le vieil Henry White, la délégation ne comprenait aucun politicien chevronné. Uniquement des porte-lances wilsoniens, et Lansing prêt à évincer House au moindre faux pas. George Creel était également présent, mais pour une fois son rôle n'était pas primordial.

Le 14 décembre Wilson était arrivé à Paris comme le sauveur de l'Europe. Les foules se pressaient sur son passage comme devant un nouveau Bonaparte entrant en triomphateur dans sa capitale, traînant derrière lui les rois enchaînés à son char. La belle-mère de Plon se souvenait du jour où Napoléon avait fait ses adieux à ses maréchaux dans la cour de Fontainebleau. C'était là une scène que Caroline voyait très bien à l'écran.

Des scénarios de films s'entassaient sur son bureau. Ils tenaient à la fois du fait divers et de la pièce de théâtre. Mais le plus amusant dans tout cela c'était qu'il n'y avait pas moyen de distinguer un bon d'un mauvais scénario. Celui qui sur le papier paraissait le plus mauvais se révélait parfois le meilleur à l'écran, et vice versa. Il y avait deux scénarios sur Napoléon écrits par des auteurs qui visiblement n'avaient jamais lu une seule ligne sur l'empereur. Caroline se demandait si elle arriverait à concocter quelque chose sur la vie de l'empereur, en mettant moins l'accent sur les scènes de bataille (toujours coûteuses pour la production) que sur les scènes de boudoir. L'Histoire au débotté, l'histoire en dentelles, en quelque sorte. Une histoire polie qui vous reçoit en déshabillé galant. Rose blanche avec un peu d'incarnat doux, comme Mme Récamier. La secrétaire appela :

« Mr. Hearst », dit-elle avec respect. Leur Napoléon à eux. Caroline décrocha le récepteur.

« C'est le Chef, dit une petite voix haut perchée à l'autre bout du fil.

— Ici la squaw », répondit Caroline.

Il y eut un silence.

« Je suis désolé, finit par dire Hearst. C'est une habitude chez moi.

— Chez moi aussi. »

Insensible à l'ironie, Hearst ne comprenait que les plaisanteries les plus grosses et les plus rebattues.

« Je suis aux Beaux-Arts. Venez déjeuner avec nous. J'ai des nouvelles. »

Caroline répondit qu'elle serait enchantée de déjeuner une seconde fois et d'entendre ce qu'il avait à lui dire.

La matinée était fraîche, le ciel couvert, les rues vides. Les troupes n'étaient pas encore rentrées, et la grippe gardait encore les gens à la maison. Caroline était devenue fataliste et ne portait plus de masque.

Les Beaux-Arts dans la Sixième Avenue rassemblait la haute bohème de New York. Acteurs et actrices aimaient à se retrouver dans ces pièces à haut plafond, tout en stuc, aux murs percés de fenêtres à meneaux. C'était dans ce cadre fastueux que Hearst avait installé sa maîtresse, Marion Davies. Un maître d'hôtel japonais introduisit Caroline dans le salon où Hearst se tenait debout sous un portrait de lui. Marion bondit comme une chatte du canapé où elle était allongée dans sa robe rose pailletée d'or, et s'accrocha autour du cou de Caroline. Elle eut un large sourire qui accentua la rotondité de son visage, où des gouttes de sueur perlaient, et de tout son cœur elle l'embrassa, puis se moucha. Ah, que c'était chic d'avoir une femme pour copine ! Caroline fronça la narine. Marion sentait le vin. Le Chef ne buvait pas, et faisait son possible pour décourager les autres, mais Marion n'était pas facile à décourager :

« Mon film, dit-elle en patinant sur ses mots, ne commence pas avant la semaine prochaine. Alors Pops et moi, on se paie des vacances à la maison...

— Je préférerais Palm Beach », dit Hearst en tendant à Caroline une édition matinale de l'*American* sur laquelle elle put lire cette manchette : « T.R. EST MORT. »

« C'est une plaisanterie ? »

Hearst était réputé pour ses farces. Il lui arrivait de terrifier ses hôtes en leur montrant de fausses manchettes peu différentes de ton du reste de celui de ses articles habituels).

« Non. Il est mort à Oyster Bay la nuit dernière. Nous sommes les premiers à l'annoncer.

— J'espère que nous ne serons pas les derniers au *Tribune*. »

Depuis le récent séjour de Roosevelt à l'hôpital Roosevelt, Caroline avait demandé qu'on préparât la notice nécrologique, mais personne ne s'était attendu à ce qu'un pareil énergumène s'éteignît tout d'un coup comme une chandelle, surtout à la veille d'une résurrection politique.

« De quoi est-il mort ?

— D'une embolie cérébrale. La nuit dernière dans son sommeil. Ça ne me ferait rien de partir comme ça.

— Pops ! s'exclama Marion en se resservant de vin.

— J'en prendrais bien un verre moi aussi, c'est un vin du Rhin ? » dit Caroline en regardant l'espèce d'ours énorme que Hearst était devenu, et qui ressemblait si peu au jeune homme dégingandé vêtu de couleurs voyantes qu'elle avait connu il y a vingt ans. « Cela change tout, dit Caroline, en se demandant au juste ce qui allait changer.

— Les Républicains n'ont plus de candidat, ça c'est sûr. Ça fait des mois que T.R. était en train de préparer son coup. Lui et Taft avaient enterré la hache de guerre. Il allait faire équipe avec Beveridge pour contenter les progressistes. Il l'aurait remporté.

— Contre Wilson ?

— Oui, mais pas contre moi.

— Vous ? fit Caroline en regardant la manchette d'un air absent.

— Pops possède toutes sortes de lettres de cet homme épouvantable qui a touché de l'argent des gros pontes du pétrole ainsi que d'Hannah... Hannah quoi ?

— Mark Hanna, précisa Hearst avec son mince sourire. Cette fois je l'aurais mouché. Je lui aurais rendu la monnaie de sa pièce...

— Je ne comprends pas, interrompit Caroline.

— Vous ne vous rappelez pas, lorsqu'il a essayé de me coller sur le dos le meurtre de McKinley ? A l'époque il avait prétendu que c'était moi, ou plutôt le *Journal*, qui avait incité l'assassin à commettre son meurtre, alors qu'il y en a qui pensent qu'*il* n'aurait pas les mains si propres que ça...

— Roosevelt ?

— C'est ce qu'on dit, je ne fais que répéter. Roosevelt et Rockefeller auraient été dans le coup pour empêcher McKinley de s'attaquer au monopole de la Standard Oil. C'est pourquoi Roosevelt a laissé Rockefeller tranquille. Il a fallu que je le force, et même alors il n'a rien fait d'autre qu'aboyer. »

Comme beaucoup de journalistes, Hearst était le premier à croire ses propres histoires. Lorsque Caroline s'était lancée dans le journalisme, elle avait été frappée par le nombre de gens ordinairement sains d'esprit capables de produire au débotté un nombre impressionnant de « preuves » soigneusement documentées attestant, par exemple, que l'assassin de Garfield aurait été stipendié par les jésuites ou même les sionistes. Et quand les preuves qu'ils avançaient étaient réfutées, ils en produisaient d'autres, et ainsi de suite. Aujourd'hui Hearst feignait de croire que Roosevelt avait été impliqué dans le meurtre de McKinley.

« Le mentionnerez-vous dans la notice nécrologique ?

— Non, répondit Hearst en se dirigeant vers la salle à manger, mais un jour je compte m'en servir.

— Pauvre Pops ! »

Marion s'assit en face de Hearst, et Caroline à sa droite. Caroline parla du câblogramme de Blaise. Mais Hearst ne s'intéressait ni à la Conférence de la Paix ni à Wilson, qu'il détestait pour son côté maître d'école et aussi parce qu'il occupait la place qui aurait dû lui revenir de droit. En revanche, il tomba à bras raccourcis sur son dernier ennemi en date, Al Smith, le gouverneur irlandais de New York dont l'alliance avec Tammany avait empêché Hearst d'être élu maire de New York aux dernières élections.

« Maintenant le gouverneur rouspète parce que c'est moi qui suis chargé d'accueillir officiellement nos troupes à leur retour...

— Ce sera épatant pour Pops, dit Marion en louchant mélancoliquement en direction de son verre vide. Les navires, les troupes, les boys qui descendent, les caméras d'actualités, et lui au milieu. Et il y aura aussi le maire : c'est lui qui a désigné Pops et qui a fait de mon vieux — il s'appelle Pop lui aussi — un magistrat dans le Bronx... »

Marion s'interrompit pendant que le maître d'hôtel japonais lui remplissait son verre.

« C'est Roosevelt qui aurait dû les recevoir à ma place, mais comme il n'est plus là, ce sera moi, dit Hearst. Mère non plus d'ailleurs.

— Non plus quoi ?

— Elle ne sera pas là. Ma mère.

— Elle a la grippe, expliqua Marion d'un air ravi.

— Je ne savais pas qu'elle était ici.

— Elle est venue pour les vacances des gosses. Je l'ai pourtant avertie. Je lui ai dit : vous allez attraper la mort. Mais elle n'a pas voulu m'écouter, c'est comme si j'avais sifflé Malebrouque. A présent elle est bien attrapée. Elle va rentrer en Californie. Elle a fait don de 21 millions de dollars à des œuvres de charité...

— C'est moins que vous n'avez dépensé pour vos journaux, et... pour vos films, dit Caroline en jetant un clin d'œil à Marion.

— Si vous le dites... mais c'est vrai que je perds de l'argent. Pas vous ? »

Caroline était habituée à ce que le Chef lui parle avec franchise. D'ailleurs il ne l'avait jamais traitée comme une femme, ni même comme un homme, mais plutôt comme un égal, ne manquant jamais une occasion de la féliciter pour ce qu'elle avait fait du *Tribune*.

« Non. Nous faisons des bénéfices. Ç'a été une bonne année pour le *Tribune*...

— Je ne parlais pas des journaux. On ne peut pas perdre de l'argent quand il y a une guerre. Je voulais dire avec vos films.

— Nous souffrons comme tout le monde. Mais nous sommes tout de même dans les chiffres noirs.

— Pops lui est dans les chiffres rouges, précisa la cause immédiate de ces pertes tout en croquant une truffe au chocolat. C'est normal, il paie trop cher ses employés...

— Je veux le meilleur, c'est comme pour le journal...

— Nous avions une scène où je rencontre mon amoureux dans un cottage anglais, et je joue j'ai oublié avec qui. Tout ça, c'est un peu flou. Vous savez, j'ai fait cinq films l'année dernière, cinq personnages différents avec au moins cinq cents costumes différents, sans compter les interviews. Ah ! les interviews, si vous saviez ce que c'est, c'est rien que des menteries, avec toutes ces cabotines qui disent toujours exactement au lieu de dire oui — elles pensent que exactement ça fait plus assuré, plus précis, plus enjoué que oui —, et puis si on les interroge sur leurs projets et si pas de contrat en vue elles l'avouent jamais, elles disent : oh vous savez j'ai avant tout besoin de me reposer à la campagne. Alors le public là-dedans pour s'y retrouver !... Bref, Pops arrive sur le plateau et je me tiens devant la cheminée pleurant toutes les larmes de mon corps, et il y a là — ah oui je me souviens maintenant — Ramon Novarro, qui n'est pas mon soupirant mais l'homme qui me fait chanter à cause de je ne sais plus quoi, bref une sombre histoire. Et alors Pops dit : " Cette cheminée ne cadre pas avec l'époque. " Alors Mr. Urban, le décorateur le plus cher du monde, qui dit à Mr. Ziegfeld où acheter ses décors, dit : " Mais si, d'ailleurs les gris font ressortir les noirs. Pourquoi ça ne vous plaît pas ? " Alors pendant qu'ils sont tous en train de farfouiller dans les entrepôts de Pops où il fourre toute sa camelote — parce qu'il sait qu'il possède quelque part cette foutue cheminée, mais il ne sait plus où elle se trouve —, pendant ce temps-là on interrompt le film mais tout le monde continue d'être payé.

— C'est des choses comme ça qui... » commença Hearst, puis se ravisant il ajouta : « Nous devrions faire un film anticommuniste...

— Je suis justement en train d'en tourner un », répondit Caroline, qui n'avait jamais très bien compris l'utilisation de la première personne du pluriel par Hearst. Collégial ? impérial ? éditorial ?

« Zukor aussi. Il a acheté les droits de cette pièce, vous savez ?

— *Paid in Full* d'Eugène Walter, oui, je sais. Tim dit que son film est en compétition avec celui-là.

— Plus on aura de films comme ça, mieux ça vaudra. Quand il n'y a plus d'épidémie, c'est les rouges qu'on a sur le dos. C'est comme ça, un fléau chasse l'autre. Il n'y a rien de tel pour ressouder une nation...

— Il paraît qu'il y a un club d'admirateurs de Marion Davies à Moscou, dit Marion impressionnée par sa célébrité.

— Il en existe probablement un dans chaque pays. Et nous pensions que les journaux, c'était quelque chose. C'est drôle comme les Juifs ont piqué à cette idée avant nous. »

Comme tout le monde dans la profession, Caroline avait longuement réfléchi à ce problème.

« Vous ne pensez pas que c'est parce qu'ils appartiennent à la même classe sociale que la majorité du public jusqu'à hier encore. Des immigrants fraîchement débarqués qui ont tout juste de quoi se payer le cinéma ?

— Alors, pourquoi n'y aurait-il pas d'Irlandais et d'Italiens dans la profession ? dit Hearst en secouant la tête. Non, c'est la mode, ajouta-t-il.

« — La mode ? Que voulez-vous dire ?

— Zukor et Loew possèdent la moitié des salles de cinéma du pays, plus Famous Players et la Paramount, et ils viennent d'avaler Triangle ainsi que la plupart des autres petites compagnies à part vous et moi. Or ils ne sont pas allés à Yale comme nous.

— Comme vous. Je ne suis qu'une femme.

— Laissez-le dire, Caroline », intervint Marion.

Elle était un peu grise, mais elle était aussi secrètement suffragette ainsi qu'elle l'avait confié un jour à Caroline.

« C'étaient des immigrants certes, mais dans la fourrure, et Zukor a fait une petite fortune rien qu'en devinant la mode que porteraient les femmes l'an prochain. Renard argenté.

— Ah oui ?

— Il a ramassé un paquet en juin en prévoyant que toutes les femmes porteraient du renard argenté cet hiver... Puis il a acheté tous les nickelodeons. Puis il a compris qu'on pouvait gagner de l'argent avec des films qui durent le même temps qu'une pièce de théâtre, ce que tout le monde croyait impossible, prouvant par là que ce qui était bon pour les masses valait également pour les rupins. Et ça a marché. Incroyable. Ce sont presque tous des fourreurs juifs sachant à peine l'anglais, venus pour la plupart de Hongrie. Vous imaginez ! Et ce sont eux les maîtres de la profession. Heureusement que ce sont de bons Américains, ça je dois dire. Ils nous rendent service, c'est vrai. Seulement où sommes-nous dans tout cela ?

— Griffith tout de même...

— C'est un Juif lui aussi. Mais il le nie, parce qu'il est du Sud et qu'il se prend pour un gentleman, grand bien lui fasse ! D'ailleurs c'était un acteur. »

Il n'y avait pas pire insulte dans la bouche de Hearst.

« Moi aussi je suis une actrice, protesta Marion en lui lançant un regard furieux par-dessus son verre.

— Non, tu es une star.

— De toute façon, dit Caroline, il y a beaucoup d'argent dans le cinéma. »

Le Chef hocha la tête.

« Oui, à commencer par le mien. »

Ils furent alors rejoints par Edgar Hatrick, le jeune homme chargé de diriger les entreprises cinématographiques de Hearst. Comme ils allaient parler ensemble de leurs affaires, Caroline en profita pour regagner son hôtel, le Plaza, un hôtel moderne et confortable construit en 1907 sur l'emplacement de l'ancien Plaza.

Elle trouva dans son salon les dix journaux qu'elle étudiait chaque jour pour voir comment un même événement était relaté selon les opinions publiques des différentes parties du pays. Mais son intérêt dériva bientôt sur le cinéma. Quelle chose insidieuse ! Comme un rêve éveillé qui vient se substituer à nos propres rêveries. Il y avait là bien sûr une force. Mais que représentait-elle ? En quoi consistait-elle ? On pouvait comme Creel l'utiliser à des fins de propagande. Mais les journaux faisaient cela très bien. Alors quoi ? Le cinéma n'avait pas encore développé toutes ses virtualités, et Caroline comprenait très bien l'espèce de fascination qu'il exerçait sur quelqu'un comme Hearst. Un film, c'était d'abord le reflet d'un fait réel. Tel jour, dans tel lieu elle avait effectivement frappé un acteur français à l'aide d'un crucifix en bois, et maintenant il existerait peut-être pour toujours un souvenir de cet événement bouleversant. Mais Caroline Sanford n'était pas la personne que des millions de gens avaient vue dans cette église en ruine. Ils avaient vu Emma Traxler dans le rôle d'une mère franco-américaine (Madeleine Giroux) soulever un crucifix qui avait l'air d'être en métal (mais qui ne l'était pas), et en frapper un acteur français incarnant un officier allemand dans une église en ruine qui était en réalité un décor de théâtre. Le public sait bien qu'il s'agit d'une histoire inventée, comme au théâtre, mais le fait qu'une histoire tout entière puisse l'envelopper, peupler ses rêves, nocturnes et diurnes, constitue une seconde réalité, parallèle à la réalité de tous les jours. Pendant deux heures de temps réel — le temps qu'un faisceau lumineux éclaire une pellicule de film mobile — Caroline était trois personnes à la fois. Désormais la réalité pouvait être entièrement inventée, et l'histoire revisitée. Soudain Caroline éprouva ce que dut éprouver Dieu lorsqu'il contempla pour la première fois le chaos, en n'ayant rien d'autre que lui-même présent à l'esprit.

CHAPITRE VI

1

Blaise serra la main de son beau-frère. Depuis la mort de Plon, André était devenu prince d'Agrigente. De dix ans l'aîné de Blaise, il aurait pu facilement passer pour son père. Il avait les cheveux blancs, le visage blême, seuls les yeux noirs semblaient vivants au milieu de toute cette blancheur arctique. Comme Plon, il avait fait un mariage d'argent, mais contrairement à Plon, il avait conservé de bonnes relations avec sa femme, à qui il rendait visite plusieurs fois par an dans sa maison de famille près d'Aix-les-Bains. Il vivait à Paris avec sa maîtresse et ses deux enfants, qui n'étaient pas de lui, car il y avait vingt ans qu'il était impuissant, comme il aimait à le rappeler avec un sombre orgueil.

Blaise considérait avec plus de curiosité que de sympathie ce beau-frère qu'il connaissait à peine.

« Tu as maigri », dit-il en entrant au bar du Crillon. L'hôtel tout entier était occupé par la délégation américaine.

« Pas toi, dit André en promenant son regard autour de lui. Je n'ai jamais vu autant d'Américains à la fois.

— Viens en Amérique.

— A quoi bon ? Ils viennent chez nous. Tu les aimes ?

— J'en suis un.

— Je ne le pense pas.

— Tu verras. »

Ils s'assirent à une table près du bar. La salle retentissait de grognements et d'aboiements en anglais. La plupart des hommes étaient relativement jeunes, et les femmes étaient rares. Le Président attendait des délégués américains venus signer à Paris une paix éternelle pour l'humanité entière une conduite exemplaire. Par conséquent tout le monde se prenait très au sérieux, à commencer par le Président.

André commanda un whisky. Comme beaucoup d'hommes de sa classe, il avait adopté un certain nombre d'habitudes anglaises. Blaise prit un Pernod.

« Votre Président est-il aussi stupide qu'il en a l'air ? »

Pour André la politique ne présentait qu'un intérêt très relatif. Comme Saint-Simon, son auteur favori, les personnes l'intéressaient plus que les idées.

« Tu le trouves si stupide ? »

Blaise était toujours agacé quand un Européen se permettait de critiquer les Américains, ce que pour sa part il faisait constamment.

« Ses discours, reprit André en roulant des yeux au plafond, sont d'un niais. Et il y a des imbéciles qui gobent ça. Je veux dire : je le trouve très protestant...

— C'est sa mission qui veut ça.

— Un nouveau Messie, hein ? Ma foi, il en a tout l'air. Il suffit de l'avoir vu répondre aux acclamations de la foule. Un homme qui plaît à la populace ne sent jamais très bon à mon nez. Je l'ai vu faire son entrée ici : le saint d'outre-Atlantique. C'est d'un risible ! Maintenant qu'il a fait son numéro, je suppose qu'il va rentrer chez lui.

— Non. Il va rester jusqu'à la mi-février, ensuite il rentrera pour ajourner le Congrès et il reviendra, à ce qu'il paraît. »

Lansing apparut à la porte. Aussitôt le silence se fit dans le bar. Deux hommes se levèrent à une table et le rejoignirent. Puis tous les trois disparurent.

« Et celui-là c'est quelqu'un d'important ?

— Non, ce n'est que le secrétaire d'Etat. L'un des délégués à la conférence. »

Wilson n'avait consulté personne pour désigner la délégation américaine. Il avait choisi Lansing, House, un général, membre du Conseil suprême de la guerre, et comme Républicain Henry White, un diplomate de la vieille école, un maître charmeur dépourvu de tout poids politique fors son amitié pour feu Theodore Roosevelt. (Que les walkyries, heio-to-to, aient son âme !)

Après l'entrée triomphale du Président à Paris, tout le monde pensait que le traité ne tarderait pas à être signé. En réalité il ne s'agissait là que de la Conférence préliminaire de la Paix où on devait décider des conditions à imposer aux Allemands relatives à leur participation à la Conférence de la Paix proprement dite. Comme les choses traînaient en longueur, Wilson fut invité par les Premiers ministres anglais et italien, Lloyd George et Orlando, à visiter leurs pays respectifs. Deux semaines de bains de foule au terme desquelles Wilson regagna son quartier général du palais Murat, exténué mais exalté, comme l'avaient prévu ses collègues européens.

Entre-temps Blaise avait travaillé avec le colonel House, dont l'état-major occupait presque tout le troisième étage du Crillon, sous le contrôle de son gendre, Gordon Auchincloss, un cousin par alliance des Apgar. Blaise servait d'agent de liaison entre la délégation américaine et la presse française, dont la causticité à l'égard du « Messie américain » rejoignait le mépris d'un Clemenceau pour tous ces idéalistes qui croyaient qu'on pouvait changer la nature humaine. Le prince d'Agrigente partageait la même conception pessimiste de l'homme que le radical Clemenceau. A droite et à gauche on était pareillement misanthrope.

« Il est superflu de nous demander de faire preuve de clémence vis-à-vis de l'Allemagne, après ce qu'ils nous ont fait. C'était déjà pareil en 70...

— Tu oublies les guerres napoléoniennes...

— Les guerres sont plus meurtrières de nos jours, et les survivants vivent plus longtemps. Mon cher Blaise, les Allemands reviendront un jour ou l'autre si nous ne morcelons pas l'Allemagne en petits Etats comme avant Bismarck. »

Blaise avait déjà entendu ce genre d'arguments. C'était l'ennui avec la politique. Comme les questions importantes étaient toujours posées dans les mêmes termes, elles appelaient invariablement les mêmes réponses. Comment, après cela, arrivait-on à résoudre quoi que ce soit ? Mystère et boule de gomme. En ce qui concernait la conférence, Blaise pensait qu'elle serait « gagnée » par la faction la plus patiente. Tôt ou tard Wilson finirait par se lasser. Cependant Blaise était convaincu qu'il était l'homme de la situation et qu'il travaillait dans le sens de l'histoire. Si tant est que l'histoire eût un sens, ce qui était une autre histoire... Or l'histoire a toujours montré que les combinaisons politiques les plus hardies, et le savoir-faire politique le plus retors, sont impuissants contre un homme qui a un plan, si en plus il dispose de la force. Et ce n'était pas un hasard si Wilson était justement le plus populaire dans les trois pays (France, Angleterre, Italie) qui avaient perdu plusieurs millions d'hommes au cours des quatre dernières années, sans parler de ceux encore plus nombreux qui étaient morts de la grippe.

George Creel s'assit à leur table sans y avoir été prié. André le dévisageait d'un air amusé comme s'il avait eu affaire à une bête curieuse. « Comment va la chambre 315 ? » Creel feignait de croire que Blaise et lui appartenaient à deux camps rivaux. Ce qui n'était pas entièrement faux. Comme House et Lansing étaient perpétuellement à couteaux tirés, leur antagonisme se reflétait naturellement dans leurs états-majors respectifs. Creel était le chef en titre de la propagande, mais House et son gendre n'en étaient pas moins de formidables manipulateurs de la presse. Sous ses airs modestes et effacés, le colonel House était l'interlocuteur préféré des journalistes. Après avoir été les yeux et les oreilles de Wilson, House passait maintenant pour être son cerveau. Un jour, c'était certain, Wilson en prendrait de l'ombrage, et ce serait goodbye monsieur House. Lansing n'était pas assez imaginatif pour créer des dissensions entre Wilson et House, et Creel ne pouvait le faire qu'indirectement. Blaise avait eu l'impression à bord du *George Washington* que Wilson était assez mécontent de ses deux adjoints. Chacun à sa façon lui avait reproché d'engager le prestige de la présidence dans ce qui n'était en somme qu'une partie de poker jouée dans un tripot avec des coupe-jarrets. Mais voilà, Wilson, enflammé d'un zèle missionnaire et grisé par l'encens de la popularité, s'était cru l'instrument désigné par la Providence pour exaucer tous les espoirs de ces foules crottées, poudreuses, en sueur, dont l'odeur même avait donné la nausée à Blaise, lequel avait dû regagner au plus vite sa chambre du Crillon.

« 315 est impatient de se mettre au travail, et chez vous ?

— Lansing a des problèmes avec Clemenceau », répondit Creel, puis se tournant vers André, il ajouta : « Vous ne feriez pas partie de sa famille ou de son cabinet, par hasard ?

— Grands dieux, non ! Je suis ce qu'on appelle un homme de loisir. Je suis comme les lys des champs, qui ne filent ni ne tissent ; par contre j'adore regarder les fourmis courir dans tous les sens, quand quelqu'un a donné un coup de pied dans la fourmilière. »

Blaise était ravi de voir qu'André ne faisait aucun effort pour se mettre à la portée de ses compatriotes américains.

« C'est une façon de voir les choses en effet, dit Creel qui était insensible à ce genre de remarques. Clemenceau attend que l'euphorie des premiers moments soit retombée avant de commencer le marchandage. Lansing voudrait qu'on commence tout de suite par le traité, avant d'aborder le problème de la ligue. »

Blaise hochait la tête.

« Mais comme le Président est plus intéressé par la ligue que par le traité, Lansing ne doit pas s'étonner de l'influence du troisième étage. »

House approuvait toujours le Président en sa présence ; Lansing, lui, osait discuter, jusqu'à un certain point.

« Le colonel est bien entouré par sa famille, dit Creel. Ils sont presque aussi nombreux que les délégués.

— Un homme chargé de famille suscite toujours la sympathie », remarqua Blaise.

En réalité Blaise avait été le premier surpris de la désinvolture avec laquelle House avait arrangé ses affaires privées. Le Président n'était venu qu'avec sa femme. Francis Sayre, son gendre, qui avait pourtant travaillé avec le groupe de recherche, était resté à Washington. Wilson avait déconseillé à ses délégués d'emmener leurs femmes, à l'exception des hauts fonctionnaires. Ce qui n'avait pas empêché House de venir avec sa femme, sa sœur, sa fille, et son gendre, Gordon Auchincloss, lequel avait emmené à son tour son associé et la femme de celui-ci. En ce moment même, House cherchait à donner Auchincloss comme secrétaire au Président durant la conférence, au grand émoi de Mrs. Wilson. Le Président, pour sa part, semblait au-dessus de ces trivialités. Un Messie se soucie-t-il des problèmes d'intendance ?

« Clemenceau a vécu aux Etats-Unis dans sa jeunesse », expliqua Creel, en saluant de la main deux collègues qui sortaient du bar. Ce soir tout le monde ferait la fête. Demain la conférence commencerait à dix heures trente. Clemenceau avait choisi exprès le 18 janvier, jour anniversaire de la proclamation du Deuxième Reich par Bismarck dans la galerie des Glaces de Versailles. « Il a même épousé une New-Yorkaise, dont il a ensuite divorcé.

— C'est sans doute ce qui explique son amour pour l'Amérique, jeta André.

— Quoi donc ? le divorce ou le mariage ? s'informa Blaise.

— Les deux.

— Avez-vous vu le film de votre sœur ? interrogea Creel, qui était plus ou moins conscient d'une vague parenté entre Caroline et André.

— Vous voulez parler de ma demi-sœur. Non, je n'ai jamais vu de film, à vrai dire. Je joue au bridge. On ne peut pas tout faire. Mais j'ai entendu parler de ce film, et j'ai même vu que quelqu'un avait pris le nom de notre grand-mère, Emma Traxler. Serait-ce Caroline ?

— Non, répondit Blaise, qui ne savait pas si Creel était au courant.

— Non, répondit Creel en souriant pour montrer qu'il n'était pas dupe. Elle se contente de produire des films.

— Comme un prestidigitateur ? fit André. Vous savez, ces gens qui *produisent* quelque chose à partir d'un chapeau ?

— C'est tout à fait ça », approuva Blaise en sortant sa montre de son gousset. Il avait rendez-vous à dix heures (la nouvelle heure à la mode dans le Paris d'après-guerre) avec la femme qui avait été jadis sa maîtresse.

« J'ai un dîner en ville, dit Blaise. Vous serez là demain pour l'ouverture ? »

Creel hocha la tête.

« J'y resterai jusqu'à ce qu'on me flanque à la porte, je suppose.

— Moi de même. »

House avait dit à Blaise qu'il pourrait assister à la conférence s'il le désirait. Mais Blaise avait décidé de n'y aller que si Creel bénéficiait de la même faveur. Il ne voulait pas risquer d'accroître la zizanie entre les services. En réalité la conférence préliminaire était ouverte à une variété d'observateurs privilégiés, tandis que la Conférence de la Paix proprement dite devait, elle, se dérouler à huis clos — si tant est qu'on pût parler de huis clos pour une conférence à laquelle participaient soixante-douze délégués appartenant à vingt-six nations. La carte de l'Europe centrale allait être entièrement redessinée, et théoriquement Wilson devait tenir le crayon bleu qui ferait surgir du néant des pays entièrement nouveaux comme la Tchécoslovaquie, tout en démembrant d'anciens empires comme l'Autriche-Hongrie.

« J'espère que le colonel House est rétabli, dit Creel.

— Oh, la grippe est partie comme elle était venue. Comme le Président. »

Lorsque Wilson était venu voir House au Crillon, il était passé devant le bureau de Lansing sans même s'arrêter. Consternation dans l'entourage du secrétaire d'Etat.

« Mais sa vésicule le chicane toujours autant, dit Creel. Messieurs, je vous salue. »

Et il s'en alla.

« Quels drôles de gens tout de même ! fit André.

— Qui donc ?

— Les Américains, pardi ! J'avoue que j'ai un peu de peine à les comprendre.

— Ce n'est pas nécessaire.

— Mais si. Tu en es bien un, toi. Et Caroline ?

— Oh, elle ! elle l'est bien davantage. Elle est complètement naturalisée.

— Comme notre mère. C'est elle qui nous a ramené votre père.

— Oui, c'est elle le trait d'union, Emma de Traxler Schuyler d'Agrigente Sanford. Mais moi je ne descends pas d'elle.

— Dommage. »

Blaise se demandait pourquoi les enfants d'Emma étaient tous si fiers de descendre d'une femme qui, de l'aveu même de Caroline, avait provoqué la mort de la mère de Blaise afin de pouvoir épouser ensuite son père et l'argent des Sanford. Ils étaient également tous fiers de descendre d'Aaron Burr par le père d'Emma, qui avait été un des nombreux fils naturels de ce brillant Vice-Président surtout connu pour le meurtre d'Alexander Hamilton. Dans sa jeunesse, Blaise avait été à la fois excité et horrifié à l'idée que sa famille par alliance comptât deux meurtriers. Mais la guerre et l'épidémie de grippe avaient ôté toute séduction à l'idée de meurtre. Dire qu'il ne pourrait plus jamais parler à Plon !

Blaise n'était encore qu'un adolescent quand il était devenu l'amant d'Anne de Bieville dont le fils était ensuite devenu son meilleur ami. Plus tard Anne était venue le retrouver en Amérique. Ses camarades de Yale étaient loin de se douter que pendant qu'ils s'enivraient et bavassaient sur les filles, en vrais puceaux qu'ils étaient, lui de son côté jouait les hommes mariés.

Le temps et la distance avaient tranquillement mis fin à leur liaison. Blaise se trouvait maintenant devant une femme qu'il n'avait pas revue depuis douze ans, et qui lui sembla inchangée, quoique vieillie. Elle devait avoir au moins soixante-cinq ans.

Elle portait une ample tunique sous laquelle l'œil le mieux exercé eût cherché en vain l'emplacement de ce qui avait été jadis une taille fine et des seins d'un modelé exquis.

Anne l'accueillit sur le seuil du salon où une vingtaine de personnes babillaient gaiement. La maison, d'une manière générale, lui parut moins belle que dans son souvenir. Anne avait perdu son mari depuis longtemps, et son fils avait été tué à la guerre.

« Nous n'en parlerons pas, dit-elle avec autorité. Recule un peu que je te voie mieux. Toujours aussi svelte...

— Toi, tu...

— Tais-toi. Je me suis rangée. Mais toi, tu es toujours... quelle était l'expression de Caroline ? Un poney fougueux ? J'aimais cela autrefois. Maintenant je ne monte plus. Il y a un temps pour tout.

— Plus de bataille ?

— Plus de guerre. Nous ne pouvons pas parler ce soir. Mais reviens demain, ou un autre jour. Cinq heures, c'est mon heure. Il y a tant de choses que j'aimerais savoir. J'ai vu Caroline dans ce film. Elle est très photogénique.

— Tu es une des rares à l'avoir reconnue. Elle aime ça.

— Quoi donc ?

— Le fait d'être à la fois célèbre et inconnue.

— On ne parle plus que d'Emma Traxler en ce moment à Paris. Mais parle-moi plutôt de Frederika. Non, pas maintenant. Les Jusserand sont ici. Ils voulaient te voir. Tu retrouveras aussi de vieux amis. Des gens que nous avons connus jadis. Clemenceau a failli venir. Mais il se réserve pour demain. »

Pour la première fois depuis des années, Blaise avait le sentiment d'être chez lui. Il est vrai que pour la première fois depuis des années il se trouvait dans une pièce remplie de gens qu'il connaissait depuis toujours et pour qui rien ne changeait jamais. Leurs rangs avaient beau avoir été décimés par la guerre — et Dieu sait s'ils l'avaient été ! —, ils restaient ce qu'ils avaient toujours été. Chacun connaissait sa place et pouvait se situer par rapport aux autres. C'était sans doute ça l'avantage d'avoir des ancêtres. On appartenait à une lignée, on avait sa place et on la gardait, un point c'est tout. Et quoi qu'on devienne par la suite, cela n'y changeait rien. En Amérique seule Boston offrait cet avantage. Mais Blaise n'était pas bostonien. Il était français parce qu'il avait passé les vingt premières années de sa vie à Paris et à Saint-Cloud-le-Duc, et que personne ne l'avait oublié.

Le monde ressemble à une piscine, se dit Blaise en se jetant à l'eau.

Il nagea gracieusement deux ou trois brasses en direction des Jusserand, qu'il abandonna après quelques sourires pour aller explorer des rivages moins familiers. Oui, c'était bien là le monde, cette petite élite raffinée et choisie dont il faisait partie, qu'il le veuille ou non.

« Vous connaissez ma mère, je crois », lui dit un jeune homme dont les traits lui semblèrent familiers. De génération en génération les familles perpétuaient leurs ressemblances : traits de physionomie, de caractère, tares physiques, comme dans les espèces animales.

« Sans doute. »

Blaise ne se souciait plus d'être pris pour un homme de passé quarante ans quand, de minute en minute, il se sentait redevenir le fringant poney auquel l'avait jadis comparé Caroline. Blaise identifia le jeune homme comme un Polignac. Il fut ensuite présenté à une jeune femme brune, plutôt grassouillette, qu'il ne remit pas tout de suite, bien qu'elle portât le nom illustre de duchesse de Valentinois. Blaise était ravi de la facilité avec laquelle il avait réintégré l'univers abandonné de sa jeunesse. Charlotte était la fille naturelle d'une actrice (qui aurait eu du sang noir selon certains, arabe selon d'autres) et du prince Louis de Monaco, dont l'absence d'héritiers avait tellement alarmé son père, le prince régnant, qu'il avait décidé de légitimer la jeune Charlotte et de la reconnaître comme l'héritière de cette principauté d'opérette sise au bord de la Méditerranée. Pierre de Polignac était aux Affaires étrangères.

« Je ne serai pas là demain pour l'ouverture de la conférence. Mon titre ne me sert à rien. Mais j'ai appris que vous y seriez.

— Comment cela ? demanda Blaise, surpris. Il n'y avait rien dans la presse.

— La presse n'est pas l'unique source de renseignements. Nous avons une liste secrète au Quai d'Orsay que j'ai consultée.

— J'assisterai à l'ouverture en tout cas.

— Nous avons tous beaucoup aimé votre sœur dans *Les Boches de l'Enfer*, dit la duchesse de Valentinois.

— C'est curieux, ici tout le monde l'a reconnue, et en Amérique personne.

— En vérité nous n'y sommes pour rien, expliqua Polignac. C'est *Le Figaro* qui a vendu la mèche. J'aimerais tant aller en Amérique ! »

Blaise parlait avec une aisance qui le déconcertait. Il parlait sans réfléchir, ce qui est bien agréable. Les mots coulaient de sa bouche comme une eau tiède, égale, bienfaisante. C'était une conversation faite de petits riens, de papotages, un de ces dialogues faits de demandes sans réponse, de compliments sans savoir ce que l'on dit, de civilités sans savoir toujours à qui l'on parle, et du milieu de tout cela il sortait des questions où, n'étant pas pressés de répondre, ceux qui les font demeurent dans l'ignorance et dans l'indifférence de ce qui en est. Mais tout cela contribuait puissamment à chasser l'ennui.

Etienne de Beaumont était un des maîtres de ce genre de bavardage. C'était un homme plein de charme et de vivacité, que Blaise connaissait depuis tout petit.

« Qui aurait cru qu'un jour tu deviendrais américain ?

— Qui aurait cru que je pusse jamais devenir autre chose ?

— Moi. »

Il y eut quelques murmures dans le salon pour saluer l'entrée de la reine de Naples. Elle avait perdu son royaume il y avait longtemps et maintenant son beau-frère, l'empereur d'Autriche, allait perdre son empire pour accéder aux désirs de Woodrow Wilson. Mais la reine avait conservé sa beauté et sa sérénité légendaires. Elle vivait modestement à Neuilly. Les dames firent la révérence, les messieurs s'inclinèrent.

« J'ai été influencé par cet ancêtre à vous qui a accompagné Tocqueville...

— Ah, ne me parle pas de ce renégat ! Beaumont lui au moins était resté monarchiste, tout comme moi, même sans y croire. Chrétien sans Dieu, monarchiste sans roi, me voilà. Nous voilà. Voilà où en est le Vieux Monde. Pierre de Polignac va épouser la petite Grimaldi et devenir prince consort de Monaco. Ayant échoué en littérature, que lui restait-il ?

— Les Affaires étrangères ?

— A titre purement honoraire.

— Et Monaco ?

— C'est la même chose, mais mieux rétribué. Vous nous avez manqué, mon vieux. Allez-vous rouvrir Saint-Cloud ?

— Ce n'est pas moi, c'est ma maison qu'on regrette.

— Au moins nous sommes francs. Bon Dieu ! les nouveaux mariés ! »

Un couple d'âge moyen s'approcha d'eux d'un air décidé, accompagné d'une jeune femme boulotte, plutôt vilaine. Blaise reconnut le duc de Montmorency. Mais aucune des deux femmes ne lui était familière.

« Mes félicitations. »

Blaise serra la main du marié qui parut enchanté d'être reconnu par ce cousin d'Amérique, mais il découvrit avec stupeur que la jeune femme qui escortait la duchesse était américaine.

« Je vous ai rencontré une centaine de fois, monsieur Sanford, mais vous ne vous souvenez sûrement pas de moi. Je suis une amie d'Elsie de Wolfe. Ce nom vous dit peut-être quelque chose ? »

Elsie de Wolfe était la grande prêtresse des mystères saphiques outre-Atlantique.

« Comment va votre charmant fils ? demanda Etienne de Beaumont à la duchesse.

— Fort bien, je vous remercie », puis se tournant vers Blaise la duchesse ajouta : « J'ai souvent eu l'occasion de voir votre superbe château de Saint-Cloud, mais toujours depuis l'extérieur...

— J'espère que nous aurons l'occasion de réparer cette erreur.

— Revenez vivre chez nous, s'exclama la dame. Notre Vieux Monde a besoin de sang neuf. Je sais que vous êtes très pris par votre journal. Mon mari y est abonné, vous savez. Bien sûr tous les journaux arrivent en même temps, ce qui fait que nous avons des piles de *New York Times* un peu partout à la maison. »

Le visage d'Etienne de Beaumont s'éclaira d'une lueur espiègle. La jeune Américaine vint à la rescousse.

« Cecilia, dit-elle d'une voix profonde, ce n'est pas le *New York Times* qu'il publie.

— Je sais, Elsa, je sais, dit la duchesse en souriant à Blaise. Excusez-moi, mais il faut que j'aille présenter mes hommages à la reine de Naples. Elle doit être horriblement déprimée par cette ennuyeuse petite république qu'on a imposée à l'Allemagne, et quand je pense que son pauvre papa, le Kaiser, est prisonnier en Belgique, je me demande où va le monde ! »

Le couple ducal, suivi de son escorte, traversa la pièce pour aller saluer la reine qui se tenait devant une grande glace encadrée d'or à côté d'Anne de Bieville.

« Cecilia est merveilleuse, observa Etienne. Elle comprend tout de travers. Tu ne te souviens pas d'elle ? »

Blaise secoua la tête négativement.

« Elle allait moins souvent dans le monde quand elle ne s'appelait que Mme Blumenthal née Uhlmann...

— Ah oui, je m'en souviens maintenant, elle était très riche. Elle désirait avoir un salon...

— Et un nom. Maintenant elle a les deux. Elle a aussi un grand fils de son premier mari. Et elle a exigé de ce pauvre Louis dans le contrat de mariage qu'il lègue son titre à son fils, ce qu'il a accepté en échange des millions Uhlmann-Blumenthal.

— Comme il est agréable de constater que rien ne change ici ! »

Etienne fronça le sourcil.

« Si, tout de même : autrefois il ne l'aurait jamais épousée malgré ses millions.

— L'affaire Dreyfus ?

— Ça et le reste. Le monde change, j'en ai peur. Bientôt nous n'y aurons plus notre place, nous autres. En tout cas notre pauvre Louis, devenu notre riche Louis, est maintenant connu sous le titre de duc de Montmorenthal.

— Je suis davantage choqué par la présence de cette grosse fille. De notre temps on ne l'aurait jamais invitée. »

Etienne eut un haussement d'épaules.

« Les grands ont toujours eu des bouffons. Celle-ci a plusieurs cordes à son arc. Dame de compagnie de la duchesse à ses moments perdus, elle est accompagnatrice de piano dans la vie. Elle s'appelle Elsa, Elsa Maxwell, et je suis prêt à parier qu'elle restera célibataire toute sa vie. Sa famille est-elle connue en Amérique ? »

Blaise plaida l'ignorance. Puis il s'inclina devant la reine de Naples, et embrassa Anne sur les deux joues.

« Si tu le désires, je peux te présenter à la reine des Etats-Unis, Edith Bolling.

— J'en serais ravie.

— Alors à bientôt. »

Blaise prit ensuite un taxi au coin de la rue de Bellechasse et du boulevard Saint-Germain :

« Hôtel Marigny, 11 rue de l'Arcade », dit-il au chauffeur.

Durant le trajet, Blaise se mit à réfléchir sur les mystères de l'attraction physique. Jeune homme il avait été extrêmement amoureux d'Anne, puis un jour il avait cessé de l'être. Ses goûts avaient changé. Maintenant il préférait les jeunes filles aux femmes de son âge. Anne avait eu la décence de ne pas s'accrocher. Elle avait été une maîtresse exquise, mais avec le temps elle aurait fini par remplacer la mère qu'il avait perdue en naissant, et bien qu'il eût parfois aimé en savoir un peu plus sur cet énigmatique personnage, son absence ne l'avait jamais beaucoup chagriné. En tout cas, il n'avait pas besoin de substitut.

La nuit était glaciale. Son haleine formait une espèce de petit halo laiteux à la lueur d'un réverbère. L'hôtel Marigny était un bâtiment étroit de cinq étages, avec deux chambres par palier. Il régnait à l'intérieur une odeur de betteraves bouillies, de poussière et d'encens. Au rez-de-chaussée, à droite de la cage d'escalier, était le bureau du gérant : petite pièce à peine plus large que les vécés du Crillon. Sur le pas de la porte se tenait Albert, homme d'une trentaine d'années, au teint pâle, aux manières cérémonieuses.

« Le monsieur américain », dit-il.

Le bureau comprenait un divan recouvert d'une étoffe bariolée, une table et une chaise.

« Nous sommes à court de meubles, je vous prie de m'en excuser. Je ne suis ici que depuis l'an dernier, et n'était la gentillesse de quelques amis, je n'aurais même pas de quoi m'asseoir. Il me semble que je vous ai déjà vu, n'est-ce pas ? »

Blaise hocha la tête, s'assit sur le rebord du divan, et refusa un verre de porto.

« Notre ami commun m'a dit... »

Albert eut un geste gracieux. A seize ans il avait quitté la Bretagne pour venir à Paris, où il avait servi comme valet de pied dans plusieurs grandes maisons. Il avait été notamment en place chez le prince Constantin Radziwill sur le compte de qui courait cette amusante petite comptine : « C'est être incivil que de parler des dames devant Constantin Radziwill. »

Avec les années Albert était tombé amoureux de l'aristocratie au point de devenir un expert en généalogie. Comme Saint-Simon, il était obsédé par les questions de préséance. Dans le Faubourg Saint-Germain, les vieilles dames ne juraient que par lui ; on le consultait souvent avant un dîner pour déterminer qui avait préséance sur qui, et où telle ou telle personne devait s'asseoir à table. Un jour on lui avait posé la colle suivante : si une dame devait inviter à dîner la duchesse d'Uzès et la princesse Murat (noblesse d'Empire), laquelle aurait le pas sur l'autre ? Albert avait répondu d'un air presque outré : « Aucune dame n'aurait jamais l'idée d'inviter ensemble ces deux dames. »

Albert parla quelques instants du temps, des Etats-Unis ainsi que de certaines personnes du grand monde, bien qu'avec circonspection ; puis il fit signe à son client de le suivre au premier. Là il ouvrit une porte, et Blaise put voir à l'intérieur de la pièce sans être vu de ses occupants. Il y avait là trois jeunes soldats assis sur un divan en train de boire du vin rouge, tandis qu'un garçon boucher, un tablier de boucher à petits carreaux taché de sang noué autour de la taille, était occupé à lire une feuille socialiste. Blaise les examina tous les quatre, puis il dit à Albert : « Le blond. »

Albert introduisit alors Blaise dans une chambre à coucher de reps rouge, meublée d'un lit à baldaquin, d'un lavabo et d'un bidet masqués en partie par un rideau de soie déchiré. Des rideaux de velours poussiéreux pendaient à la fenêtre. Blaise sentit son cœur battre plus vite. Il se regarda dans le miroir pour voir s'il n'avait pas le teint rouge. Mais l'image que lui renvoya le miroir était bien son image habituelle. Seulement, grâce à la poussière qui striait le miroir, il paraissait vingt ans de moins. Il se retourna et serra la main du jeune homme. Celui-ci — il ne devait pas avoir plus de vingt ans — balbutia quelques mots de bienvenue. C'était un pays d'Albert.

« J'ai été démobilisé le mois dernier, mais je n'ai pas voulu rentrer chez moi. Je m'amusais tellement ici. Je bois trop.

— Du calvados ?

— N'importe. J'ai vécu avec une femme pendant deux mois. Elle m'a pris tout mon argent. C'est pourquoi je suis là.

— Comme tes autres camarades ? »

Le garçon acquiesça de la tête. Blaise lui fit signe d'ôter ses vêtements. Il se déshabilla lentement, en rougissant légèrement. Il était novice, c'était évident.

« Le type qu'est déguisé en boucher, dit-il en laissant tomber sa chemise sur le plancher, en réalité il est tapissier, mais le propriétaire...

— Albert ?

— Non, le vieux. C'est quelqu'un de très malade. Il a le visage très pâle, avec de profondes orbites, et comme du charbon sous les yeux. Il porte toujours une pelisse et a du coton dans les oreilles. C'est lui qui a acheté l'hôtel pour Albert. Il aime le sang. Il aime parler de ces choses. Aussi quand Albert ne trouve pas de boucher, il demande à un type de se déguiser en boucher et de raconter au vieux comment on découpe les animaux. Il est obsédé par le sang. C'est un cinglé. »

Les caleçons tombèrent par terre, et le garçon se tint nu devant Blaise. Il avait les jambes arquées comme celles de Blaise — des jambes de garçon d'écurie — et ses cheveux blonds brillaient à la lumière de la lampe.

« Que dois-je faire ? demanda-t-il à la fois craintif et gêné.

— Tu n'auras pas à parler de sang, rassure-toi.

260

— Tant mieux, j'en ai assez vu comme ça. »

Blaise se déshabilla à son tour. Le garçon parut soulagé de voir que Blaise n'était pas un monstre.

« Tu ressembles à un poney, dit Blaise en lui caressant la poitrine. Mais tu n'as pas de poils. Je préfère ça.

— Je sens aussi un peu l'écurie, mais ce n'est pas ma faute. D'habitude je suis très propre. Mais je n'ai que cet uniforme. J'ai dû dormir avec pendant des semaines. »

Au cours des dernières années, Blaise avait eu si peu d'aventures masculines qu'il avait presque oublié le plaisir qu'on peut goûter avec un partenaire de même sexe, surtout s'il est plus jeune. La jeunesse de ce garçon agissait sur lui à la fois comme un aide-mémoire et comme une incitation au plaisir, et l'espace d'un moment Blaise s'identifia avec son moi originel. L'absence de complications concourait également à sa félicité. Avec les femmes, il entre toujours un élément sentimental, même avec les prostituées. On ne peut jamais tout à fait oublier que quelque part elles sont destinées à devenir mères. Rien de tel avec un garçon. Là le plaisir est sans mélange, la liberté complète. Mieux encore : on ne s'embrasse pas. Le baiser, c'est bon pour jouer au papa et à la maman après que le serpent et la pomme eurent fait du jardin de délices un jardin de supplices.

Une fois qu'ils furent rhabillés Blaise paya au soldat le double de la somme convenue.

« C'était très bien, dit l'autre, non sans quelque surprise.

— Tu pourrais recommencer, rien que pour le plaisir ?

— Peut-être, à condition qu'il n'y ait pas de femme. »

Ils se mirent à rire tous les deux, et sortirent de la pièce.

Blaise tenta de se rappeler le nom du romancier qui était propriétaire de cet établissement. Etienne de Beaumont le lui avait dit récemment. C'était un Juif, semi-invalide, qui, comme Albert, était obsédé à la fois par le sang et par la généalogie. Blaise lui fut néanmoins reconnaissant de lui avoir permis de retrouver, comme ça, sa jeunesse un soir d'hiver venteux dans le Paris d'après-guerre.

2

A l'entrée du Quai d'Orsay Blaise dut montrer patte blanche. Ce matin-là une petite brume glaciale s'était installée sur Paris, rendant le pavé gras et luisant. Le correspondant du *Tribune* se dégagea d'un groupe de journalistes pour venir saluer son patron. C'était un Anglais, élevé en France, bien introduit dans les milieux de la politique et des affaires. C'est du moins l'impression qu'il aimait à donner, et peut-être était-elle fondée.

« Le Président vient d'accoucher d'un petit Valentin. Le père et l'enfant se portent bien. »

Mr. Campbell pensait en outre comme un journaliste. On était, en effet, le 14 février 1919, fête de la Saint-Valentin. Après quatre semaines d'un labeur intensif et pour l'essentiel secret, contrarié plutôt qu'aidé par les travaux de la conférence réduite pour des raisons pratiques à un conseil de dix présidé par Clemenceau, Wilson avait enfin terminé la rédaction de son pacte relatif à la ligue des nations.

Le colonel House, dont la vésicule avait cessé de le taquiner, avait donc pu obtenir pour le Président le saint graal que celui-ci convoitait. Le 13 février à sept heures du soir les vingt-six articles avaient été acceptés par les dix. Et maintenant le Président allait présenter son nouveau-né dans la salle de l'Horloge avant de rentrer ce soir même à Washington à bord du *George Washington* pour rendre compte de sa mission devant le Congrès.

« J'ai déjà câblé le texte à Mr. Trimble, dit Mr. Campbell. J'ai pu l'obtenir hier soir à minuit grâce à un ami qui siège à la commission...

— Gordon Auchincloss ? »

House et son équipe harcelaient continuellement la presse aux dépens de Lansing et, semblait-il aussi, du Président lui-même.

« Oui, c'est une connaissance », répondit évasivement Campbell.

Blaise rejoignit la section militaire dans l'antichambre de la salle de conférences. Les portes étaient ouvertes et l'on apercevait une grande table en forme de fer à cheval autour de laquelle siégeaient les divers délégués. Les Français sont des diplomates-nés, songeait Blaise en s'asseyant sur une chaise laquée à côté d'un maréchal de France dont il ignorait le nom. Blaise avait appris que son collègue journaliste, lord Northcliffe, serait également présent, mais il ne l'avait pas encore aperçu. Et si par hasard il était mieux placé que lui (le Premier ministre anglais avait très bien pu intercéder en sa faveur...). Blaise Sanford, le directeur du premier journal de Washington, c'est-à-dire, allons-y carrément, du monde, quelle humiliation ! Blaise s'abandonnait à des rêves de grandeur, s'identifiait aux

Etats-Unis dont le Président venait tout de même de faire cadeau à l'Europe d'une paix éternelle.

La salle de l'Horloge était de proportions moyennes : vingt mètres sur quinze environ. Au milieu un grand tapis rouge. Des dorures et des peintures un peu partout aux murs. Une table en fer à cheval recouverte d'un tapis vert foncé, et sur la cheminée une immense horloge de style rococo. Clemenceau présidait au haut de la table, avec Wilson à sa droite. Mrs. Wilson était assise à l'une des deux extrémités du fer à cheval à côté de l'amiral Grayson. Elle portait une robe de kasha noire ornée d'une grappe d'orchidées brunes et roses semblables à des rognons de mouton.

Au cours du mois qui venait de s'écouler, Blaise avait eu l'occasion de s'entretenir avec les chefs des principales délégations. Il avait eu notamment une longue conversation sans queue ni tête avec Lloyd George. En réalité il s'était contenté d'écouter l'histrionique Gallois dans un de ses numéros de charme dont il avait le secret. Le Premier ministre italien, Orlando, en revanche, l'avait déçu. Il est vrai que ce dernier avait conclu tellement d'accords secrets pour prix de la présence de l'Italie à la table de négociation, qu'il n'était plus sûr d'obtenir un aussi gros morceau de l'Empire austro-hongrois que son peuple l'espérait.

Mais de tous c'est Clemenceau qu'il avait préféré. Ils avaient évoqué le souvenir de personnes décédées depuis longtemps, des amis du colonel Sanford. Clemenceau avait parlé de la guerre civile américaine durant laquelle il avait été correspondant de presse pour un journal français. Il se souvenait, disait-il, de l'aspect de la capitale fédérale, Richmond, après le départ victorieux de Lincoln. Il se rappelait également le siège de Paris par les Allemands en 70. Clemenceau avait ensuite questionné Blaise au sujet de Wilson, et Blaise l'avait trouvé moins méfiant qu'il ne l'avait escompté. Après avoir d'abord considéré Wilson comme une fripouille, à l'instar de Lloyd George, Clemenceau avait maintenant tendance à le considérer simplement comme un imbécile.

Le président du Conseil français portait une calotte noire et des gants de filoselle grise pour cacher son eczéma. Son visage ressemblait à un masque en parchemin jauni où brillaient des « yeux de tigre », selon l'expression des journalistes. On disait qu'il n'avait accepté le pacte de Wilson qu'en échange de coûteuses réparations que l'Allemagne devrait payer aux Alliés. Mais le fait qu'une Allemagne ruinée risquait de devenir bolchevique, comme la Russie, n'avait pas l'air de le préoccuper.

Wilson regarda la pendule, ramassa ses feuillets et se leva. Il avait le teint plus terreux qu'à l'ordinaire, mais quand il commença à parler, il y avait comme une jubilation dans sa voix. Wilson avait réussi à faire des Etats-Unis la première puissance du monde grâce à une guerre qui n'avait coûté à sa nation que cinquante mille morts alors que l'Allemagne, la France et la Russie avaient chacune perdu près de deux millions d'hommes et l'Angleterre un million. Toute une génération d'Européens avait été fauchée dans sa fleur, et l'année 1919 ne connaîtrait ni printemps ni été.

Wilson prononça son discours presque à voix basse. Il s'agissait en réalité, comme Blaise s'en aperçut au bout d'un moment, d'une déclaration d'interdépendance de tous les pays du monde. Ce que Jefferson avait fait pour treize colonies britanniques, son successeur voulait le faire pour la terre entière. Blaise regardait avec une certaine appréhension les visages des délégués de la Chine, du Japon, de la France et de l'Angleterre en train d'écouter comme de bons petits garçons bien sages leur professeur d'Amérique leur expliquer comment on pouvait conserver la paix, et qu'en réalité c'était aussi simple que d'arriver à l'heure en classe ou de ne pas bavarder dans les rangs. Quand il eut terminé son discours, Wilson posa les feuillets sur la table. Puis il se mit à parler du pacte en termes simples et émouvants. « Une chose vivante vient de naître, disait-il. Veillons à ce que les habits dont nous la vêtirons ne la gênent pas trop aux entournures. » Ces quelques paroles, écho de la pensée de Jefferson, firent une vive impression sur l'assemblée. « Je dirais que ce document est à la fois pratique et humain. Je crois qu'il est avant tout soucieux de la condition des hommes. Il vise des buts pratiques, mais il tend également à purifier, à corriger, à élever... » Même Clemenceau paraissait ému, tandis que Lloyd George cherchait un mouchoir pour se tamponner les yeux.

Après cette brève péroraison, le Président se rassit. Il n'y eut aucun applaudissement. Il avait improvisé sa conclusion à partir de quelques notes, exercice ô combien redoutable et redouté de tous les hommes politiques. Ses années de professeur d'histoire s'avéraient d'une grande utilité maintenant que Wilson n'avait plus à écrire l'histoire mais à la faire. Il parlait de lui-même comme s'il était déjà une figure du passé. Blaise avait du reste l'impression étrange que les événements dont il était le témoin s'étaient produits il y a longtemps. La grande horloge derrière Wilson avait déjà mesuré tellement d'années que tout ce qu'elle pourrait mesurer de temps à l'avenir semblait dérisoire en comparaison.

Le traducteur succéda au Président, lut rapidement le pacte et se débrouilla comme il put avec l'improvisation. Après un vote unanime et silencieux, Clemenceau ajourna la conférence.

Blaise se trouva ensuite propulsé par une marée de journalistes surexcités vers la tête du fer à cheval où George Creel disposait les chefs de gouvernement pour la photo d'usage. Wilson avait l'air singulièrement misérable, et Blaise l'entendit dire à Creel entre haut et bas :

« Dites-leur de ne pas utiliser leurs flashes. J'ai les yeux fatigués. »

Mais Creel n'était plus en mesure de contrôler la situation. Les principaux délégués se tenaient alignés. Wilson se tenait un peu en retrait, la tête légèrement tournée de côté. Les flashes crépitèrent. Wilson grimaça, puis cligna des yeux.

« Nous aurons tous l'air de cadavres alignés dans une morgue », dit-il à Lloyd George.

3

Il y avait deux trains à destination de Brest ce soir-là. Dans le premier se trouvait l'état-major du Président et dans le second la suite présidentielle proprement dite. Les troupes massées le long du quai présentèrent les armes au départ du premier train, vingt minutes avant celui du Président. Blaise partageait un compartiment avec les Roosevelt et David Gray, le jeune oncle d'Eleanor par mariage. Eleanor était venue en France pour visiter les hôpitaux et tâcher de se rendre utile, tandis que Franklin revenait d'un séjour à Bruxelles et en Rhénanie d'où il avait rapporté un grand nombre de souvenirs, dont un casque à pointe allemand qu'il avait posé à côté de lui sur la banquette.

Les Roosevelt saluèrent consciencieusement cette foule qui ne les connaissait pas. Noblesse — ou plutôt politique — oblige ! Après tout, Eleanor était la nièce de feu Theodore. Elle interrogea ensuite

Blaise sur le discours du Président. Elle relevait d'une pleurésie et elle était encore plus pâle, plus fantomatique que de coutume.

« Nous aurons donc une ligue des nations, conclut Blaise avec flegme.

— Je l'espère bien.

— L'opinion publique est derrière le Président maintenant, interjeta Franklin qui, tout en causant avec David Gray, n'avait rien perdu de ce que Blaise et Eleanor s'étaient dit. L'important à présent c'est de prendre le Sénat de vitesse. Avant que les Républicains n'ameutent l'opposition... »

Eleanor eut un petit rire nerveux :

« Mère m'a dit, je veux dire Mrs. Roosevelt, que toutes ses amies pensaient que Mr. Wilson était en réalité un bolchevique, et c'est pour cette raison qu'elle a cessé de voir les Whitelaw Reid. Mère a des principes. C'est quelqu'un de très loyal.

— Si seulement on pouvait en dire autant de tous les sénateurs démocrates ! s'exclama Franklin. Ils sont presque tous de mèche avec les Irlandais, quand ils ne sont pas payés par les Allemands. Ils oublient que sans Wilson ils n'auraient jamais été élus. »

C'était exagéré, songeait Blaise. L'opposition au Président à l'intérieur de son propre parti constituait le véritable noyau du parti démocrate : les bosses des grandes villes avec leur clientèle obéissante d'immigrants et les populistes bryanites comme Burden Day. Parti des banquiers et des hommes d'affaires, les Républicains avaient toujours été internationalistes. Ils avaient besoin du monde extérieur pour écouler leurs produits. Si la ligue devait avoir un auteur, c'était plutôt du côté des Républicains, comme l'ancien président Taft, ou Elihu Root, voire même le belliqueux Theodore, qu'il fallait chercher.

Mais Eleanor était surtout intéressée par la vie des soldats américains à Paris.

« On en entend de belles ! Si leurs mères savaient les dangers qu'ils courent !

— Autant qu'elles les ignorent, dit Franklin en jetant un coup d'œil complice à Blaise.

— Il paraît que ce sont les officiers qui se conduisent le plus mal, glissa David Gray. Nos troupiers, eux, ce qui les intéresse, c'est d'aller voir le tombeau de Napoléon, mais les officiers demandent plutôt l'adresse de chez Maxim.

— C'est bien ce qu'on m'a dit ! » s'indignait Eleanor. Une veine gonflait sa tempe et ses yeux d'habitude voilés par des paupières lourdes s'étaient subitement agrandis, saillants et rouges.

« Pauvre Franklin ! comme disait Alice Longworth. Il a Eleanor, la très noble, la toute-vertueuse ! Une vraie Romaine ! » Blaise aimait beaucoup Eleanor, mais il n'aurait jamais pu s'imaginer marié à un tel prix de vertu...

« Enfin, ils seront bientôt rentrés, reprit-elle, mais j'espère que ce n'est pas vrai ce qu'on dit...

— Et que dit-on ?

— Il paraît que les Français fournissent à leurs troupes des maisons, enfin des maisons spéciales... »

Elle baissa ses paupières et avala de la salive avec distinction. Son teint d'albâtre s'était coloré d'une roseur lactée de baby anglais.

Franklin esquissa un geste désolé.

« C'est triste à dire, mais c'est la vérité. Je me trouvais dans le bureau de Newton Baker quand le général March lui a raconté comment les Français se comportaient, et Baker lui a murmuré tout bas : surtout ne dites rien au Président, sinon il retirera nos troupes.

— Et il aurait eu bien raison », répliqua Eleanor, tandis que les trois hommes s'esclaffaient.

4

Blaise conversait avec David R. Francis, ambassadeur des Etats-Unis à Moscou, allongé sur un transat et emmitouflé jusqu'aux oreilles dans une épaisse couverture de laine. Le pont du *George Washington* était à peu près désert à cause du mauvais temps, mais Blaise adorait ces grands coups de boutoir du bateau dans ces lames gris lave semblables à des rochers surgis des profondeurs. Francis lui aussi supportait assez bien les remous. Ce qu'il supportait moins bien, en revanche, c'étaient les bolcheviques.

« Au début, on a cru que c'était un progrès, mais on a eu vite fait de déchanter. »

Un poudroiement d'écume lui fit faire la grimace. Il s'essuya le visage avec le coin de sa couverture.

« Mais comment tout cela s'est-il effondré ? »

Francis secoua la tête :

« Les Français. Les Anglais. Clemenceau. Ils veulent détruire la Russie. La Russie sous toutes ses formes, pas seulement le bolchevisme.

— Plus d'Empire allemand, plus d'Empire austro-hongrois, plus d'Empire russe... on les comprend. L'Angleterre règne sur les mers et la France sur le continent. »

Francis hocha la tête.

« Tout ça c'est très joli, mais à part l'Autriche, les empires subsistent toujours. Seuls les empereurs sont partis.

— Vous pensez qu'il y aura du grabuge ?

— Il y en a déjà. Nos soldats se battent en ce moment aux côtés des Alliés contre les bolchevistes dans le nord de la Russie.

— Combien y a-t-il d'Américains ?

— Plus de cinq mille. »

Francis loucha en direction du couchant. Une vague se brisa à tribord et l'instant d'après on vit luire le caoutchouc des imperméables de marins pareils à des peaux de phoques.

« Tout ça, c'est la faute du département de la Guerre. Au lieu de venir me faire leur rapport à Petrograd, ils sont allés le faire au commandant britannique à Arkhangelsk. Maintenant ils sont isolés par les glaces et la voie ferrée qui relie Mourmansk est coupée. Mais quand viendra le dégel, comment ferons-nous pour les sortir de là ?

— A coups de baïonnette, d'après le jeune Mr. Churchill. Il prétend qu'il y a un demi-million de soldats anticommunistes prêts à renverser le gouvernement bolchevique, si nous les aidons.

— Alors qu'il montre l'exemple, et qu'il prenne leur tête, déclara Francis avec une pointe d'aigreur dans la voix. Je l'ai rencontré avec le Président avant de partir, et je l'ai trouvé plein de...

— De quoi ?

— J'aime mieux me taire.

— Et qu'a dit le Président ?

— Il a surtout écouté. Puis il a dit à Churchill que nous étions irrévocablement déterminés — c'est le mot qu'il a employé — à rapatrier nos troupes de Russie dès que le temps le permettra. A titre personnel Lloyd George estime que Churchill est un fieffé imbécile, et que si les Alliés déclaraient la guerre aux bolcheviques afin de se partager entre eux la Russie — le rêve de Clemenceau — le peuple anglais virerait au communisme durant la guerre.

268

« — Du moins Lloyd George comprend-il la nature de la tyrannie dans son propre pays », observa Blaise en jetant un regard à la dérobée à Francis.

Mais Francis feignit de ne pas entendre cette hérésie : les vainqueurs étaient tous des démocraties, ils avaient donc le devoir de se protéger eux et les autres contre toute espèce de despotisme, égalitaire ou autre.

« De toute façon nous aurons quitté Arkhangelsk avant l'été.

— Qu'en est-il de la Sibérie ? J'ai entendu dire que nous avions là-bas huit mille hommes. »

Francis eut un petit ricanement.

« Encore une erreur du département de la Guerre. Nous avions affirmé aux Japonais que nous enverrions sept mille hommes. Alors, bien sûr, il a fallu que le département de la Guerre ajoute un millier d'hommes pour faire bonne mesure, ce qui a permis aux Japonais de rompre notre accord et d'envoyer en Russie plusieurs dizaines de milliers de soldats pour nous empêcher d'annexer la Sibérie.

— Car c'était notre intention ?

— En tout cas je ne vois pas comment. Nous sommes beaucoup trop éloignés et les Japonais sont beaucoup trop proches. L'amiral Kolchak se bat en ce moment contre les bolcheviques, et s'il gagne, la Russie sera divisée en deux. Nous sommes tous dans un drôle de jus, je vous assure. »

Blaise se présenta devant la cabine du Président comme la cloche du bateau venait de sonner trois heures. L'amiral Grayson l'introduisit dans une pièce assez spacieuse contenant un grand bureau en acajou sur lequel étaient posés deux téléphones. Le Président portait une tenue de golf. L'air marin lui avait donné des couleurs, et la lumière du plafonnier faisait scintiller son pince-nez.

« Monsieur Sanford, c'est très aimable à vous d'être venu », dit-il avec cette politesse raffinée qui donnait à chacun de ses visiteurs l'impression qu'il avait consenti à un sacrifice extraordinaire en venant le voir.

Wilson fit signe à Blaise de s'asseoir à sa droite. A travers le hublot, celui-ci pouvait voir les marines monter la garde devant la cabine ; il entendait également le martèlement de leurs pas sur le pont. Wilson croisa le regard de Blaise.

« Mrs. Wilson a beaucoup de peine à supporter ce bruit. C'est curieux, moi, ça me calme. »

Le navire se mit brusquement à tanguer. Un des deux téléphones glissa le long de la table. Le Président le rattrapa.

« C'est votre ligne directe avec le Vice-Président ? »

Wilson haussa les sourcils puis se mit à rire.

« Oui, bien sûr. Je suis relié par téléphone au département de la Guerre, qui est lui-même relié à la Maison-Blanche. Le Vice-Président doit en effet se trouver quelque part à l'autre bout de la ligne. Grâce à la radio, on peut maintenant gouverner le pays aussi bien depuis un bateau que depuis Paris ou Washington. C'est extraordinaire. »

Wilson paraissait sur la défensive. Nombre de ses partisans étaient épouvantés à l'idée qu'un Président pût quitter le pays, fût-ce pour un seul jour, à plus forte raison pour deux mois.

« Vous pensez donc revenir ?

— Puis-je vous parler en confidence ?

— Bien sûr, monsieur le Président. »

Au fil des années Wilson avait appris à faire confiance à Blaise. Il est vrai que le *Tribune* s'était toujours montré assez favorable au gouvernement, contrairement au *Post*, qui n'était pas sûr, et surtout au *Times,* qui était lui carrément hostile depuis qu'il avait été repris par Brisbane, un des hommes de Hearst. De surcroît Blaise n'avait jamais trahi une confidence du Président, les rares fois où il en avait été le dépositaire.

« Je ne vois pas comment je pourrais abandonner la Conférence de la Paix. Le colonel House accomplit certes un travail magnifique, mais il n'est pas en très bonne santé. Les Français… Clemenceau… enfin, passons. Bref, si je ne suis pas sur place, j'ai peur que tout ce qui a été fait n'aille à vau-l'eau.

— Mais vous avez votre pacte…

— Ici même, répondit Wilson, et il ouvrit son veston pour montrer à Blaise le fameux document soigneusement plié dans sa poche intérieure. Là, tout contre mon cœur. Mon ronge-cœur, comme l'appelle Edith. Mais je ne céderai pas au découragement, même si je sais que la lutte sera chaude au Sénat.

— Pourquoi devrait-il y avoir lutte ?

— Demandez-le-leur. Ils veulent la bagarre, eh bien ils l'auront, fit Wilson avec un hochement volontaire du menton.

— Mais ce sont pourtant les Républicains qui en ont eu l'idée les premiers, si on peut dire.

— C'est pourquoi ils préfèrent l'enterrer plutôt que de nous voir en recevoir le mérite. Oh je sais bien qu'il faudra se battre, mais ça ne me fait pas peur. Rien ici-bas ne s'obtient jamais sans lutte, du moins rien d'important. »

Ainsi parlait le chef de clan à la veille d'une guerre de frontière.

« Mais, monsieur le Président, ne pensez-vous pas que toute politique, si noble soit-elle, est toujours le fruit d'un compromis ? »

Si Blaise avait espéré provoquer le Président, il avait mis dans le mille.

« Vous avez parlé au colonel House », répliqua Wilson en lui jetant un regard courroucé.

Blaise hocha la tête.

« Je viens de le citer mot pour mot.

— Je connais cette pensée. Elle est de Burke. Mais il aime bien me la servir de temps en temps. Nous ne sommes pas d'accord sur ce point. Ma femme me dit que je suis l'homme le plus obstiné d'Amérique. Mais je connais mes adversaires. Lodge est prêt à tout pour détruire la ligue. La ligue ou autre chose. Peu importe, si c'est moi qui le propose.

— S'il y avait aujourd'hui un vote au Sénat, vous l'emporteriez.

— Aux deux tiers des voix ? C'est ce qui est nécessaire pour qu'un traité soit ratifié. »

Blaise hocha la tête. Burden lui avait tout expliqué. Même avec la nouvelle majorité républicaine, rendue d'ailleurs incertaine par le soutien précaire du sénateur indépendant La Follette, il restait assez de Républicains et de Démocrates loyaux pour donner au Président la majorité dont il avait besoin. Blaise fournit ensuite au Président les estimations détaillées de Burden. Il fut surpris de voir que Wilson n'avait nullement cherché à sonder l'humeur du Sénat.

« Ce que vous me dites là est plutôt rassurant, du moins en théorie, finit-il par dire, mais il ne faut jamais sous-estimer Lodge. Je le connais bien, il a plus d'un tour dans son sac, allez ! Savez-vous que durant toute la conférence il n'a pas cessé de rappeler aux journalistes et aux délégués que j'étais désavoué par le peuple américain et par le Congrès et que je ne parlais qu'en mon nom propre ? Vous n'imaginez pas l'effet que peut produire un pareil harcèlement, et combien il est difficile ensuite de dissiper les doutes, surtout chez ceux qui ont intérêt à nous voir échouer. »

Wilson se renversa sur son fauteuil, le visage soudain blême et tendu.

« Le principal fautif dans tout cela c'est Theodore Roosevelt. Sur son lit d'hôpital, alors qu'il ne lui restait que quelques jours à vivre, il trouvait encore le moyen de comploter avec Lodge et Root pour détruire ce que nous étions en train d'édifier au prix de quels efforts ! Car cette ligue, tous les trois la voulaient, bien avant que je n'apparusse sur la scène. Mais Roosevelt ne pouvait supporter qu'un autre que lui en fasse bénéficier le monde. C'était un homme très orgueilleux, une espèce de mégalomane, dénué de toute compassion, de toute humanité. Une seule chose comptait pour lui : sa carrière, son prestige, sa gloire. Franchement, je considère sa mort comme un bienfait pour le monde entier, et je prie le ciel de nous débarrasser à tout jamais de ces boute-feux de malheur. »

Blaise fut choqué mais non surpris par la violence de la diatribe de Wilson. De son vivant Roosevelt avait tout fait pour détruire Wilson, et maintenant qu'il était mort, il continuait de lui nuire par l'intermédiaire de Lodge. Mais Blaise était certain que le Président, tout auréolé de ses récents succès, triompherait au Sénat, comme il venait de le faire à Paris contre des adversaires autrement plus coriaces que de simples gentlemen de l'Idaho, du Missouri, voire du Massachusetts.

Le téléphona sonna :

« Ma petite fille, murmura Wilson (exit le prophète de l'Ancien Testament ; entre l'époux énamouré). Oui, évidemment, nous assisterons au spectacle ce soir. »

Wilson raccrocha.

« Ils craignaient que le programme d'hier soir m'eût déplu. »

Un marin, travesti en prostituée, avait exécuté une danse de caractère lascif, puis il s'était approché du Président et lui avait tapoté le menton. L'équipage avait éclaté de rire, mais l'entourage du Président avait été scandalisé. Quant au Président, il n'avait pas bronché.

« Ils étaient un peu gais... commença Blaise.

— Je dois avouer que mes sentiments étaient partagés. En tant que Président je n'étais pas très content. On doit avoir un minimum de respect pour le poste que j'occupe. Cela dit, je constate avec plaisir qu'on ne me trouve pas trop rébarbatif. Dans ma vie j'ai eu très peu affaire avec les individus sauf pour les instruire ou pour les gouverner, ce qui, dans ce cas comme dans l'autre, n'est pas le moyen le plus facile de s'en faire aimer. »

Les sourcils de Wilson se contractèrent doucement. Il dressa la tête et resta quelques secondes les yeux fixés sur le plafond, puis il poussa un soupir et avec une légère fêlure dans la voix il ajouta :

« Vous savez, j'aurais très bien pu devenir un acteur de music-hall. »

Wilson relâcha brusquement les muscles de son visage, et Blaise se remémora la scène du Capitole juste avant la déclaration de guerre. Le Président secoua ensuite lentement la tête. Son visage prit une expression à la fois comique et crétine, tandis que son corps s'affaissait complètement.

« Je m'appelle Dopey Dan, chantonnait-il, et je suis marié a Midnight Mary. »

Sur quoi, il exécuta un numéro de claquettes tout en sifflotant. Blaise applaudit très fort.

« Faites ça devant le Congrès, monsieur le Président, et le pays tout entier sera derrière vous.

— Ils me feraient plutôt enfermer, dit Wilson en riant, ou bien ils m'enverraient en tournée avec Midnight Mary, ce qui, tout compte fait, ne serait pas si désagréable. »

Blaise était maintenant plus convaincu que jamais que le Président ne ferait qu'une bouchée du Congrès, sans parler du fantôme de Theodore Roosevelt.

CHAPITRE VII

1

Le vestiaire du Sénat était maintenant divisé en son milieu par un mur invisible. D'un côté les Républicains s'entretenaient à mots couverts avec leur leader, Lodge ; et de l'autre les Démocrates broyaient du noir sous la conduite d'un triumvirat composé de Gilbert M. Hitchcock, de Claude Swanson et de Burden lui-même qui, de l'avis de ce dernier, n'étaient pas les plus aptes à vaincre les résistances du Sénat.

A l'extérieur du vestiaire le sergent d'armes avait fait installer des lits de camp et des couvertures au cas où les sénateurs recommenceraient leur politique d'obstruction de la veille, le 2 mars, lorsque La Follette du Wisconsin avait usé au maximum de son droit de parole. Le projet de loi débattu concernait la concession de réserves pétrolières et minières à des intérêts privés. Or, comme le soixante-cinquième Congrès devait expirer le 4 mars et qu'on devait encore voter un Victory Bond Bill de sept milliards de dollars, La Follette et ses amis libéraux menaçaient de priver le gouvernement de fonds jusqu'à l'ouverture du soixante-sixième Congrès en décembre.

Wilson n'ayant aucune intention de rappeler le Congrès d'ici décembre prochain, la minorité démocrate avait tout intérêt à ce que les projets de loi en question fussent votés dans les délais requis. Si le Congrès était rappelé en session extraordinaire, Lodge et ses alliés auraient alors tout loisir de démembrer le pacte de Wilson pendant que le Président serait à Paris en train d'élaborer le traité de paix définitif.

Bien portant, Burden se serait fait une joie de relever ce genre de défi, mais depuis sa maladie il n'avait jamais recouvré complètement ses moyens. Il se sentait constamment fatigué, et il lui arrivait même parfois de s'endormir tout à coup en pleine séance. Kitty l'avait supplié de rester à la maison, mais le Président lui avait demandé de rester à son poste. C'est pourquoi il était assis en ce moment avec Hitchcock dans le coin démocrate du vestiaire, les pieds posés sur un lit de camp.

Jusqu'ici tout ce que Burden et Hitchcock avaient tenté de combiner s'était retourné contre eux. La Follette et ses amis avaient cessé leur politique d'obstruction à six heures quarante du matin le 2 mars, à la demande du comité du parti républicain qui ne voulait pas que le parti soit tenu pour responsable de l'échec du Victory Bond Bill. La Follette et Lodge avaient donc conclu un accord. La Follette prenait très au sérieux le vol des richesses publiques. Lodge, lui, n'avait qu'une idée : détruire le traité de Wilson. Lodge avait donc promis d'aider La Follette s'il renonçait pour le moment à faire obstruction. La Follette avait accepté, et le Victory Bond Bill avait été voté. Mais le projet de loi de financement du gouvernement était toujours pendant. Le Sénat avait alors ajourné ses travaux jusqu'au lendemain dix heures. Cela laissait vingt-six heures pour trouver l'argent nécessaire pour payer les dettes du gouvernement fédéral. Faute de quoi, Lodge aurait gain de cause, et le Congrès devrait revenir siéger au printemps.

Burden consulta sa montre. Il était onze heures trente-cinq. Dans exactement douze heures, le 4 mars à midi, le Président se rendrait au Capitole pour signer les lois que le Congrès aurait votées.

« Marshall nous fera signe en temps voulu », dit Hitchcock à Burden en jetant un coup d'œil à Lodge à travers la fumée de son cigare.

Mollement étendu sur un canapé de cuir noir, entouré d'une cour de sénateurs républicains, Lodge avait tout du roi-philosophe.

« Mais ils tiennent le perchoir, reprit Hitchcock. Quand l'un a fini de parler, il fait signe à l'autre d'inscrire son nom, et le Vice-Président ne peut rien faire. »

Burden prêta l'oreille : à travers le tambour de la porte on entendait la voix éraillée de Francis, du Maryland (oui, c'était bien lui), répéter à satiété la phrase « le roi Woodrow » pour le plus grand plaisir de la galerie. Tout Washington était venu assister à la curée. Burden passe la tête dans l'entrebâillement de la porte et lève les yeux vers la tribune. Il y aperçoit Caroline et Frederika assises l'une à côté de l'autre, et son cœur se dilate. Ah, dame, tous les coqs ne peuvent pas se vanter d'avoir d'aussi jolies poulettes, incontestablement les deux plus distinguées de l'assistance avec Evalyn McLean, qui, elle, a l'air de s'être endormie dans la section diplomatique.

« A minuit moins dix je tenterai ma chance. J'ai prévenu Marshall que, lorsqu'il me fera signe, je demanderai qu'on vote.

— Espérons qu'il y aura encore le quorum. D'ici qu'ils se précipitent tous à la gare...

— Nous enverrons le sergent d'armes à leurs trousses.

— Si encore nous étions la majorité », constata amèrement Hitchcock.

La Follette entra dans le vestiaire. Il ne paraissait pas du tout fatigué malgré son obstruction de samedi. C'était un homme râblé, de forte encolure, habile débatteur, défenseur acharné du peuple et ennemi des trusts. Burden avait toujours pensé que, comme la plupart des populistes de tempérament, La Follette avait des tendances pacifistes, et qu'il soutiendrait la ligue. Mais en cela La Follette réagissait plus en progressiste rooseveltien qu'en véritable défenseur du peuple. Finalement La Follette était avant tout La Follette, le guerrier solitaire, le politicien imprévisible et fanfaron qui ne rendait de comptes à personne. Lodge avait habilement utilisé l'objection de La Follette concernant la concession des réserves pétrolières et minières d'Etat à des intérêts privés pour renvoyer aux calendes grecques le vote sur le financement du gouvernement. Burden se demandait quel prix le sénateur du Wisconsin avait exigé en échange de sa coopération.

« Aurons-nous le plaisir, sénateur, d'entendre ce soir votre superbe voix ? » s'enquit Hitchcock.

La Follette haussa les épaules et marmonna :

« En ce moment je suce une pastille pour la gorge.

— Dans ce cas c'est *vous* que nous aurons le plaisir d'entendre.

— Parlerez-vous *toute la nuit* ? demanda Burden.

— Oui, si je suis suffisamment inspiré par mon sujet », répondit La Follette, et il entra dans la salle.

On se serait cru dans un aquarium. Les sénateurs baignaient dans une espèce de lumière verdâtre (la lumière électrique faisant ressortir les verts des banquettes et des tapis), comme de gros poissons, et les chasseurs se suivaient à la queue leu leu, tels des vairons. Le Vice-Président, assis sur son trône, paraissait d'une humeur massacrante.

Le Démocrate Martin de Virginie était en train de parler. L'ancien leader de la majorité mit en garde ses collègues contre la panique financière qui s'ensuivrait si la loi de financement n'était pas votée avant l'ajournement. Il se montra éloquent. Le Républicain Lenroot du Wisconsin se leva pour demander si le Président convoquerait le Congrès avant son retour de France au cas où la loi ne serait pas votée.

Martin répondit de manière catégorique :

« J'ai eu récemment deux conversations avec le Président, et il m'a dit dans les termes les plus clairs qu'il avait pris sa décision et qu'il n'y reviendrait pas, et donc qu'en aucun cas il ne convoquerait le Congrès avant son retour de France. »

Burden attira l'attention du Vice-Président, qui lui adressa un petit signe d'intelligence. Puis il alla s'asseoir à sa place. Il leva les yeux vers la tribune, et vit Frederika lui sourire. Elle portait une perruque sous laquelle ses cheveux commençaient à repousser : non plus blonds comme avant mais blancs.

Derrière Frederika il aperçut Alice Longworth assise entre sa cousine Eleanor et le sénateur Borah. Alice, comme toujours, monopolisait la parole, et Eleanor l'écoutait d'un air peiné. L'une était démocrate et l'autre républicaine. Eleanor soutenait Wilson et Alice le démolissait. Dans ces conditions comment leur amitié pourrait-elle survivre ? Le sénateur Harding vint s'asseoir à côté de Burden, les yeux brumeux d'alcool.

« Je ne vois pas l'intérêt de tout cela, dit-il en secouant tristement la tête. A quoi ça rime, toutes ces passes d'armes ? Il serait si facile d'examiner ensemble ce qu'il y a de bon dans ce traité, et de s'entendre sur un compromis.

— Ce n'est pas aussi facile, monsieur Harding. Le Président a solennellement affirmé aux Alliés que nous n'étions entrés en guerre que pour ce traité et cette ligue. C'est pourquoi maintenant il ne peut plus se dédire. Il a donné sa parole. »

Burden regarda sa montre : encore cinq minutes. Le Vice-Président était lui aussi en train de consulter sa montre. Lenroot avait toujours la parole.

« Je pense quant à moi qu'il pourrait supporter un certain nombre d'amendements, et je ne sais toujours pas ce que nous avons été ficher en Europe. Ceci de vous à moi, dit Harding en souriant. Naturellement, en public, je suis pour la démocratie partout et pour tout le monde vingt-quatre heures sur vingt-quatre. Mais je pense qu'une bonne partie de ce bolchevisme qui a envahi l'Europe et qui commence aussi à se répandre chez nous est l'œuvre de Mr. Wilson. »

Burden fut soudain conscient de la présence de Lodge dans la salle. La tribune finissait d'applaudir lorsque Lenroot céda la parole à Lodge. Burden n'avait pas prévu ça.

« Monsieur le Vice-Président, scandait la voix vibrante d'émotion du Bostonien, messieurs les sénateurs, je n'abuserai pas de votre temps. Je désire simplement vous faire part de la résolution que je tiens dans ma main et qui est très brève : " ...Bien qu'animé du désir sincère de voir s'unir toutes les nations du monde afin de promouvoir la paix et le désarmement général, le Sénat estime que la constitution de la ligue des nations, telle qu'elle est actuellement proposée par la Conférence de la Paix, est inacceptable pour les Etats-Unis... " »

La consternation se peignit sur les visages des partisans de Wilson, tandis que le reste de la salle applaudissait. Burden était debout, tâchant d'attirer l'attention du Vice-Président. Mais Lodge poursuivait :

« ...Et maintenant, tous nos efforts doivent tendre à la négociation d'un traité de paix avec l'Allemagne... »

Burden avait attiré l'attention de Marshall, mais trop tard.

« ...et qu'ensuite seulement nous étudiions le projet d'une ligue des nations visant à assurer l'instauration d'une paix permanente dans le monde. »

Burden était certain qu'il n'y avait pas assez de sénateurs présents pour faire voter cette mesure ou une autre. En outre, un grand nombre de sénateurs présents avaient été battus en novembre, et ceux qui avaient été élus à leur place n'avaient pas encore prêté serment. Comme Lodge savait pertinemment que sa motion ne pourrait prendre effet qu'après la convocation du soixante-sixième Congrès, que pouvait-il espérer ? Lodge ajouta :

« Je demande donc le consentement unanime de la Chambre pour l'examen de cette résolution. »

Burden flairait là un piège. Il n'existait aucune possibilité d'obtenir un consentement unanime, pas plus aujourd'hui que demain. Burden se tourna vers Harding, mais celui-ci avait disparu. Burden se leva pour protester contre l'impropriété d'une telle mesure. Mais Claude

Swanson de Virginie avait sollicité l'attention du Vice-Président. Swanson déclara :

« J'élève une objection contre l'introduction de cette résolution. » Swanson avait mordu à l'hameçon.

Lodge inclina sa vénérable tête chenue de côté, tel un oiseau qui tend l'oreille, puis il opina du bonnet d'un air sagace comme s'il venait enfin d'éclaircir un point difficile qui jusque-là lui avait échappé. Swanson se rassit.

Lodge salua avec déférence le sénateur de Virginie.

« L'objection étant faite, je ne puis que la reconnaître. Je désire seulement énumérer en guise d'explication la liste... »

Burden sentit un frisson lui parcourir tout le corps. Le piège s'était refermé. Lodge cita les noms des sénateurs républicains qui auraient voté en faveur de sa résolution, eussent-ils été présents. Il y en avait trente-sept, soit plus du tiers nécessaire pour vaincre la ligue. Des applaudissements partirent de la tribune, entrecoupés de huées. Le Vice-Président réclama le silence.

Lodge rentra au vestiaire et La Follette recommença son obstruction. Sherman de l'Illinois fut le premier à parler. Ils parleraient comme ça toute la nuit jusqu'au lendemain midi. Il n'y aurait pas de loi de financement. Il y aurait une session extraordinaire du Congrès pendant que Wilson serait à Paris. Il n'y aurait pas de ligue des nations si Lodge pouvait compter sur ses trente-sept sénateurs, ce dont Burden doutait. Au fond, même Lodge était favorable à une ligue. Le problème était aussi simple qu'insoluble. Lodge refusait la ligue de Wilson, telle qu'elle avait été approuvée à Paris par les Alliés, et celle qu'il proposait était si vague que même les isolationnistes les plus extrémistes pourraient la soutenir le cas échéant.

Dans le vestiaire Lodge savourait son triomphe. En allant chercher une bouteille de whisky dans son armoire, Burden tomba sur Brandegee qui avait eu la même idée.

« Pas mal, n'est-ce pas ?

— Quoi donc ? fit Burden.

— Le coup des trente-sept signatures. »

Brandegee se versa une rasade de whisky tandis que Burden buvait directement à la bouteille.

« C'est moi qui en ai eu l'idée. Dites-le bien au Président. Je ne voudrais pas que Cabot en eût tout le mérite.

— Le mérite ! Quel mérite ? Celui d'avoir mis le pacte en péril ? » s'exclama Burden avec plus d'indignation dans la voix qu'il n'en éprouvait réellement. Au fond il admirait plutôt le cynisme de cet habile manœuvrier en train de lui expliquer comment dimanche matin il avait trouvé dans son courrier une lettre d'un inconnu suppliant les sénateurs républicains du Sénat de faire voter une résolution déclarant la ligue inacceptable sous sa forme actuelle, sinon Wilson pourrait retourner à Paris en prétendant qu'il avait derrière lui le Sénat et le pays.

« Après avoir lu cette lettre, je suis allé trouver Cabot et je lui ai dit que je me faisais fort de faire signer la résolution par plus d'un tiers des sénateurs, c'est-à-dire assez pour faire échec au traité, et qu'il n'aurait plus qu'à la faire voter le 3 mars à la dernière minute...

— Il n'aurait jamais réussi.

— Nous le savions bien. Mais nous avions aussi escompté que l'un d'entre vous commettrait l'erreur d'élever une objection — ce qui n'a pas manqué d'arriver —, objection que Cabot s'empresserait d'accepter, en ajoutant toutefois que, si tous les sénateurs avaient été présents, tel et tel auraient rejeté la ligue de Wilson telle qu'elle était présentée, et ça a marché...

— Joli travail. J'apprécie.

— Je savais que vous apprécieriez. Vous êtes un connaisseur. Comme je vous l'ai dit, je respecte infiniment Cabot, mais en l'occurrence il faut rendre à Brandegee ce qui est à Brandegee. Oui, je me flatte d'avoir sauvé notre République des rêves de domination d'un futur tyran mondial et de ses alliés décadents de la vieille Europe, si différente de notre beau pays, où le soleil ne se couche jamais...

— Sauf quand il est offusqué par le sénateur Frank Brandegee... »
Brandegee s'inclina, et alla rejoindre ses amis républicains qui fêtaient leur victoire dans les rires et la fumée à l'autre bout du vestiaire.
Hitchcock et Swanson étaient en grande conversation avec le Vice-Président.

« Je suis navré, dit Burden, mais Lodge avait déjà pris la parole avant que j'aie pu appeler à voter.

— Ça ne fait rien, répondit Hitchcock en s'épongeant le visage. Ils auraient fini par avoir gain de cause d'une manière ou d'une autre.

— Si je n'avais pas objecté... » commença Swanson, mais le Vice-Président l'interrompit :

« Ne vous faites pas de reproches. Vous avez fait ce que vous deviez faire. Maintenant je rentre chez moi. La partie est perdue pour cette fois.

— Qu'allons-nous dire au Président ? demanda Hitchcock.

— Vous lui direz : " Bonjour monsieur le Président " », répondit Marshall. C'était un homme portant beau, aux tempes et à la moustache argentées, qui, comme la plupart de ses prédécesseurs, maudissait le sort qui le condamnait à jouer les utilités. Quelqu'un avait récemment dit à son sujet : « Voici le Vice-Président Marshall qui n'a qu'un souci en tête : la santé du Président. »

Burden accepta de passer la nuit à remonter le moral de ses troupes allongé sur un lit de camp dans le vestibule. Il avait demandé à être réveillé immédiatement au cas où il y aurait du nouveau. Mais la nuit se déroula sans incident notable, et il fut réveillé au matin par un petit groom qui lui dit : « Il est sept heures, monsieur le sénateur. » Burden hocha gravement la tête comme s'il venait de se livrer à une méditation ardue. Pourquoi a-t-on horreur d'être surpris en train de dormir ? se demanda-t-il.

Il fit ensuite un brin de toilette dans la salle de bains du Sénat. C'était une vaste pièce avec des canalisations en cuivre, des lavabos et des urinoirs géants. Un peu d'eau froide sur le visage, ça vous remet les idées en place. Pendant ce temps l'obstruction continuait. En sortant dans le couloir Burden entendit la voix éraillée de La Follette. Le pauvre, il parlait depuis des heures. Pourquoi, le pauvre ? Il jubilait. Le Capitole était rempli de journalistes, de diplomates et de simples citoyens avides d'assister à la déconfiture de Woodrow Wilson. Burden se rendit aussitôt dans le cabinet du Président. Il le trouva assis à son bureau sous un grand chandelier en cristal, prêt à signer les bills de dernière minute.

« Sénateur Day », dit-il avec un large sourire.

Wilson ne voulait pas donner à ses adversaires la joie de le voir triste. Il avait à ses côtés Hitchcock et Grayson. Burden s'interrogea une fois de plus sur l'opportunité de se montrer toujours en public avec son médecin.

« Cette fois-ci, dit Burden, je ne sais pas comment le gouvernement pourra se faire payer.

— Ne vous inquiétez pas. Mr. Glass, dit le Président en s'adressant au remplaçant de McAdoo, trouvera bien d'ici décembre de quoi emprunter pour payer la facture d'électricité de la Maison-Blanche.

— Je peux même changer les pierres en pain, si le Président me l'ordonne », repartit l'autre d'un ton acide.

Wilson se leva et entraîna Burden à l'écart :

« Dites-moi, lui dit-il à voix basse, Lodge a-t-il laissé entendre qu'adhérer à la ligue c'était en quelque sorte faire le lit de ce qu'il appelle " le socialisme international et l'anarchie " ?

— Pas hier au soir. Non. Il est resté très évasif. Il ne peut pas faire autrement puisqu'il est à la fois pour la ligue et contre la ligue.

— Il faudra bien qu'il tranche un jour ou l'autre. On fait maintenant pression sur moi pour que j'engage les Etats-Unis dans une guerre contre le bolchevisme...

— Vous voulez dire contre la Russie ?

— En particulier, et contre le socialisme international en général. Je parle ce soir à New York. Je leur dirai que selon mon interprétation du Virginia Bill of Rights — notre Ancien Testament à nous — tout peuple a le droit de choisir le mode de gouvernement qui lui convient, que ça nous plaise ou non. Après tout, j'ignore si l'actuel roi d'Angleterre approuve notre Constitution. Au fait, a-t-on voté la loi sur la privatisation des compagnies de chemin de fer ?

— Non. Mr. La Follette était trop occupé à nous expliquer sa vision d'un monde meilleur. C'est du moins ce qui m'a été rapporté, car pendant ce temps-là je dormais. »

Burden abaissa son regard sur le Président qui avait une bonne demi-tête de moins que lui.

« Quand reviendrez-vous de Paris ?

— En juin. Non, répondit Wilson qui avait prévu cette question, je ne convoquerai pas le Sénat en séance extraordinaire avant mon retour, même si chacun d'entre nous doit se passer de salaire.

— Ce sera dur. »

Wilson fit la grimace.

« C'est ma dent, expliqua-t-il en portant la main à sa mâchoire. C'est toujours la veille d'un voyage que ce genre de chose vous arrive... Espérons qu'ils ont de bons dentistes dans la marine... »

Wilson s'interrompit. Le Vice-Président, Lodge et Hitchcock venaient d'entrer dans la pièce. On eût dit trois rois mages, imbus de leur propre importance. Trois rois mages fatigués après un long voyage...

« Monsieur le Président, dit Marshall en joignant les mains et en élevant les coudes horizontalement à la hauteur de sa poitrine, le soixante-sixième Congrès s'est ajourné à onze heures trente-cinq ce matin, non pas *sine die*, mais *sine Deo*, ajouta-t-il non sans une certaine insolence.

— Tout dépend, monsieur, du dieu que vous servez », dit Lodge avec onction tout en dirigeant son regard sur le Président.

Mais Wilson ignora Lodge. Il prit sa plume et demanda d'un ton solennel :

« Y a-t-il un projet de loi qui nécessite la signature du Président ? »

Lodge répondit que non, Marshall précisa :

« Il y aurait bien l'amendement sur la prohibition, monsieur le Président, mais il n'est pas encore tout à fait prêt. Il existe une clause qui prévoit que, si au bout de sept ans les Etats ne l'ont pas ratifié, il peut être considéré comme nul et non avenu. Nous vous le ferons parvenir en mer où vous pourrez boire à la prohibition de tout alcool sur le territoire américain.

— J'attendrai pour porter ce toast d'être en dehors des eaux territoriales américaines. »

Wilson fit signe à un homme d'allure plutôt juvénile d'approcher.

« Je vous présente Mr. Palmer, mon nouvel attorney general, dit-il à Burden. Je vous charge de le préparer à sa confirmation dans cette église *sine Deo*. »

Burden serra la main de Palmer.

« Je vous piloterai dans le labyrinthe du Sénat.

— Prenez garde au minotaure », lui dit Wilson. Puis : « Messieurs, nous nous reverrons en décembre. Je vous souhaite le bonjour. »

Lodge suivit le Président du regard jusqu'à ce qu'il eût disparu. Wilson allait au-devant de graves difficultés, songeait Burden. Et l'Etat, dans tout cela ?

2

A trente-cinq ans Cissy Patterson — ex-comtesse Gizycki ou non (nul ne le savait au juste) — était toujours aussi belle et aussi excentrique qu'à dix-neuf ans lorsque ses parents lui avaient acheté son titre de comtesse polonaise, la condamnant ainsi à trois ans de vie maritale malheureuse loin de leur palais de Dupont Circle. Aujourd'hui Cissy avait les cheveux encore plus roux que lorsqu'elle s'était mariée et la maturité lui avait donné un air distinctement voluptueux. Caroline la considérait un peu comme une jeune sœur.

« Comme je t'envie ! s'exclama Cissy de sa jolie voix nonchalante en laissant ses regards errer autour d'elle. Tu en as de la chance de travailler dans ce bureau. Tiens, en venant, j'ai vu qu'on donnait un film de toi au *Mercury*. »

Actuellement un film de la Emma Traxler Productions faisait salle comble au *Capitole*, tandis qu'au *Mercury* passait un film avec Emma Traxler en vedette. Un navet, selon Thomas Ince. Elle y jouait le rôle d'une adultère mondaine au début du siècle, rôle qu'elle avait du reste tenu dans la vie. Mais dans le film, contrairement à la réalité, elle avait été mise au ban de la société et s'était jetée d'une fenêtre du Waldorf Astoria. Emma Traxler avait été une fois de plus louée pour sa beauté de femme mûre, mais le scénario, bien que tiré d'un roman de Mrs. Wharton (qui d'ailleurs s'en était plainte à Blaise), n'était pas fameux. Et Caroline se reprochait amèrement de ne pas s'en être aperçue plus tôt. Tim était en Californie durant le tournage qui avait eu lieu à New York.

« Fais comme moi. Lance-toi dans le journalisme. Ton père, ton frère, ton grand-père, ton cousin, ont tous été propriétaires de journaux. Vous avez ça dans le sang. Alors pourquoi pas toi ? Tu verras, c'est bête comme chou.

— Je sais, mais en ce moment il n'y a rien à acheter. Hearst possède le *Herald* pour le matin et le *Times* pour le soir. Toi et Blaise vous avez le *Tribune*, et vous n'êtes pas vendeurs, que je sache.

— Non.

— Je me demande ce que va devenir le *Post* si Ned continue de boire comme ça.

— Evalyn lui succédera. Pourquoi ne pas créer plutôt quelque chose de neuf ? »

Caroline ouvrit le *New York Daily News* que Cissy avait apporté avec elle. Le frère aîné de Cissy, Joseph, avait fondé ce journal en juin grâce à l'aide de son cousin Robert McCormick, qui dirigeait à présent le journal de famille à Chicago. Le *News* était deux fois plus petit comme format qu'un journal ordinaire. « C'est un journal de poche, avait déclaré Hearst en riant. Les gens aiment les photos. Personne n'achètera jamais ça. » Hearst s'était trompé. Pour une fois son flair infaillible l'avait lâché. Le *News* connut un succès foudroyant, et de même que Blaise avait été jaloux de la réussite de Caroline avec le *Tribune* (qui n'était pas venue tout de suite, il faut bien le dire), Cissy était maintenant jalouse du succès de Bob. Jusqu'à présent le géant de la famille avait été leur grand-père, Joseph Medill, fondateur du *Chicago Tribune*, dont avait hérité son gendre, le père de Cissy, et qui appartenait maintenant à son petit-fils, Robert McCormick.

« Les garçons ont Chicago et New York. Pourquoi n'aurais-je pas Washington ?

— Tu as assez d'argent pour créer un journal ici ?

— Pas pour rivaliser avec toi ou avec Hearst. Ce fils de pute de Polonais me coûte les yeux de la tête.

— Tue-le !

— Trouve-le-moi d'abord. En tout cas j'ai réussi à lui retirer la garde de Felicia. »

La bagarre entre le père et la mère pour obtenir la garde de leur enfant avait fait la une de la presse populaire pendant des années. La mère avait finalement eu gain de cause, mais elle avait dû y mettre le prix. Cissy vivait maintenant toute seule dans le somptueux palais des Patterson et rêvait de posséder un journal.

Le secrétaire annonça l'arrivée de Blaise. Caroline fit signe qu'il pouvait entrer. Dès le début de leur association ils étaient convenus entre eux qu'aucun n'entrerait dans le bureau de l'autre sans se faire annoncer.

Cissy fut ravie de voir Blaise. Cissy n'avait aucune peine à soutenir une réputation d'excentricité que ses déboires conjugaux n'avaient fait qu'amplifier. Elle fréquentait des milieux douteux, buvait comme un homme et parfois même il lui arrivait — toujours comme à un homme — d'avoir des aventures avec des personnes du même sexe qu'elle. Tout cela faisait jaser bien sûr, mais Cissy était un personnage bien trop important de la vie de Washington pour que la bonne société lui fermât pour toujours ses portes.

« J'ai envie d'écrire un roman, que j'intitulerai *Maisons de verre*.

— A qui lanceras-tu des pierres ?

— A Alice Longworth. A qui d'autre ? Et aussi à mon saligaud de mari. J'ai supplié le Révérend Woodrow de découper la Pologne en petits morceaux jusqu'à ce qu'il n'en reste plus rien.

— Et quelle a été sa réaction ? demanda Blaise.

— Aucune réaction. Vous avez vu le journal de Joe ? » demanda Cissy en lui tendant le *Daily News*.

Blaise balança la tête, les yeux au plafond.

« Je viens de gagner un pari avec Hearst. Il pensait que ce genre de journal ne marcherait jamais.

— En tout cas il s'est trompé en ce qui concerne celui-ci. Qu'est-ce que je vais devenir ? Je vais devenir envieuse, voilà ce que je vais devenir. Et moi qui me croyais au-dessus de ça... Il se fait appeler capitaine Patterson. On se croirait revenu au temps de la guerre civile.

Et mon cousin Bob, lui, il veut qu'on l'appelle colonel McCormick.

— Je ne suis hélas que Mister Sanford.

— Monsieur Sanford serait plus approprié, corrigea Cissy en se levant. On m'a parlé d'un journal à Baltimore...

— Oh, celui-là ! fit Caroline. Blaise l'a acheté il y a des années pour le revendre aussitôt.

— Il y a une malédiction qui pèse sur ce journal, acquiesça Blaise. Personne ne le lit, et il brûle toujours.

— Vous en savez des choses. J'ai bien de la chance d'avoir des amis aussi avertis. Dites à Millicent que je lui téléphonerai. »

Et elle s'en alla.

Blaise se tourna vers Caroline :

« Millicent ? fit-il d'un air interrogateur.

— Smith. Ex-comtesse Inverness. Elle revient s'installer à Washington, elle aussi. Elle habite chez moi en attendant de trouver quelque chose. »

Caroline jeta un coup d'œil à l'enseigne du cinéma dans la rue d'en dessous, où elle pouvait tout juste apercevoir les quatre dernières lettres de son nom d'actrice « xler ».

« Tim parle d'acheter une maison à Los Angeles.

— Pour se rapprocher de la frontière mexicaine ?

— Tu ne crois tout de même pas que le département de la Justice oserait l'arrêter.

— Moi, j'oserais, répliqua Blaise en regardant d'un air pensif le *Daily News* qu'il tenait dans une main et le *Tribune* dans l'autre.

— Je suppose que ça va encore empirer. C'est ce que pense George Creel. Il dit que Palmer va se présenter à la présidence.

— Pourquoi pas ? Il ne serait pas plus mal qu'un autre. »

Des deux, Blaise était le plus sensible à la propagande anticommuniste qui était en train de submerger tout le pays, le bolchevique ayant remplacé le Boche comme ennemi public numéro un.

Tim avait été inquiété au printemps dernier pour son film sur les briseurs de grève où il prenait non seulement la défense des grévistes, du travail syndiqué et de la journée de huit heures, mais où il se moquait en plus de la menace bolchevique. Le film avait été immédiatement retiré, et Tim avait été inculpé en vertu de la loi contre l'espionnage. Cette loi était au demeurant suffisamment extensible pour permettre à l'attorney general de faire coffrer qui bon lui semblait. Caroline avait fait jouer ses relations. Comme les tribunaux étaient débordés, il y avait des chances pour que l'affaire passe à l'as. Caroline avait d'ailleurs l'impression que Palmer cherchait à ménager le *Tribune* qui, de son côté, n'osait pas attaquer Palmer. Sa maison de R Street venait d'être dynamitée deux mois plus tôt, faisant de lui un martyr du capitalisme tandis que ses voisins, les Roosevelt, avaient fait pendant des jours la une de tous les journaux. Franklin avait bravement appelé la police pendant qu'Eleanor, aussitôt rejointe par sa cousine Alice, était allée porter secours à la famille Palmer, qui, Dieu merci, couchait à l'arrière de la maison. On soupçonnait les communistes d'être les instigateurs du crime. L'auteur de l'attentat avait péri dans l'explosion, laissant derrière lui (d'après le *Tribune*) « deux jambes gauches ». La nation tout entière avait été profondément choquée à l'idée de voir tous ses hommes politiques passer de vie à trépas dans des circonstances aussi tragiques. Des radicaux avaient été arrêtés un peu partout, et le département du Travail avait profité de la loi sur la sédition datant de la guerre pour déporter arbitrairement tous les citoyens d'origine étrangère dont la mine ne lui revenait pas.

« Pourquoi Tim a-t-il fait ça ? demanda Blaise qui, par délicatesse, ne lui avait pas encore posé cette question.

— Parce qu'il est radical, je suppose. Que veux-tu que je te dise ?

— Un radical, lui, un catholique ? Un Irlandais de Boston ?

— Même un Irlandais peut changer. Tout a commencé, je crois, lorsque le gouvernement a envoyé en prison ce producteur pour avoir fait un film pacifiste. Mais en vérité je n'en sais rien. Nous n'en avons jamais parlé ensemble.

— Crois-tu qu'il soit communiste ?

— J'en doute. Il est trop indépendant pour être quoi que ce soit. Je le vois mal accepter un credo, une discipline quelconques. Il voudrait que j'aille vivre en Californie avec lui... ajouta-t-elle avec un peu d'inquiétude dans la voix.

— Mais tu n'iras pas ?

— Pourquoi pas ? Ça me changerait, dit-elle en désignant d'un geste vague le tableau au mur qui les représentait tous les deux avec Trimble. Du moins pour un certain temps. Et puis j'aime bien le cinéma, j'aime bien cette vie...

— Et aussi le climat. C'est ce que les gens disent toujours.

— Non, le climat, ce n'est pas ce que je préfère. Je le trouve plutôt débilitant. Mais le cinéma, c'est autre chose. C'est un art à ses débuts. On peut encore le maîtriser. C'est plein de surprises, d'inventions...

— Alors dépêche-toi. Les Juifs auront bientôt mis la main dessus.

— Faisons en sorte qu'ils ne soient pas les seuls. Hearst y est déjà, ou il y sera bientôt. Après l'élection de 1920, à ce qu'il dit...

— Et qu'il sera à la Maison-Blanche ?

— Il n'y a que lui pour y croire. Il est encore plus riche depuis la mort de sa mère... plus riche et plus fou... »

On annonça Mr. Trimble. Caroline avait peine à croire que ce vieillard qui se tenait le dos voûté avait été au tournant du siècle un fringant rouquin. Est-ce qu'il la trouvait aussi changée lui aussi ?

« La réunion est terminée, déclara Trimble en s'asseyant à sa place habituelle à côté du bureau de Caroline, juste en dessous du ventilateur. Je viens de recevoir un appel d'un sénateur que nous ne nommerons pas... Le Président ne contrôle plus la situation, à ce qu'il paraît. Il y avait là tous les membres de la commission des Affaires étrangères, Lodge, Knox, Borah... »

Lequel des trois avait téléphoné à Trimble ? se demandait Caroline. Trimble n'avait jamais caché sa sympathie pour Lodge.

« Comment ça, ne contrôle plus la situation ? demanda Blaise en s'asseyant sur le bureau de Caroline, ce dont elle avait horreur.

— Ils l'ont interrogé sur Shantoung. Pourquoi avait-il conclu un accord avec les Japonais ? Le Président a reconnu qu'en effet cet accord ne le satisfaisait pas entièrement, etc., etc. Puis Borah l'a questionné sur les traités secrets passés par les Alliés, et comme il lui demandait s'il en avait eu connaissance lorsqu'il a publié sa déclaration concernant les Quatorze Points, il a répondu que non, ce qui ne tenait pas debout, puisque les bolcheviques l'avaient déjà publiée, et que tout le monde était au courant. Les sénateurs étaient sidérés.

— C'est bien ce qu'ils recherchaient, dit Caroline, prise soudain d'un élan de sympathie envers Wilson.

— Et comment ça s'est terminé ? s'informa Blaise.

— Ils sont tous allés déjeuner après trois heures et demie d'interrogatoire, répondit Trimble en tirant une feuille de papier de sa poche. Il a été très embarrassé quand on lui a appris que Lansing avait déclaré que les Japonais auraient adhéré à la ligue même sans l'accord sur Shantoung.

— Vous avez déjà écrit l'éditorial ? » demanda Caroline.

Trimble fit signe que oui. Caroline lui prit le papier des mains, le parcourut rapidement et le tendit à Blaise qui se mit à le réécrire à mesure qu'il lisait.

Trimble poussa un soupir.

« Je ne vois pas l'utilité de la ligue en ce qui nous concerne. »

Caroline eut peine à contenir sa colère.

« Parce que vous voulez pouvoir annexer tranquillement le pétrole mexicain...

— Vous ? c'est *nous* qu'il faut dire, ma chérie, rectifia Blaise avec douceur. Nous voulons aussi la Sibérie, mais si nous ne pouvons pas l'avoir, nous ne voulons pas que les Japonais s'en emparent. C'est pourquoi nous allons tous adhérer à la ligue et résoudre tout cela par la négociation...

— Il est peut-être déjà trop tard. Nous avons déjà un pied en Sibérie, les Japonais et nous, reprit Trimble, et ils ont plus d'hommes que nous. Aussi quand la Russie s'effondrera...

— Voici », dit Blaise en tendant le feuillet à Caroline, qui lut et approuva. La ligue était l'espoir du monde. Sans la ligue, il y aurait une autre guerre avec l'Allemagne dans les trente prochaines années, à cause de la paix carthaginoise imposée par les Alliés qui, non seulement avaient rompu les termes de l'armistice wilsonien, mais qui voulaient à présent mettre l'Allemagne en faillite. Caroline et Blaise s'entendaient toujours pour stigmatiser les propensions belliqueuses des Européens. Mais si l'Europe avait parfois une tendance suicidaire à sombrer dans la barbarie, les Etats-Unis, eux, n'avaient pas encore atteint un niveau de civilisation suffisant dont ils pussent déchoir. Caroline appuyait de tout son cœur les efforts de Wilson visant à civiliser ce qui n'était encore qu'une nation de paysans, ignares, superstitieux, et vite enivrés de leur facile prééminence.

Trimble prit l'éditorial corrigé et sortit en claudiquant du bureau.

« Nous aurions besoin d'un nouveau système de gouvernement, tu ne crois pas ? fit Blaise en se laissant tomber sur ses pieds.

— C'est également l'opinion du Président.

— Ah, oui ?

— Il est partisan d'un système parlementaire, après son départ, évidemment.

— Evidemment.

— Quelles nouvelles de Saint-Cloud ?

— L'hôpital a déménagé. Nous pourrons y aller au printemps.

— Dans ce cas j'irai pour Pâques. Et toi ?

— Moi aussi, dit Blaise en souriant. Mais je doute que tu viennes.

— Pourquoi ?

— Parce que tu seras à Hollywood avec ton type.

— Imbécile ! »

Millicent Smith, comtesse d'Inverness, ressemblait à un galion espagnol toutes voiles dehors. Deux fenêtres ouvraient sur le jardinet situé derrière la maison de Caroline à Georgetown. Là, un immense magnolia jetait une ombre si dense qu'aucune fleur ne pouvait y pousser. Parmi le lierre et l'aspergille des armées de rats, qui n'avaient jamais entendu parler de la Société des nations, se livraient une guerre sans merci.

« Caroline, j'ai des nouvelles pour toi. »

Héloïse parut sur le seuil :

« On dîne à la maison ? J'avais oublié.

— Oui, rien que nous. »

Caroline se versa un verre de vin.

« Et toi, Millicent, qu'est-ce que ce sera ? Du gin comme d'habitude ? Au fait, tu as trouvé une maison ? ».

Millicent décrivit ce qu'elle avait vu en se plaignant des prix comme tout le monde. Comme les ouvriers qui s'étaient mis en grève sur l'ordre de Moscou selon l'attorney general. Millicent avait déjeuné avec Alice Longworth, sa rivale de la Maison-Blanche.

« Elle n'était pas de bonne humeur, dit-elle avec un visible plaisir. Nick n'est jamais à la maison. Elle trouve qu'il boit trop...

— C'est mieux qu'il ne soit pas à la maison comme ça.

— Oui, mais avec qui est-il quand il n'est pas chez lui ? C'est là tout le problème. Naturellement j'ai fait celle qui ne savait pas, et elle de son côté s'est bien gardée de m'éclairer. On dirait qu'il n'y a que la politique qui l'intéresse.

— Comme nous tous ici.

— Ce n'était pas comme ça de mon temps. Quand nous étions à la Maison-Blanche, c'était considéré comme mal élevé de parler politique en société. Idem pour l'argent. Je suppose qu'il a changé tout cela.

— Qui ? Le colonel Roosevelt ?

— Eh oui ! Epatant [1], n'est-ce pas ? Douglas Fairbanks répète ça à longueur de journée. Il doit se prendre pour Roosevelt par moments. Je le trouve terriblement séduisant.

— Tu n'es pas la seule à le penser. »

Caroline pour sa part avait toujours eu beaucoup de peine à prendre au sérieux les grands séducteurs de l'écran. Primo, ils étaient trop

---

1. L'exclamation favorite du colonel Roosevelt.

petits, et surtout comment s'éprendre d'un visage que tout le monde connaît, qui est en quelque sorte public, et d'abord pour son propriétaire ? Les hommes politiques, c'est différent. On ne les voit qu'en photo. C'est plus anonyme.

« Je ne vais jamais au cinéma, dit Millicent. Mais j'aime bien la vie de l'Ouest. Son côté cru, sauvage, excessif. Il y a là une sorte de stylisation. Comme à Londres pendant la saison.

— Il est fiancé à Miss Pickford, tu le sais ?

— Il m'a donné une rose, répliqua Millicent en souriant dans son gin.

— Mes félicitations.

— Pourquoi ne tournes-tu pas avec lui ? »

Millicent avait percé le secret de Caroline. Maintenant la plupart de ses amis étaient au courant. Mais grâce à sa position de propriétaire de journal, la presse l'avait gentiment laissée tranquille. « Les loups ne se dévorent pas entre eux », avait déclaré Mr. Trimble.

« Je suis trop âgée pour lui, et il est trop vieux pour être mon fils.

— Et moi, tu crois que je pourrais faire du cinéma, ou bien est-il trop tard ?

— Il est trop tard. »

A ce moment apparut Emma, les yeux brillants, les pommettes fiévreuses.

« Nous avons couru, nous ne sommes pas en retard ?

— Mais non, dit Caroline en embrassant sa fille. Nous, qui ?

— Comment, je ne te l'ai pas dit ? Giles, bien sûr. »

Et Giles entra dans la pièce. Assistant professeur d'histoire à Bryn Mawr, Giles Decker avait dix ans de plus qu'Emma. Il était blond, gras, l'air d'un eunuque. C'était comme ça qu'Emma les préférait. Les hommes beaux l'avaient toujours intimidée. Il est vrai qu'on ne lui avait encore jamais offert de rose. Caroline fit les présentations. Millicent accrocha son plus gracieux sourire et devint tout à fait extatique quand le profeseur Decker lui apprit qu'il avait écrit sa thèse de doctorat sur l'oncle de Millicent.

« Sur sa politique étrangère, principalement.

— Ah, parce qu'il en avait une ? » fit Caroline.

L'oncle en question avait été Président à l'époque bénie où la république n'avait pas encore accouché d'un empire.

« Ne sois donc pas grossière. »

Millicent réagissait dans ces moments-là comme Alice Roosevelt lorsqu'on se permettait d'insinuer que son père n'était pas un dieu mais un simple mortel.

« Nous avons eu des tas de politiques étrangères. Il y a d'abord eu le Nicaragua. Ça, c'était un vrai poison. Une plaie purulente, disait mon oncle. Et puis il y a eu la Chine. Nous avons été les premiers à entamer le dialogue avec la Chine. N'est-ce pas, professeur Decker ?

— Pas tout à fait, Lady Inverness. En réalité, le Président...

— Vous voyez bien. »

Sur quoi Millicent se resservit de gin qu'elle additionna de zestes d'orange amère. Caroline se dit qu'elle n'aurait sans doute pas le temps de prendre un bain avant le dîner. On avait avancé l'heure du repas parce que c'était le jour de congé de la cuisinière et que sa remplaçante avait peur de rentrer chez elle de nuit.

« Ça fait plaisir de voir que les jeunes se souviennent encore de notre héritage. Mais il n'y a pas que les jeunes, il y a aussi les immigrants. Mr. Zukor a paru très intéressé quand je lui ai suggéré de tourner un film sur la vie de mon oncle...

— Avec Douglas Fairbanks dans le rôle principal ?

— Bien sûr.

— Surtout depuis que Mr. Fairbanks a fondé son propre studio grâce à la poule aux œufs d'or de Mr. Zukor...

— Pardon ?

— Je veux parler de Mary Pickford. Mr. Zukor est prêt à tout pour récupérer ses vedettes. Ce sont maintenant les pensionnaires qui dirigent l'asile...

— Quoi ! s'exclamèrent les trois autres.

— Je le cite. »

Caroline leur expliqua que lorsque Fairbanks, Pickford, Chaplin et Griffith avaient fondé leur propre compagnie de production, United Artists, Zukor l'avait trouvé plutôt saumâtre. Après tout, Famous Players-Lasky de Zukor était le premier studio d'Hollywood, grâce aux centaines de salles de cinéma qu'il possédait et où, s'il le désirait, il pouvait distribuer uniquement ses propres films. First National, Fox ou Loew n'étaient pas de taille à rivaliser. Et depuis l'affaire des Liberty Bonds, United Artists faisait de tels bénéfices que Caroline avait ouvert des négociations avec eux pour leur demander de distribuer les films de la Traxler Productions.

« Giles a été très choqué par le film de Mr. Farrell, *Les Briseurs de grève*.

— Q'est-ce qu'un briseur de grève ? » demanda Millicent ; mais personne ne lui répondit.

« Pourquoi choqué ? » dit Caroline en gratifiant Giles de son sourire oblique de madone auquel étaient particulièrement sensibles, ainsi que le lui avait dit un publiciste de renom, les adolescents de treize à seize ans, et les lesbiennes de tous âges. Mais Giles malheureusement n'était ni l'un ni l'autre.

« Je l'ai vu à New York avant qu'il ne soit retiré et je dois dire que j'ai été très, très choqué par son message communiste, ce qui m'a surpris, sachant que vous en étiez la productrice.

— Et que Mr. Farrell est catholique, ajouta Emma.

— Dieu merci, on n'en voit pas à Londres, intervint Millicent. A part le duc de Norfolk, bien entendu. Mais même lui, il ne peut pas dire n'importe quoi. Ce n'est pas comme ici où on ne peut même plus les prendre comme bonnes, vu qu'elles sont toujours enceintes (petit sourire compatissant à l'adresse des jeunes gens).

— Mais Mr. Farrell, lui, n'attend pas d'enfants, du moins pas que je sache, répondit Caroline. C'est un film contre la violence, voilà tout. Sauf que cette fois la violence est du côté des patrons.

— Mais ça c'est justement un thème communiste, madame Sanford. Il faut être très prudent quand on traite ce genre de sujets. Je le sais.

— Comment ? s'enquit Caroline avec plus de dureté dans la voix qu'elle ne l'aurait souhaité.

— Giles milite à la Fédération nationale civique, et il écrit dans leur revue. »

Giles sortit une pipe de sa poche :

« Vous devez connaître le rédacteur, Ralph Easley ? »

Ralph Easley était un publiciste professionnel qui pourchassait les communistes à travers tout le pays. Il avait notamment causé sensation grâce à un article intitulé : « Si le bolchevisme envahissait l'Amérique. » Apparemment tout le monde devrait se lever avant l'aube, prendre une douche glacée, se rendre à pied à son travail (on aurait confisqué les voitures) et casser des cailloux du matin au soir. Easley avait découvert des communistes dans tous les secteurs de la vie publique américaine, mais surtout dans la presse, les églises et les écoles. Il avait attaqué le *Tribune* à cause de son éditorial sur la nécessité de rapatrier les troupes américaines de Russie. Le mouvement ouvrier conservateur américain le portait aux nues et l'encourageait à dépister les communistes cachés dans leurs rangs. Hearst le soutenait. Caroline, elle, ne pouvait pas le voir en peinture. Quant à Blaise, il pensait qu'il y avait néanmoins un peu de vrai dans tout cela.

Caroline dit qu'elle n'avait pas eu le plaisir de rencontrer Mr. Easley, mais qu'elle était au courant de ses activités.

« Nous le prenons très au sérieux, madame Sanford. Je fais partie du Comité académique pour la liberté et contre l'anarchie, qui collabore étroitement avec Mr. Easley...

— Giles a rédigé un exposé sur l'enseignement de l'histoire dans les universités, où il montre que la plupart des professeurs sont d'obédience marxiste.

— Je croyais, reprit Caroline avec une nuance de moquerie à l'égard de sa fille, que votre spécialité c'était les mathématiques.

— Ça n'empêche pas, mère...

— Emma est également une citoyenne concernée...

— Si vous le permettez, la citoyenne concernée que je suis va se changer pour dîner, intervint la comtesse d'Inverness.

— Moi aussi après tout, dit Caroline. » Elle finirait tout de même par avoir son bain. « Vous deux, restez comme vous êtes. Nous sommes entre nous. Le dîner est à huit heures. »

Mais il était écrit que Caroline n'aurait pas son bain ce soir-là. Comme Héloïse l'aidait à se dévêtir, Emma frappa à la porte.

« Entre, ma chérie. »

Caroline s'en voulait de ce brusque accès de mauvaise humeur contre sa fille. L'air bruni du couchant filtrant à travers les feuilles de magnolia diffusait dans la pièce une lumière orangée.

Emma s'étendit sur une chaise longue et Caroline s'assit sous une peinture représentant Saint-Cloud-le-Duc. La tendresse des anciens jours lui revenait au cœur et projetait dans son souvenir des ombres plus mélancoliques que celles qui s'allongeaient dans le jardin. Elle revoyait Emma petite fille jouant dans le parc du château comme elle-même y avait joué trente ans plus tôt. Comme il paraissait loin le XIXe siècle à l'époque de l'automobile, de l'avion et du téléphone ! Aussi loin que l'Egypte des Pharaons.

« Giles se fait beaucoup de souci à votre sujet, mère.

— Il a tort. Je sais encore me défendre.

— Il pense que vous vous êtes laissé embobiner par Tim...

— Et alors ?

— Mais, mère, c'est très grave. Tim est membre du parti communiste.

— J'ignorais qu'il y eût un parti communiste dans ce pays. Après

295

tout notre liberté ne fonctionne que si elle s'exerce uniquement en faveur de la majorité, comme Mr. Debs l'a appris à ses dépens.

— Mère, je ne plaisante pas. Les communistes sont un parti *secret*, tout comme les anarchistes.

— Et toi, bien sûr, tu connais leurs secrets.

— Giles, lui, les connaît, et Ralph Easley aussi. Leur but est de renverser le gouvernement. Regardez ce qu'ils ont fait à Mr. Palmer.

— Il a eu quelques vitres de cassées, tandis qu'eux ils y ont laissé leur vie.

— Vous voyez, vous les défendez.

— Mais non, pas du tout. Je rapporte des faits.

— Giles pense, comme Mr. Easley, que vous devriez prendre position plus nettement contre le bolchevisme. »

Caroline se demandait si par hasard sa fille n'avait pas été ensorcelée.

« Jusqu'ici tu n'avais jamais manifesté le moindre intérêt pour la politique et voilà que tu me fais un sermon sur la Menace Rouge. »

Emma fronça les sourcils et projeta son menton en avant comme faisait son père.

« Je ne fais pas de politique, du moins pas dans le sens où vous l'entendez. Mais ça, c'est une chose grave, mère. S'ils gagnent, nous risquons de tout perdre, notre pays, notre liberté...

— Qui, ils ?

— Trotsky, Lénine, les Hongrois, les Allemands. Ils sont partout. Il y a eu trois mille grèves cette année, rien qu'aux Etats-Unis. Pourquoi ? Demandez-le à Lénine. Il le sait, lui. Il y a à Chicago un comité spécial qui travaille pour lui. Relié par radio avec Moscou. D'après vous, qui a ordonné la grève de Seattle ? Trotsky. Nous avons décrypté ses directives. Nous... »

Emma parlait de façon de plus en plus incohérente, sautant d'un sujet à l'autre, s'interrompant, commençant au milieu d'une phrase.

« La guerre navale. Les sous-marins. En vertu du traité. La flotte communiste, la première du monde. Au large de Catalina Island. En juin. Un investissement de base d'un quart de million de dollars. La Follette bien sûr. Toujours La Follette. Affilié à Moscou... La Troisième Internationale a été proclamée en mars dernier. Pour tous les pays du monde. Travailleurs, unissez-vous ! La Follette est au courant. Borah aussi. C'est pourquoi le film de Tim avec votre appui... L'an dernier quatre-vingt-dix films communistes ont été produits par des Juifs à la solde du sioniste Trotsky. Tout le monde sait cela. C'était la condition mise par le *New York Times* pour soutenir l'Angleterre en 1917. Création d'un foyer communiste en Palestine. Hearst a été le seul à protester. Vous *devez...*

— Je dois quoi ?

— Giles et Mr. Easley pensent que vous devriez faire une déclaration publique expliquant comment Tim a abusé de votre bonne foi et vous a forcée à faire un film de propagande communiste.. »

Caroline donna un coup si violent sur le bras de son fauteuil qu'elle se fit mal à la main.

« As-tu perdu la tête ou quoi ? Comment oses-tu te permettre de juger ta mère ? A part les mathématiques, qu'est-ce que tu connais de la vie ? Rien, trois fois rien. Tu ignores tout de la politique, du cinéma, et tu voudrais me faire la leçon à moi, ta mère ! Non, mais je rêve ? Abusée, moi ? J'aimerais bien voir ça... »

Caroline n'accumulait les arguments que pour mieux s'enferrer. Tim l'avait bel et bien trompée au sujet du film, et leurs relations en avaient été sérieusement affectées. En automne elle se rendrait en Californie pour voir s'ils pouvaient encore se rabibocher. Sinon, il ne lui resterait plus qu'à larguer les amarres et à appareiller pour les tristes rivages de la cinquantaine, sans aucun ancrage humain.

« Alors, c'est pire, reprit Emma. Parce que si vous avez produit ce film en connaissance de cause, Mr. Easley a raison, et on devrait vous déporter comme personne indésirable, et comme étrangère en vertu de la loi sur l'émigration de 1918, et de la loi contre l'espionnage...

— Tu vas te taire ! Ma pauvre fille, c'est toi qu'il faudrait faire enfermer. Je veux dire pour te soigner. Je ne suis pas une étrangère. J'ai toujours eu un passeport américain, si tu veux tout savoir...

— Votre mère était étrangère. La meurtrière. Celle qui a tué la mère d'Oncle Blaise... »

Caroline s'était dressée de toute sa hauteur, prête à gifler sa fille, mais le sourire supérieur que lui jeta Emma lui glaça le sang.

« Tu sais, Emma, que tu peux être très fatigante par moments. Tu n'es plus la même depuis quelque temps. Ce soit être la mauvaise influence de Mr. Decker.

— Non, mère. Cela couvait depuis longtemps. Mr. Decker m'a seulement ouvert les yeux. Il m'a montré comment notre pays était en train de se faire envahir par les étrangers.

— Si tu veux mon avis, tu devrais te trouver un autre amoureux, dit Caroline d'une voix subitement radoucie.

— Ça me serait difficile, mère, vu que nous nous sommes mariés ce matin, dans le Maryland. »

Caroline écarquilla les yeux, puis ayant pris une large respiration, elle dit :

« Dans ce cas tu es plus bête que je ne pensais.

— C'est possible, soupira Emma. Mais est-ce ma faute si je suis une enfant illégitime ?

— Non, et maintenant, va-t'en. Je ne veux plus te voir. »

3

Le Président était en train de taper sur sa machine à écrire lorsque Grayson introduisit Burden dans le bureau du premier étage. « Je suis à vous dans un instant », dit Wilson, puis il se remit à taper à un rythme qui était presque celui d'une dactylo professionnelle. Burden était toujours impressionné par ce genre de prouesse. Comme la plupart de ses collègues il faisait taper ses discours par des secrétaires. Et quand il lui arrivait d'en écrire un à la main, c'était quasi illisible. Orateur, écrivain, dactylo, Wilson avait tous les talents. Sauf celui d'improvisateur, contrairement à Harding. Burden avait, quant à lui, un certain talent de démagogue, qu'il réservait pour les réunions électorales. Car au Sénat il se piquait d'être clair et concis.

Wilson retira la feuille de papier de la machine, la posa sur le bureau et serra la main de Burden. Était-ce la canicule, mais le visage du Président était d'une pâleur inhabituelle. Le soixante-sixième Congrès, prévu pour le 19 décembre 1919, avait été convoqué en mai. Le Président quant à lui était rentré de France en juillet. Et maintenant le gouvernement tout entier était condamné à supporter cette chaleur équatoriale. Le Président paraissait nerveux. Il avait une espèce de tic au coin de l'œil gauche qui le faisait cligner. Il fit signe à Burden de s'asseoir à sa place habituelle sur le canapé qui faisait angle avec le bureau. Ni l'un ni l'autre n'aimait regarder son interlocuteur en face.

A la surprise de Burden, Wilson ne parla pas de la ligue que Lodge était en train d'assassiner au Sénat à coups d'amendements.

« Comment régleriez-vous ces conflits sociaux si vous étiez à ma place ?

— Vous parlez des grèves ?

— Oui, et plus généralement des rapports entre le patronat et les travailleurs.

— Dans le doute mieux vaut s'abstenir. Avez-vous des doutes, monsieur le Président ?

— Oui et non. Nous avons démontré durant la guerre que nous étions capables de contrôler les chemins de fer...

— Vous pensez à les nationaliser ? »

Wilson hocha la tête :

« Ce serait une façon de régler le problème. De mettre au pas à la fois la direction et les syndicats. »

Burden souleva ses épaules.

« Personnellement je ne vois guère de différence entre une direction patronale et une direction gouvernementale. Sauf que nous aurons la tâche plus difficile en cas de grève.

— Cela dépend. La plupart des pays conservent le contrôle des biens de première nécessité, comme l'eau, l'électricité, les transports. Pas nous. Nous permettons à n'importe qui de gruger le consommateur et d'exploiter l'ouvrier. »

Burden sourit :

« Vous n'avez donc pas assez de problèmes comme ça, monsieur le Président ? Vous voulez encore vous faire taxer de socialiste ?

— Pourquoi pas ? On m'a déjà traité de tous les noms. C'est justement parce que je suis terrifié par le bolchevisme que je me dis que nous pourrions peut-être leur chiper deux ou trois idées, avant qu'ils nous aient complètement dépossédés... Avez-vous vu mon beau-fils, Mr. McAdoo ? »

Burden secoua la tête.

« En ce moment il doit être à New York en train de pratiquer le droit. »

Wilson se renversa dans son fauteuil en secouant la tête de gauche à droite, et puis de droite à gauche. Sans doute une forme d'exercice recommandé par son médecin.

« On me presse de faire connaître ma décision pour l'an prochain. J'ai déjà déclaré que je ne voulais pas d'un troisième mandat, mais mon gendre, lui, ne dirait pas non à un premier mandat. Si je faisais connaître tout de suite ma décision, il aurait une année pour se préparer.

— Je comprends, dit Burden, tout en se demandant si Wilson avait eu vent de l'entretien qu'il avait eu avec McAdoo au Chevy Chase Club.

— J'aimerais pouvoir lui être agréable, mais je n'ai pas encore pris ma décision. Tant que la ligue ne sera pas sous toit, j'estime que mon travail ne sera pas terminé. D'après vous, quand le Sénat va-t-il voter ?

— Lodge fait traîner les choses. Le temps travaille pour lui, et il le sait. Pourquoi ne pas accepter ses réserves et en finir une bonne fois pour toutes avec ce traité ?

— Jamais, répondit Wilson d'une voix égale. Comme vous le savez probablement, la commission des Affaires étrangères a adopté ce matin cinquante amendements destinés à empêcher les Etats-Unis de siéger dans la plupart des commissions internationales affiliées à la ligue. Lodge a également obtenu un vote à une voix de majorité condamnant la position de la Conférence de la Paix sur la question de Shantoung. »

Pendant que Burden lui répondait, la paupière du Président se mit à tirer si fort qu'il dut enlever son pince-nez. Il tamponna doucement le nerf malade en faisant semblant de s'éponger le front avec son mouchoir.

« C'est ce que Tumulty m'a dit.

— Vous a-t-il dit également que Borah, Knox, Johnson et quelques autres irréconciliables, comme ils s'appellent eux-mêmes, vont faire campagne contre la ligue, principalement dans l'Ouest ? »

Wilson replia silencieusement son mouchoir en quatre.

« Nous devons tous aller maintenant devant César.

— Notre souverain.

— Le peuple. »

Burden sourit comme chaque fois qu'il songeait à cette fiction de la souveraineté populaire. La Constitution américaine avait largement exclu le peuple des grandes décisions politiques, et la coutume, en élargissant ses franchises, avait paradoxalement limité sa participation au gouvernement à la portion congrue. Naturellement il fallait tenir compte de l'opinion, mais l'opinion pouvait être facilement manipulée par la presse et par les démagogues. Si les irréconciliables faisaient vibrer la corde xénophobe des Américains, Wilson, lui, devrait flatter leur vanité en leur disant qu'ils n'étaient pas seulement la première puissance du monde, mais également la plus vertueuse. Cela pouvait marcher, mais il fallait du temps. Burden aurait pu d'un claquement de doigts faire accepter la ligue et une *pax americana* à n'importe quel auditoire ; puis cinq minutes après il pouvait tout aussi bien, citant Washington, agiter devant lui le spectre des libertés perdues dans une ligue dominée par la Grande-Bretagne. Voilà à quoi se réduisait la politique dans cette grande démocratie ! C'est pourquoi le professeur Wilson était favorable en principe à un système parlementaire. Mais le Président Wilson, maintenant qu'il tenait dans sa main le globe et le sceptre, n'était pas décidé à les lâcher comme ça.

« Mrs. Wilson voudrait que je me repose, mais je n'ai pas le choix, dit Wilson en replaçant son pince-nez.

— Vous allez prendre votre bâton de pèlerin ?

— Je talonnerai les sénateurs d'un bout de l'Ouest à l'autre. »

Wilson cita les villes où il comptait se rendre, et Burden comprit tout de suite que cette tournée était le début de la campagne de Wilson en vue d'un troisième mandat, chose qu'aucun Président n'avait encore jamais tentée.

Burden donna quelques conseils sur les villes à visiter. Wilson prit des notes. Quand ils se mirent à discuter de la stratégie à adopter vis-à-vis du Sénat, Wilson prit la feuille dactylographiée.

« Ce texte est anonyme, dit-il en souriant à Burden. Je désire que vous et Hitchcock en preniez connaissance. Personne d'autre. Secrètement je suis prêt à négocier le traité. »

Burden laissa échapper un soupir de soulagement. Le Président obstiné qui refusait de céder, parce qu'il se prenait pour l'oint du Seigneur, était redevenu le tacticien consommé prêt à transiger pour parvenir à ses fins.

« J'ai délimité quatre zones d'interprétation du traité sur lesquelles vous — le comité directeur du parti démocrate — consentirez à transiger. Mais Lodge ne doit pas savoir que cette idée est de moi. Sinon il exigerait dix fois plus d'amendements. Mais ces ajustements devraient pouvoir satisfaire tous les hommes de bonne volonté, quelle que soit leur tendance. »

Burden prit la feuille.

« Maintenant que nous pouvons manœuvrer, cela devrait aller tout seul.

— Cela dit, ils ne perdent rien pour attendre.

— Qui ça ?

— Les sénateurs, bien sûr. Lodge et consorts... »

Wilson oscillait continuellement entre la rigidité et la souplesse, entre l'intransigeance et la volonté de négocier. Ce balancement était-il étudié ? se demandait Burden. Toujours est-il que le Président avait bien changé depuis deux ans. Il s'était durci, était devenu irritable, susceptible. Son pouvoir de concentration avait diminué. Finalement, en plus de son artériosclérose chronique, le Président était tombé gravement malade à Paris. Officiellement il avait eu la grippe, mais selon certaines rumeurs il aurait eu une attaque. On parlait également d'une brouille avec le colonel House, d'où la confusion qui s'était installée parmi la délégation américaine lors de la rédaction finale du traité. On n'y retrouvait pas du tout l'esprit qui s'était traduit dans la formule désormais célèbre de « paix sans victoire ».

Il n'y aurait pas de troisième mandat, se dit Burden tandis que le Président lui faisait lecture d'un inventaire.

« Vous savez que je suis tenu *personnellement* pour responsable de l'état des lieux de l'hôtel particulier que le gouvernement français a mis à ma disposition place des Etats-Unis à Paris, de même que j'étais responsable pour la villa Murat, ce qui est parfaitement normal. Notre gouvernement n'a donc pas à payer pour les verres que Mrs. Wilson et moi-même pourrions avoir cassés. Or elle n'en a cassé qu'un et moi aucun. Cependant je vois qu'il y a là écrit *dix*, ce qui est, vous l'admettrez, intolérable. »

Wilson leva les yeux sur Burden. Il ne faisait apparemment aucune différence entre un verre brisé et la ligue.

« En effet, monsieur le Président, mais pourquoi ne laissez-vous pas à Mr. Tumulty le soin de s'occuper de ces détails ?

— Je le voudrais bien, mais il n'était pas là. Il n'y a que moi qui suis au courant pour le verre cassé. Je me souviens, il était dans la salle de bains le premier dimanche matin de notre second séjour à Paris. Les autres neuf verres, s'ils ont été cassés, l'ont été par quelqu'un d'autre. Peut-être bien par les Français eux-mêmes. Après tout, le personnel qu'on nous avait assigné était entièrement composé d'espions. J'en ai même surpris un jour deux en train de chuchoter en anglais. » Il regarda fixement le livre qu'il tenait entre ses mains. « Mais ce n'est pas tout. Il paraît que nous aurions brisé le cadre du Fragonard, je veux dire de la copie du Fragonard qui était dans le boudoir de Mrs. Wilson... »

Comme il achevait ces mots, Edith entra dans la pièce.

« Woodrow, dit-elle d'un air d'autorité sereine, ceci me regarde. Où avez-vous trouvé ça ? ajouta-t-elle en fermant l'inventaire.

— Sur le bureau de Miss Benson, mais il est normal que je vérifie chaque article, y compris Fiume, que l'Italie... »

Mrs. Wilson tentait de l'interrompre.

« Non, non, reprit-il. Je sais que nous avons de quoi les payer, avec la part qui vous revient de votre héritage, et avec mes émoluments de l'autre... »

Et avec une pétulance d'écolier, il s'était précipité à son bureau, avait pris un crayon et une feuille de papier, sur laquelle il alignait des chiffres.

Burden surprit un regard d'effroi dans les yeux de Mrs. Wilson. Que craignait-elle au juste ? Que Burden se rendît compte ? Mais de quoi ? Wilson n'était pas fou. Son magistral compromis en quatre points venait de le démontrer. Cependant il était la proie d'une obsession dévorante. Pour lui l'inventaire avait autant d'importance que la ligue, et les deux problèmes avaient tendance à se superposer dans son esprit. Grayson entra à son tour dans le bureau. Avait-il écouté derrière la porte ?

« C'est l'heure de votre promenade, dit Grayson.

— Le temps semble s'être rafraîchi...

— Il fait une chaleur caniculaire, vous voulez dire, répliqua Edith. Ma pauvre mère est au bord de l'évanouissement au Powhatan Hotel. Elle a pourtant six ventilateurs qui marchent en permanence et un pain de glace au milieu de son salon. »

Wilson raccompagna Burden à la porte. Il semblait avoir retrouvé tous ses esprits.

« Je vous remercie infiniment pour le... tuyau. Quant au reste...

— Ne vous inquiétez pas, monsieur le Président. Seul Hitchcock en sera informé. »

Les deux hommes se serrèrent la main. Exceptionnellement Edith ne le reconduisit pas jusqu'à l'ascenseur. Elle laissa ce soin à Hoover, le premier huissier de la Maison-Blanche. Au fil des ans, Burden s'était fait un ami d'Hoover. Cinq minutes avec lui vous en apprenaient souvent plus qu'une heure de conversation avec le Président ou avec ses proches.

« Il paraît que vous allez partir en voyage ?

— Le Président, oui, mais pas moi. Je reste ici. Le Président ferait bien d'en faire autant.

— Il a pourtant l'air complètement remis.

— Oh, il est frais comme une rose, si seulement il n'y avait pas cette chaleur. Et puis il y a cette fatigue. Paris a été assez éprouvant. Et maintenant il va falloir encore batailler avec le Sénat ! Si vous voulez bien m'excuser, monsieur.

— Oh, je ne suis pas de ceux qui font des misères au Président. »

Arrivé devant la porte de l'ascenseur, Burden demanda :

« Au fait, vous savez qui a brisé le cadre du Fragonard ? »

Une lueur d'inquiétude parut dans les yeux de Hoover. Puis changeant aussitôt de visage :

« Vous connaissez le Président, c'est quelqu'un de très consciencieux. Il est encore plus ménager du bien d'autrui que du sien propre. Mais quelle sale baraque, soit dit entre nous ! »

La « baraque » de Burden, elle, venait d'être terminée. La grande bâtisse de pierre grise (deux étages plus des combles mansardés) se détachait dans la lumière d'août sur les bruns verdâtres de Rock Creek Park. Jim et Kitty avaient décidé de pendre la crémaillère en conviant leurs amis et connaissances à un thé. C'est là une pratique courante quand on habite sur une colline boisée dominant une rivière.

On avait engagé pour l'occasion une demi-douzaine de serveurs nègres. Kitty portait une robe rayée vert et jaune et Diana une robe de mousseline jaune. Elle avait la permission de regarder les invités arriver depuis la grande baie du premier étage. Devant la grille un policier bien connu des invités montait la garde. Burden l'avait surnommé « sergent », comme le sergent d'armes du Sénat, un homme précieux dans son genre et du reste fort apprécié des sénateurs.

Burden se doucha puis il passa un complet de toile blanc comme aimaient en porter les politiciens du Sud. C'était la tenue même de Mark Twain — on pourrait presque dire sa tenue réglementaire — chaque fois qu'il apparaissait au bout de la Peacock Alley, au Willard, avec son chapeau de soleil à grandes ailes, sa moustache et ses cheveux blancs.

Burden gagna la terrasse, le coin le plus frais de la maison, son coin favori. A travers les bois on entendait le torrent rouler ses eaux tumultueuses. Un cardinal se posa sur une chaise en face de lui, attendant sans doute que Kitty lui donne la becquée. Mais elle avait trop à faire et Burden n'avait pas sa familiarité avec les bêtes. Il contemplait ses deux hectares de bois, et ne comprenait pas qu'on puisse désirer autre chose. Il avait commencé pauvre, et à présent, grâce à l'héritage de Kitty et à l'indulgence de ses électeurs, il était à l'aise. Mais il ne restait presque plus rien de l'héritage, et la confiance des électeurs était pour le moins volatile. Surtout maintenant que la situation politique avait tendance à se dégrader de plus en plus.

La guerre avait été une duperie. Les Américains se fichaient bien de savoir si l'Allemagne devait dominer en Europe. La plupart pensaient que le rôle des Etats-Unis était précisément d'offrir un refuge aux Européens las des guerres et des révolutions qui ensanglantaient périodiquement le Vieux Continent. Wilson, pour des raisons obscures, avait propulsé la République sur la scène internationale. Si l'histoire avait un sens, Wilson avait été l'instrument de la providence. Sinon, Wilson avait fait le mauvais choix. Pour autant que les Américains s'intéressaient à la politique étrangère, ils gardaient un certain temps un attachement sentimental envers leur pays d'origine qui au bout de deux ou trois générations avait tendance à disparaître. Les immigrants allemands de fraîche date avaient soutenu le Kaiser, de même que les Irlandais récemment débarqués avaient souhaité la défaite de l'Angleterre. Mais ni les uns ni les autres ne désiraient retourner dans leur pays d'origine. Seule une propagande éhontée avait pu susciter des haines aussi violentes. Ça avait marché, et les Allemands avaient passé pour des suppôts du diable. Mais il y avait encore tant de haine dans l'air que le politicien professionnel savait d'instinct qu'il pourrait à son tour devenir la victime de ces réactions primaires qu'il avait contribué à déchaîner. Le pays traversait de surcroît une crise financière, et le peuple était prêt à faire payer la note à ceux qui détenaient le pouvoir, quels qu'ils fussent. Burden devrait bientôt décider s'il se représenterait en 1920.

Au début, la guerre avait été extrêmement impopulaire dans son Etat, et puis du jour au lendemain, tout le monde s'était mis à manger du Boche, du communiste, et du nègre. Le Ku Klux Klan avait repris du poil de la bête dans les villes, plus encore que dans les campagnes. Ce qui était plus grave. Les électeurs puniraient-ils Wilson — et donc Burden — à cause de la guerre ? Ou bien accepteraient-ils l'idée que, grâce aux bellicistes, les Etats-Unis étaient devenus la première puissance du monde, chose difficile à croire pour quiconque devait faire vingt mètres dans le noir pour aller aux goguenauds. Une fois de plus Burden déplorait que l'intelligence de Bryan ne fût pas à la hauteur de ses dons d'orateur, car lui seul aurait pu donner voix à cette majorité confuse. Burden et son père s'étaient brouillés à cause de Bryan. Le vétéran de Chickamauga croyait qu'il suffisait de donner au peuple un gouvernement représentatif et que tout irait bien. Mais Burden savait que c'était là une chimère. Un coup d'œil dans les vestiaires du Sénat suffisait à convaincre le plus ardent populiste qu'il n'avait aucune chance de déloger les Penrose et consorts. C'était eux

— les riches — qui étaient les maîtres du pays. McAdoo, le subtil avocat de Wall Street, n'avait-il pas cherché à acheter Burden pour l'avoir sur son ticket afin de se concilier la frange de l'électorat populiste qu'il représentait ?

Borah vint s'asseoir en face de Burden.

« On rêvasse ? »

Burden sursauta.

« Désolé, sénateur, la chaleur...

— Et la grippe. On ne s'en remet pas comme ça. Je suis arrivé un peu en avance, je vous prie de m'en excuser. »

Un garçon leur apporta du thé glacé. Kitty était dans ia pièce à côté avec Mrs. Borah, un dragon de vertu, autant pour elle-même que pour les autres.

« Alors comme ça, Wilson part en voyage ? »

Burden hocha la tête.

« Ça fait du bien de revoir le pays après tout ce temps passé en Europe. Parler aux gens. Les écouter. Johnson couvrira la Californie. Moi je commencerai par les Villes Jumelles[1].

— Toujours aussi hostile à la ligue ?

— Plus que jamais. Je suis également désireux de rapatrier nos petits gars de Sibérie.

— Le Président aussi.

— Possible, mais c'est lui qui les y a mis.

— Je vous croyais un partisan de Roosevelt.

— C'est vrai. Mais je suis également partisan de déguerpir des endroits où nous n'avons rien à faire et qui peuvent très vite se transformer en poudrières.

— Roosevelt pensait que nous étions partout chez nous, que c'est la vocation de l'homme blanc...

— Disons que j'ai vieilli. Je me suis assagi. J'ai maintenant tendance à penser que nous avons suffisamment à faire chez nous. Les colonies, c'est bien joli, mais une fois qu'on a mis le doigt dans l'engrenage on en devient vite le prisonnier. Je croyais que Wilson avait plus de jugeote. Tous ces rois, ces chanceliers, ces banquiers, ça a dû lui tournebouler le ciboulot. »

Burden n'avait jamais très bien su comment s'y prendre avec Borah. Ils étaient amis et étaient assez proches politiquement l'un de

---

1. St. Paul et Minneapolis dans le Minnesota.

l'autre. Mais Burden avait suivi Wilson et le parti, alors que Borah était resté en symbiose avec ce qu'il appelait le courant majoritaire dans le pays. Si le peuple se sentait trahi par l'internationalisme de Wilson, Burden pouvait être battu... En revanche, si la situation économique s'améliorait et que la campagne d'explication du Président portât ses fruits, Borah n'aurait pas la partie facile.

« Je crois que la ligue est populaire dans la mesure où les gens la comprennent. Il faut leur expliquer.

— Elle ne le sera plus quand je leur aurai expliqué comment nous perdrions le contrôle de nos forces armées. Supposé, par exemple, que l'Angleterre nous demande d'envoyer cent mille hommes à Constantinople, nous serions obligés d'obtempérer, que ça nous plaise ou non.

— Je ne pense pas que ça marcherait tout à fait comme ça.

— Ça ne marchera pas du tout, dit Borah en plissant les lèvres. C'est les banques qui poussent à la roue. New York suffit comme ça sans se farcir encore Londres. Non, merci. Nous avons déjà livré une guerre d'indépendance. Ce n'est pas nécessaire de remettre ça. La Sibérie, et puis quoi encore ?

— Vous préférez que ce soit le Japon qui s'en empare ?

— Pourquoi pas ? Ils sont voisins. Quoi qu'il en soit, la nation qui possédera cette glacière devra toujours commercer avec nous.

— Et en ce qui concerne notre hémisphère ?

— Le Mexique, c'est différent. Ça nous regarde. Aussi quand ils viennent ravir nos terres et tuer nos hommes, je suis tout à fait d'accord pour leur flanquer une dérouillée. Je ne suis pas un pacifiste. Le Mexique, c'est notre affaire. Pas l'Allemagne.

— Et Haïti, et Saint-Domingue ? Et le Nicaragua ? Et Panama ? Et le Honduras ? Et Cuba ?

— Et alors ?

— Chacun de ces Etats soi-disant souverains est actuellement occupé par des marines américains qui dépendent directement du Président. Nous nous comportons envers ces pays exactement comme l'Empire austro-hongrois s'est comporté envers la Serbie, le Monténégro et la Slovénie...

— N'en jetez plus, vous allez me donner la migraine. Rien que de penser à ces endroits épouvantables, ça me soulève le cœur. Wilson est donc décidé à devenir le premier Président du monde ? »

Burden eut un haussement d'épaules.

« Il n'a jamais rien dit de tel, et après son dernier séjour à Paris, je doute qu'il veuille jamais avoir affaire avec les Européens. Il déteste les Français, estime que Lloyd George est une fripouille et compare les Italiens à des vautours...

— S'il a compris cela c'est l'essentiel. Vous savez, il ne m'a pas du tout impressionné lorsque je suis allé à la Maison-Blanche. J'ai même été plus choqué. Est-ce qu'il ment toujours comme ça ? »

Burden se mit à rire.

« Plus que vous et moi, vous voulez dire ?

— Je ne mens jamais », déclara effrontément le Lion de l'Idaho.

Borah se prenait ni plus ni moins pour Dieu. Comme Dieu, il s'était regardé et s'était trouvé parfait. En dépit — ou peut-être à cause — de cette réconfortante certitude, Borah était l'homme politique américain le plus populaire, et il était bien résolu à ne pas partager sa divinité avec de simples mortels.

« Non, ce qui m'a frappé c'était la façon dont Wilson nous a menti au sujet des traités secrets. J'ai trouvé ça un peu faiblard. Il en avait certainement entendu parler en même temps que nous, sinon avant, et tout ce qu'il a trouvé à dire...

— Il est un peu nerveux depuis quelque temps. Il se met facilement en colère. Il est tombé malade à Paris.

— Encéphalite. »

Et comme Dieu, Borah savait tout.

« Vous êtes mieux renseigné que moi. Mais il est encore assez faible, et il ne devrait pas voyager, surtout par cette chaleur.

— Ce sera votre candidat, je suppose. »

Voilà donc pourquoi Borah était arrivé de bonne heure, songea Burden. Même le Tout-Puissant a parfois besoin d'un petit tuyau.

« Oui, mentit Burden. Sauf accident.

— Vous serez son colistier ?

— Il ne m'a pas fait ses confidences. Tout ce que je sais c'est qu'il veut rassembler le pays derrière la ligue. »

Burden constata avec stupeur que le mensonge qu'il venait de proférer afin de confondre son adversaire était la pure vérité. Les choses étaient d'une évidence cristalline. Wilson préparait sa réélection et il avait besoin d'un homme comme Burden pour équilibrer son ticket. Est-ce que ça marcherait ? se demanda Burden. Devrait-il aussi se représenter au Sénat pour plus de sûreté ? La législation sur ce point était assez floue, et la faveur populaire plus incertaine encore. Qui court deux lièvres à la fois risque bien de se retrouver le bec dans l'eau. Et bien sûr Wilson ne serait pas content.

« Vous lui serez d'un grand appui, affirma Borah d'un ton protecteur.

— Vous aussi, vous pourriez rendre de grands services, mais à qui ? »

Avec la disparition subite de Roosevelt, le parti républicain s'était trouvé décapité de celui qui en était le chef naturel. Il n'était plus qu'un parti acéphale, gouverné par des barons comme Penrose et Platt, mais sans véritable héros. Borah était au-dessus de la mêlée, lui (est-ce qu'un dieu s'abaisse à solliciter les suffrages de simples mortels ?), et Lodge était trop vieux. Trop spécial aussi.

« Je ne me sens pas taillé pour le rôle de Vice-Président. Quant à la présidence, j'attendrai que tout le monde ait compris quelle erreur a été cette guerre. »

Kitty parut sur le seuil, et fit signe aux deux hommes d'Etat de se joindre aux autres.

Kitty avait réuni un échantillon de toutes les composantes de la vie politique. Le Sénat était venu en force. Les Lansing et les Phillips représentaient le Département d'Etat. Les Longworth et les Momberger la Chambre des Représentants. Le vieux Washington avait délégué les éternels Apgar, qu'on voyait en ce moment en train de présenter leurs respects à la vieille Mrs. Marshall Field de Chicago qui avait récemment installé sa cour dans la capitale.

Blaise et Frederika se tenaient devant la cheminée remplie de vases de fleurs qui faisaient une espèce de buée d'élégance. Les fleurs dans la cheminée, c'était une idée de Caroline à laquelle Burden avait progressivement converti Kitty. Frederika portait maintenant ses cheveux naturels, légèrement éclaircis et où couraient des fils d'argent. Elle paraissait plus jeune qu'avant sa maladie.

« Ah, la campagne ! Si Blaise voulait m'écouter, s'exclama-t-elle en levant ses yeux sur ceux de Burden.

— Si Connecticut Avenue n'est pas la campagne, qu'est-ce qu'il te faut ? riposta Blaise.

— La Virginie. Les hauteurs du Potomac. Nous avons acheté une centaine d'hectares du côté de Chain Bridge. J'aimerais trouver un endroit où l'on puisse entendre le bruit de la rivière comme ici.

— Moi, tout ce que j'entends c'est le bruit de la glace dans les verres », dit Blaise en acceptant une coupe de champagne. Le champagne était une autre innovation de Caroline, que Kitty, qui était abstinente comme la plupart de leurs électeurs, avait longtemps combattue.

« Il y a trop de monde aujourd'hui pour qu'on puisse entendre la rivière, répondit Burden. A propos, où est Caroline ?

— Dans l'Ouest en train de jouer aux cow-boys et aux Indiens, répliqua Blaise.

— C'est une star maintenant, expliqua Frederika d'un air rêveur. Elle me fait envie. Quelle énergie ! Emma est mariée, vous savez. »

Burden était stupéfait que Caroline ne lui en eût rien dit.

« Quand ? Je veux dire : avec qui ?

— Son professeur de mathématiques à Bryn Mawr, non, d'histoire, répondit Blaise. C'est tout récent. Elle l'a présenté à sa mère, et elles se sont disputées. Ils passent leur lune de miel chez nous dans Connecticut Avenue.

— La pomme de discorde était Tim Farrell, le metteur en scène de Caroline. Emma critique ses idées politiques », dit Frederika, et ses yeux s'allumèrent d'un éclat rieur.

L'arrivée de Cabot Lodge obligea Burden à quitter Blaise et Frederika pour aller saluer le grand homme. Depuis qu'il avait perdu sa femme, et les années aidant, il était bien diminué. Il semblait comme amputé d'une partie de lui-même — la meilleure, disaient les mauvaises langues.

« Il n'y a plus beaucoup de personnes à qui parler aujourd'hui, observa Lodge avec une très pertinente goujaterie.

— Il y reste l'histoire.

— L'histoire est sourde, aveugle aussi peut-être. Elle ne répond pas quand on l'interroge. Je préfère la nature, dit-il en jetant un regard circulaire. Nous voulions vivre ici, mais ça ne s'est pas fait. Et après c'était trop tard. Je montais autrefois à cheval par ici avec le colonel Roosevelt.

— Je m'en souviens. »

Kitty présenta ensuite l'attorney general à Lodge. A. Mitchell Palmer était en pleine euphorie depuis qu'on avait plastiqué sa maison. L'ennemi était partout, et il avait été choisi pour défendre la démocratie contre le bolchevisme. Lodge le flatta dans les grandes largeurs pendant que Burden continuait sa promenade parmi ses invités.

« Jess Smith, sénateur, dit tout à coup une voix qu'il n'arrivait pas à placer. Je suis ici avec Mrs. Harding. Le sénateur n'a hélas pas pu venir. Il garde la chambre. »

Jess Smith avait des yeux de chouette et le menton avachi et comme séparé du visage on ne sait pourquoi ni comment, et la joue gauche beaucoup plus grosse que l'autre. Mrs. Harding, elle, n'avait rien d'avachi, et ses yeux pervenche étincelaient derrière son pince-nez.

« Vous avez là une bien jolie maison, sénateur. Bien jolie. Il n'y a pas de miracle, quand on veut quelque chose de bien, il faut le construire soi-même.

— Votre maison de Wyoming Avenue n'est pas si vilaine non plus, si ma mémoire est bonne. »

Et de fait la mémoire de Burden était excellente, comme celle de presque tous les politiciens d'ailleurs. Il n'avait été qu'une seule fois chez les Harding, et il se souvenait de tout : et du nom de jeune fille de Mrs. Harding, Kling, et aussi du fait qu'elle avait été mariée une première fois avant d'épouser Harding, qui était plus jeune qu'elle. Elle avait un fils de son premier mari, et son père, homme riche et influent, lui avait fortement déconseillé d'épouser Harding parce qu'on disait qu'il avait du sang nègre. Beaucoup apprendre et beaucoup retenir, tel était le vade-mecum du politicien, selon Burden.

« Venez dîner un soir à la maison, quand Warren aura fini sa tournée. Vous le connaissez, il adore ça. Le contact avec la foule. La vie d'hôtel, les petites pensions de famille, sans parler des cent dollars qu'on reçoit pour chaque prestation, ce qui est très appréciable maintenant que tout coûte si cher. Vous-même, vous ne faites pas le circuit, n'est-ce pas ? » Et il y avait dans sa voix une nuance de reproche.

Burden répondit qu'il n'avait ni le temps ni surtout les dons d'orateur de Harding. Mais Mrs. Harding ne l'écoutait pas. Elle regardait les Longworth qui se tenaient près de la porte de la salle à manger en compagnie de Cissy Patterson Gizycki, cheveux de flamme et robe vert jade. Alice souriait jaune. Cissy était resplendissante et Nick paraissait très amoureux.

« La comtesse est très en beauté ce soir, observa Florence Harding.

— En tout cas elle n'est pas duchesse, ricana Jess.

— Elle a toujours été très populaire ici », sourit Burden, qui avait troqué — et c'était amusant bien qu'inhabituel — son personnage de tribun du peuple pour celui de maître de maison courtois et mondain. Il est vrai qu'il habitait Washington depuis plus de vingt ans et qu'il avait connu Cissy, Caroline et même Alice la Grande, quand elles n'étaient encore que des jeunes filles.

« Heureusement qu'au pays on ne sait pas tout ce qui se passe ici, reprit Mrs. Harding en regardant Burden dans les yeux tandis qu'Emma entrait dans la pièce.

« — Vous savez, nous avons tous nos petits secrets, que ce soit à Washington ou à Marion dans l'Ohio. »

Mrs. Harding devint toute rouge. Jess s'éclaircit la gorge.

« Marion est une petite ville si correcte, qu'on s'y ennuie à cent sous de l'heure. Parlez-moi de Columbus, ça c'est autre chose. »

Burden sentit qu'il était allé trop loin. Harding était bien connu pour ses aventures extra-conjugales et il n'appartenait pas à Burden de trahir les secrets d'une loge à laquelle il était lui-même affilié.

« Nous avions invité vos amis les McLean...

— Depuis la mort de Vinson elle ne sort presque plus. Ils adoraient ce gosse. Il y avait toujours deux ou trois policiers en civil pour le protéger, et voilà qu'il se fait écraser par une voiture, pauvre gosse. Elle est comme folle. Et bien sûr, elle sait aussi bien que moi que rien de tout cela ne serait arrivé si elle n'avait pas porté ses fameux bijoux, surtout le Hope, mais elle refuse de s'en séparer, et maintenant Vinson est mort.

— C'est tragique », gémit Jess.

Burden trouva Emma près du buffet dans la salle à manger.

« Où est ton mari ?

— Vous savez ? »

Burden l'embrassa sur la joue.

« Oui. Félicitations. Mais pourquoi une telle hâte ?

— Il le fallait. Me marier. Je veux dire. Nous nous sommes disputées. Mère et moi. Cette fois c'est pour de bon. J'en ai peur. »

Burden se regardait dans les yeux bleus de sa fille, tandis qu'elle le regardait dans ses yeux à elle sans se reconnaître. Pour elle c'était simplement un vieil ami de sa mère.

« Ça s'oublie, tu verras. Ton mari est-il là ?

— Non. Il avait une réunion. Avec le comité. Contre le bolchevisme. Tous les professeurs d'histoire sont marxistes. Surtout à Harvard.

— Pourquoi Harvard ?

— A cause d'Henry Adams.

— Adams ? Excuse-moi, mais j'ai de la peine à t'entendre. C'est tout ce bruit...

— Harvard, c'est le pire. Mais Hollywood est rouge aussi. Truffée de communistes. Mère est leur dupe. Ou pire. J'espère que non. Il y a une limite, sinon...

— Une limite à quoi, Emma ? Explique-toi. »

Burden se demanda s'il n'avait pas par hasard hérité de la surdité de sa mère.

« A tout. Ça ne peut plus continuer ainsi. »

Elle continua comme ça un moment, les paupières mi-closes, comme si elle voyait ses propres pensées défiler devant ses yeux à la vitesse d'un express.

« Voici justement la personne avec qui tu vas pouvoir parler », dit Burden en voyant approcher avec soulagement l'attorney general.

Mais Emma était lancée :

« Après les émeutes du Palais d'Hiver en 1917. Notre meilleure chance. Kérensky nous l'avait pourtant dit. L'avons-nous seulement écouté ? Non ! Maintenant la Chine ! Et demain ? »

Burden saisit l'attorney general par le bras comme pour se protéger.

« Je vous présente Emma Sanford... Je ne connais pas encore son nom de femme mariée. C'est si récent. Mais je crois que vous connaissez sa mère, Caroline Sanford...

— Enchanté, ravi de vous connaître.

— Emma, voici Mr. Palmer. Mr. A. Mitchell Palmer.

— Enfin ! soupira Emma extasiée. J'ai fait mes études à Bryn Mawr. L'explosion du 2 juin. Trotsky. Qui d'autre ? Votre brigade antiradicaux. Superbe. Ai écrit à Mr. J. Edgar Hoover. L'homme de la situation. Malgré...

— Oui, ça a fait pas mal de bruit. Je veux parler de l'explosion. »

Mais A. Mitchell Palmer n'avait aucune idée de ce qu'Emma lui voulait. Celle-ci avait finalement retrouvé sa langue, malheureusement son cerveau fonctionnait si vite que sa langue était incapable de suivre.

Burden acheva son tour sur la terrasse, là où il l'avait commencé. La nuit était un lac de sérénité. Les dernières lucioles de la saison glissaient portées par le vent d'ouest, et alentour les arbres se dressaient immobiles, tels de gigantesques candélabres que venaient coiffer les étoiles. Deux silhouettes se détachèrent de la charmille, se désenlaçant à mesure qu'elles approchaient de la lumière. Burden reconnut Cissy Patterson, la bouche barbouillée de rouge, et Nick Longworth, les cheveux décoiffés, le teint animé par l'alcool. Au même moment Alice Longworth apparut à l'autre bout de la terrasse.

« Comme la nuit est fraîche. On n'aurait pas cru après la chaleur qu'il a fait aujourd'hui. C'est comme ça tous les soirs ici ? demanda Alice en s'installant sur un fauteuil, le dos tourné aux autres.

« — J'ai toujours aimé cet endroit, dit Burden à mi-voix et comme se parlant à lui-même. »

La lune éclairait son front jusqu'à la courbe de ses sourcils sans que l'on pût savoir ce qu'Alice regardait à l'horizon ni ce qu'elle pensait au fond d'elle-même.

« Oh, moi je serais bien en peine de vous dire ce que j'aime. En tout cas je ne me vois pas vivre dans un endroit pareil. C'est beaucoup trop isolé.

— Avec le métier que nous faisons, c'est appréciable.

— Vous parlez pour vous. Moi, je n'ai pas de métier.

— Partez, voyagez !

— J'y ai songé après la mort de père. Mais maintenant qu'il n'est plus là, plus rien ne me dit. Je finirai par devenir un meuble comme ces affreux Apgar. Même pas une curiosité.

— Ce sont mes cousins.

— Je vous plains », fit-elle en bondissant sur ses pieds tel un chat, et secouant sa langueur d'un mouvement d'épaules.

Kitty apparut sur la terrasse.

« Mr. Lansing désire te parler, Burden...

— Méfiez-vous, j'écouterai aux portes, dit Alice, et je rapporterai tout à Cabot. Vous savez, quand Wilson est rentré de Paris, je me trouvais parmi la foule, sur le trottoir, et je lui ai jeté un sort.

— Vous êtes aussi sorcière ?

— Oui, et je peux aussi lire dans l'avenir, mais je ne regarde jamais. Le présent est assez sombre comme ça. Et vous, vous aimeriez connaître l'avenir ?

— Non », répondit Burden qui se dirigea vers le coin de la terrasse où Lansing et Hitchcock l'attendaient dans ce présent qui les enveloppait tous comme la nuit avec son croissant de lune ébréché et ses lucioles vagabondes.

CHAPITRE VIII

1

Le Président se tenait debout dans sa voiture décapotable. Edith était assise à côté de lui, serrant un bouquet de fleurs contre son cœur. Le Président tenait son chapeau dans la main gauche et saluait la foule de la main droite. Il souriait mais avait l'air fatigué. La voiture remontait maintenant une rue bordée de travailleurs. Ils avaient les bras croisés sur la poitrine et détournaient la tête. Soudain un homme brandit un écriteau : « Libérez les détenus politiques. » Le Président laissa retomber sa main et son visage se rembrunit. Edith regardait son mari avec un sourire figé tandis que la voiture poursuivait, tel un corbillard, son chemin à travers la foule.

La lumière revint dans la salle de projection.

« Où était-ce ? demanda Caroline.

— A Seattle. »

Tim fit signe au projectionniste.

« C'est tout, merci. »

Ils quittèrent ensemble la salle de projection pour se rendre dans les bureaux que Famous Players-Lasky avaient loués à la Traxler Productions à l'angle de Vine Street et de Selma Street. Ils devraient bientôt décider s'ils continuaient à louer ou bien s'ils achetaient ou construisaient un studio.

« Tu ne vas pas utiliser ça, dit Caroline avec fermeté.

— Si je savais comment, je ne me gênerais pas. Mais il me faudrait une histoire. »

Tim regarda la rangée de poivriers le long de Vine Street. Le studio Lasky, comme on l'appelait, occupait deux pâtés de maisons. Les bureaux occupaient un bâtiment gris de deux étages dans Vine Street, alors que juste derrière, dans Argyle Street, se trouvaient les plateaux, les hangars pour les techniciens, les rues de New York, les villages français, les manoirs anglais, bref tous les décors et accessoires qu'un film pouvait nécessiter.

Caroline était à son bureau en train d'examiner une pile de photos d'elle. Un cameraman avait découvert tout récemment qu'un chiffon de soie imprégné d'aniline placé devant la caméra rajeunissait d'une dizaine d'années les visages de ceux qu'on photographiait. Les rides disparaissaient ou étaient réduites à l'état d'essences platoniques. Le visage acquérait même un caractère éthéré, ce qui convenait parfaitement à l'intrigue des *Années dangereuses*, le film que Caroline était en train de tourner. C'était l'histoire d'une riche veuve qui tombe amoureuse du meilleur ami de son fils à l'université. L'acteur n'avait qu'une dizaine d'années de moins que Caroline, mais les nouvelles lentilles lui donnaient l'air d'un gamin. Caroline, elle, avait l'air d'une femme de trente ans. A la fin l'héroïne se suicidait. Pour une fois on ne verrait pas Caroline dans les dernières images marcher vers l'avenir d'un air résolu au milieu d'une lande désolée, qui était presque toujours le terrain de golf de Burbank après qu'une machine à faire du brouillard avait fait disparaître les trous. Puis un dernier gros plan sur son visage de madone sur fond de Cinquième de Tchaïkovsky. Et toutes les femmes dans le public de sortir leur mouchoir. Mystérieusement, sans plan préconçu, et presque sans l'avoir voulu, Caroline était devenue Emma Traxler, sinon pour toujours, du moins pour le temps qu'elle avait choisi de passer à Hollywood avec Tim, c'est-à-dire la plus grande partie de l'année.

Tim s'était remis de son échec des *Briseurs de grève* en utilisant un truc tout simple. Il avait tout bonnement récrit les sous-titres, favorisant cette fois le patronat au détriment des grévistes. Le résultat avait été salué dans la presse de gauche comme une victoire du capitalisme, et personne n'avait été voir le film. Mais la morale était sauve, comme avait dit Caroline.

« Ça ferait une fin épatante pour un film sur les syndicats. Tu sais, les travailleurs qui détournent la tête sur le passage du Président, parce qu'il a fait emprisonner un grand nombre de leurs chefs.

— Pourquoi s'en prendre à ce pauvre Mr. Wilson ?

— Parce qu'il s'en est pris à ce pauvre Mr. Debs. »

Caroline s'était fait une règle d'ignorer la ligne politique de Tim. Car on ne pouvait pas parler d'une philosophie. C'était tout au plus une inclination perverse à prendre systématiquement le parti des opprimés. Puisque les Américains n'adoraient que la force et la brutalité, elle avait tout de même réussi à convaincre Tim qu'il était imprudent pour sa carrière de trop s'identifier aux pauvres. Cependant lorsqu'elle lui avait suggéré de tourner un film sur la révolution d'Octobre, il n'avait pas eu l'air intéressé. Au fond il tenait plus du prêtre rouge que du révolutionnaire. Dénoncer les riches, oui, aider les pauvres à prendre le pouvoir, non. Quant à Caroline, elle en savait trop sur les mécanismes du pouvoir pour croire à autre chose qu'à des rapports de forces dans les affaires humaines. A cet égard Henry Adams avait été pour elle un excellent professeur.

La secrétaire de Caroline ayant annoncé Miss Kingsley du *Los Angeles Times,* Tim sortit immédiatement du bureau par une porte de derrière. La colonne de Miss Kingsley dans le *Times* était lue par tout le monde à Hollywood et reproduite un peu partout ailleurs. Le monde entier se passionnait pour le cinéma et Miss Kingsley était le principal agent de liaison entre les studios et le public. Chose curieuse, Grace Kingsley ne s'intéressait ni aux potins ni aux scandales, rien qu'aux films, à ceux qui étaient en préparation, en cours de tournage ou d'exploitation.

« Chère Miss Traxler ! s'exclama-t-elle en tendant à Caroline une longue main osseuse, marbrée de taches de rousseur. Quelle joie de vous avoir là tout près ! Vous ne pouvez pas savoir quel calvaire c'est pour moi chaque fois que je dois aller à la Burbank ou à Universal City. C'est le bout du monde. Ces cactus, ces champs d'oignons, ne m'en parlez pas... Si je n'aimais pas le cinéma comme je l'aime... »

Miss Kingsley s'installa confortablement dans un fauteuil recouvert de chintz.

« Je viens de voir Mr. Griffith. Grâce à Mr. Lasky il a pu obtenir de quoi financer *Scarlet Days,* qui promet d'être un chef-d'œuvre. Je crois ne pas trop m'avancer en disant que ce sera son premier western long métrage. Il m'a aussi confié — mais que ceci reste entre nous, car je ne compte pas en parler encore — qu'il a l'intention de retourner sur la côte Est, quand son contrat avec Artcraft sera expiré. Mais mon petit doigt m'a dit qu'il venait de signer un contrat pour trois films avec First National, ce qui l'obligera à rester ici encore au moins une année.

— Son studio sera-t-il à vendre ? »

Caroline admirait Mr. Griffith comme tout le monde à Hollywood, mais pour le moment elle était bien plus intéressée par le studio qu'il avait fondé à l'angle d'Hollywood Boulevard et de Sunset Boulevard : deux salles de sonorisation, une maison d'habitation et un laboratoire où il était possible d'expérimenter non seulement toutes sortes d'effets spéciaux, mais aussi de fabriquer un film de A à Z. Depuis le tirage du négatif jusqu'à la confection des copies pour la distribution, en passant par le montage. Dans le cas de Griffith, le processus de fabrication d'un film ne prenait guère plus d'un mois. Une fois qu'il avait choisi un sujet, il demandait à son scénariste résident de dessiner chaque scène. Ce travail fait, il le donnait à son directeur artistique qui convoquait les charpentiers, les plâtriers, les peintres du studio et ensuite on construisait les décors. Pendant ce temps Griffith faisait répéter les acteurs. Il avait travaillé des années comme comédien dans une compagnie théâtrale qui était constamment en tournée et c'est là qu'il avait appris ce qui passionnait le public. Un peu comme Molière. Le tournage du film ne durait pas plus de deux à trois semaines, et se déroulait selon Tim, qui avait été son cameraman dans deux de ses premiers films, dans un climat de tension et presque de guerre civile. Tim avait appris de lui ce qui lui était nécessaire, avant de prendre son envol.

« Je présume, je n'en suis pas absolument certaine, qu'il vendra une fois qu'il sera libéré de ses engagements ici, mais quelle mouche le pique d'aller s'installer à Mamaroneck !

— Nous aimerions accroître notre production, comme vous le savez. Mr. Lasky s'est montré très généreux, mais nous sommes un peu à l'étroit ici. Mr. Farrell a trouvé quelque chose dans Poverty Row... »

Miss Kingsley secoua la tête en soupirant :

« Non, non. Pas pour la Traxler Productions. Vous représentez un label de qualité. Dans Poverty Row ils tournent un film par semaine. Des films *vulgaires*. »

Caroline jeta un coup d'œil par la fenêtre à Poverty Row qu'on apercevait au coin de Gower Street. Là des studios bon marché, semblables à des granges ou à des garages, étaient posés les uns à côté des autres un peu n'importe comment au milieu de ce qui était encore une immense orangeraie.

« Nous pourrions bien sûr construire...

— Alors n'hésitez pas. Faites comme Charlie Chaplin. Il a construit un petit studio absolument charmant. J'adore y aller. Et tellement anglais avec ça. On est tout le temps en train de vous servir le thé. C'est ça pour moi Hollywood, le vrai Hollywood, celui qui me tient à cœur, et non pas la Valley ou Culver City, malgré ce cher Mr. Ince. »

Le studio de Chaplin était situé à l'est de La Brea, en dessous de Santa Monica Boulevard, tandis qu'à deux blocs à l'ouest de La Brea, son collègue de United Artists, Douglas Fairbanks, avait construit son propre studio. Mary Pickford viendrait sans doute bientôt le rejoindre si elle obtenait jamais de l'Eglise catholique la permission de divorcer d'avec son alcoolique de mari.

Mrs Kingsley tira un petit calepin de son sac :

« J'ai appris que vous prépariez un film sur la terreur bolchevique en Russie.

— Qui vous l'a dit ?

— L'un de mes petits doigts.

— Vous devez en avoir une collection.

— De quoi ?

— De petits doigts.

— C'est nécessaire dans mon métier. Vous n'ignorez pas que les frères Warner ont acheté pour cinquante mille dollars les droits du livre de l'ambassadeur Gerard sur l'Allemagne et la guerre. Il y a maintenant une tendance nouvelle dans le cinéma à traiter des sujets d'histoire contemporaine, que je trouve extrêmement intéressante. Comptez-vous vous inspirer d'un livre pour votre film ?

— Oui, oui. Nous avons pensé à *Dix Jours qui ébranlèrent le monde*, si nous arrivons bien sûr à obtenir les droits. »

Le calepin de Miss Kingsley faillit lui tomber les mains.

« Mais c'est un livre pro-bolchevique, à ce qu'on m'a dit !

— Oui, mais pas comme nous pensons le traiter.

— Vous voulez dire que vous allez changer le message comme vous avez fait pour *Les Briseurs de grève* ? »

Miss Kingsley était loin d'être aussi sotte qu'elle en avait l'air, et Caroline s'en voulut d'avoir parlé à la légère.

« Plus ou moins : Mr. Farrell désire mettre en garde les Américains contre les dangers du communisme, qui est partout en marche... »

Miss Kingsley notait dans son petit carnet en fredonnant pour elle-même tout ce que Caroline trouvait bon de lui raconter. Elle interrogea ensuite Emma Traxler sur ses projets en tant qu'actrice.

Emma Traxler avait tourné cinq films depuis *Les Boches de l'Enfer*, et si tous avaient bien marché, aucun n'avait égalé le triomphe du premier. Caroline n'en demeurait pas moins stupéfaite de l'espèce de culte qui s'était créé autour de sa personne. L'année précédente Douglas Fairbanks lui avait proposé de jouer la reine Bérengère dans un film sur Richard Cœur de Lion. Malheureusement les choses étaient restées au point mort. « On me trouve trop contemporain pour tourner en costume », lui avait-il confié la dernière fois qu'ils s'étaient vus dans la Salle à Manger des Stars au Hollywood Hotel.

« J'aimerais également bien jouer Mary Stuart avant d'être trop vieille pour le rôle, dit Caroline en choisissant à dessein le seul mot qu'Hollywood avait banni de son vocabulaire.

— Voyons, ma chère, murmura Miss Kingsley, comme si Caroline venait de proférer le nom d'une maladie incurable. Non, non. non. Une star ne vieillit jamais. Mr. Farrell vous dirigera-t-il ?

— Je ne crois pas que ce soit tout à fait dans ses cordes. J'ai pensé à ce jeune réalisateur allemand, Mr. Lubitsch.

— J'ai vu sa *Madame Du Barry*, et j'ai trouvé cela très, très *continental*, si vous voyez ce que je veux dire.

— Mais Mary Stuart l'était également, répliqua Caroline avec un petit rire guttural à la Sarah Bernhardt. Et moi aussi.

— Vous m'avez l'air tout à fait américaine, Miss Traxler.

— Vous êtes trop bonne.

— Pas du tout. Je le dis comme je le pense. »

Les deux femmes discutèrent ensuite du dernier film de Caroline, qui en était à sa deuxième semaine de tournage. Elle était libre aujourd'hui parce que la compagnie tournait une scène de garden-party à laquelle son personnage n'était pas convié. Miss Kingsley déclina gracieusement l'invitation que lui fit Caroline de visiter le plateau.

Caroline la raccompagna ensuite jusqu'à la porte principale du studio où une petite grappe d'admirateurs attendaient la sortie des acteurs. Ils ne savaient pas, ces ignorants, que les stars entraient de préférence dans Argyle Street, un bloc plus loin. Mr. Lasky en personne accueillit Miss Kingsley à la porte de son studio, devant laquelle il y avait toujours un policier de garde. Parmi tous les producteurs juifs d'Hollywood, Lasky était le seul à être né aux Etats-Unis. Contrairement à son associé Zukor, homme dur et autoritaire, Lasky était un petit bonhomme pimpant, d'un abord facile, aux manières agréables, que tout le monde s'attendait à voir dévoré un jour par le grand prédateur. Le monde des producteurs de cinéma était pour Caroline un univers fascinant qu'elle étudiait avec le zèle d'un anthropologue néophyte.

« J'ai réussi à avoir Maurice Maeterlinck, Edward Knoblock, Somerset Maugham et Elinor Glyn, dit Lasky en accueillant Miss Kingsley.

— Hourra ! Quand est-ce qu'ils arrivent ?

— En janvier. Vous en voulez un, Miss Traxler ?

— Oui, Bernard Shaw. »

Lasky fronça les sourcils.

« Il n'est pas pressé de venir. Mais quand il verra que nous avons réuni les écrivains les plus célèbres de notre temps, il rappliquera illico presto, je vous le garantis. »

Caroline laissa Mr. Lasky et Miss Kingsley ensemble, et traversa le bâtiment pour se rendre sur le *back lot* où la rangée d'immeubles new-yorkais lui faisait toujours penser à ce roman de Mrs. Wharton, *La Maison du bonheur,* qu'elle rêvait de porter à l'écran.

On était justement en train de tourner un film dans la rue. Deux bandits sortaient en courant d'un magasin en faisant feu en direction de la caméra. Caroline s'abrita derrière la rue dont les façades, soutenues par des armatures métalliques, avaient toute l'apparence de la réalité. Hollywood avait embauché un certain nombre de plâtriers italiens de premier ordre venus construire des halles d'exposition en faux style Renaissance pour l'exposition de San Francisco de 1915. Griffith les avait tous engagés pour bâtir la Babylone de son film *Intolérance* dont on apercevait encore une partie des décors — éléphants à longue trompe, déesses de la fertilité, etc. — à l'angle de Hollywood Boulevard et de Sunset Boulevard.

Le plateau où tournait Caroline, juste derrière la rue de New York, représentait un manoir entouré d'une pelouse plantée de chênes (en réalité des poivriers déguisés en chênes).

Une vingtaine de personnes papotaient gentiment sur la pelouse en prenant le thé, au milieu desquelles circulaient des serveurs avec des plateaux de sandwiches. Le metteur en scène était assis à droite du cameraman, un hombourg rabattu sur le front. Les metteurs en scène d'Hollywood attachaient un grand soin à leur tenue vestimentaire. Cecil B. De Mille, le principal réalisateur de Lasky-Players, portait presque toujours une tenue de polo. D'autres, venus pour la plupart du théâtre, arboraient un blazer écussonné et des pantalons rayés. Oleg Olmstead, le réalisateur des *Années dangereuses,* portait une tenue de tennis et un chapeau de soleil. Dans la scène qu'on était en train de filmer, le jeune premier était l'objet des assiduités de l'ingénue, une créature d'une blondeur inimaginable, sauf à Hollywood où l'extraordinaire était la règle et où le perfectionnement de la nature — pour ne pas dire sa brutale recréation — rivalisait avec les meilleurs plâtriers italiens.

Dans le film le personnage incarné par Emma Traxler observait cette scène depuis son lit. Le script disait qu'elle toussait, mais Emma avait décrété qu'elle aurait simplement la fièvre. Le cameraman avait déjà assez de peine à l'éclairer sans en plus avoir affaire à un visage convulsionné par des quintes de toux. Quand l'héroïne a compris que la jeunesse va avec la jeunesse, elle décide, malgré sa fortune et sa position sociale, de mettre fin à ses jours, au moyen d'un poison non identifié, dont l'effet foudroyant rend aussitôt le calme et la sérénité à ses traits.

La scène terminée les figurants se dispersèrent et Mary Hulbert rejoignit Caroline. Les deux femmes quittèrent ensemble le studio. « Vous ne réalisez pas ce que ça représente pour moi de pouvoir enfin travailler. » Elle avait été jolie autrefois, Mary, et il lui restait encore quelque chose de son charme quand elle souriait, bien que la vie et les soucis l'eussent flétrie avant l'âge. Deux maris, le premier qui était mort, Mr. Hulbert, et le second, Mr. Peck, dont elle avait divorcé. Elle avait maintenant un grand fils qui habitait New York et vivait à ses crochets.

Une douzaine d'années plus tôt, tandis qu'elle vivait avec sa mère aux Bermudes, Mary avait fait la connaissance de Woodrow Wilson, alors recteur de Princeton. Il y venait de temps en temps en vacances sans sa première femme. Caroline était certaine qu'ils avaient été amants. Après tout, Wilson avait toujours apprécié la compagnie des femmes, surtout celles qui étaient sensibles à son charme, et qui aimaient réciter de la poésie. Pendant plus de dix ans Woodrow et Mary avaient correspondu, et justement il avait été question de ces lettres lors de la dernière élection. Le *Tribune* avait reçu des copies de ces lettres que Caroline avait refusé de publier, car, bien que très affectueuses, ce n'était pas à proprement parler des lettres d'amour. A cette époque Caroline avait fait la connaissance de Mary et s'était prise de sympathie pour elle. Ces lettres posaient néanmoins un problème dans la mesure où Caroline ignorait le rôle de Mary dans leur divulgation. De toute façon elles n'eurent aucune incidence sur l'élection, et l'un des riches admirateurs du Président, Bernard Baruch, était censé les avoir toutes rachetées.

L'année précédente Mary s'était présentée à l'hôtel de Los Angeles où Caroline était descendue, et elles étaient tombées dans les bras l'une de l'autre comme deux amies qui ne sont pas revues depuis longtemps. Caroline était fascinée par le mystère d'une relation qui du reste n'avait jamais été un secret pour personne. La première Mrs. Wilson avait même poussé la complaisance jusqu'à inviter Mary à la Maison-Blanche afin de distraire le Président. Contrairement à la seconde Mrs. Wilson, qui, elle, était bien aise de savoir que Mary avait choisi de poursuivre sa destinée en Californie où elle avait été successivement propriétaire de ranch, écrivain, décoratrice d'intérieur et actrice. Après lui avoir trouvé du travail comme actrice, Caroline lui avait maintenant demandé d'écrire le scénario d'un film sur Mary Stuart.

Caroline appréciait le luxe de pouvoir conduire elle-même sa Graham-Paige décapotable. Au moment de franchir les portes du studio, une bande d'admirateurs se mirent à crier : « Emma ! Emma ! » Tout en leur adressant son sourire de madone, Caroline songeait à ce que lui avait dit récemment son dentiste. Il l'avait avertie qu'il devrait sans doute procéder à l'extraction d'une des incisives supérieures gauches, opération qui risquait de provoquer un affaissement de la lèvre supérieure et par là une asymétrie du visage à laquelle on ne pourrait remédier qu'en extrayant l'incisive droite correspondante. Auquel cas elle risquait de se retrouver avec un nouveau visage qui ne serait peut-être pas de son goût.

En sortant du studio elle tourna à gauche en direction d'Hollywood Boulevard, une avenue résidentielle bordée de grandes maisons construites en retrait du trottoir. Parallèlement à Hollywood Boulevard et un peu au-dessus, Franklin Avenue traversait un paysage de collines boisées où un grand nombre de stars avaient leur résidence. La nuit on entendait le cri des coyotes et le hululement des hiboux.

A Hollywood comme à Cahuenga, on pouvait trouver quelques magasins, dont l'inévitable drugstore, une banque et une quincaillerie. Derrière les magasins, dominant la ville, on apercevait une espèce de manoir de style victorien à tourelles et à balconnets de fer ouvragés, fort admiré des gens du pays et qu'on appelait Longpre Mansion. Son propriétaire, un peintre, avait offert à Caroline de le lui vendre, mais elle lui avait répondu qu'elle était bien trop timide pour vivre dans une maison aussi « voyante ». D'autres « manoirs », dont les propriétaires étaient pour la plupart des dentistes ou des avocats de Chicago, s'étaient révélés également inappropriés. Elle avait finalement trouvé un appartement au dernier étage de Garden Court Apartments, sur

Hollywood Boulevard à l'est de La Brea (du mot espagnol signifiant goudron .

Caroline se parqua dans Highland Avenue devant le Hollywood Hotel, et se fit une fois de plus la réflexion qu'avec ses trente mille âmes Hollywood avait tous les charmes d'une petite ville sans en avoir les inconvénients. On pouvait très bien s'isoler un jour dans sa maison, ou se perdre dans la nature, et le lendemain se montrer au monde entier assis à la terrasse du Hollywood Hotel ou de l'Alexandria. Heureusement la véranda était à peu près déserte en fin d'après-midi, et elles purent commander un thé sans craindre le regard des curieux.

Les automobilistes qui passaient le long d'Hollywood Boulevard ralentissaient habituellement pour voir qui prenait le thé à la terrasse. Dans ses bons jours, Caroline ne détestait pas être reconnue, mais aujourd'hui avec cette fichue incisive... Ce n'est pas que je sois vaniteuse, songeait-elle tout en imprimant ses dents dans un sandwich au concombre, non, je suis tout simplement folle, comme tout le monde ici.

« Ça fait quelle impression d'être deux personnes à la fois ? demanda Mary.

— N'est-ce pas le cas de tout le monde ? Et deux encore, c'est un minimum.

— Pas de façon aussi publique en tout cas. D'un côté il y a la personne que vous êtes à l'écran, une femme toute de mystère...

— Sphinx sans secret, ou secret sans sphinx...

— Et de l'autre, vous êtes Mrs. Sanford, que tout le monde connaît.

— Seulement dans le District de Columbia, qui est très loin d'ici. Je me plais beaucoup à Hollywood.

— Cela se voit, dit Mary en allumant une cigarette d'une main légèrement tremblante. Si je n'avais pas tous ces soucis...

— Mary Stuart en résoudra une bonne partie. »

Caroline lui avait déjà donné une avance pour le film.

« Vous avez été très bonne. »

Elle partit d'un éclat de rire perlé, et Caroline comprit qu'elle avait dû avoir beaucoup de charme autrefois.

« Mais moi aussi j'ai été très sage, ajouta Mary. Je n'ai pas écrit de livre.

— Ce ne serait peut-être pas une mauvaise idée. Le *Tribune* vous publierait en feuilleton. Songez-y.

— Un jour, je vous le promets. Mais pas maintenant. Je dois attendre qu'il ait… quitté la scène.

— Alors ce sera trop tard, ça n'intéressera plus personne.

— Oh, mais c'est un homme qui restera dans l'histoire, vous ne croyez pas ? »

Un jeune homme très beau, aux traits étonnamment réguliers, salua Caroline.

« Ça vous dirait de jouer Bothwell ? lui dit-elle.

— Avec vous ?

— Oui.

— Hélas, j'ai horreur des chevaux. Avez-vous vu Mr. Griffith ?

— Non.

— Il doit sûrement se cacher à l'intérieur. Notre première a lieu ce soir au Clune's Auditorium. Ce n'est pas trop tôt.

— Rappelez-moi le titre. Je n'arrive jamais à m'en souvenir.

— *Busted Posies*, répondit le jeune homme en riant. Je joue un Chintoque. »

Et il rentra à l'intérieur.

« C'est dommage. Il serait épatant dans le rôle de Bothwell, remarqua Mary.

— Oui, si j'avais vingt ans de moins. »

Caroline, qui jusqu'ici ne s'était jamais tellement préoccupée de son âge, commençait maintenant à le prendre en grippe, pour la raison toute simple que, puisqu'elle vieillissait si bien, à quoi bon vieillir ? Un tramway rouge passa devant la véranda. Une passagère adressa un petit salut à Emma qui le lui rendit.

« Avez-vous déjà rencontré Mrs. Wilson ? »

Mary secoua la tête négativement.

« On la dit jalouse. Je me demande bien de qui. Après tout c'est elle qui l'a épousé.

— Et vous, vous l'auriez épousé ?

— Oh, oui ! s'exclama-t-elle avec un rire charmant. Mais il ne me l'a jamais vraiment demandé. J'ai cru un moment qu'il le ferait. J'ai encore la dentelle de la robe dans laquelle j'espérais me marier. »

Caroline la dévisagea avec un intérêt accru. Elle était rarement tombée sur un scénario de film aussi intéressant.

« Je ne pensais pas que les choses avaient été aussi loin entre vous…

— Si. Après tout, c'est sa première femme qui m'avait choisie. Elle se savait condamnée depuis longtemps et elle me faisait venir à la Maison-Blanche pour le… divertir. C'est ce que j'ai essayé de faire.

Quand j'étais absente, il m'écrivait tous les dimanches, ça a duré des années...

— Ces fameuses lettres d'amour ?

— Ce n'était pas des lettres d'amour d'abord. Elles étaient plus affectueuses qu'amoureuses. Mais il y était surtout question de politique. C'est pourquoi il s'est affolé quand Mr. McAdoo a fait circuler le bruit que j'allais publier ces lettres. Le Président a toujours été très franc dans son appréciation des autres hommes politiques, et nous étions dans une année d'élection. »

Caroline était maintenant persuadée que le Président et Mary Peck Hulbert avaient eu une liaison. La franchise même de leur amitié en était la preuve. Certes Woodrow Wilson était un homme très étrange par certains côtés. Prude, introverti, ombrageux, il n'en était pas moins très sensible au côté charnel de l'amour. D'où l'étonnante rapidité avec laquelle il avait conclu son second mariage, malgré les objections de ses conseillers, notamment du colonel House et de McAdoo.

« Comment McAdoo a-t-il su que vous aviez l'intention de publier ces lettres ? »

Mary fit mine de mettre un morceau de sucre dans sa tasse, puis au dernier moment elle se ravisa — héroïquement.

« Il l'ignorait, pour l'excellente raison que je n'ai jamais eu l'intention de les publier. Il y a eu une espèce de complot à la Maison-Blanche. Tout le monde a craint que si le Président épousait Mrs. Galt, il ne perde les élections. Il y avait à peine une année que cette pauvre Ellen était morte. Et puis il y avait moi. Durant l'automne et l'hiver qui ont suivi la mort d'Ellen, il m'a supplié de venir habiter la Maison-Blanche. Mais ça m'était impossible. Mon fils avait perdu beaucoup d'argent, et je cherchais du travail comme décoratrice d'intérieur à Boston, qui n'est certes pas l'endroit idéal pour ce genre d'activité... »

Caroline acquiesça de la tête, tout en s'étonnant de la diversité des talents de Mary. Dans sa pauvreté, elle avait tâté d'une infinité de professions, sauf la plus évidente : le mariage.

« Pourquoi ne pas l'avoir pris au mot ? Vous n'aviez qu'à vous installer à la Maison-Blanche, et l'épouser. C'est ce que toute autre femme aurait fait.

— C'est ce que j'aurais dû faire. Mais je me faisais du souci pour mon fils, j'avais des problèmes d'argent et j'écrivais dans le *Ladies' Home Journal*. Ils m'ont dit qu'ils avaient perdu certains de mes articles, ce qui, je le savais, n'était pas vrai. Alors — oh, c'est terrible à dire — j'ai demandé au Président d'écrire au rédacteur, lequel a aussitôt retrouvé les articles et les a imprimés. »

Caroline était maintenant persuadée que Mary était une gaffeuse doublée d'une enquiquineuse de première. Et le terme était encore bien faible. Tourmenter un Président en temps de guerre pour des broutilles pareilles, quand cet homme en plus est accablé de chagrin et amoureux de vous, c'est proprement monstrueux. Aussi quand on a devant soi un tel monstre, on ne se gêne pas pour le cuisiner.

« Vous disiez, au sujet de Mr. McAdoo ?

— Il semble, mais je n'en suis pas certaine, qu'il aurait dit au Président qu'il avait reçu une lettre anonyme de Californie disant que je montrais ses lettres à tout le monde. Alors ceci, plus le fait qu'il m'avait donné sept mille cinq cents dollars, pouvait donner à croire que...

— Il vous a fait un prêt ?

— Oui. Vous comprenez, nous étions tellement fauchés. Je suis donc allée à la Maison-Blanche — c'était peu après le torpillage du *Lusitania*, je m'en souviens très bien — et je lui ai demandé de racheter deux hypothèques que j'avais contractées pour une somme de sept mille cinq cents dollars, ce qu'il a fait, sans me dire pour autant qu'il allait épouser Edith. Je m'en doutais un peu, notez bien. Ce sont des choses qu'une femme sent toujours, n'est-ce pas ?

— Oui, oui. Toujours.

— Mais il est tard, je dois rentrer.

— Déjà !

— Je vous ai assez embêtée avec toutes mes histoires.

— Oh, non, pas du tout.

— Vous avez été si bonne avec moi, Caroline... »

Les deux femmes s'étaient levées.

« Laissez-moi vous reconduire.

— Je vous remercie. Mais ce n'est qu'à une vingtaine de minutes en tramway.

— Est-ce que vous irez l'entendre parler ? »

Le Président devait prononcer un discours le lendemain soir au Shriners Auditorium.

« Je ne suis pas libre, répondit Mary. Mais je dois déjeuner avec lui et Edith dimanche. J'avoue que je redoute un peu cette entrevue.

— Voulez-vous que je vienne avec vous ? »

Caroline se faisait l'effet d'un requin qu'elle avait vu un jour au large de Catalina Island et qui avait failli faire chavirer leur frêle esquif.

« Vous voudriez bien ? Vous les connaissez si bien... »

La réaction de Mary avait été si spontanée que Caroline négligea ce qu'elle pouvait avoir de calculé.

« Oh, n'exagérons rien. Nous avons simplement d'assez bonnes relations. Le *Tribune* l'a toujours plus ou moins soutenu...

— Alors à midi et demi dans le hall de l'Alexandria Hotel. Je les préviendrai. »

Mary gagna le coin de la rue où un tramway rouge attendait. Caroline lui fit un grand signe de la main quand le tram passa devant la véranda en direction de La Brea. Trois messieurs gravirent les marches de la véranda. Elle reconnut l'un d'entre eux.

« Monsieur Griffith, dit-elle en inclinant la tête.

— Madame Traxler », fit-il en s'inclinant de même.

Il ressemblait à une espèce d'aigle américain déplumé avec une voix à la fois mélodieuse et un peu mélodramatique.

« Vous devriez être en train de tourner, ma chère. Je vous vois debout près d'une fenêtre. C'est l'aube. Vous tenez une lettre. Ma parole, vous la déchirez tout à coup. Vous levez une main qui va jeter les morceaux, puis vous vous retenez. Un débat intérieur. Les rideaux de la fenêtre se gonflent sous l'effet du vent...

— Qui souffle de l'intérieur ou de l'extérieur ? »

Le grand homme se mit à rire.

« On ne peut rien vous apprendre. La plupart des metteurs en scène ne font pas la différence. Il faudra que nous ayons bientôt une petite conversation tous les deux. Après l'ouverture...

— Mr. Barthelmess vous attend à l'intérieur.

— Madame. »

Une brève inclinaison du buste, et il entra au bar. Caroline remarqua, lorsqu'il passa devant elle, qu'il empestait le whisky.

A Garden Court, Héloïse menait dans un appartement cossu de style Néo-Renaissance ce qu'elle appelait une existence de pionnier. L'appartement de Tim était contigu à celui de Caroline, et la gérance n'avait vu aucun inconvénient à faire ouvrir la porte de communication entre leurs deux appartements. La résidence était toute récente, et Emma Traxler était la première star à y habiter. Héloïse condescendait de temps en temps à leur faire la cuisine, et ensuite chacun allait se coucher dans son lit. Caroline avait l'impression de se retrouver en pension. Au fond le cinéma c'était un peu comme l'école. On se levait à l'aube, on passait la journée à apprendre un texte et à essayer de plaire aux autres, et on allait se coucher avec les poules.

Caroline était allongée sur le canapé du salon ; une pile de scénarios était posée par terre à côté d'elle. Pendant ce temps-là Tim préparait son travail pour le lendemain, assis à son secrétaire. Et dans leur petite cuisine Héloïse remuait des casseroles.

C'était la vie de maison, la vie d'intérieur. Caroline n'avait encore jamais vécu en appartement, et elle avait toujours eu de nombreux domestiques. Elle était enfin libre de jouer les Cendrillons grâce à cette extraordinaire invention appelée cinéma, qui avait réuni en un point de la planète quelques-uns parmi les spécimens les plus remarquables de l'humanité.

« Dois-je mourir avec les yeux ouverts ou fermés ?

— Fermés, dit Tim en continuant d'écrire.

— Je crois qu'ouverts ce serait mieux. Je me suis entraînée et...

— Tu cligneras des yeux, c'est forcé...

— Mais non, tu verras. A propos, je vais déjeuner avec ta nouvelle star, Mr. Wilson. »

Tim s'arrêta d'écrire.

« Quand ?

— Dimanche. Le lendemain de son discours.

— Je le filmerai à l'intérieur de Shriners.

— Pourquoi ?

— Ça peut toujours servir. Dans un film sur les ouvriers, par exemple. Je veux dire *contre* les ouvriers, bien entendu.

— Mais pourquoi le filmer dans l'auditorium ?

— On ne sait jamais. Tout peut arriver.

— Tu crois qu'ils vont essayer de le tuer ?

— Ça serait merveilleux, non ? s'écria Tim dont les yeux brillèrent de plaisir. Ce serait trop beau, je n'aurais jamais une telle chance.

— Et tu peux oser ça de sang-froid ! Désolée, mais je ne suis pas de ton avis. Moi, j'aime bien Mr. Wilson.

— On n'a encore jamais fait ça. Mêler des scènes de la vie réelle à une histoire inventée. Ce serait la première fois.

— Et ce serait quoi cette histoire inventée ?

— Un sujet politique, bien sûr. Quelque chose qui aurait trait à la ligue des nations, par exemple, mais qui soit une histoire personnelle. »

Caroline pensa à l'histoire que Mrs. Peck venait de lui raconter. Mais le public jugerait ça trop invraisemblable... Elle essaya de s'imaginer la lettre du Président au rédacteur du *Ladies' Home Journal*. Puis elle regarda Tim et vit derrière lui le marteau et la faucille, ou pire, la Croix toute seule.

« Ce serait trop risqué, mon chéri. Tu as intérêt à te tenir à carreau pour le moment. Mr. Mitchell n'attend que l'occasion de te coffrer, et si tu es encore en liberté, c'est grâce au *Tribune*. Ne l'oublie pas.

— Vive le *Tribune* !

— Tu ne pourrais pas laisser la politique de côté pendant quelque temps ?

— Non.

— Pourquoi ? »

Tim prit un air inspiré.

« C'est plus fort que moi, voilà tout.

— Tu es communiste ?

— Non, mais je pourrais peut-être le devenir. Pourquoi pas ? »

Caroline poussa un soupir.

« Alors tu pourras dire adieu au cinéma.

— Je pensais que l'Amérique était un pays libre.

— Eh bien, ne pense plus. Parce que, soit dit entre nous, ce que tu as de plus fort en toi n'est pas l'intelligence, mais le cœur. C'est quand tu t'indignes que tu fais de grandes choses. Excuse-moi si j'ai l'air de parler comme au cinéma... »

Tim était ravi par Emma Traxler, moins par Caroline Sanford.

« Je suis sûr que tu n'as jamais parlé comme ça avant de me connaître.

— Personne ne parle comme ça dans la vie réelle. La seule liberté dont jouisse un Américain, c'est de faire comme tout le monde. Depuis le temps tu devrais le savoir. »

En réalité Caroline se fichait pas mal de savoir si l'image flatteuse que l'Amérique aimait à donner d'elle-même correspondait à la réalité. Elle était entièrement du côté des dirigeants. Elle éprouvait bien une espèce de vague pitié pour l'homme de la rue, mais tout ce qu'elle pouvait faire pour lui, c'était de relater des crimes dans son journal et de se suicider à l'écran. Les yeux grands ouverts, de préférence. Et elle s'était bien juré de ne pas cligner des yeux, dût-on briser un flacon de sels sous son nez.

« Oublie la politique, je te dis.

— Les frères Warner se débrouillent pas mal avec le livre de cet ambassadeur...

— Ce n'est qu'un réchauffé de propagande antiboche. »

Un merle se mit à chanter sur son balcon et Caroline se leva pour aller regarder par la fenêtre. Les éléphants de plâtre qui avaient servi pour les décors de Babylone remplissaient l'horizon de leur gigantesque présence. Décidément Hollywood était n'importe où sauf hic et nunc.

L'Alexandria Hotel en revanche était bel et bien hic et nunc. Le hall était rempli de policiers en civil et de délégués politiques, attendant d'être reçus par le Président. Mr. Starling, chef des services secrets de la Maison-Blanche, était assis près des ascenseurs devant un bureau de bois verni encadré de dorures sur lequel étaient posés un téléphone et une liste de noms. Il avait l'air distrait de quelqu'un qui cherche à passer inaperçu. En réalité, seuls ceux qui avaient rendez-vous avec le Président étaient présentés à Starling par le directeur du personnel.

A la surprise de Caroline, Mary arriva en retard. Comme elle traversait le fameux tapis d'un million de dollars qui recouvrait le hall, Caroline s'aperçut que Mary boitait légèrement.

« J'ai raté le tramway. Il ne passe que toutes les heures là où j'habite. »

Mary fit mine de se diriger vers le bureau de réception, mais Caroline lui prit le bras et l'entraîna vers Mr. Starling.

« Ravi de vous voir, madame Sanford.

— Monsieur Starling, sourit Caroline, je vous présente Mrs. Hulbert. Nous sommes attendues pour déjeuner. »

Starling consulta sa liste et fronça les sourcils.

« Je lis ici Mrs. Peck.

— Je suis également Mrs. Peck, dit Mary d'un air quelque peu condescendant. »

Starling la dévisagea un long moment, puis il les conduisit toutes deux vers un ascenseur.

« Celui-ci vous mènera directement à leur étage. Ensuite le policier de service vous conduira. »

Starling retourna à son téléphone, et les deux dames montèrent.

« C'est ici qu'habite Mr. Griffith, dit Caroline. Ou du moins il y a habité. Les acteurs préfèrent vivre à l'hôtel plutôt qu'en appartement.

— Les pauvres ! »

A la sortie de l'ascenseur un policier les conduisit à l'appartement des Wilson. Edith les attendait devant la porte du salon. C'était une grande femme de près d'un mètre quatre-vingts, d'allure imposante.

« Chère madame Sanford », dit-elle en saluant Caroline. Puis prenant la main de Mary dans les deux siennes : « Je suis si heureuse de faire votre connaissance, madame Peck.

— Moi de même, madame Wilson. Vous l'ignorez peut-être, mais j'ai repris le nom de mon premier mari, Hulbert.

— Je suis absolument désolée. »

Brooks, le valet de chambre du Président, ouvrit la porte de la chambre à coucher, et le Président entra. Il portait un blazer bleu marine et des pantalons blancs. Il avait l'air en mauvaise santé malgré son teint bronzé. Le sourire était sincère mais le regard était terne derrière le pince-nez.

« Mary, dit-il en lui serrant la main et en la gardant dans la sienne un long moment. Vous ne changez pas. »

A l'autre bout de la pièce, Brooks aidait le maître d'hôtel à préparer la table. Le Président invita les dames à s'asseoir.

« Madame Sanford, quand je pense que nous avons regardé votre film assis à côté de vous, sans nous douter que c'était vous que nous voyions sur l'écran !

— Moi, j'avais deviné, Woodrow, dit Edith.

— Vous soupçonniez quelque chose, mais vous n'en étiez pas certaine. Et maintenant vous jouez dans tout.

— Je fais semblant.

— Comment faites-vous pour pleurer aussi facilement ? demanda Edith. Vous n'aviez jamais joué la comédie auparavant, n'est-ce pas ?

— Mais nous jouons tous plus ou moins la comédie dans la vie réelle...

— Moi en tout cas, confessa le Président, mais je me croyais unique...

— Vous êtes un acteur-né, intervint Mary. Je n'oublierai jamais votre interprétation du Roi Lear sur la plage aux Bermudes, rien que pour Mark Twain et pour moi. »

Caroline jeta un coup d'œil à Edith dont le sourire figé avait l'air sculpté dans la chair ferme de son visage.

« Je n'étais pas à l'auditorium hier soir, dit Caroline, mais le *Times* ne tarit pas d'éloges à votre endroit, monsieur le Président, et mon metteur en scène, Mr. Farrell, vous vous rappelez ? vous a trouvé merveilleux. »

Wilson murmura un vague acquiescement, les yeux fixés sur Mary en train d'allumer une cigarette. Edith continuait de sourire imperturbablement.

« Mais, reprit Caroline, tous ces discours, ça doit vous fatiguer la voix...

— Bien sûr, renchérit Edith, mais vous le connaissez, quand il a décidé quelque chose...

— Je dois contrer l'opposition. Hiram Johnson parcourt le pays pour démolir la ligue. Le pire c'est le... le... le... »

Wilson s'arrêta, fronça les sourcils. Le sourire d'Edith restait impénétrable. Le Président souffrait d'aphasie. Caroline également, quand elle était très fatiguée. Soudain on cherche un mot, et il ne vient pas, si simple soit-il.

« ... Vous voulez dire l'acoustique, lui souffla Mary, au vif déplaisir d'Edith. Les micros ne sont jamais à la bonne place.

— A San Diego c'était encore pire, enchaîna Wilson, heureux d'avoir retrouvé sa voix. Ils ont inventé quelque chose de nouveau appelé mégaphone. Vous devez rester absolument immobile, et parler dans un de ces appareils, qui doit être relié aux haut-parleurs, comme la radio, je suppose. Je n'ai jamais eu autant de difficulté. J'aime pouvoir bouger en parlant, mais là c'est impossible, on est comme cloué au sol...

— C'était bien sûr terrible pour Woodrow, mais trente mille personnes l'ont entendu comme s'il leur parlait à l'oreille.

— Non, non, se récria le Président. Juste en face de moi il y avait toute une partie de la salle qui n'entendait absolument rien. »

Le visage du Président s'empourpra. Il secoua la tête et se mit à tousser.

« Et maintenant une crise d'asthme, murmura-t-il dans son mouchoir. Me voilà beau ! »

L'amiral Grayson entra soudainement dans la pièce. Il salua brièvement Mary et Caroline, prit le pouls du Président et dit en souriant :

« Le déjeuner est servi. Ce devait être notre dimanche de repos. »

Caroline crut que ces mots visaient Mary, mais en les conduisant à table, le Président leur narra la mésaventure qui leur était arrivée le matin même.

« Je désirais voir une vieille amie de ma première femme, qui vit à Los Angeles, mais qui n'a pas le téléphone. Nous sommes d'abord sortis de l'hôtel par une porte de service afin de semer les reporters, et nous nous sommes fait conduire à l'adresse indiquée. Mais cette dame n'était pas chez elle. Le policier qui nous accompagnait a découvert qu'elle était allée à la gare pour me voir, alors nous nous sommes précipités à la gare où elle se trouvait effectivement...

— Vous nous voyez tous les deux, dit Edith, parcourant Los Angeles dans tous les sens, avec la voiture des services de sécurité tantôt devant tantôt derrière nous, mais toujours trop loin...

— C'était très amusant, dit Wilson. On se serait cru dans un film de Mack Sennett. Vous le connaissez, ajouta-t-il à l'intention de Caroline qui lui répondit par un signe d'assentiment de la tête. Dites-lui que je suis un admirateur de Ben Turpin. Je ne sais pas pourquoi, mais il me fait toujours penser au Sénat...

— Et moi, c'est à vous qu'il me fait penser, coupa Edith, quand vous vous démenez, tel un beau diable, comme ce matin. Bref, nous avons retrouvé l'amie d'Ellen sur le quai, et nous avons pu bavarder quelques instants au milieu d'une foule de curieux. Ensuite je me suis dépêchée de rentrer pour m'occuper du déjeuner, et Woodrow m'a suivie. »

Caroline comprenait à présent pourquoi Edith était tout sauf ravie de devoir partager le jour du Seigneur entre une amie de la première femme de son mari et son ancienne maîtresse. Et Mary dut accroître encore son déplaisir quand elle dit à Wilson : « Vous vous souvenez de cette robe ? » et que celui-ci lui répondit : « Très bien. Vous la portiez en mai 1915 quand vous veniez à la Maison-Blanche. »

Edith examina le menu :

« Quelqu'un sait-il ce qu'est l'abalone [1] ? » demanda-t-elle avec une expression de colère contenue.

Mais la passion du Président pour le cinéma surpassait maintenant celle qu'avait pu autrefois lui inspirer Mary, et Caroline s'acquit les bonnes grâces d'Edith en leur racontant toutes les anecdotes qu'elle savait concernant Hollywood. Le Président se montra particulièrement satisfait de ce que son gendre avait accompli avec United Artists.

Pendant le repas Tumulty s'approcha du Président à plusieurs reprises et lui souffla à l'oreille : « Monsieur », et le Président quittait un moment la table pour aller serrer la main des délégués dans la pièce d'à côté. Mary et Edith discutaient alors des avantages et des inconvénients de la Californie. Finalement elles l'exclurent d'un commun accord comme lieu de retraite possible.

Après déjeuner ils passèrent au salon où Mary leur raconta comment on avait cambriolé son appartement pour lui voler les lettres de Wilson.

---

1. Sorte de coquille Saint-Jacques.

« Lettres qui ont été offertes à Caroline et que celle-ci a refusé de publier. C'est pourquoi je me suis permis de l'amener avec moi.

— Qui vous les a offertes ? interrogea Edith, sans toutefois quitter le Président du regard.

— Un journaliste que nous connaissons. Il n'a pas voulu nous dire de qui il les tenait. Un journaliste ne révèle jamais ses sources, comme vous savez. Bien entendu, je n'ai jamais eu l'intention de les publier.

— Ma pauvre Mary, quand je pense à ce qu'il vous a fallu endurer à cause de moi ! soupira Wilson.

— On dit bien qu'il n'y a jamais de fumée sans feu, observa Edith d'un ton faussement badin.

— C'est comme vous, ma chère, qui aurait pu croire que vous avez été la maîtresse de Von Bernstorff ! »

Cet esprit de repartie dont Mary était abondamment pourvue n'était certes pas son moindre charme.

Avant d'épouser Wilson, Edith avait en effet été très liée — mais jusqu'où ? — avec l'ambassadeur d'Allemagne.

Edith accusa le coup sans sourciller. Elle noya son regard bleu dans sa tasse, abaissa son buste comme si elle l'inclinait devant tout ce que lui représentait de notoire et d'imposant le nom de Von Bernstorff, et murmura dans une espèce de gloussement :

« Ce qu'on raconte sur notre compte est mille fois plus intéressant que tout ce qu'on peut voir au cinéma. Je ne sais pas ce qu'en pense Mrs. Sanford... »

Mais Wilson ne semblait pas avoir remarqué cette passe d'armes entre les deux femmes.

« J'ai songé à démissionner, dit-il tout à coup, puis il mit un doigt sur ses lèvres, soit qu'il voulût leur donner la primeur de cette confidence, soit qu'il voulût leur faire une fausse peur.

— Vous avez l'air si bien, pourtant ! »

Mary semblait de nouveau absorbée par ses propres problèmes, et Caroline prévoyait le moment où une lettre du Président à sa logeuse serait peut-être nécessaire.

« Pas pour des raisons de santé, mais à cause de la ligue. Si j'ai trop de difficultés avec le Sénat, et j'espère qu'après cette tournée les choses iront mieux, je proposerai au gouvernement de démissionner. Ainsi qu'à tous les sénateurs de l'opposition. Ensuite nous organiserons de nouvelles élections pour déterminer si oui ou non le pays veut la ligue. »

Caroline se demandait si le Président parlait sérieusement, mais en voyant Edith opiner du bonnet, elle comprit que Wilson était entré dans une nouvelle phase qui risquait de s'avérer pleine de périls.

« Les gouverneurs seraient d'accord, dit Edith. Ce sont eux qui seraient chargés d'organiser les élections, chacun dans son Etat.

— Vous aurez alors ce gouvernement parlementaire dont vous avez toujours rêvé », dit Mary en acceptant de se laisser distraire un moment de ses soucis par des préoccupations d'ordre général, voire historique.

Wilson sourit.

« Je n'y avais pas pensé. Mais vous avez raison. Nous consulterions directement le pays sur un grand problème, comme font les Anglais. Si pour une fois nous arrivions à intéresser les sénateurs à quelque chose de vraiment important ! »

Mary évoqua à nouveau les problèmes financiers de son fils, le coût de la vie à Los Angeles, etc. Edith la toisait de son air de reine ennuyée. Caroline paraissait gênée devant une telle insistance. Le Président, lui, la considérait d'un air extasié. Visiblement elle avait toujours le pouvoir de le charmer. Grayson entra alors et l'audience prit fin. Edith se leva :

« C'est très aimable à vous d'être venue nous voir », dit-elle à Mary qui était en train de leur parler de son projet d'association avec Elsie de Wolfe, une décoratrice de Los Angeles.

Edith sortit de la pièce pour aller chercher le manteau de Mary. Caroline alla vers la fenêtre. On voyait au loin Culver City, tandis qu'au premier plan le studio de Thomas Ince dressait sa façade de style néo-colonial au milieu des plantations d'oignons. C'était Ince dont le maître d'hôtel recevait les visiteurs en livrée à la porte du studio.

« Que puis-je faire ? demanda Wilson à voix basse, quoique pas assez pour quelqu'un qui avait l'ouïe aussi fine que Caroline.

— Vous pouvez aider mon fils. Il habite New York. Voici son adresse.

— Mais pour vous ?

— Vous avez un bien joli manteau », remarqua Edith en rentrant dans la pièce.

Caroline se retourna pour contempler ce curieux trio. Wilson insista pour raccompagner ces dames jusqu'à l'ascenseur. Edith les regarda s'éloigner d'un air toujours aussi impassible.

Lorsque le policier leur ouvrit la porte, Mary se mit soudain à réciter : « Vous m'aimez, vous me soutenez, et cependant je pars, et vous me l'ordonnez ? » Les yeux du Président s'embuèrent de larmes, et les portes de l'ascenseur se refermèrent. Caroline et Mary descendirent en silence jusqu'au rez-de-chaussée. Une fois dans le hall, Mary s'arrêta près de la grille du caissier.

« Est-ce qu'on vous connaît ici, très chère ?

— Sans doute. »

Qui ne connaissait pas Emma Traxler ?

« J'aimerais encaisser ce chèque. Oh ! une bagatelle. J'ai travaillé toute la semaine sur votre film, et comme nous sommes aujourd'hui dimanche... »

Emma Traxler pria le caissier de bien vouloir encaisser le chèque. Au moins le Président s'était épargné l'affront d'endosser lui-même le chèque de Mary Hulbert.

2

Le Vice-Président des Etats-Unis jeta un regard aigu sur le buste en marbre de Cicéron, tandis que Burden se renversait sur son siège, en posant les pieds sur son bureau.

« C'est fou tout de même cette ressemblance ! C'est de loin le meilleur buste de Bryan que j'aie jamais vu. »

Burden hocha gravement la tête. Il était toujours sidéré de voir que tout le monde confondait Cicéron avec Bryan.

L'été avait été torride, et l'automne à peine moins. Les feuilles séchaient par places puis tombaient, frappées de mort, sans avoir eu le temps de virer au rouge. Le Capitole perché sur sa colline brunâtre ressemblait à un melon poussiéreux tassé sur une borne.

Marshall fumait un cigare assis au coin du feu. Un gros havane et non pas « un de ces bons petits cigares à cinq cents » qu'il avait naguère proposés au pays comme variante de l'éternel « panem et circenses » dans un discours resté célèbre.

« Avez-vous vu le Président ces derniers temps ? »

Burden secoua la tête.

« Tumulty m'empêche même d'approcher de Mrs. Wilson.

— Ça va mal, je vous dis. Ça va même très mal. Le Président n'en a plus que pour quelques mois, à mon avis.

— Comment le savez-vous ? Parce que pour savoir quelque chose, pardon !

— Je ne peux pas vous le révéler. Tumulty m'a dit qu'il se mettrait en rapport avec moi, mais il ne bouge toujours pas. Grayson est médecin, ce n'est donc pas lui qui pourra nous dire quelque chose. Bref, le fin mot de tout cela c'est que Mrs. Wilson assume la régence... D'après eux, le Président aurait fait une dépression nerveuse dans le train, et ils auraient regagné Washington dare-dare. Il aurait eu une attaque. C'est pourquoi il ne peut plus se montrer en public. Ce matin il paraît qu'ils l'ont retrouvé étendu par terre dans la salle de bains. Il semble qu'il soit paralysé. Ses reins ne fonctionneraient plus. Mais ces têtes de mules ne veulent rien nous dire, ni au pays ni à moi qui suis le Vice-Président. Heureusement qu'il y a le téléphone arabe. Il ne s'agit pas que d'un homme malade, c'est tout le système politique qui est paralysé...

— Vous avez parlé à Lansing ?

— Pas aujourd'hui. Il a présidé le Cabinet. Les ministres se débrouillent comme ils peuvent, mais, Bon Dieu, Burden ! nous avons une grève des aciéries, une grève des charbonnages, et l'hiver approche. La loi martiale a été décrétée à Omaha, à cause du lynchage de ce nègre, et il y a Lodge...

— Je sais. A votre place j'irais trouver Lansing, et j'irais avec lui à la Maison-Blanche, et je demanderais à voir le Président. Et s'ils refusent, j'invoquerais la Constitution, et je demanderais qu'il soit démis de ses fonctions, tant qu'il sera dans l'incapacité de les assumer. »

La position de Burden était claire et ferme : le gouvernement américain ne pouvait fonctionner sans exécutif, quoi qu'en disent toutes ces pipelettes de sénateurs...

Marshall prit un air consterné.

« Je n'ose pas. Lansing en a touché un mot à Mrs. Wilson et c'est tout juste s'il ne s'est pas fait écharper... »

Burden songeait combien les choses eussent été différentes, s'il avait été à la place de Marshall.

« Combien de temps pourront-ils nous mener en bateau ?

— Aussi longtemps qu'ils voudront. Qui peut les en empêcher ? Est-ce que vous vous rendez compte qu'il pourrait mourir sans que nous en soyons informés ? Grayson, Tumulty et Mrs. Wilson pourraient continuer de prétendre que le Président se porte comme un charme.

« — Il doit quand même signer les projets de lois. Hitchcock en a quatre actuellement sur son bureau, y compris celui sur la prohibition. S'il ne les signe pas, ou s'il n'y met pas son veto, ils auront force de loi dans dix jours.

— Bon sang, Burden ! Vous savez aussi bien que moi que n'importe lequel de nos secrétaires peut signer à notre place. »

Les deux hommes retombèrent dans le silence. La première régence de l'histoire américaine venait de commencer, et on ne pouvait rien faire tant que la femme du Président et son médecin continueraient d'affirmer que le Président était en pleine possession de ses moyens. En attendant, la ligue, à laquelle le Président avait sacrifié sinon sa vie du moins sa santé, pouvait encore être sauvée. Lodge avait accepté le principe de deux ligues : l'une pour l'hémisphère oriental et l'autre pour l'hémisphère occidental, où la doctrine Monroe devait continuer de prévaloir. Les deux ligues, agissant de conserve, seraient plus fortes et moins dangereuses qu'une seule. En définitive Lodge, malgré son hostilité envers Wilson et toutes ses œuvres — les forces antiligue dont il avait pris la tête s'appelaient fièrement le Bataillon de la Mort —, était un sénateur internationaliste de la Nouvelle-Angleterre qui voyait très bien l'intérêt pour les Etats-Unis de pouvoir disposer d'un instrument aussi puissant que la ligue. D'où son invention des deux Césars : un pour l'Ouest et un pour l'Est. Mais voilà, pour le moment il n'y avait plus de César. Et son lieutenant regardait d'un air impuissant le feu s'éteindre dans la cheminée, en mâchonnant un havane sous sa moustache jaunie.

C'est seulement le 17 novembre que Burden et Hitchcock furent convoqués à la Maison-Blanche. Hitchcock s'y était rendu quelques jours plus tôt et il avait averti Burden de ne pas se montrer surpris de ce qu'il verrait.

« Ni de ce que j'entendrai ? »

Hitchcock ne répondit pas, tandis que les grilles de la Maison-Blanche s'ouvraient pour laisser entrer leur longue Packard noire. Il faisait ce jour-là un petit froid piquant. On voyait çà et là des congères laissées par le dernier blizzard qui avait justement coïncidé avec la grève des mineurs. Actuellement près de quatre cent mille grévistes avaient refusé de reprendre le travail, et leur leader, un certain John L. Lewis, avait publiquement exprimé le doute que les hommes du général Wood puissent extraire assez de charbon avec leurs baïonnettes pour chauffer tout le pays.

Mrs. Wilson et l'amiral Grayson attendaient les deux hommes sur le palier du premier étage. Ils arboraient tous les deux un sourire incongru et semblaient n'avoir pas dormi depuis une semaine. A part ça le couloir ressemblait à une salle d'hôpital. La place de Miss Benson sous l'imposte au fond du couloir était vide, et Mrs. Wilson avait posé son sac à main et son tricot sur le bureau de la secrétaire. Elle devait passer une bonne partie de son temps à monter la garde devant la chambre du Président.

« Messieurs, nous avons de bonnes nouvelles à vous communiquer, commença Mrs. Wilson. Le Président est dans un fauteuil roulant, et cet après-midi nous sortirons pour la première fois.

— La guérison a été stupéfiante, réellement stupéfiante, déclara l'amiral Grayson.

— Peut-on savoir au juste de quoi souffrait le Président ? » demanda Burden.

Hitchcock décocha à Burden un regard lourd de reproches, mais les conspirateurs avaient réponse à tout.

« De surmenage, d'abord. La tournée l'a épuisé. Ensuite nous avons redouté une crise d'urémie. Puis une inflammation de la prostate qu'heureusement nous avons pu soigner par une thérapie appropriée.

— Nous ne voulions pas d'opération, Woodrow et moi, malgré l'avis de certains médecins. Et nous avons bien fait. Dieu merci ! Maintenant il est en voie de guérison. »

Mrs. Wilson avait baissé ses paupières et une clarté riait dans ses yeux. Puis elle introduisit les deux hommes dans la chambre du Président.

Wilson était assis dans une chaise roulante, le dos tourné à la fenêtre, si bien qu'il était difficile de distinguer ses traits. En fait il était méconnaissable. Il portait une longue barbe par-dessus son châle, qu'on eût dit postiche. Son visage était cadavérique, sa parole embarrassée. La rumeur était bien juste. Wilson avait la partie gauche du visage entièrement paralysée. A chacune de ses paroles, le côté gauche de la bouche descendait, tandis que le droit remontait.

« Je n'ai peut-être pas encore retrouvé mes vingt ans, dit-il avec un demi-sourire, mais comparé à ce que j'étais il y a quelques semaines, c'est une véritable résurrection. »

Il fit signe de la main à Grayson qui se retira à contrecœur. Edith s'assit au chevet de son mari, et prit des notes pendant qu'il parlait. La régence avait-elle commencé ?

Le Président était d'humeur loquace.

« Nous avons eu quelques visiteurs royaux. Le prince de Galles voulait savoir dans quelle chambre avait dormi son grand-père. C'était du temps du Président Buchanan. Je lui ai raconté comment son grand-père s'était échappé par la fenêtre pour aller à une soirée. Et naturellement il a voulu savoir quelle fenêtre. » Wilson eut un geste presque aérien de la main droite qu'il laissa retomber lourdement sur ses genoux. « Ensuite le roi et la reine des Belges nous ont rendu la visite que nous leur avions faite il y a trois ans. Je portais un sweater pour la circonstance. C'est moins compromettant qu'une robe de chambre, n'est-ce pas ? La reine a parlé d'un tricot, mais la presse a compris " étriqué ", bref ma femme a reçu des centaines de pelotes de laine de bonnes dames bien intentionnées à mon égard. » Puis se tournant vers les deux sénateurs il ajouta : « Je désire, messieurs, que soit supprimé immédiatement le préambule révisé du traité. Sinon, je mettrai mon veto au traité, amendements et tout le tremblement y compris.

— Dans ce cas, monsieur, demanda Burden, dois-je dire aux sénateurs de notre parti de voter contre le traité si le préambule subsiste ? »

Wilson hocha la tête.

« Si je ne m'oppose pas à ces nouvelles clauses, Lodge pourra toujours prétendre que j'ai détruit ma propre ligue...

— Mais n'est-ce pas justement ce que vous êtes en train de faire ? »

Un raisonnement, si juste soit-il, qui repose sur de fausses prémisses avait toujours eu le don d'exaspérer Burden.

« Non, répondit le professeur d'histoire d'un ton catégorique. Si les sénateurs démocrates votent contre le traité, le pays comprendra que le traité n'est plus ce qu'il était. Aussi quand le Sénat suspendra ses travaux, le public et la presse auront le temps nécessaire pour convaincre au moins deux tiers des sénateurs que l'opposition de Lodge est purement partisane et qu'elle ne reflète nullement l'opinion de ces foules que j'ai vues dans l'Ouest, jour après jour, jusqu'à ce que...

— Il me semble pourtant, dit Burden, qu'au point où nous en sommes, un traité, même imparfait, vaut mieux que pas de traité du tout...

— Excusez-moi, messieurs, mais c'est l'heure à laquelle le Président doit prendre sa médecine », dit Mrs. Wilson en se levant.

Les sénateurs se levèrent à leur tour. Wilson tendit la main droite à chacun. Il avait encore de la poigne.

« Le moment est peut-être venu de tendre le rameau d'olivier, suggéra Hitchcock.

— C'est à Lodge de faire le premier pas. »

Le vieil homme à la barbe fleurie avait l'air sculpté dans un bloc de glace.

Une fois dans le corridor, Mrs. Wilson se tourna vers Hitchcock.

« Je pense que vous avez raison, sénateur. Personnellement je serais prête à accepter tous les amendements, et qu'on en finisse une bonne fois avec ce traité. Ce serait le meilleur moyen de hâter sa guérison. Mais, comme vous le savez, le Président est quelqu'un d'entêté. Il m'a dit : " Petite fille, ne m'abandonne pas. Je ne pourrais pas le supporter. " » Les yeux d'obsidienne d'Edith s'embuèrent de larmes. « " D'un point de vue moral je n'ai pas le droit d'accepter la moindre modification d'un traité que j'ai moi-même signé, sans accorder le même droit aux autres signataires, y compris les Allemands. L'honneur du pays est en jeu. Ce n'est pas moi qui m'entête. " »

Hitchcock était visiblement ému. Burden, lui, bouillait intérieurement de rage.

« Qu'en pense le colonel House ?

— Je ne sais pas. Nous ne le voyons plus. »

Ces paroles confirmaient la rumeur selon laquelle House avait été exclu des conseils du Président.

« On m'a dit qu'il était à Washington, ajouta Mrs. Wilson, mais pour le moment notre porte lui est fermée, j'en ai peur.

— Et pour lord Grey aussi ? »

Le gouvernement britannique avait déclaré le mois dernier par la bouche du secrétaire d'Etat au Foreign Office qu'il était prêt à accepter les amendements proposés par Lodge pourvu qu'on aboutisse d'une manière ou d'une autre à la création d'une Société des nations. Mais le Président avait refusé de le recevoir parce que, d'après Alice Longworth, toujours bien renseignée, un des attachés de l'ambassade de Grande-Bretagne à Washington s'était permis une plaisanterie déplacée à l'endroit de Mrs. Wilson. (Question : « Qu'a fait Mrs. Galt quand le Président lui a demandé de l'épouser ? » Réponse : « Elle est tombée du lit. ») Lord Grey avait refusé de renvoyer son attaché, malgré l'insistance de Mrs. Wilson. Voilà pourquoi les portes de la Maison-Blanche étaient aujourd'hui fermées à Sa Seigneurie.

« C'est le prince de Galles lui-même qui en a parlé le premier. Enfin, je vous le demande, est-ce que ce sont des choses dont on parle devant un jeune homme ? Nous n'avons accepté de le recevoir que parce que ses parents nous avaient reçus avec tant de gentillesse. Quoi qu'il en soit, nous n'avons aucune obligation envers lord Grey, bien au contraire. »

Une sonnette tinta dans la pièce à côté.

« Ne partez pas, dit-elle en se précipitant vers la chambre du Président.

— Allons trouver le Vice-Président, dit Burden d'une voix vibrante. Cela ne peut plus durer ainsi.

— J'y suis allé. C'est inutile. Il ne bougera pas. Vous savez comment ils le tiennent au courant ? Tumulty a un ami journaliste au *Baltimore Sun.* C'est lui qui sert d'intermédiaire entre la Maison-Blanche et Marshall.

— Nous devrions peut-être porter l'affaire devant la justice... »

Burden était étonné de la dureté de sa propre réaction. Mais de deux choses l'une : ou le service de l'Etat est chose sérieuse ou il ne l'est pas. Ou le pays est dirigé par un Président apte et compétent... ou bien... Mais en tout cas, la vacance de l'Exécutif ne peut être assumée de façon satisfaisante par une épouse dévouée et un médecin de la marine.

« Mais ce n'est pas véritablement un infirme. Il a opposé son veto au projet de loi sur la prohibition. Il n'est pas alité... »

La loyale épouse revint :

« Le Président a dit que les Démocrates devraient voter contre le traité, non pour le faire échouer, mais pour l'*annuler.* »

Sur ces paroles le chef de la minorité démocrate au Sénat et son député prirent congé. Burden prévoyait un avenir lourd de menaces, et un Président républicain pour l'an prochain.

3

Jess et la duchesse étaient assis à côté des McLean dans la tribune du Sénat. Une fois de plus tout Washington s'était donné rendez-vous pour voir le Bataillon de la Mort écraser le Président et sa ligue. En entrant dans la salle, W.G. salua de la main la duchesse. Après lecture par Lodge du rapport de la commission, on procéderait au vote. Lodge avait demandé à W.G. d'ouvrir le débat pour les Républicains en défendant la version révisée de la ligue, contre laquelle devaient ensuite voter les Démocrates.

« Warren est très nerveux, confia la duchesse à Evalyn McLean. Ça fait des jours qu'il s'entraîne devant son miroir.

— Je croyais qu'il improvisait au fur et à mesure. »

Evalyn paraissait toute ravigotée par l'approche de la curée. Par contre Ned semblait à jeun, ce qu'on pouvait interpréter soit comme un changement profond dans son caractère, soit — ce qui était plus probable — comme une détérioration de son foie.

Jess promena ses regards autour de lui. Il reconnut Alice Longworth — qui s'était intitulée colonel du Bataillon de la Mort — accompagnée de Ruth Hanna Cormick, fille de Mark Hanna et épouse de Medill McCormick, récemment élu sénateur de l'Illinois, jeune, agressif, ambitieux, et frère de Robert McCormick du *Chicago Tribune*. Tout le monde s'accordait à dire qu'un jour il serait Président. Surtout Alice, qui s'était toquée de sa femme, une personne aussi franchement partisane qu'elle. Elles faisaient penser toutes deux à Jess à ces tricoteuses assises au pied de la guillotine, qu'il avait vues dans un film sur la Révolution française et qui, chaque fois qu'elles sautaient une maille, hurlaient : « A mort ! A mort ! »

Jess avait même entendu Mrs. Longworth traiter le sénateur Lodge de faux frère parce qu'il avait cherché à créer de son côté une sorte de ligue non wilsonienne. En attendant, chaque fois qu'un sénateur osait suggérer que le grand Theodore Roosevelt lui-même avait autrefois eu l'idée d'une ligue, elle lui adressait une sévère mercuriale depuis la tribune. Alice avait été intronisée par le ciel (et par elle-même) gardienne du culte rooseveltien, ainsi que principale supportrice du général Leonard Wood en tant qu'héritier de Roosevelt. Wood avait dernièrement conquis les Américains à titre de briseur de grève, dans une croisade contre ce qu'il appelait le « radicalisme » à laquelle Jess ne pouvait que dire amen. Mais Daugherty ne croyait pas aux chances de Wood. Il pensait que, le feu de paille une fois éteint, le parti républicain se tournerait vers W.G.

L'entrée du Vice-Président fut saluée par des murmures. Il remonta l'allée centrale et alla s'asseoir sur son trône, après avoir échangé quelques paroles avec le parlementaire assis auprès de lui. Thomas R. Marshall frappa alors la table avec son marteau, et un grand silence se fit dans toute la salle.

Tel un énorme bourdon ivre de pollen (présidentiel ?), le sénateur Lodge lut le rapport de la commission des Affaires étrangères sur le traité, avec les quatorze amendements correspondant aux fameux Quatorze Points de Wilson. Ensuite le sénateur Harding se leva pour approuver le travail de la commission.

Jess trouva comme toujours W.G. magnifique. Il n'omit aucun de ses fameux six gestes qui mettaient en émoi ses admirateurs. Sa voix avait un pouvoir extraordinaire, envoûtant. Les arguments valaient ce qu'ils valaient, ce n'était pas ça qui comptait. Alice Longworth elle-même se leva pour l'applaudir quand il déclara : « Je suis intimement convaincu que le pacte relatif à la ligue des nations, tel qu'il a été négocié à Paris, est de nature soit à créer un gouvernement supranational pour toutes les nations qui y souscriront, soit à créer la plus grande désillusion de l'histoire. Dans un cas comme dans l'autre, je ne crois pas que cette République doive le ratifier. »

La salle éclata en applaudissements. Le Vice-Président dut menacer de faire évacuer la tribune pour ramener le silence. Ceux qui étaient en faveur de la ligue prirent ensuite la parole. Mais ils manquaient singulièrement d'enthousiasme. C'est le moins qu'on puisse dire. Burden Day se montra aussi éloquent qu'Harding mais il ne reçut aucune ovation, parce qu'il défendit la ligue de Wilson et non celle de Lodge. Day suggéra également un compromis sous la forme de deux ligues, mais cette proposition fut accueillie par un silence de mort.

A mesure que le temps passait, Jess aurait bien aimé sortir un moment pour se dégourdir les jambes, mais la duchesse était bien décidée à rester jusqu'au bout. Peu avant onze heures du soir, le doucereux sénateur Underwood, rival d'Hitchcock au poste de chef de la minorité démocrate, proposa la ratification inconditionnelle du traité.

On procéda ensuite au scrutin et la ligue fut rejetée à une très large majorité, à la requête même de Wilson qui n'avait accepté aucun des amendements de Lodge. Celui-ci demanda alors un vote sur le traité de Wilson *sans* amendements. Tous les Républicains, à l'exception d'un seul, votèrent contre la ligue, et Lodge remporta sans coup férir la guerre qui l'avait opposé à Wilson.

La duchesse se leva, mêlant ses applaudissements à ceux du public, comme si le rideau venait de tomber sur une pièce qu'elle aurait trouvée particulièrement à son goût. Elle et Jess se frayèrent un chemin à travers la foule jusqu'à la rotonde où Harding les attendait.

« Nous venons de recevoir une invitation, dit-il.

— Vas-y, toi. Moi, je rentre à la maison. J'ai les chevilles en capilotade.

« — Je n'aurais peut-être pas dû accepter l'invitation d'Alice Longworth. »

Jess savait que la duchesse ressentait comme un affront le fait de n'avoir jamais été invitée chez Mrs. Longworth.

« Pourquoi aujourd'hui ? » demanda-t-elle.

Harding éluda la question.

« Parce que personne n'a encore dîné, et qu'en tant que colonel de notre bataillon, il est juste qu'elle veuille nourrir ses troupes.

— Ma foi, si ça peut lui faire plaisir », commenta sèchement la duchesse.

Au même moment Lodge se détacha d'un petit groupe d'admirateurs pour venir serrer la main d'Harding.

« Vous avez prononcé là un superbe discours, sénateur.

— J'espère surtout qu'il a été utile.

— Utile ? Vous êtes trop modeste. Je dirais déterminant. »

Jess avait peine à respirer : c'était trop. Jamais encore il n'avait été à pareille fête. Le fumet de l'histoire lui montait à la tête.

« Je n'ai encore jamais vu une chose pareille au cours de toute ma carrière d'homme public », poursuivit Lodge. Puis fronçant les sourcils et se tournant vers le sénateur Wadsworth, il ajouta : « Non, je me trompe. Nous avons dû batailler aussi ferme pour annexer les Philippines. Et juste après le vote je me souviens d'avoir rencontré votre beau-père, John Hay. Il se tenait ici même, à votre place. Nous étions tous tellement heureux... »

Lodge eut une brève inclinaison de tête et puis il s'éloigna.

La duchesse, peut-être pour ennuyer Mrs. Longworth, décida de se rendre à son invitation, à condition que Jess les accompagne.

Lorsque les Harding arrivèrent dans M Street, ils trouvèrent la maison pleine de monde. Il y avait là les irréconciliables : Borah, Reed, Moses, Brandegee ; et les réservationnistes : Freylinghuysen et les Wadsworth, ainsi que le réservationniste démocrate, le sénateur Gore, qui était aveugle, et sa femme.

« Quel discours, sénateur, quel discours ! Vous nous avez tous stupéfiés ! s'exclama Alice en saluant W.G. Vous devez être très fière de votre mari, madame Harding.

— Il a déjà fait mieux.

— Mais jamais pour une meilleure cause. »

Les murs du salon étaient ornés de têtes d'animaux empaillés — trophées de chasse de Theodore Roosevelt. Alice dit à Jess en le voyant contempler une immense tête d'élan fortement boisée :

« Bientôt nous pourrons mettre la tête de Wilson à côté. »

Nick n'était pas allé au Sénat. Il avait dîné à la maison avec son beau-frère français.

« La cuisinière est rentrée chez elle, annonça-t-il aux invités.

— Ce ne sont pourtant pas les œufs qui manquent, mais qui va faire l'omelette ?

— Moi », répondit la duchesse qui se dirigea vers la cuisine à grandes enjambées, laissant le colonel du Bataillon de la Mort fêter sa victoire au milieu de ses troupes dans le salon, son champ de bataille préféré.

Brandegee but à la santé d'Alice.

« Nous remettrons ça en mars, mes amis, lors du vote final. Et cette fois ce sera la curée. »

Jess n'avait pas très bien saisi pourquoi il faudrait remettre ça en mars, mais deux choses étaient claires : le Président avait perdu sa ligue, et W.G. avait attiré sur lui l'attention du pays. Jess avait hâte de lire les journaux du matin. En attendant, W.G. trônait sur un canapé entre Nick et Borah, et pour une fois il ne paraissait pas trop mécontent de lui.

En août, le tout-puissant Penrose avait demandé à Harding s'il ne voulait pas être Président, et celui-ci lui avait répondu de façon caractéristique que, puisqu'il ne pouvait pas briguer deux postes à la fois, il préférait garder son siège de sénateur Ce qui n'avait fait qu'intriguer davantage Penrose. L'Ohio était la clé de l'élection, et Harding était l'enfant chéri de l'Ohio. Après la politique de grandeur de Wilson, le pays avait besoin de souffler. D'un retour à la normale. D'un nouveau McKinley. D'hommes moyens, honnêtes. De braves types, quoi ! W.G. avait discuté de ce problème avec Daugherty et Jess, sur la terrasse de sa maison de Marion, un soir que la duchesse était allée se coucher pour soigner son rein malade. W.G. avait énuméré toutes les raisons qui militaient contre sa candidature, à commencer par Wood, que tout le monde donnait comme favori. Daugherty avait écarté la candidature du général Wood d'un revers dédaigneux de la main.

« Le pays ne veut pas d'épaulettes.

— Qu'est-ce qu'il veut dire ? fit Jess.

— Harry pense qu'aucun homme qui a été général durant la guerre ne pourra obtenir les suffrages de tous ceux qui ne l'ont pas été, expliqua W.G. en gloussant. C'est possible. Cependant Wood a pour lui tous les rupins de la côte Est. Et dans ces conditions je vois mal comment il peut échouer. Car ces gens-là, quand ils décident de vous offrir la présidence, c'est qu'ils en ont les moyens...

— Pas cette fois, dit Daugherty d'un air affirmatif. Wood n'a pas de partisans. Il n'est pas populaire. Personne ne l'aime. Tandis que vous, tout le monde vous aime.

— C'est peut-être vrai pour les gens de Marion, mais j'ai idée que dans le Nevada ou ailleurs, on se fiche pas mal de moi, si tant est qu'on me connaisse. »

W.G. mastiqua un moment sa chique, puis il lança un jet de salive par-dessus la balustrade qui décrivit un arc parfait.

Pendant des années Jess s'était appliqué à chiquer, mais il n'y avait rien à faire, il n'était pas doué. Et puis comme il avait tendance à saliver beaucoup, tout ce qu'il arrivait à faire, c'était à salir sa chemise, sans parler de celle des autres.

Harding s'essuya les lèvres avec le revers de la main.

« Il y a aussi le gouverneur Lowden. Il a l'Illinois, et en plus il est riche.

— Trop. Sa femme est une Pullman. Même le parti républicain ne voudra pas de quelqu'un dont la fortune vient des chemins de fer.

— Il y a bien eu Lincoln, fit observer W.G.

— Ce n'était qu'un employé, un avocat. C'est différent. Lowden a épousé la fille du patron. Alors, il ne reste que vous.

— Vous savez, Harry, je n'ai jamais rêvé d'être un second Lincoln. »

Daugherty se mit à rire.

« Confidence pour confidence, je ne crois pas qu'ils soient nombreux à avoir fait ce rêve. Mais je vais vous dire autre chose. Ce pays ne veut plus jamais d'un autre Lincoln. Il a fait tuer un demi-million d'hommes, et il a mis à l'ordre du jour le problème noir. Non, monsieur, Lincoln est un grand homme, c'est entendu, mais nous n'élirons plus jamais quelqu'un comme lui. Idem pour Wilson. Les gens veulent qu'on leur fiche la paix maintenant. Ils veulent s'enrichir, quoi. »

Il y eut un long silence interrompu seulement par le grincement du rocking-chair de W.G. Un hibou se mit à hululer, et Jess frissonna : les hiboux le terrifiaient, avec leurs yeux semblables à des fentes de tirelires, et des becs tranchants comme des lames de rasoir.

« On devrait en parler autour de nous, dit Harding au bout d'un moment. Voir comment les gens réagissent. En dehors de l'Ohio, je n'ai aucune chance d'arriver premier, mais si partout ailleurs je viens en second, alors j'y arriverai. »

Jess fut frappé par la simplicité d'un tel raisonnement. Même Daugherty, le théoricien de la bande, parut impressionné. Il se tourna sur son fauteuil pour observer Harding, lequel était en train de rabaisser les manches de sa chemise.

« Le seul problème, c'est : qu'est-ce qu'on fait quand on est Président et qu'il n'y a pas de guerre ?

— Vous donnez le coup d'envoi du premier match de base-ball de la saison.

— D'accord, mais à part ça ? Je veux dire : si les temps sont tranquilles ?

— Espérons qu'ils le seront. La vie est pleine de surprises. Prenez Wilson. Qui aurait prédit qu'il y aurait une guerre et qu'un jour il deviendrait peut-être le président d'une espèce de Société des nations ? Et maintenant c'est une épave. On ne sait pas de quoi demain sera fait. Disons qu'en général le cours de l'histoire est plus tranquille. Espérons que ce sera le cas.

— Et qu'on puisse s'en mettre plein les poches, dit Jess, histoire d'apporter son grain de sel.

— Si je ne connaissais pas tous mes collègues, je dirais que je n'ai peut-être pas tout à fait la pointure présidentielle, dit Harding en se levant, mais quand je me compare à eux, je ne me trouve pas plus toquard ! Alors pourquoi pas moi ?

— Bonne nuit, monsieur le Président », dit Daugherty, comme Harding se dirigeait vers la maison. W.G. se retourna, sourit, secoua sa belle tête et laissa la porte se refermer derrière lui.

Pour le moment Warren Gamaliel Harding écoutait respectueusement le sénateur Borah l'entretenir du sénateur Borah, pendant que le sénateur Gore, un homme encore jeune malgré ses cheveux blancs, mangeait des œufs brouillés à l'aide d'une petite fourchette qu'il tenait dans sa main droite tout en s'assurant avec son index gauche que les œufs soient bien placés sur la fourchette. Mais comment, se demandait Jess avec émerveillement, pouvait-il savoir avec autant d'exactitude où se trouvait sa bouche, puisqu'il ne pouvait pas voir sa fourchette ? Gore était de tous les sénateurs démocrates celui que Wilson détestait le plus. Gore avait dit une fois en parlant du Président : « Il est gêné si vous regardez au-dessus du troisième bouton de son gilet. »

W.G. considérait pour sa part Mrs. Gore comme la plus séduisante des femmes de sénateurs. Elle passait du reste pour être en partie indienne. Jess s'amusait à les marier tous les deux en pensée, l'un en partie nègre et l'autre avec du sang indien. Il en savait des secrets, Jess. Déjà à l'époque où il habitait Washington Court House, il n'y avait pas grand-chose qui lui échappait. Mais maintenant c'était dans le saint des saints du pays — le Sénat — qu'il avait ses petites entrées, et là aussi il s'en passait de belles...

Alice Longworth proposa un toast : « A mort Wilson ! » Tout le monde but, à l'exception du sénateur Gore, qui continua son numéro d'équilibriste. Comme il était aveugle depuis l'âge de dix ans, il avait évidemment de l'entraînement.

4

Pamela Smythe recevait ce soir-là tout Hollywood dans sa « somptueuse demeure » de Franklin Avenue, pour fêter le retour au pays du soleil couchant d'Elinor Glyn, le « plus grand écrivain du siècle ». C'était une femme très corpulente, enveloppée d'un manteau de velours violet et coiffée d'une volumineuse perruque dont la couleur écrevisse amortissait quelque peu l'éclat de ses longues incisives et d'une paire d'yeux vifs et rayonnants d'intelligence accrochés sur son visage comme des armes sur une panoplie. Mrs. Smythe fit les présentations.

« Emma Traxler ! »

Elle avait une voix très agréable, bien timbrée, un peu grave, qui contrastait avec celle de Mrs. Smythe dont les diphtongues rappelaient parfois le faubourg de Liverpool où elle était née.

« Emma Traxler ! » s'écria-t-elle derechef, et de bonheur, elle se dressa d'un trait, pirouetta et sa langue surgit en rouge éclair, aussitôt cachée après preste humectation de la lèvre supérieure tandis qu'elle se saisissait des deux mains de Caroline, qu'elle tint quelques secondes à bout de bras, comme pour mieux l'examiner.

Ses devoirs d'hôtesse accomplis, Mrs. Smythe alla s'occuper de ses autres invités qui, comme toujours, arrivaient au coucher du soleil, dînaient au crépuscule et rentraient sagement chez eux après une heure passée à jouer aux charades, afin de pouvoir présenter au soleil oblique et débonnaire du petit matin un visage frais et reposé.

« Miss Glyn, c'est un plaisir... depuis le temps que je souhaitais faire votre connaissance. »

Caroline avait choisi le mot juste : plaisir. Car d'un point de vue purement humain, c'était bien ça Hollywood : le plaisir. Du plaisir, et rien que du plaisir. Hollywood, c'était ce mélange incroyable de vrai et de faux, qui paraissait plus vrai que le faux. Comme ces grands-ducs qu'on voyait un peu partout, mais qu'on prenait toujours pour des figurants. Cela expliquait peut-être la révolution russe, s'était dit Caroline. Il y avait là le plus grand nombre de créatures exotiques au mètre carré venues se partager la manne que le cinéma déversait en pluie d'or sur ses prêtres et prêtresses.

« Mrs. Kingley m'a dit que vous n'aviez jamais été plus magnifique ! Et d'après *Kine Weekly*, *Fleur de la nuit* va rapporter trois millions de dollars rien qu'aux Etats-Unis. Si on y inclut l'Angleterre, où je sais que vous avez de nombreux admirateurs, faites le calcul... »

Caroline marmonna quelques mots d'un air modeste, tout en observant du coin de l'œil Tim qui était en train de causer à une jolie fille dont elle n'arrivait jamais à se rappeler le nom. Elle ignorait, ce que tout le monde savait, que la belle enfant avait été choisie par Famous Players-Lasky pour remplacer Mary Pickford qui venait d'épouser Douglas Fairbanks, son amant de longue date et partenaire actuel chez United Artists. Le couple venait de se faire construire un petit nid d'amour au sommet d'une des collines de Beverly Hills restées encore un peu sauvages.

« J'aimerais tellement *créer* pour vous, dit Miss Glyn. Vous êtes cet oiseau rare entre tous, une femme d'un *certain âge*... Vous parlez français naturellement ?

— Le moins possible.

— Une femme d'un certain âge, avec de l'allure. Du chic, comme disent les Français. Chic et charme. Vous avez ce petit quelque chose, ce petit rien, que j'appelle, moi, faute d'un terme plus précis, *ça*...

— Ça ?

— Oui, ça.

— Je croyais que seules les femmes enceintes l'avaient, dit Caroline en gratifiant Miss Glyn de son sourire de madone.

— Quoi ?

— Ça.

— Oui, je vois ce que vous voulez dire. Evidemment... Non, je ne faisais pas allusion aux menstrues, mais à ce pouvoir de séduction inné que possèdent certaines femmes, comme vous, Miss Traxler, et que d'autres doivent acquérir avec peine comme moi...

— Pas trop, tout de même.

— Nenni, fit-elle, comme si ce mot était d'usage courant et non pas une de ces fleurs rares cueillies dans les pages d'un roman français du XVIIIe siècle. Même une femme autoritaire, volontaire, imposante d'aspect, et peut-être aussi un tout petit peu dans la réalité, peut, quand la lune rose luit dans le ciel violet et qu'il y a dans l'air un parfum d'oranger, inspirer à un jeune Roméo un de ces gestes inconsidérés qui poussent un homme à se mettre à genoux devant une femme et à lui déclarer sa flamme...

— Position qui n'est, je l'espère, que temporaire...

— Roméo doit d'abord se mettre à genoux. Le reste dépend du destin...

— Et de *ça*.

— Evidemment, car sans ça il ne serait même pas tombé à genoux. Par ailleurs j'ai entendu dire que le scénario de Mrs. Hulbert sur Mary Stuart était un véritable révulsif.

— Disons qu'il y a quelques petits problèmes.

— Je descends moi-même de Mary Stuart », déclara Miss Glyn, ce qui impressionnait toujours les Américains, surtout les gens de cinéma. En revanche un authentique archiduc autrichien, comme Leopold de Habsbourg qui venait d'entrer dans la pièce, passait malgré son menton fuyant, pour un imposteur auprès de la moitié des hôtesses d'Hollywood.

« Comme ils doivent vous craindre à Windsor, ces usurpateurs allemands !

— Ils descendent aux aussi des Stuart, mais moins directement, bien sûr. J'avoue que j'aimerais bien me faire les dents sur Mary. Je suis toujours sous contrat chez Famous Players, mais vous pourriez vous prêter à nous...

— Ou ils pourraient vous prêter à nous...

— Hélas, pour le moment c'est impossible. Plus tard, je ne dis pas. Ils sont en train de capitaliser sur mon nom d'une façon tout à fait scandaleuse. Surtout Mr. De Mille qui est un peu salace sur les bords, je dois dire...

— A ce point ?

— Il n'est pas nécessaire de souligner les aspects, dirons-nous, les plus élémentaires, les plus primitifs, de la nature humaine. Certes l'homme, le héros, l'acteur, doit toujours avoir le sourire, et non pas ricaner comme l'idiot du village. Il doit toujours être de bonne humeur, et si d'aventure il lui arrive de commettre une erreur, voire une faute, ce ne doit jamais être de propos délibéré, et comme au terme d'une méditation anxieuse, mais avec une sorte de juvénile insouciance, de gentille insolence...

— Contrairement à ce qui se passe dans la vie.

— Tout à fait », repartit Miss Glyn tout en reluquant la gracile silhouette de Mabel Normand, l'une des rares stars du cinéma à la fois érotiques et amusantes. Deux qualités qui vont souvent de pair. Originaire de Boston, Mabel avait l'air considérablement plus dessalée que la moyenne des stars américaines. Elle jouait du jazz sur le plateau et se droguait à la cocaïne. En ce moment on la voyait se trémousser sur un air de jazz New Orleans, électrisant la pièce en battant la mesure avec son corps.

« Je suis en train d'écrire toute une série de brochures sur l'art d'écrire, que j'ai intitulées *The Elinor Glyn System of Writing*. Plus tard je traiterai de l'art d'écrire des scénarios, mais je dois d'abord maîtriser ce nouveau moyen d'expression tout à fait extraordinaire. Malheureusement, pour le moment je n'ai pas le temps. Mr. Lasky insiste tout le temps pour me faire poser avec Mr. De Mille et la première grue venue dont ils ont décidé de faire une star. Comme j'aimerais pouvoir refaire *Three Weeks*, mais proprement, dans les règles ! J'aimerais montrer à l'écran cette sensualité raffinée qui caractérise notre aristocratie, ce dont Mr. De Mille est parfaitement incapable.

— Je connais très bien lord Curzon.

— Ah, oui ? Vous l'avez rencontré ? Vraiment ? Où ça ? »

Tout le monde savait que Miss Glyn avait eu pendant huit ans une liaison avec l'ex-vice-roi des Indes, qui avait ensuite épousé une certaine Mrs. Duggan, laissant Miss Glyn apprendre la nouvelle de son remariage dans le *Times*.

« A Londres, je pense. Je n'arrive jamais à me souvenir des endroits où je rencontre les gens. Et vous ?

— Tout de même, un si grand personnage...

— C'est bien pire. En tout cas pour moi. Si on a entendu parler de ce personnage avant de le rencontrer, on embrouille tout, ce qu'on a entendu dire de lui, et ce que lui il vous raconte. Mais tout le monde connaît les Leiter... »

Miss Glyn poussa un soupir de soulagement.

« L'Epouse Américaine, avec un grand A, dit-elle en espaçant ses voyelles. Oui, bien sûr, une fin tragique. C'est vrai ce qu'on raconte au sujet de Mrs. Hulbert et de votre Président ?

— Et que dit-on ? demanda Caroline avec sensibilité et de sa voix la plus suave.

— Ce ne sont que des rumeurs, bien sûr. Une histoire de lettres volées. Une liaison amoureuse qui a failli faire échouer le vaisseau de l'Etat sur les écueils du désir effréné aux Bermudes. »

Caroline écouta avec terreur et fascination Elinor Glyn lui brosser le tableau d'une de ces liaisons romantiques telles qu'elle en pondait par douzaines. Quand elle eut terminé, après avoir laissé les amants brisés de tendre fatigue sur un banc de corail des Bermudes, Caroline lui dit :

« J'espère que vous avez raison. J'espère que tout s'est bien passé comme vous le dites, et qu'ils ont pu boire jusqu'à la lie la coupe du bonheur humain, comme de simples mortels. Il paraît qu'elle avait beaucoup de charme à l'époque...

— Puisque vous le dites... »

Caroline était placée à table à côté du plus séduisant des hommes, un cinéaste anglais de son âge, du nom de William Desmond Taylor. Elle avait en face d'elle Tim, flanqué à sa droite de Mabel Normand, et à sa gauche de la starlette qui venait de tourner dans le dernier film de Taylor, *Jenny be good*, et que Famous Players-Lasky essayait de lancer comme la nouvelle Mary Pickford. Le film avait d'ailleurs obtenu un certain succès.

« Avez-vous été au mariage ? » demanda Caroline à son voisin.

Taylor secoua la tête.

« Non, je n'ai même pas été invité, bien que Mary et moi nous nous connaissions depuis toujours. Je l'ai même dirigée, pas très bien, je le crains...

— C'est peut-être pour cela qu'elle ne vous a pas invité. »

Taylor se mit à rire.

« Si c'était l'usage ici, plus personne n'irait nulle part. Non, je crois plutôt que c'est l'astrologie qui a présidé au choix du jour et de l'heure et sans doute aussi des invités.

— Ah oui ? »

Taylor hocha la tête. Le maître d'hôtel nègre lui dit à l'oreille :

« Je conseille à monsieur de manger la pintade tant qu'elle est chaude.

— Merci, mon ami. Ah, qu'est-ce que je vous disais, Miss Traxler ?

— Nous parlions du mariage de Mary.

— Oui, eh bien, à la demande de Doug, Mary a obtenu son divorce à Owen Moore dans le Nevada, et là aussi je suppose que l'astrologie a joué un rôle...

— Elle n'est pas catholique ?

— Seulement quand ça l'arrange. L'astrologue de Doug l'a informée qu'il pourrait commencer une nouvelle vie — une *fabuleuse* nouvelle vie — treize jours après les Ides de mars, c'est-à-dire aujourd'hui, 18 mars 1920.

— Et vous, vous y croyez ?

— A quoi ?

— A l'astrologie ?

— Seulement quand ça m'arrange. »

Tous deux se mirent à rire. Caroline le félicita pour son élection à la présidence de la nouvelle guilde des metteurs en scène de cinéma, et il lui avoua que sans l'appui de Tim il n'aurait pas été élu. Tandis qu'ils parlaient de leur commune profession, Caroline se sentit physiquement attiré par lui, ce qu'elle éprouvait de plus en plus rarement avec les hommes de cet âge. La relation amoureuse qu'elle avait eue avec Tim, et qui était basée essentiellement sur son personnage d'actrice, s'était transformée peu à peu en rapports de simple camaraderie. Depuis quelque temps, les rares fois où Tim l'avait trouvée sexuellement désirable avaient toujours eu lieu après une longue journée de travail passée dans la salle de montage en tête à tête avec Emma Traxler. L'actrice pour lui avait éclipsé la femme. Il n'était plus sensible qu'au charme automnal d'Emma... quand il le remarquait.

Caroline avait été agréablement surpris de la facilité — ou était-ce de l'engourdissement ? — avec laquelle elle avait accepté la fin de leur liaison. C'était comme de regarder un film d'Emma Traxler, dont le génie en tant qu'actrice était de ne jamais surprendre son public. Le public la voulait noble, pure, magnanime, et elle lui donnait exactement ce qu'il voulait. Et même elle en remettait ! En revanche, ce que Caroline désirait dans son for intérieur, c'était mystère et boule de gomme. Certes, elle voulait bien voir le film jusqu'au bout, et sangloter deux ou trois fois dans son mouchoir en regardant Emma s'éloigner sur l'écran à travers la lande brumeuse du Burbank Golf Club. Mais après, quand la lumière revenait dans la salle, que faire ? où aller ? Jouer au golf ?

« Je joue au golf au moins une fois par semaine, disait Taylor, dont les mots rejoignaient les pensées de Caroline, un peu à la manière dont les rêves, quand ils se terminent, s'ajustent aux bruits du monde réel. Et vous, jouez-vous ?

— Il y a des années que je n'ai plus joué. Il faudrait que je m'y remette. Je dois avoir quelque part une carte de membre du Burbank. A moins que ce ne soit Tim... »

Elle loucha vers Tim qui avait l'air visiblement épris de sa starlette. Caroline se demanda combien de fois il lui avait été infidèle, mais quel sens avait ce mot pour qui n'était pas croyant ? Elle-même avait dit non un certain nombre de fois à des hommes plus jeunes qu'elle qui, de toute évidence, étaient plus intéressés par son pouvoir de projeter leur image sur l'écran que par sa beauté déclinante. Elle se dit qu'elle devrait peut-être essayer avec quelqu'un de son âge. Et William Desmond Taylor, avec son allure distinguée et son charme discret, pourrait très bien faire l'affaire.

« Vous étiez merveilleuse dans cette scène, lui dit-il à voix basse, comme s'il existait déjà une certaine intimité entre eux. Vos yeux, dans le plan rapproché... et la façon dont la lumière se retire progressivement d'eux... »

Caroline et Emma connurent simultanément un sentiment d'extase. L'actrice et la femme ne firent plus qu'une. C'était peut-être cela, ce qu'on appelle « être comprise ».

« Je me suis querellée avec Tim pendant des jours à propos de cette scène. Fallait-il mourir les yeux fermés ou les yeux ouverts ? Nous avons essayé les deux manières, et finalement je l'ai emporté. Vous devez me trouver bien vaniteuse ! conclut-elle en riant.

— Je n'appellerais pas ça de la vanité, mais plutôt de la conscience professionnelle. Il est naturel d'être satisfait quand on a réussi quelque chose. La beauté aussi est un don. Il faut en être reconnaissant. J'ai été acteur pendant des années avant de devenir metteur en scène. Il faut faire avec ce qu'on a... »

Après dîner, ils allèrent s'asseoir dans le salon Tudor de Mrs. Smythe où Caroline lui confia les problèmes que lui posait Mary Stuart. Taylor lui dit qu'il connaissait un excellent scénariste, et qu'à part ça, il serait ravi de la diriger dans ce genre de film, au cas bien entendu où Tim ne serait pas intéressé. Elle lui répondit très justement que Tim n'avait jamais été très intéressé par les films à caractère historique ou sentimental.

« Nous pourrions le tourner dans les studios de Doug. Je veux dire de Doug *et* de Mary », dit-il en hochant gravement la tête devant la bouteille de brandy (d'avant la prohibition) que le maître d'hôtel venait de lui apporter.

Il avait un sourire juvénile. Qualité que Caroline ne prisait pas outre mesure chez un homme, mais qui dans le cas de Taylor était tout à fait compréhensible, vu le nombre de films à succès qu'il avait tournés sur des personnages aussi bucoliquement juvéniles que Tom Sawyer et Huckleberry Finn, et autres figures symboliques appartenant toutes plus ou moins à l'âge d'or de l'Amérique.

« Nous pourrions le faire distribuer par United Artists », dit-il en regardant la bouche de Caroline.

Caroline devint toute rose.

« J'ai, dit-elle dans un murmure qu'elle voulait érotique, un contrat de quatre films avec Lasky, et il faudrait bien sûr l'accord de Mr. Zukor...

— L'Associated Producers Incorporated de Tom Ince pourrait, par l'intermédiaire de Mr. Zukor, négocier un prêt en échange d'un cinquième film avec Lasky. Et ensuite nous pourrions créer tous les deux chez Pickford-Fairbanks une unité de production séparée utilisant les services de distribution d'United Artists, moyennant une réduction de 15 % par rapport à ce que demande Mr. Zukor quand c'est la Paramount qui se charge de la distribution. »

Avait-on jamais courtisé une femme de cette façon-là ? se demandait Caroline, au comble du bonheur. Si Elinor Glyn avait pu assister à leur conversation, elle aurait su enfin ce que c'était qu'une déclaration d'amour made in Hollywood.

Mabel Normand s'avança vers eux, en se trémoussant, les orteils en dedans et les paumes des mains écartées.

« Tu me donnes une sèche, dit-elle à Taylor. Hello, Miss Traxler ! »

Mabel avait un débit rapide, saccadé comme tous les cocaïnomanes, qui ont besoin de cette brutale recharge d'énergie qui — Caroline en avait fait une fois l'expérience — ne durait pas plus d'un quart d'heure. La morphine c'était moins dangereux. En plus ça faisait rêver. C'était du reste la drogue préférée des dames de Washington, contrairement à l'opium qui avait la faveur des Parisiens. Caroline aurait très bien pu devenir opiomane. Son demi-frère André fumait deux pipes par jour. Mais arrivée à ce stade hasardeux de son existence, elle avait besoin de tous ses esprits.

Elle s'aperçut que Taylor semblait gêné par la requête de Mabel.

« Non, mon chou, pas ce soir. »

Il ouvrit néanmoins son étui à cigarettes, et Mabel prit une cigarette noire à bout doré, puis elle plissa les narines, et s'éloigna précipitamment, sous le regard inquiet de Taylor.

« Je comprends, fit Caroline.

— Vous ne savez pas comme c'est dur de lui faire perdre cette habitude. Mabel ! appela-t-il.

— Oui ? dit-elle en se retournant sur le seuil.

— Sois sage. » Puis s'adressant à Caroline : « C'est une plaisanterie entre nous, si on peut dire. »

Il eut tout à coup un air hagard qui le rendit encore plus séduisant. Dans les films populaires que Mabel avait tournés avec Chaplin, son nom avait souvent figuré dans le titre : *Mabel's Busy Day*, *Mabel's Married Life*, *Mabel's New Job*. Maintenant *Mabel la cocaïnomane* devenait un problème.

« Il y a des cures, n'est-ce pas ?

— Ça dépend pour qui. Tous ne guérissent pas. C'est comme pour l'alcoolisme.

— Hélas, je dois à présent vous quitter. Vous connaissez l'horaire des stars. »

Caroline s'était levée. Taylor lui baisa la main.

« Non ! cria une voix derrière eux. Si vous tenez à être vraiment romantique, c'est la *paume* de la main que vous devez baiser. »

Elinor Glyn se dressait maintenant devant eux.

« Peut-être qu'un certain classicisme, Miss Glyn, ne messied pas lors d'une première rencontre...

— Le romantisme est toujours de mise dans le grand monde.

— Puisque vous le dites, Miss Glyn, je ne puis que m'incliner.

— Je vous appellerai », dit William Desmond Taylor.

Caroline était tout de même un peu déçue de voir que Tim ne semblait aucunement jaloux. Ils étaient assis tous les deux dans son salon de Franklin Boulevard dont la vue donnait sur la Babylone de Griffith.

« Je ne laisserais pas Miss Glyn s'approcher trop de Mary Stuart, dit Tim.

— Bien sûr que non. »

Caroline examina les trois scénarios qu'elle avait déjà acquis sur le sujet. Le pire était bien entendu celui de Mrs. Hulbert, mais en vérité Mary ne s'était servie du scénario que comme prétexte à de longues conversations sur elle-même avec Caroline, qui s'étaient terminées par une demande d'emprunt. La paralysie de Wilson l'avait infiniment moins perturbée que la dernière mésaventure financière de son fils. Et c'est finalement avec un certain soulagement qu'Emma Traxler l'avait gentiment laissée tomber. Ce qu'elle avait appris d'elle lui servirait pour un film qui raconterait l'histoire d'une femme d'un très grand charme, qui gâche toutes ses possibilités de bonheur parce qu'elle se prend pour le nombril de l'univers.

Caroline alluma le radiateur. La nuit était froide et humide.

« Je dois avoir de l'arthrite, se surprit-elle à dire. C'est où au juste ces bains dont tu m'as parlé ?

— A Bimini, dans le Vermont. »

Tim était en caleçons et en maillot de corps. On aurait dit un adolescent. Taylor lui aussi était svelte, mais il n'avait rien d'un adolescent.

« Les bains sont construits sur un puits artésien. Tu sais qu'il se drogue.

— De qui parles-tu ? »

Caroline feignit de ne pas comprendre, tandis qu'elle se servait de thé dans un thermos qu'avait préparé Héloïse.

« De Bill Taylor. Mabel Normand prétend que c'est lui qui l'a initiée à la cocaïne.

— Tu ne crois pas qu'elle est née avec ça ?

— Tu penses à lui pour *Mary* ?

— Oui. Il a toujours eu du succès avec les films historiques. Comme *Huckleberry Finn*. Je vois très bien Mary descendant le Mississippi sur un radeau, ajouta-t-elle en riant.

— J'ai fait un montage à partir de ce que j'ai pu tourner l'autre jour à l'auditorium sur Wilson.

— Il faut que je parle à Blaise. Depuis le temps... »

L'allusion à Wilson lui rappela certains devoirs qu'elle avait négligés. Le *Tribune*. L'élection présidentielle. Ainsi qu'une certaine Caroline Sanford, une personne qu'elle avait beaucoup fréquentée autrefois mais dont elle s'était un peu éloignée depuis quelque temps.

« Tu t'inquiètes ? » lui demanda Tim en se reservant de whisky.

Il buvait passablement depuis un certain temps.

« Non, pas vraiment. Le journal marche très bien sans moi. Mais il faut bien prendre position. Blaise a tendance à être trop républicain.

— Je parlais du film sur Wilson.

— Oh, ça !

— Si c'est comme ça, je ferais mieux d'aller me coucher.

— Non, reste. »

Brève réapparition d'Emma Traxler sur la scène.

« Navrée. J'ai eu une journée épuisante. Les studios Griffith ne sont pas disponibles. »

Tim s'arrêta devant la porte de son appartement.

« Le travail paraît toujours dur quand on n'en a pas l'habitude.

— C'est à moi que tu dis ça, moi qui ai été la première femme au monde à diriger un journal ! N'oublie pas que je suis un modèle pour toutes les suffragettes du pays...

— Tu parles d'Emma Traxler...

— Non, de Caroline Sanford.

— Bonne nuit. »

Dans le fond, songeait Caroline, l'habitude compte plus que l'amour. Ou bien l'amour n'est-il qu'une habitude, comme de faire l'amour ? Pourrait-elle se passer de l'habitude de vivre avec Tim ? Comme elle regardait par la fenêtre les éléphants de Griffith piaffer au clair de lune, le klaxon musical d'une voiture de marque étrangère retentit dans Sunset Boulevard, comme le leitmotiv d'un opéra-bouffe. Au fait, quel était son emploi ? La Grande-Duchesse d'Offenbach ou bien la Maréchale du *Chevalier à la Rose* ? Décidément, il était grand temps de redevenir Caroline Sanford, si la chose était encore possible. Comme prélude à ces retrouvailles, elle se mit à relire la dernière lettre de sa fille, qui prouvait à l'évidence qu'en tant que mère, du moins, son échec avait été complet.

Apparemment le dernier film de Tim serait boycotté par les organisations anticommunistes, tandis qu'Emma Traxler figurait déjà sur une liste d'Américains suspects. Emma Sanford énumérait la liste de toutes les publications que son groupe avait fait interdire. Professeurs renvoyés, politiciens calomniés, syndicalistes emprisonnés, c'était l'œuvre d'Emma. Et elle appelait ça vivre dans un pays libre ! C'était cela la liberté pour elle, mettre les gens en prison ! Emma était devenue folle, tout simplement. A moins que ce ne soit l'Amérique.

Après tout qu'est-ce que Caroline connaissait de l'Amérique ? Que ce soit l'ancienne ou la nouvelle ? Le petit cercle des Adams et des Hay. Washington et ses politiciens. Et puis tout récemment Hollywood, ses lumières, son trompe-l'œil. Le royaume de l'illusion et du rêve. Mais l'Amérique profonde ? Les vrais Américains comme sa fille et son gendre. Etaient-ils nombreux à rêver comme eux d'un retour aux premiers âges, à une sorte de paradis rustique ? L'Amérique, cette nation de paysans, avait enfin rencontré l'Europe, et au lieu de la civiliser, qu'est-ce que l'Europe lui avait appris ? La guerre, la révolution et le bolchevisme. On comprend dès lors la déception de ces moujiks. Mais leur panique, d'où provenait-elle ? De quoi avaient-ils peur ? Si Henry Adams avait été encore de ce monde, il aurait su le lui expliquer. Jamais il ne lui avait autant manqué. De rage, elle déchira la lettre de sa fille, et en jeta les morceaux dans une corbeille à papier. C'était fini, elle n'éprouvait plus rien pour son propre enfant. Mlle Souvestre avait raison : une fois qu'une fille est mariée, le mieux pour sa mère, c'est de ne plus la voir.

Caroline finit son thé et alla dans sa chambre, où maintenant elle dormait seule la plupart du temps. Il était temps de se renouveler. Cette fois avec William Desmond Taylor. Le sablier du temps continue de s'égrener même à notre insu. Encore quelques années à se sentir femme et puis...

CHAPITRE IX

1

Malgré le soleil d'avril, qui lui chauffait les os, ce que Jess lisait dans le *New York Times* ne lui faisait guère plaisir. « Harding est éliminé. Même si son nom est présenté à la convention... » D'un geste maladroit Jess essuya avec son journal la salive qui commençait de dégouliner le long de son menton, en espérant ne pas trop se barbouiller. A l'autre bout de la terrasse, Harding faisait la causette aux passants. Dans l'ensemble, les deux dernières primaires avaient été plutôt décevantes. Harding l'avait certes emporté dans l'Ohio, mais ça on s'y attendait. Cependant le général Wood avec tous ses millions de dollars avait obtenu — acheté serait plus juste — neuf des quarante-huit délégations de l'Ohio, et surtout Daugherty n'avait même pas été élu délégué.

Une semaine plus tard, sur les instances de Daugherty, Harding s'était présenté aux primaires d'Indiana. Wood, Johnson et Lowden avaient devancé W.G. qui ne l'avait emporté que dans deux des cinquante-six comtés. Jess savait bien pourquoi. Il n'y avait tout simplement pas d'argent pour Harding. Les riches banquiers et les hommes de Roosevelt finançaient Wood, et Mrs. Lowden finançait le gouverneur Lowden. Jess et Daugherty avaient pu récolter à peine cent mille dollars, une paille à côté de tous ces millions, et c'est pourquoi le *New York Times* pouvait plastronner : « ... tout le monde se rend compte à présent qu'il est un candidat impossible ». Bien qu'Harding eût été profondément chagriné par son échec dans l'Indiana, et qu'il ne craignît pas de faire état en public de sa propre incapacité en tant que candidat, en privé il faisait preuve d'une étonnante sérénité. « Je l'emporterai, à moins d'une intervention spéciale de la Providence », avait-il déclaré à Jess et à Daugherty, et la duchesse, réconfortée par les derniers bulletins astrologiques de Mme Marcia, avait opiné du bonnet.

La stratégie d'Harding, c'était d'être lui-même. Il s'était notamment acquis les bonnes grâces de Lowden en acceptant de ne pas attaquer ses délégués, et Lowden lui avait rendu la pareille. Harding s'était livré à un petit calcul d'arithmétique tout simple, et il avait abouti à la conclusion que si, comme il le pensait, aucun candidat n'était désigné au premier tour de scrutin, le candidat en second de tous finirait par être élu, quel que soit le nombre de scrutins. Son but était donc d'être le second de tous. Daugherty avait accepté cette stratégie, et les deux hommes avaient parcouru le pays, s'attirant les bonnes grâces de tout le monde et veillant à ne gêner personne.

« Jess, psst ! »

Jess posa son journal, et à sa grande horreur, il aperçut Carrie Phillips. Il remarqua tout de suite sa toilette élégante. Il n'était pas dans la confection pour rien.

« Carrie Phillips ! » s'écria Jess à voix basse, pour ne pas être entendu de W. G. qui leur tournait le dos à l'autre bout de la terrasse, ni surtout de la duchesse, occupée à téléphoner à l'intérieur, sa principale occupation depuis quelque temps.

« Je croyais que vous ne veniez plus à présent. » Le rocking-chair de Jess était situé au bord de la terrasse, si bien qu'il n'avait qu'à se pencher pour que leurs têtes se touchent.

« Je passais par là, c'est tout. On a bien le droit de se promener où on veut. »

Jess savait qu'un « dernier » échange de lettres avait eu lieu entre Carrie et W.G. Premièrement, Jim maintenant savait tout. Deuxièmement, même si la presse jusqu'ici ne s'était pas spécialement intéressée à la campagne de Harding, il y avait toujours le risque qu'un journaliste ambitieux veuille faire un peu de zèle avant la convention. Et l'image de W.G. en tant qu'époux exemplaire risquait de se transformer en celle du satyre du Chautauqua...

« Je suis venu dire un petit bonjour en passant. Vous voyez, je marche sur la pointe des pieds... »

W.G. était toujours assis sur son rocking à l'autre bout de la terrasse, mais maintenant il était tout seul, et il lisait la page des sports du *Times*. Quand il vit Carrie, son visage s'illumina. Elle posa un doigt sur ses lèvres et lui chuchota quelque chose à l'oreille, ce qui l'obligea à se pencher en avant en s'appuyant d'une main à la balustrade. Maintenant leurs têtes se touchaient et Jess faillit avoir une syncope. Que dirait Daugherty ? Et surtout, que ferait la duchesse ?

Justement la duchesse se tenait silencieuse dans l'encadrement de la porte, foudroyant du regard le couple adultère. W.G., comme s'il avait eu des yeux derrière la tête, ce qui était peut-être le cas quand il s'agissait de sa femme, se renversa sur son rocking sans se retourner ni faire le moindre geste qui montrât qu'il était conscient de la présence de la duchesse dans le tableau.

Carrie continuait son babil à voix basse en feignant d'ignorer le plumeau qui lui passa tout à coup au ras du nez. La duchesse était maintenant rouge comme une pivoine. Elle rentra à l'intérieur pour chercher d'autres munitions. Cette fois elle lança une corbeille à papier en métal à la tête de Carrie, qui l'esquiva en faisant un saut de carpe, tout en continuant sa conversation avec W.G., lequel s'était enfin retourné pour jeter un regard lourd de reproches à la duchesse.

Jess regardait autour de lui pour voir si quelqu'un assistait à ce spectacle. Il y avait là plusieurs habitants de Marion, habitués à ce genre d'algarades, ainsi qu'un homme bien habillé, un étranger apparemment, qui contemplait cette scène domestique d'un air épouvanté. Pourvu que ce ne soit pas un journaliste, pensait Jess.

La duchesse revint au bout d'un moment, tenant à bout de bras un tabouret de piano à quatre pieds dont le siège à lui seul pesait un poids considérable. Elle lança le tabouret en direction de Carrie qui l'évita en se jetant de côté. Le projectile avait effleuré dans sa trajectoire la tête de l'enfant chéri de l'Ohio. Cette fois-ci Carrie dut lever le siège. Elle envoya un baiser du bout des doigts à Harding, et s'éloigna d'un pas nonchalant le long de Mount Vernon Avenue. La duchesse se retira à son tour. Elle n'avait pas dit un seul mot. Il est vrai que ses actes parlaient pour elle.

Harding s'était levé d'un air digne, et il avait dit dans le dos de sa femme :

« Florence, je ne sais pas où vous avez été élevée, mais une telle conduite est intolérable. »

Daugherty arriva plus tard dans la journée, et Jess lui raconta par le menu tout ce qui s'était passé. Ils s'étaient donné rendez-vous au bar du Vieil Heidelberg, qui venait d'être transformé, et où on servait aux habitués du whisky dans des tasses à thé, en violation du Dix-Huitième Amendement interdisant à tout citoyen américain — dont la Charte fondamentale était censée lui garantir la vie, la liberté et la poursuite du bonheur — de boire de l'alcool. Jess, qui n'était pas un spécialiste en droit constitutionnel, se demandait parfois comment les Etats-Unis pouvaient être, comme chacun le savait, le pays le plus libre de la terre quand son gouvernement se permettait de prohiber tout ce qu'il estimait contraire au bien des gens. On disait qu'en Europe les vieilles races décadentes se moquaient de leurs récents libérateurs. Heureusement chaque ville avait son Vieil Heidelberg, et Jess sirotait son whisky en écoutant Daugherty lui dire :

« Il faut leur faire quitter la ville juste après la convention. »

Son œil châtain clignait d'un air féroce tandis que le bleu restait serein.

« A qui ?

— A tous les deux.

— A W.G. aussi ?

— Non, non. A Jim Phillips. Il sait tout, et je n'arrive pas à comprendre pourquoi Carrie continue de rôder par ici, à moins que...

— Vous croyez qu'ils veulent de l'argent ? »

Daugherty hocha la tête :

« Et bien sûr il fallait que ça tombe à un moment où nous sommes raides comme des passe-lacets !

— On pourrait demander à Ned McLean... »

Mais l'esprit toujours alerte de Daugherty remuait déjà d'autres pensées.

« Jake Hamon dans l'Oklahoma vaut pour nous un million de dollars, mais il veut le tiers des exploitations pétrolifères de la marine, et je ne vois pas comment nous pourrions promettre ça. »

Jess avait été très impressionné par la grosse huile d'Oklahoma, et par sa maîtresse, une femme d'allure extravagante. Mais il ne voyait aucune raison de lui faire confiance. Daugherty non plus.

« W.G. table sur une impasse, fit celui-ci d'un air pensif. Si Wood et Lowden se neutralisent, la seule alternative est W.G.

— Johnson ?

— Jamais de la vie. Il fait trop peur aux conservateurs. W.G. se figure que peut-être un quart, peut-être plus, des délégués se souviendront du fameux discours qu'il a prononcé il y a quatre ans à la convention. Ou même de celui d'il y a huit ans, pour l'investiture de Taft. Et comme il est resté en rapport avec un grand nombre d'entre eux... J'aimerais bien être aussi confiant que lui.

— Je croyais que c'était vous qui étiez chargé de le regonfler.

— C'est ce qu'il veut faire croire. Il joue les modestes, les timides, celui qui n'ose pas, qui ne se sent pas à la hauteur, et mon rôle à moi c'est de le pousser, de le faire mousser. Bien sûr c'est le candidat idéal, l'homme tranquille, le type sans histoire. Il croit que c'est ça que le pays veut. Dans ce cas évidemment...

— Vous croyez qu'il y arrivera ? »

Daugherty eut un haussement d'épaules.

« Le problème, c'est comment. C'est Wood et Lowden qui ont l'argent, et le parti républicain, c'est avant tout le parti de l'argent. Jess, vous vous souvenez de Nan Britton, n'est-ce pas ? »

Jess hocha la tête. Tout le monde à Marion savait comment la fille du docteur Britton, alors qu'elle était encore toute jeune, s'était amourachée du séduisant rédacteur du *Marion Star*. Elle découpait toutes les photos de W.G. qui paraissaient dans les journaux pour les classer dans un album. Elle venait même rôder autour de la maison de Mount Vernon, ce qui embarrassait fort W.G., et qui mettait en rage la duchesse. Après la mort du docteur Britton, Nan s'était installée à New York, et Jess supposait qu'à présent elle devait être mariée et mère de famille.

« Elle habite Chicago. Elle travaille comme secrétaire et vit chez sa sœur Elizabeth.

— De jolies filles, toutes les deux. Elles doivent être mariées à l'heure qu'il est », dit Jess qui sentit la salive se former dans sa bouche. Il sortit son mouchoir en cas de besoin, car Daugherty avait horreur de se faire postillonner.

« Elizabeth est mariée à un homme appelé Willits, expliqua Daugherty en sortant un bout de papier de sa poche. Il joue du violon ou d'un autre instrument dans l'orchestre de l'opéra de Chicago. Voici leur adresse.

— Pourquoi me dites-vous ça ? »

Daugherty finit son thé et lorgna d'un air songeur le voyageur de commerce assis à l'autre bout de la taverne derrière un écran de fumée.

« W.G. Elle est sa maîtresse depuis je ne sais plus quand. Tout ce que je sais, c'est qu'en 1917 il lui a déniché un poste de secrétaire à

New York et qu'il allait la retrouver dans des chambres d'hôtel où une fois... mais là n'est pas la question...

— Carrie et maintenant Nan ? »

Jess, qui était incapable de satisfaire sa Roxy chérie, se sentit tout à coup envieux. D'un autre côté, il comprenait parfaitement qu'un homme comme W.G. ne puisse se satisfaire d'une femme comme la duchesse.

« Et elle lui fait des ennuis ?

— Non, pas encore. Elle est amoureuse de lui.

— Et lui, est-ce qu'il en est amoureux ?

— Est-ce que je sais ? s'exclama Daugherty en regardant Jess d'un air tellement dégoûté que celui-ci s'essuya machinalement la lèvre inférieure pour s'assurer que physiquement au moins il n'était pas dégoûtant. Et d'ailleurs que voulez-vous que ça me fasse ? Nous sommes des politiciens, que diable ! Nous aimons les gens, ceux qui votent du moins. Tout ce que je sais c'est qu'ils se voient toujours. Il lui écrit des lettres.

— Des lettres !

— Oui, des lettres.

— Comme celles du Président Wilson à Mrs. Peck ?

— Disons qu'elles sont un peu plus intimes, dit Daugherty d'un ton légèrement sardonique. W.G. m'a affirmé qu'elles n'avaient rien de compromettant, mais le diable sait bien que toute lettre écrite à une femme qui est deux fois plus jeune que vous et où il est question de chambres d'hôtel, de rendez-vous, d'horaires de train, ça ne sent jamais très bon.

— Si je comprends bien, vous voulez que je rachète ces lettres ? »

Daugherty secoua la tête.

« Non. Elle refuse de les vendre. J'ai déjà essayé. Elle doit penser qu'un jour la duchesse ne sera plus là et qu'elle pourra alors épouser W.G. Mais là n'est pas le problème. »

Daugherty tendit à Jess une enveloppe qui, à en juger par son poids, devait contenir une importante somme d'argent.

« Je veux que vous alliez à Chicago et que vous lui remettiez cette enveloppe.

— Elle le fait donc chanter ?

— Non. C'est pour leur fille qui est née au mois d'octobre dernier. »

Jess regarda Daugherty comme s'il venait de faire une plaisanterie trop subtile pour être comprise par quelqu'un d'aussi bouché que Jess. Fallait-il lui demander de répéter ?

« W.G. l'a-t-il reconnue pour sa fille ? »

Daugherty hocha la tête.

« Il fait tout ce qu'il peut pour l'aider.

— Mais la convention a lieu à Chicago, reprit Jess qui commençait à s'affoler.

— Commode, n'est-ce pas ? »

Le dimanche 6 juin 1920, Jess se retrouva pour la troisième fois dans le petit salon de l'appartement des Willits au numéro 6103 de Woodlawn Avenue à Chicago. Il connaissait maintenant l'adresse par cœur.

Nan le reçut en larmes.

« J'ai attendu et attendu à Englewood Station, mais il n'est jamais descendu. »

Même maintenant avec ses yeux gonflés et son nez tout rose, elle était encore très séduisante. Jess ne vit pas de bébé. Il devait être dans la pièce à côté avec la nurse.

« C'est pourquoi je suis là. W.G. était désolé. Mais la duchesse ne le quittait pas d'une semelle, et il était absolument exclu qu'il puisse descendre à Englewood. Mais il m'a envoyé vous dire qu'il essaierait demain à la même heure. Ce sera dimanche, et si votre sœur...

— Oh, je trouverai bien un moyen. Je les enverrai à l'église. »

Nan s'essuya les yeux, prit une photographie d'elle avec son bébé dans un cadre en bambou, et ajouta :

« Voici Elizabeth-Ann le jour de ses dix mois. Il refuse de la voir, vous savez...

— Ma foi...

— C'est pourtant son portrait tout craché, n'est-ce pas ? J'espère qu'il pourra la voir un jour que je la promènerai au parc. Comme ça, en passant, mine de rien. Comment ça va à la convention ?

— Ça ne commence pas avant mardi, et le vote n'aura lieu que vendredi. Tout va se décider à huis clos dans une pièce enfumée. »

Jess aimait bien cette phrase, attribuée par la presse à Daugherty, qui aurait déclaré dans une interview que si la convention aboutissait à une impasse, les gros bonnets du parti décideraient dans « une pièce enfumée » à qui donner l'investiture.

Ce jour même le sondage du *Literary Digest* plaçait Harding en sixième position chez les Républicains tandis que les délégués à la convention le plaçaient quatrième, loin derrière Wood, Lowden et Johnson. On était encore loin du compte. Daugherty se démenait comme un beau diable, mais il était pessimiste. W.G. était étrangement serein, comme s'il savait quelque chose que les autres ignoraient. Quant à la duchesse, elle était persuadée que les astres avaient déjà fait leur choix. La semaine dernière, Mme Marcia avait été catégorique, et la duchesse ne cessait de répéter : « Trine aspect des planètes, et la Lune entre dans le signe du Bélier. »

« J'ai lu quelque part qu'il avait complètement cessé de boire et de fumer.

— C'est la duchesse. Elle ne veut pas qu'on le voie en photo avec un cigare, ou encore pire, avec une cigarette.

— Pourquoi la cigarette ?

— Elle dit que c'est les oisifs qui fument des cigarettes. Alors il se contente de chiquer, quand il n'y a personne pour le voir. Quand on chique, ça ne se voit pas en photo. »

Mais Nan ne l'écoutait pas. Elle se tenait près d'une desserte où parmi les assiettes se trouvaient des coupures de journaux consacrées à W.G.

« Là je trouve qu'il a un peu grossi, mais, *là*, dans le *Delineator*, il a vraiment fière allure. Cette photo a été prise en tournée. J'étais descendue dans un petit hôtel où...

— Chérie ? »

La voix leur était à tous deux familière. Jess bondit sur ses pieds pendant que Nan courait ouvrir la porte. Devant eux se tenait le sénateur Harding qui, en apercevant Jess, entra prestement dans la pièce avant même que Nan n'ait eu le temps de l'embrasser.

« Comme je passais par là, je me suis dit que... » commença W.G. avec tant de naturel que si Jess n'avait pas été au courant, il aurait pu penser qu'il s'agissait là d'une de ces visites de politesse qu'un sénateur de l'Ohio est amené à rendre à la fille d'un de ses électeurs provisoirement domiciliée dans un autre Etat. « ... ça serait gentil de venir vous voir, vous et Elizabeth...

— Elizabeth est sortie pour la journée.

— Dans ce cas, je ferais peut-être mieux de...

— Non, non. Asseyez-vous. Elle va rentrer d'un moment à l'autre. En vérité elle... »

Jess était bouleversé par tant de délicatesse. Jamais Roxy n'en avait fait autant pour lui. Ni le tiers, ni même le quart. Comme il se dirigeait vers la porte, W.G. lui dit :

« Ils sont tous à notre quartier général, dans la salle Florentine du Congress Hotel. Celle-là même que Theodore Roosevelt a utilisée en 1912 », ajouta-t-il en se tournant poliment vers Nan.

Jess dit au revoir aux deux amants, qui l'ignorèrent.

La salle Florentine était une magnifique salle aux boiseries de chêne sculpté, aux panneaux en cuir gaufré rehaussé d'or et aux lourds chandeliers en bronze. Les murs étaient tapissés de portraits de Harding, et les grandes tables pour les banquets étaient jonchées de prospectus, de badges, de canotiers. Une douzaine de volontaires surveillaient l'étalage, tandis que Daugherty et la duchesse se tenaient d'un côté de la porte comme pour se protéger d'une soudaine horde d'admirateurs.

« Où est Warren ? demanda la duchesse.

— Il doit être dans votre suite au La Salle. Je reviens du Coliseum. »

Jess avait effectivement vu la salle où devait se tenir la convention, et il avait été très impressionné par les dernières innovations acoustiques.

« J'ai aussi été voir la suite que vous avez réservée à l'Auditorium Hotel. » Puis se tournant vers Daugherty pour éviter le regard insistant de la duchesse, il ajouta : « Là-bas tout le monde est prêt, et ici ?

— Ici nous avons réservé quarante chambres, répondit la duchesse, soit sept cent cinquante dollars par jour pendant dix jours. Daugherty jette l'argent par les fenêtres, comme s'il en pleuvait...

— C'est fait pour ça, surtout au point où nous en sommes. Arrosez, arrosez, il en restera toujours quelque chose... »

Ils furent alors rejoints par George Christian, un pays de Harding que ce dernier avait pris comme secrétaire. C'était un jeune homme grave, énergique, capable, appartenant à une vieille famille de Marion.

« Nous avons des gens à nous dans chaque hôtel où est descendue une délégation. Tous les renseignements concernant tous les délégués sont réunis ici au quartier général. Nous avons cinq cents organisateurs à plein temps, et pour vendredi prochain, nous en attendons près de deux mille. Nous sommes tous gonflés à bloc et... »

Au même moment on entendit dans le hall un chœur de voix d'hommes chantant à l'unisson.

« Mon Dieu, s'écria la duchesse, qu'est-ce que c'est que ça ?

— Comment, fit Daugherty, vous ne reconnaissez pas ? C'est la chorale du Republican Glee Club de Columbus. Chaque jour à cette même heure ils vont nous donner l'aubade depuis la mezzanine. Ils sont soixante-quinze. Maintenant ils sont en train de saluer... » Daugherty prêta un moment l'oreille « ... la délégation d'Indiana. Le soir, ils feront la tournée des hôtels où ils donneront aussi la sérénade aux autres candidats, en signe de bonne volonté.

— Trine aspect de la Lune », marmonna la duchesse pour elle-même. Puis à voix haute : « Il paraît que le prix des délégués du Sud est maintenant de cinq mille dollars par tête.

— C'est seulement pour ceux qui sont à vendre, confirma Daugherty. Les partisans, eux, coûtent encore plus cher. »

Le président du comité national républicain, Will Hays, entra dans la salle Florentine, suivi de plusieurs membres de la presse. C'était un homme très jeune, très laid, avec des oreilles décollées, un nez pointu, un menton fuyant, et une voix aiguë assaisonnée d'un accent d'Indiana à couper au couteau. Il était soi-disant neutre, mais tout le monde savait bien qu'il cherchait à se placer comme outsider de dernière minute : c'était le chouchou de la cabale sénatoriale. Quand Hays vit la duchesse, sa face chafouine s'éclaira d'un sourire.

« Madame Harding, fit-il en lui serrant la main, dites au sénateur que tout ce que nous pourrons faire, nous le ferons. La commission d'arbitrage est là, dans l'annexe de l'hôtel, et à la moindre anicroche, elle est prête à intervenir pour vérifier que tout se passe dans les règles.

— Je le lui dirai, monsieur Hays. Comptez sur moi.

— Comment sont les Sudistes ? » interrogea Daugherty.

Hays fit une espèce de grimace, puis il s'éloigna. Jess leva les yeux sur l'affiche de Warren Gamaliel Harding sur le mur d'en face, et il se demanda ce qui se passerait si tout le monde savait que le noble sénateur au profil de médaille était en ce moment même en train de faire l'amour avec Nan Britton à l'autre bout de la ville.

2

La semaine qui suivit fut pour Jess Smith d'une confusion indescriptible. Il fut chargé de faire de nombreuses courses, le plus souvent muni d'enveloppes contenant de l'argent, qu'il devait remettre à des délégués sudistes. Pendant ce temps-là W.G. discourait interminablement dans la salle Florentine, et Daugherty dans l'ombre continuait de tisser sa trame. Wood et Lowden faisaient toujours figure de favoris, et Harding n'était qu'un outsider parmi une douzaine d'autres piaffant d'impatience sur les bords ombreux du Styx. Le pire c'est qu'il devait décider avant vendredi soir si oui ou non il allait se représenter au Sénat. S'il décidait de se représenter, cela revenait à dire qu'il ne s'attendait pas à recevoir l'investiture du parti pour l'élection présidentielle. Toute la semaine il avait fait mine de vouloir se représenter aux sénatoriales, bien que la duchesse, toujours sous l'influence de Mme Marcia, le suppliât de n'en rien faire. On était maintenant vendredi et la duchesse, changeant brusquement d'avis, le pressait de poser sa candidature au Sénat, alors qu'Harding paraissait plus énigmatique que jamais.

Jess alla s'asseoir un moment dans la tribune. Il tenait à la main une feuille de palmier avec laquelle il s'éventait. Mais le simple effort de soulever son bras et d'agiter sa main, loin de le rafraîchir, lui donnait encore plus chaud. Tout le monde était en bras de chemise. En dessous de lui, dans la salle, les délégués parlaient si fort entre eux qu'il était pratiquement impossible d'entendre les orateurs, à mesure qu'ils défilaient sur l'estrade, ou « pont volant » comme on l'appelait. Là, un grand écriteau les priait de rester à l'intérieur d'un cercle marqué à la craie blanche, de manière à ce que l'amplificateur placé derrière eux, qui était relié à tout un système téléphonique assez compliqué, permît à chaque orateur de se faire entendre des treize mille personnes qui remplissaient l'auditorium. Mais aucun système de sonorisation, si perfectionné fût-il, ne pouvait triompher du caquetage assourdissant des délégués rassemblés autour de leurs bannières respectives.

Tout à coup un grand silence se fit dans l'auditorium : Henry Cabot Lodge, le président de la convention, venait d'apparaître sur le pont volant. Il était cinq heures de l'après-midi et il régnait dans la salle une chaleur étouffante. Au moins trente degrés d'après Jess. Mais Lodge, lui, avait l'air très frais.

« Nous allons maintenant procéder au vote des Etats », dit-il d'une voix posée.

On entendit un immense soupir de soulagement, puis quelques applaudissements ici et là. Jess sortit son calepin et son crayon. On fit l'appel des Etats par ordre alphabétique, et le porte-parole dudit Etat répondait en énonçant le vote de son Etat. Il y avait en tout dix candidats. Certains, comme Nicholas Murray Butler de New York et le gouverneur du Massachusetts, Calvin Coolidge, jouaient les bouche-trous en attendant que la délégation de leur Etat pût conclure un accord avec le vainqueur. D'autres, comme Herbert Hoover, étaient soutenus par des enthousiastes désintéressés. En réalité Hoover eût été le choix du pays, si le pays avait pu exprimer sa préférence. Les tribunes étaient remplies de partisans de Hoover, qui comptaient pour du beurre, alors qu'au parterre, où siégeaient les délégués, Hoover était ignoré.

Il était clair que ni Wood ni Lowden ne se désisteraient. Wood obtint au premier tour de scrutin 287 voix, Lowden 211, Johnson 133, et Harding 65, seulement trois de plus que le professeur Butler de New York. Quand le vote fut terminé, Jess regagna au plus vite la suite qu'occupait Harding à l'Auditorium Hotel. Daugherty lui-même lui ouvrit la porte. Harding était étendu sur un canapé, une bouteille de whisky et deux verres à portée de main. Il avait l'air épuisé. Comme il n'était pas rasé, il ressemblait à un fantôme. George Christian était au téléphone. La duchesse, elle, était invisible.

« Après tout je ferais peut-être bien de me présenter au Sénat, dit Harding, comme s'il se parlait à lui-même.

— Vous avez jusqu'à minuit, répondit Daugherty. Espérons que personne n'en saura rien, car ce n'est pas ça qui va nous arranger. »

Harding but une gorgée de whisky. La main ne tremblait pas, constata Jess. Christian raccrocha le téléphone.

« Les sénateurs entrent en action. Ils vont faire bloc pour barrer la route à Wood.

— Comment ? demanda Daugherty en décrochant un second récepteur.

— En faisant pression sur Butler et Coolidge afin qu'ils votent pour Lowden.

— Il ne peut y avoir qu'un seul Vice-Président », dit Daugherty d'un air revêche. Puis il changea de voix, décrocha le téléphone et demanda : « Pourrais-je parler au sénateur Penrose, s'il vous plaît. De la part d'Harry Daugherty à Chicago… Merci du renseignement », dit Daugherty en posant le récepteur.

« Penrose est chez lui, en train de mourir, dit Christian.

— Ce qui ne l'empêche pas d'être relié par une ligne spéciale avec la délégation de Pennsylvanie. Un mot de lui… »

Quelqu'un passa la tête dans l'entrebâillement de la porte.

« Le sénateur Fall voudrait parler au sénateur Harding. »

Harding bondit sur ses pieds, lissa son veston et se donna un rapide coup de peigne.

« Faites-le entrer. »

Jess admirait beaucoup Fall. Premièrement il ressemblait à un vrai cow-boy, avec ses yeux perçants et ses immenses moustaches, et deuxièmement, c'était l'un des meilleurs amis de W.G. au Sénat.

Les deux hommes se serrèrent chaleureusement la main. Puis Harding entraîna Fall au fond de la pièce où personne ne pouvait les entendre, hormis Jess, et même Jess avait de la peine à comprendre ce qu'ils se disaient, à cause de Christian et de Daugherty qui parlaient fort au téléphone, donnant des ordres, passant des accords.

Fall s'efforçait de réconforter W.G.

« Borah et Johnson menacent de quitter le parti si Wood ou Lowden est désigné.

— Pourquoi ? questionna Harding que cette nouvelle parut déconcerter.

— A cause de l'argent qu'ils ont dépensé tous les deux. Borah est choqué par la manière dont les hommes de Lowden ont acheté les délégués du Missouri. Il dit que la présidence n'est pas à vendre.

— Il est un peu tard pour y penser, observa W.G. avec une pointe de sarcasme dans la voix.

— Vous les connaissez.

— En tout cas c'est bon pour nous », sourit Harding.

Le téléphone sonna. Christian répondit. Le deuxième tour de scrutin venait de se terminer. Lowden avait gagné quarante-huit voix, et Wood seulement deux. Harding en avait perdu quatre.

Fall n'avait pas l'air trop déçu.

« Nos amis sénateurs ont fait tout ce qu'ils pouvaient pour le moment. Seul New York aurait pu provoquer une panique, lorsque Butler s'est retiré, mais il n'en a rien été.

— Je suppose, dit W.G. qui avait retrouvé son aplomb, que nous serons ici toute la nuit. »

Juste avant la fin du quatrième tour de scrutin, Jess observa avec fascination comment la cabale sénatoriale entrait en action. Une douzaine d'hommes, parmi les plus puissants du pays, tenaient, pour ainsi dire, devant tout le monde, une réunion cruciale. Wood gardait toujours la tête, malgré tous leurs efforts. Lowden tenait bon. Lodge annonça le résultat. Wood n'était plus qu'à 117 voix de l'investiture. La salle applaudit. Les sénateurs, qui se croyaient les maîtres de la convention (et donc du pays), étaient finalement arrivés à une

décision. Le sénateur Smoot monta sur le pont et dit à haute voix :
« Je propose que la convention suspende ses travaux jusqu'à demain
matin dix heures. » Un silence de mort accueillit cette déclaration.
Mais les délégués n'eurent pas le temps de retrouver leurs voix que
Lodge enchaînait :

« Que ceux qui sont en faveur de l'ajournement disent oui. »
On entendit quelques oui dans la salle.

« Que ceux qui sont contre disent non. »

Les non faillirent faire tomber Lodge de son estrade. Mais il saisit le
lutrin à pleines mains, puis il abaissa son marteau en proclamant avec
un petit sourire :

« Les oui l'emportent, la convention est ajournée jusqu'à demain
matin dix heures. »

Voilà ce qui s'appelle un abus de pouvoir, se dit Jess en frissonnant.
La prophétie de Daugherty allait donc se réaliser. Ce soir les sénateurs
s'enfermeraient dans une salle enfumée pour élire le nouveau
Président. Mais qui sortirait de cette fumée ? Serait-ce W.G. ? Jusqu'à
présent Jess avait été profondément déçu par l'absence d'enthousiasme suscitée par Harding. Il n'avait pas de supporters passionnés
comme Wood ou Lowden, mais il n'avait pas non plus de détracteurs
acharnés. Telle avait été la stratégie d'Harding depuis le début. Si les
ténors se neutralisaient, il n'aurait plus qu'à se baisser le moment
venu pour ramasser la couronne.

Jess entra au Blackstone Hotel où étaient descendues les principales
délégations. La suite de Will Hays constituait maintenant le sanctuaire de la cabale sénatoriale. Comme il traversait le hall pour aller
prendre l'ascenseur, Jess fut interpellé par un individu, assez
distingué d'allure, qui tenait une liasse de brochures à la main.

« Il suffit de vous voir, monsieur, pour savoir que vous êtes un
délégué. »

Jess était trop flatté pour dire non.

« Comment savez-vous ?...

— Je sais beaucoup de choses, je sais par exemple qu'un des
candidats à la présidence est un nègre, et je sais aussi qu'un pays blanc
qui élit un nègre est voué au désastre... »

Jess réalisa qu'il avait en face de lui l'ennemi juré d'Harding,
William Estabrook Chancellor, professeur à l'université de Wooster
dans l'Ohio. Chaque fois qu'Harding était candidat quelque part,
Chancellor rappliquait avec ses pamphlets et ses généalogies, et bien
que jusqu'ici il n'eût pas fait beaucoup de tort à W.G., Jess perçut le

danger qu'il pouvait représenter en cas de lutte au finish. Jess refusa le pamphlet et se hâta vers l'ascenseur.

Jess trouva W.G. au quartier général de la délégation de l'Ohio. Il était complètement transformé depuis le Coliseum. Il était sur son trente et un, rasé de frais, sûr de lui-même. Il y avait là, dans la salle des commis voyageurs, une cinquantaine d'hommes et de femmes. C'était une longue pièce étroite avec en son milieu une longue table étroite où les jours ouvrables les vendeurs étalaient leurs marchandises. Harding était confortablement assis à la table en face d'une grande affiche qui le représentait.

« Je sais, disait Harding, que vous êtes tentés de donner vos voix à celui qui fait pour l'instant figure de vainqueur, le général Wood, et je sais aussi qu'il y en a deux ou trois parmi vous qui se sont engagés à me soutenir et qui essaient de vous persuader de voter pour Wood demain matin au premier tour de scrutin, mais moi je vous dis qu'il ne sera jamais désigné. C'est aussi simple que ça. Et le gouverneur Lowden non plus. Nous sommes toujours en selle, et nous sommes toujours l'Etat que les Républicains doivent remporter pour gagner l'élection... »

Jess regarda autour de lui pour voir l'effet produit par ces paroles sur le grand homme de la délégation, le vieux Myron Herrick. Il acquiesçait de la tête. Comme le gouverneur Herrick était la principale figure politique de l'Ohio, W.G. n'avait pas encore perdu son Etat malgré certains signes de rébellion.

Jess aperçut Daugherty à l'autre bout de la salle. Il était assis, le dos tourné à Harding, en train d'écrire dans un carnet. Jess se fraya un chemin jusqu'à lui.

« Quoi de neuf ? dit-il tout bas.

— Nous saurons dans une heure. Ils vont se réunir dans la suite de Will Hays.

— W.G. a-t-il posé sa candidature au Sénat ? »

Daugherty hocha la tête et mit un doigt devant la bouche :

« Mais nous allons gagner, ici, ce soir.

— Comment ? »

Blaise posa la même question à Lodge. Ils étaient assis dans un coin de la suite que Will Hays partageait avec George Harvey, l'éditeur du *Harvey's Weekly*, un ancien ami de Wilson devenu maintenant son plus farouche adversaire. Un peu plus tôt dans la soirée, Blaise avait dîné avec Lodge, Brandegee et Curtis, du Kansas, dans la suite 404 où « la chose » allait se décider. Une douzaine de sénateurs étaient maintenant en session plus ou moins permanente, pendant que leur hôte, Will Hays, allait et venait d'une pièce à l'autre, parlant au téléphone dans sa chambre à coucher, recevant de mystérieux individus dans la chambre d'Harvey, conférant avec les sénateurs...

Lodge trônait au milieu de la pièce, assis sous une peinture représentant les Chutes du Niagara. Il y avait du whisky sur une desserte où de temps en temps allaient se servir les pères conscrits qui d'ailleurs avaient presque tous voté en faveur de la prohibition.

« Le " comment " n'est pas le plus difficile, répondit Lodge d'un ton doctoral. Lorsque nous donnerons le signal, Butler et Coolidge se retireront, et les délégués pourront alors voter pour le candidat de notre choix. Comme vous voyez, le " comment " est d'une simplicité enfantine. C'est le " qui " qui est plus problématique. »

Hays sortit de la chambre à coucher.

« Je viens de parler à Penrose.

— Il est mort ? demanda Harvey les yeux embués par l'alcool et l'air visiblement exténué.

— Pas encore, sinon je n'aurais pas pu lui parler. Il lâche Wood. »

Les sénateurs étaient ravis. Brandegee leva son verre à la santé de Penrose.

« Le vieux Penrose a dû demander à Wood trois portefeuilles dans le Cabinet, et Wood a répondu : jamais. Alors Penrose a raccroché. »

Wadsworth de New York dit :

« Ça exclut Wood, mais ça ne règle pas le problème de Lowden et de Johnson...

— Johnson est impossible », déclara Smoot.

Brandegee soupira :

« Que dit l'enfant chéri du Massachusetts ?

— J'ai eu soixante-dix ans il y a un mois, voilà ce que je dis »,
répondit Lodge d'un air lugubre.

Blaise se demanda ce qu'on devait ressentir quand on avait convoité
quelque chose toute sa vie, et qu'on l'avait raté pour une bête question
de calendrier.

Brandegee sourit :

« Je pensais à l'autre enfant chéri, le gouverneur Coolidge. »
Quoique Blaise eût préféré Hoover comme la plupart des Américains
sensés — Franklin Roosevelt aurait même déclaré que Hoover ferait
un superbe Président, pour n'importe quel parti —, Coolidge était
une figure intrigante. On l'admirait notamment pour avoir dit aux
policiers de Boston qu'en tant que fonctionnaires ils n'avaient pas le
droit de se mettre en grève.

Smoot secoua la tête.

« Il n'a personne derrière lui, et il n'a l'air de rien, ce qu'il est
exactement.

— Je ne crois pas, dit Lodge d'un air pensif, que nous puissions
décemment nommer un homme qui loge dans une maison mitoyenne.

— Je voterais bien pour Will Hays, dit Harvey.

— Moi aussi, enchaîna Will Hays, mais c'est encore un peu tôt... »
Smoot s'assit sur le bras d'un des canapés.

« Il ne reste plus qu'Harding. »

Mais il n'y avait pas un grand enthousiasme pour Harding.
Brandegee observa qu'il *avait l'air* d'un Président, mais était-ce
suffisant ? Lodge remarqua qu'Harding habitait à Washington dans
une maison mitoyenne, et que dans ces conditions il n'était pas
question qu'il s'installe à la Maison-Blanche.

Blaise resta jusqu'à minuit à écouter les grands hommes discuter
des divers candidats. Vers une heure du matin il constata que non
seulement ils n'avaient aucun plan commun, mais qu'en dépit des airs
supérieurs de Lodge, ils ne contrôlaient même pas la convention, et
que si Wood et Lowden décidaient de rester en course, il n'y aurait
aucun moyen de sortir de l'impasse, et qu'il faudrait attendre que les
délégués se tournent en désespoir de cause vers Johnson ou vers
Harding.

A deux heures, Blaise quitta la suite 404 en compagnie de Smoot.

« Ce sera qui ? demanda Blaise.

— Ce sera celui qui a le moins d'ennemis. Cela exclut donc
Johnson. »

La porte de l'ascenseur s'ouvrit. A l'intérieur se trouvait un reporter du *New York Telegram*, que Blaise connaissait de vue et Smoot de nom. A la question de savoir qui serait le candidat républicain, Smoot répondit à voix basse :

« Ce sera Harding. Nous sommes tous tombés d'accord sur lui.

— Puis-je l'imprimer ? »

Smoot sourit.

« Oui, mais sans nom d'auteur. Du moins pour le moment. Demain nous allons laisser Lowden faire quelques tours de scrutin, et puis l'après-midi nous désignerons Harding. »

Une fois dans le hall le reporter courut aussitôt vers une cabine téléphonique. Blaise regarda Smoot avec surprise.

« Mais il n'a pas été question de soutenir Harding ni qui que ce soit.

— En politique, monsieur Sanford, on ne dit pas toujours ce qu'on pense. Un politicien avisé semble d'abord épouser les événements. Nous nous sommes livrés jusqu'à présent au jeu des éliminations. Et même si nous n'avons pas déclaré ouvertement : " Harding est notre homme ", c'est exactement ce que nous avons fait en éliminant Coolidge et Johnson. »

Blaise se rappela alors brusquement qu'il était lui aussi journaliste.

« Le *New York Telegram* va publier ça en première page.

— C'est pourquoi je l'ai dit à ce journaliste. Ensuite l'*Associated Press* reprendra la nouvelle, et en fin de matinée tous les délégués apprendront comment nous avons choisi Harding pour eux.

— Et vous croyez que ça va marcher ? fit Blaise admiratif.

— Mais oui. »

Les deux hommes se séparèrent et Blaise alla téléphoner à Trimble à Washington. Il lui raconta une histoire plus ou moins plausible au terme de laquelle il prédisait la victoire de l'oligarchie régnante du Sénat.

Harding, accompagné de Jess, entra dans la suite d'Hiram Johnson où W.G. fut chaleureusement accueilli par Johnson ainsi que par une douzaine d'hommes parmi lesquels Jess reconnut le célèbre Albert Lasker. C'était lui l'auteur du fameux slogan : « Un teint de jeune fille » garanti par un usage constant et exclusif du savon Palmolive.

Les cheveux séparés en deux parties égales par une raie soignée, Johnson affichait comme toujours une mâle assurance.

« Puis-je vous parler un moment ? » demanda Harding.

Harding semblait maîtriser la situation, ce qui ne laissa pas d'étonner Jess. Johnson conduisit Harding dans la chambre à coucher. Jess referma la porte en pensant qu'Harding lui demanderait de l'attendre à l'extérieur, mais Harding ne semblait même pas l'avoir remarqué.

« Enfin ils se sont décidés, dit W.G. avec son plus charmant sourire.

— Décidé ? Qui a décidé quoi ?

— Nos amis sénateurs. Wood est hors course. Lowden n'y arrivera pas, ainsi que les quatre ou cinq premiers tours de scrutin d'aujourd'hui le démontreront. Je désire vous avoir sur mon ticket.

— Vous ! s'écria Johnson d'un air horrifié.

— L'Ohio et la Californie, ce sera dur à battre.

— Vous... comme *Président* ?

— Hiram, je sais que je ne fais pas partie des grandes ligues comme vous. C'est pourquoi j'ai besoin de vous. Vous êtes l'un des hommes les plus intègres et les plus populaires de la vie publique...

— Pas assez toutefois pour Lodge, Brandegee et consorts...

— Vous les connaissez. Vous leur faites un peu peur. Mais ne me dites pas non. Attendez un peu, réfléchissez. D'accord ? »

Harding serra la main de Johnson en lui entourant les épaules de son bras gauche. Puis il quitta la pièce, suivi de Jess, laissant Hiram Johnson dans une rage indescriptible.

4

Blaise déjeuna au Blackstone avec Alice Longworth et Harvey qui n'était pas encore tout à fait dessoûlé de sa cuite de la veille.

« Nous avons choisi Harding, dit Harvey. C'était la seule chose à faire.

— Harding ! s'exclama Alice, mais il est si... si...

— Ordinaire, je sais. Mais c'est lui qui a le moins d'ennemis. Et maintenant que Wood et Lowden se sont neutralisés...

— Quand cela s'est-il décidé ? demanda Blaise. Je suis resté jusqu'à une heure, et rien n'était encore joué.

— Vers deux heures et demie, je pense. Nous avons même fait venir Harding pour le lui annoncer. Ensuite nous lui avons demandé s'il y avait dans sa vie privée quoi que ce soit qui pourrait l'empêcher d'assumer d'aussi hautes fonctions...

— A part son sang nègre », dit Alice.

Harvey se mit à rire.

« Vous savez ce qu'a répondu Penrose à quelqu'un qui lui en faisait la remarque : " Ça pourrait même être un avantage, étant donné les problèmes que nous avons avec l'électorat noir... " »

Blaise était à peu près sûr que Harvey mentait. Il avait menti autrefois au sujet de Wilson, et maintenant il mentait à nouveau pour faire croire qu'il avait joué un rôle essentiel dans la désignation du candidat. Pure vantardise. Blaise doutait fort qu'on soit allé réveiller Harding au milieu de la nuit pour le questionner comme un vulgaire employé de banque. Pour des raisons personnelles Harvey voulait accréditer la prédiction de Daugherty selon laquelle vers deux heures du matin une quinzaine d'hommes exténués auraient fait appel à Harding.

« Pourquoi pas Knox ? » fit Alice d'un ton plaintif.

Mais à ce moment-là Harvey dut répondre au téléphone. Il revint, les yeux pétillants de malice :

« Le premier tour de scrutin vient d'avoir lieu. Lowden passe en tête, Wood rétrograde. Harding refait surface. Johnson s'effondre.

— Le sénateur Borah était-il dans la suite 404 ? demanda Alice.

— Euh... non, non, mais nous l'avons tenu informé, et il a approuvé...

— Il n'est pas tellement du genre à approuver, pourtant, dit sèchement Alice. Mais dans ce cas pourquoi ne pas élire Harding tout de suite ? Pourquoi faire traîner les choses ?

— Question de logistique. Nous n'avions pas le temps de contacter toutes les délégations avant le début de la convention. Mais maintenant la bonne nouvelle se répand...

— Mais enfin Cabot ne peut pas vouloir Harding ! s'écria Alice.

— Cabot ne veut qu'une chose : détruire Wilson et sa ligue. Peu lui chaut qui est élu, pourvu que le candidat n'habite pas une maison mitoyenne. Dans sa circonscription, s'entend.

— Cabot a toujours été un homme à principes, c'est vrai », dit Alice, incapable d'avaler son œuf.

Blaise se demanda pourquoi personne n'avait songé à Nick Longworth. Nick était pourtant président de la Chambre des Représentants, ce n'était pas n'importe qui. Mais il est vrai qu'on ne pensait jamais à cet homme charmant, un peu trop porté sur la bouteille, quand il s'agissait d'affaires importantes.

5

Si la cabale sénatoriale avait prédéterminé l'issue de la convention, les délégués ne semblaient pas en avoir été informés. Les cinq premiers tours du scrutin ressemblèrent comme des frères à ceux du vendredi. Wood et Lowden continuaient leur chassé-croisé. Johnson dégringolait doucement et Harding remontait imperceptiblement.

Blaise se dirigea vers l'estrade, le veston sur le bras, en se bouchant le nez pour ne pas respirer l'air fétide de la salle. Arrivé devant l'estrade, il aperçut Brandegee.

« Que se passe-t-il ? Vous en faites une tête !

— Il ne se passe rien, voilà ce qui se passe.

— Je croyais que vous aviez choisi Harding la nuit dernière.

— Qui vous a dit ça ?

— Mon journal.

— Ça ne serait pas plutôt George Harvey ? Celui-là pour se rendre intéressant ! Nous n'avons encore rien décidé, sauf que nous aimerions tous bien que ce soit Hays. J'ai donné mes instructions à la délégation du Connecticut pour qu'elle soutienne Hays au prochain tour.

— Si le Connecticut vote pour Hays...

— Il ne le fera pas.

— Pourquoi ? C'est pourtant vous qui en êtes le sénateur...

— Mais je ne suis pas l'Etat. Les délégués veulent Harding. Ils m'ont dit d'aller me faire f... C'est à ne plus rien y comprendre.

— Moi qui croyais que vous teniez vos délégués...

— Qui a dit ça ? Encore les journalistes ! Notre seul espoir maintenant c'est un ajournement. Nous forcerons Lowden à se désister, et Hays l'emportera. »

Blaise aurait voulu savoir pourquoi Hays plutôt qu'un autre. Mais dans l'état actuel des choses, cette question semblait parfaitement dénuée de sens. A la limite, pourquoi choisir un candidat ?

Lodge annonça un ajournement. Il y eut quelques ovations et beaucoup de sifflets. Les faiseurs de Président avaient maintenant trois heures pour faire de Will Hays un Président. Entre-temps on faisait courir le bruit que c'était Harding et non Hays le choix du Sénat. A quoi bon ces tergiversations ? se demandait Blaise. Etait-ce pour rendre l'investiture d'Harding possible ou impossible ?

Comme les délégués commençaient de remplir la salle, Blaise vit Daugherty qui prenait Lodge à partie :

« Vous ne battrez pas cet homme de cette façon », criait Daugherty, mais Lodge lui tourna le dos imperturbablement après avoir murmuré quelque chose sur « l'unité du parti ».

Jess rejoignit Daugherty dans une petite pièce située derrière l'estrade où W.G. était déjà secrètement installé. Daugherty était nerveux. La sueur inondait son visage. Harding au contraire était d'un calme impressionnant.

« Où est assise la duchesse ? demanda-t-il.

— A gauche de l'estrade, répondit Jess.

— Encore un tour et tout sera joué. »

Harding se recoiffa devant un miroir, et Jess se demanda s'il devrait apparaître devant la convention après son investiture. Ce serait certainement un moment extrêmement dramatique. Mais Jess ne se souvenait plus au juste de la procédure.

Quelqu'un frappa à la porte. Jess l'entrebâilla. C'était Toby Hert du Kentucky, le directeur de campagne de Lowden. Derrière lui se trouvait le gouverneur Lowden en personne.

« Entrez ! » dit Jess.

Harding et Lowden échangèrent une cordiale poignée de main.

« J'imagine que vous savez pourquoi je suis là, fit Lowden.

— Vous avez toujours été le candidat de mon choix », dit gracieusement W.G.

Toby vint au fait.

« Nous avons libéré tous nos délégués, et la plupart voteront pour vous, mais il y en a d'autres qui sont en train de se faire acheter par Hays.

— Combien ? interrogea Daugherty.

— Entre mille et dix mille dollars. »

Daugherty émit un petit sifflotement.

« Hays arrive trop tard, dit Lowden. Vous êtes le prochain en ligne, et personne ne pourra dire qu'un groupe de sénateurs vous a imposé aux délégués...

— Ils le diront quand même, je suis tranquille, sourit Harding. Mais, nous, nous savons que ce n'est pas vrai. Certains de mes amis sénateurs ont essayé m'empêcher, mais je leur pardonne, car ils ne savent pas ce qu'ils font.

— Ça, vous pouvez le dire », renchérit Daugherty.

Blaise se trouvait derrière Mrs. Harding lorsque le neuvième tour de scrutin commença. Il était seize heures cinquante. Il n'y eut guère de changement par rapport aux tours précédents jusqu'au moment où le Kentucky se leva et donna ses voix non pas à Lowden comme prévu, mais à Harding. C'était le signal que Lowden n'était plus dans la course. Une grande clameur s'éleva dans toute la salle.

Lodge abaissa son marteau d'un air morose. La duchesse enleva son chapeau et le posa sur ses genoux. Elle tenait dans la main droite deux longues épingles à chapeau, comme pour montrer qu'elle était prête à lutter à mort pour celui que les astres avaient désigné comme Président. Daugherty s'assit à côté d'elle. « Il sortira au prochain tour, lui dit-il. La Pennsylvanie a basculé dans notre camp. » De joie la duchesse planta ses deux aiguilles dans le mollet de Daugherty, qui supporta la douleur sans broncher.

« W.G. est en ce moment dans la pièce de derrière avec Lowden. Après sa désignation, nous le ramènerons au La Salle. Nous avons déjà réservé une plus grande suite avec un ascenseur privé. »

La duchesse hocha la tête, trop émue pour parler.

Jess était assis à côté de Nan Britton tout en haut de la tribune. Ils puisaient tous les deux dans un cornet de cacahouètes. La chaleur était étouffante, mais ni l'un ni l'autre ne s'en apercevait : le dixième tour de scrutin allait commencer. W.G. avait vu Nan trois fois au cours de la semaine, et ils étaient convenus de se retrouver le lendemain au parc pendant qu'elle promènerait la petite. Jess se demandait ce que dirait Daugherty s'il savait. Devrait-il lui en parler ? Jusqu'ici personne ne l'avait reconnu dans le métro. W.G. avait dit à Nan que « c'était une folie », mais que c'était plus fort que lui. L'amour !

Le grand moment arriva lorsque le président de la délégation de Pennsylvanie, conscient de l'importance de sa mission, proclama d'une voix grave et solennelle : « La Pennsylvanie donne soixante et une voix à Warren G. Harding. » Une salve d'acclamations salua la victoire du sénateur de l'Ohio.

Lodge demanda alors un vote unanime en faveur de *Lowden*, et fut copieusement hué. Il rectifia le nom, mais les sifflets continuèrent. Le Wisconsin ne voulait pas donner ses voix à un autre qu'à La Follette, le sénateur de l'Etat, et Wood disposait encore d'une bonne centaine de voix.

Lodge abaissa son marteau avec un petit ricanement, puis de sa voix de patricien éraillée, il déclara : « Warren Gamaliel Harding est désigné à l'unanimité par cette convention comme le candidat républicain à la présidence des Etats-Unis ! »

« Je n'arrive pas à y croire, dit Nan.

— Moi, si, fit Jess. Daugherty et moi on y a toujours cru, et voilà que c'est arrivé. »

6

Les candidats démocrates à la présidence et à la vice-présidence étaient assis dans le bureau de Tumulty. Burden leur tenait compagnie, pendant que Tumulty était en train de préparer le Président. Le candidat présidentiel, le gouverneur James Cox, de l'Ohio, était petit, le cheveu rare, des yeux à fleur de peau dans un visage poupin. Il portait un veston à trois boutons, soigneusement boutonnés, et paraissait à la fois timide et imbu de lui-même. Le candidat à la vice-présidence n'était autre que Franklin D. Roosevelt, alors dans sa trente-huitième année. Et quoique incapable de se laisser impressionner sauf peut-être par un autre Roosevelt, il était très nerveux.

« Est-ce que nous *la* verrons ? demanda-t-il à Burden.

— Qui sait ? »

Si jamais un tandem politique avait été voué à l'échec avant même d'entrer en lice, c'était bien celui-là. D'un côté, un Roosevelt, snob et hautain, dont les imitations de son oncle étaient de moins en moins convaincantes ; et de l'autre, un politicien, certes très estimable mais sans grand relief, qui n'avait été désigné qu'après quarante-six tours de scrutin, au cours desquels les deux principaux candidats, A. Mitchell Palmer, l'ennemi juré du bolchevisme, et William G. McAdoo, s'étaient mutuellement neutralisés. Burden avait fait campagne pour McAdoo, mais le leader naturel du parti avait été scié par son beau-père, le Président, qui avait laissé courir le bruit qu'il avait l'intention de briguer un troisième mandat pour défendre sa ligue. Comme Wilson était actuellement incapable d'assumer les fonctions présidentielles, il semblait peu probable qu'un pareil invalide fût réélu pour quatre ans. De toute façon, même si Wilson avait été bien portant, le pays, sinon son propre parti, l'aurait rejeté.

Le pays avait poussé un grand ouf de soulagement lorsqu'au cours d'un de ses récents discours, Harding avait parlé de « retour à la normale ». On en avait assez des grands hommes.

Burden contemplait Roosevelt avec une petite moue de dégoût. Avec son blazer bleu marine, ses pantalons et ses souliers blancs, il paraissait plus apte à disputer une partie de croquet qu'une course à la vice-présidence. Heureusement il serait bientôt battu, et on n'entendrait plus parler de lui sur la scène nationale, car il y avait gros à parier qu'une fois de retour à la Maison-Blanche, les Républicains y resteraient pour une période aussi longue que celle qui s'était écoulée entre Lincoln et Cleveland.

En somme Burden était plutôt satisfait de ne pas avoir fait équipe avec McAdoo. Ils auraient pourtant eu meilleure allure que ces deux êtres fébriles assis en face de lui dans le bureau inondé de lumière de Tumulty, mais de toute façon, ce que les Américains voulaient maintenant c'était dormir, faire des affaires, s'enrichir, bref vivre normalement. La campagne pour les sénatoriales s'avérait pour Burden plus difficile que d'habitude, et Kitty était déjà partie à American City pour rallier les indécis. De son côté, parti à New York pour y récolter de l'argent, il y avait rencontré Franklin qui faisait la même chose. Il avait accepté de les aider tous les deux lui et Cox lors de l'entretien qu'ils devaient avoir avec le Président, dont le soutien pouvait leur être aussi néfaste que son hostilité, vu que le véritable enjeu de la campagne c'était Wilson lui-même. Le pays était-il pour ou contre la ligue ? Pour ou contre des Présidents plus grands que nature ? Pour ou contre un rôle prépondérant dans un monde qui pour la majorité des Américains semblait aussi nébuleux que le royaume des cieux ?

« Elle m'en veut toujours pour Noël, dit Roosevelt en allumant une cigarette. Ce pauvre Lord Grey ! le Président ne voulait pas le recevoir à cause de ce que vous savez, alors Eleanor et moi nous avons eu pitié de lui, ce que Mrs. Wilson a très mal pris.

— Je me demande pourquoi il a renvoyé Lansing, jeta Cox, en détournant son regard de la fenêtre. Ce n'est tout de même pas parce qu'il a présidé le Conseil des ministres pendant sa maladie. Il doit y avoir une autre raison.

— Elle n'a jamais aimé Lansing. »

Franklin se faisait, d'après Burden, une idée exagérée du rôle joué par les femmes dans la vie publique de leur mari, même quand cette femme était, comme Mrs. Wilson, la régente en fait du pays depuis plus d'une année.

« Il y avait plusieurs raisons à cela. Primo le Président lui non plus n'a jamais beaucoup aimé Lansing. Secundo, Lansing avait suggéré au Vice-Président la possibilité de suspendre le Président de ses fonctions...

— Lansing était dans le coup ? » fit Cox intrigué.

Burden était fier de savoir une chose que, jusqu'au premier mardi de novembre, le chef titulaire de son parti ignorait.

« Oui. Ainsi que Marshall. Et moi-même. Et aussi Cabot Loge, j'en ai peur. C'est à ce moment-là que nous avons envoyé les sénateurs Hitchcock et Fall à la Maison-Blanche pour prendre des nouvelles du Président. Wilson leur avait doré la pilule. Au moment de partir, Fall avait dit d'un air onctueux : " Nous prions pour vous, monsieur le Président ", et Wilson de répondre avec son sens de l'à-propos : " Dans quel sens ? " Finalement, reprit Burden, lorsque le secrétaire de Lansing, cet âne de Bill Bullett, nous eut certifié que Lansing jugeait la ligue inutile, Wilson décida qu'il était temps de se débarrasser de son secrétaire d'Etat, et ça n'a pas traîné.

— Et quelques mois plus tard... ajouta Franklin.

— ... Le Président eut son attaque.

— Et la régence commença, conclut Franklin en écrasant sa cigarette.

— Messieurs, je vais peut-être vous étonner, jeta Burden, mais je ne crois pas qu'il y ait de régence. Je suis venu ici un certain nombre de fois, et j'avoue que j'ai de la sympathie pour Mrs. Wilson, mais je ne pense pas que ce soit elle et Grayson qui dirigent le pays.

— Alors qui ? fit Cox.

— Ne le répétez pas, répliqua Burden. Personne.

— Vous voulez dire, reprit Cox en fronçant les sourcils, que c'est comme s'il n'y avait pas de Président ?

— Exactement, et je doute que les Républicains soulèvent jamais cette question, car c'est là une idée qui pourrait bien devenir populaire. Supposé que le pays décide de supprimer la fonction présidentielle, ça nous ferait faire de sérieuses économies...

— Dieu nous en garde ! » s'écria Franklin.

Tumulty apparut sur le seuil.

« Il arrive. Il vous recevra sur le porche sud. Vous avez lu ça ? » dit-il en montrant une brochure intitulée : *Un Président nègre ?* Sous le titre il y avait une photographie un peu floue d'Harding qui lui faisait paraître le teint plus foncé qu'en réalité.

« Bien sûr, dit Cox. J'ai interdit qu'on s'en serve.

— Croyez-vous que ce soit vrai ? demanda Franklin.

— Qui sait ? fit Burden. Chaque fois qu'Harding se présente à une élection, ce type rapplique avec ses prétendues preuves.

— Cela pourrait nous donner tout le Sud, le Sud-Ouest, ainsi qu'une grande partie de l'Ohio et de la Californie... dit Tumulty d'une voix lugubre.

— Nous avons déjà le Sud, affirma Cox.

— Rien n'est certain dans cette affaire, dit Franklin en feuilletant le pamphlet.

— N'y pensons plus, soupira Tumulty. Le Président a dit non. Je crois que ça vous ferait élire tous les deux, mais qu'est-ce que j'en sais ? De toute façon vous allez gagner, mais tout de même...

— Qu'est-ce à dire : le Président a dit non ? interrogea Franklin, dont les petits yeux froids et perçants, soudain braqués sur Tumulty, soulignaient de façon déplaisante l'asymétrie de sa figure.

— Cela signifie, monsieur Roosevelt, que si quelqu'un s'avise d'envoyer un de ces pamphlets par la poste, le ministre des Postes a ordre de le confisquer.

— En vertu de quelle autorité ?

— En vertu des pouvoirs extraordinaires dévolus au Président en temps de guerre, et qui n'ont pas encore été abrogés. En particulier la loi contre l'espionnage de 1917.

— Il faudra bien se décider à faire quelque chose au sujet de ces pouvoirs dictatoriaux que nous avons conférés à César, dit Burden avec un sourire amical à Franklin.

— Il sera toujours temps *après* la présidence de Mr. Cox », repartit Franklin en riant. Puis s'étant mouché, il ajouta : « Pourquoi diantre le Potomac affecte-t-il davantage mes sinus que l'Hudson ?

— On est toujours mieux chez soi », répondit Burden avec un petit air suffisant.

Tumulty alla à la fenêtre.

« Le voici, dit-il. Sortons. »

Woodrow Wilson les attendait sous le porche sud, assis dans un fauteuil roulant. Malgré la chaleur, un châle couvrait ses épaules, dissimulant son côté paralysé. Le Président était seul, hormis un policier en civil. Visiblement Mrs. Wilson ne souhaitait apparaître ni en tant qu'interprète, ni en tant que régente. Le Président avait le cou complètement raide, le visage hagard, et le coin gauche de la bouche affaissé. Cox murmura à Roosevelt :

« Je ne le savais pas encore si malade.

— Merci d'être venus, messieurs, dit Wilson en leur tendant la main. Je suis heureux que vous soyez là.

— Monsieur le Président, commença Cox d'une voix émue, j'ai toujours admiré le combat que vous avez mené en faveur de la ligue... »

Burden trouva ce préambule singulièrement mal choisi. Sans cette fatale obstination, c'est Wilson et non pas Cox qui eût été candidat, et bien portant de surcroît. Le zèle aveugle de Wilson avait ruiné la ligue, le parti et lui-même.

« Le combat peut encore être gagné », dit Wilson, tel un samouraï qui passe à son camarade le sabre sur lequel il vient de faire hara-kiri. Burden constata qu'en dépit de l'euphorie qui semblait émaner de sa personne, Franklin ne contribuait que de façon très épisodique à la conversation, évitant de se prononcer sur la ligue ou sur quoi que ce soit. Peut-être était-il plus intelligent qu'il n'en avait l'air.

« Vous vous plairez à la Maison-Blanche », dit Wilson.

Avec le côté gauche de la bouche et de la langue paralysé, le Président avait évidemment beaucoup de peine à former ses mots. De même, après avoir parlé, sa bouche avait tendance à rester ouverte.

« Nous nous y sommes beaucoup plu nous-mêmes, bien que depuis quelque temps... »

De toute évidence Cox n'était pas de taille à supporter une scène aussi pénible et aussi dramatique.

« Monsieur le Président, balbutia-t-il, nous allons nous battre de toutes nos forces pour poursuivre votre œuvre et assurer le succès de la ligue...

— Je vous remercie, murmura le Président. Je vous suis très reconnaissant. »

Franklin eut un sourire qui découvrit ses longues dents blanches et bredouilla quelques paroles sans suite. Puis Cox et lui serrèrent la main du Président, et Tumulty les reconduisit vers les bureaux de l'Exécutif. Burden s'apprêtait à les suivre quand Wilson le retint par le bras.

« Restez », dit-il.

Dès que les deux candidats eurent tourné les talons, Edith apparut sur le porche. Elle salua Burden avec cordialité, et alla s'asseoir à droite de son mari.

« Nous avons eu un peu de mal à trouver la chaise qui convenait. Et puis je me suis souvenu de ces merveilleuses chaises roulantes qu'il y a à Atlantic City, vous savez, là où on vous promène le long de la jetée. Alors nous en avons acheté une. Cinq dollars, c'est donné. »

Edith avait l'air très satisfaite de son acquisition.

« Maintenant je peux marcher, dit Wilson.

— Tu peux te tenir debout, certes, mais pour marcher tu as encore besoin d'être aidé, corrigea Edith.

— Je ne peux pas encore lever ma jambe gauche, mais ça reviendra. Trop tard... J'aurais dû me battre, mais il y avait Mac... » ajouta Wilson en tapant sur le bras de sa chaise.

Burden sut gré à Edith et à Grayson d'avoir dissuadé le Président de briguer un troisième mandat. Wilson semblait aussi ignorant de l'étendue de son impopularité que de la gravité de son état. Il avait même envoyé le nouveau secrétaire d'Etat, Bainbridge Colby, à la convention démocrate de San Francisco pour battre le rappel de ses troupes. Burden avait tenté d'expliquer la situation à Colby, mais le Président avait donné ses instructions, et Colby avait été obligé de lui obéir.

McAdoo menait à l'issue du premier tour. Un mot de Wilson et son gendre aurait été désigné par le parti démocrate et probablement élu Président. Lorsque le ministre des Postes, le général Burleson, avait télégraphié au Président pour qu'il soutienne McAdoo, Wilson s'était mis à jouer les Roi Lear. Il avait menacé de limoger Burleson, puis il avait ordonné à Colby de présenter sa propre candidature. Mais finalement, même Colby n'avait pas osé présenter le nom de Wilson à la convention.

« Mac est un excellent exécutant, mais il n'a pas le pouvoir d'exécution.

— Tu veux dire le pouvoir de réflexion, intervint Edith.

— C'est bien ce que j'ai dit. Quand nous partirons d'ici, dit-il à Burden, j'ouvrirai à Washington un cabinet d'avoué avec Mr. Colby. »

Burden souhaita bonne chance aux futurs associés, tandis qu'Edith le regardait d'un drôle d'air, inquiète de savoir comment il utiliserait cette information.

« Bien sûr, je continuerai d'écrire des livres d'histoire. Enfin je tâcherai. J'ai un peu perdu l'habitude. Il n'est pas du tout comme T.R., n'est-ce pas ? »

Wilson avait perdu une bonne partie de son pouvoir de concentration, et il avait parfois tendance à sauter du coq à l'âne. Edith traduisit :

« Woodrow veut parler de Mr. Franklin Roosevelt. Je ne voudrais pas être sa femme, la pauvre !

— Je croyais que tout çà, c'était fini depuis longtemps... »

L'hiver dernier Lucy Mercer avait épousé un certain Wintie Rutherford.

« Mais vous avez vu comme il la traite ! C'est comme cette soirée où elle était rentrée plus tôt que lui, et comme elle avait oublié ses clefs, elle avait passé toute la nuit dehors à attendre son retour...

— A sa place, j'aurais réveillé les domestiques », dit Burden, qui avait déjà entendu plusieurs versions de cette histoire.

Wilson se redressa en s'appuyant sur son bras valide.

« C'est très aimable à vous d'être venu », dit-il.

Burden lui serra la main.

« Je suis heureux de voir que vous vous remettez si vite.

— C'est remarquable, n'est-ce pas ?

— Et si vous le voyiez travailler ! Nous travaillons beaucoup tous les deux. »

Le Président leva son regard sur Burden. Ses petits yeux gris luisaient comme ceux d'un loup au milieu du visage ravagé. Ses longues incisives aussi ressemblaient à celles d'un loup. Et par moments sa voix était pareille à un grognement.

« C'est terrible d'être impuissant », dit-il.

Oui, songeait Burden. Mais même aux abois, le vieux loup voulait encore tuer.

Un huissier reconduisit Burden à l'intérieur de la Maison-Blanche. On aurait dit un hôtel hors saison. Les tapis avaient été roulés dans les salons Vert, Rouge et Bleu. Le salon Est servait de salle de projection. Chaque soir les Wilson et les Grayson regardaient des images trembloter sur un drap de lit suspendu à un lustre en cristal.

Burden fut pris d'un brusque frisson. Puis il regagna son domicile de Rock Creek où Kitty l'attendait. A l'embranchement de Connecticut Avenue et de Rock Creek Park, il comprit tout à coup pourquoi Wilson avait interdit à Cox et à Roosevelt d'utiliser les prétendues preuves de l'ascendance nègre d'Harding. Il voulait qu'ils perdent l'élection. Le dernier festin du loup.

CHAPITRE X

1

Le 2 novembre 1920, jour de son cinquante-cinquième anniversaire, Warren Gamaliel Harding fut élu Président des Etats-Unis. Bien qu'à peine la moitié de l'électorat se fût déplacée, Jess lut sur le tableau noir dans le salon de George Christian qu'Harding l'avait emporté haut la main. Plus de soixante pour cent des suffrages, alors que Cox dépassait à peine 34 %. Le Sénat et la Chambre des Représentants étaient passés aux mains des Républicains, et l'ère de Woodrow Wilson paraissait maintenant aussi éloignée que celle de Cleveland.

Jess faisait partie de la demi-douzaine de volontaires installés dans la maison que Christian avait louée à côté de celle des Harding, et qui étaient reliés par téléphone à divers agents disséminés à travers le pays, afin d'avoir une idée de ceux qu'on reverrait dans le nouveau Congrès et de ceux qu'on ne reverrait pas. Un certain nombre de figures connues avaient été battues, et de nouveaux noms étaient apparus.

Jess décrocha le téléphone. C'était Charlie Forbes, cet aimable héros de la guerre, qui appelait depuis Seattle. Pour une fois il n'avait pas l'air trop éméché.

« Dites au *Président* qu'il a remporté un véritable triomphe dans tout le Nord-Ouest.

— Voyez-vous ça, dit Jess, qui commençait à s'habituer à ce nouveau mot de " Président ".

— Souhaitez-lui un heureux anniversaire de ma part et dites-lui que nous le verrons bientôt à Washington. »

Jess se promit que ce serait son dernier appel, et il raccrocha. Dans la pièce à côté il entendait le rire de W.G. suivi de l'exclamation familière de la duchesse : « Voyons, Warren ! »

Le Président-élu trônait dans la salle à manger devant les restes d'un gâteau d'anniversaire. Il était entouré de Daugherty et de Christian, tandis que la duchesse et le vieux docteur Harding, le père de W.G., étudiaient les résultats à l'autre bout de la table.

« C'était Charlie Forbes, dit Jess. Raz de marée dans le Nord-Ouest.

— Ce brave Charlie ! »

Dans son moment de triomphe, W.G. rayonnait d'amour pour son prochain, tandis que Daugherty paraissait détendu pour la première fois depuis une année. Christian recevait les journalistes venus sonner à la porte pour avoir un peu « de couleur locale », comme ils disaient. Jusqu'à présent la seule couleur locale, c'était la serviette que W.G. avait coincée à l'intérieur de son pantalon, et qui y était restée.

« Pourquoi une participation aussi faible ? demanda la duchesse.

— Les femmes, répondit Daugherty l'œil luisant de fatigue. Que Dieu les bénisse ! C'était leur première élection présidentielle, et la plupart ne s'étaient même pas fait inscrire. »

La duchesse se tourna vers George.

« George, j'ai laissé deux bouteilles de champagne devant la porte de *notre* maison. Offrez-en un verre aux journalistes et surtout dites-leur bien que ces bouteilles ne viennent pas de chez nous, car, nous, nous respectons les lois du pays.

— Le Président, expliqua Daugherty, n'a pas encore juré de faire respecter ces lois. Il peut donc, en tant que sénateur, commettre une félonie en toute bonne foi.

— Tout en prenant bien garde à ne pas choquer les bienséances », dit W.G. en mâchonnant un mégot de cigare.

Jess se demandait ce que ça pouvait bien faire comme impression que de se retrouver Président, comme ça, durant le dîner. Oh, bien sûr, tout cela n'avait pas été aussi vite. Depuis plus d'une année

Daugherty et Harding avaient prêché la bonne parole, Etat après Etat, cherchant des soutiens. Et maintenant ça y était !

Mais la duchesse n'avait pas fini :

« Oh, George, dit-elle, surtout ne donnez *rien* aux gens des actualités. Je leur ai dit que notre porte leur sera fermée une fois qu'on sera à la Maison-Blanche. Quand je pense à ces photos de Warren et de moi qu'ils ont prises la semaine dernière sans même nous avertir...

— Voyons, duchesse, voyons, dit W.G. d'un ton conciliant.

— J'ai également noté dans un livre, ajouta Florence Kling Harding, en dardant autour d'elle des yeux de braise, tous ceux qui nous ont snobés à Washington, et en quoi a consisté cet affront. Eh bien ceux-là, je vous prie de croire qu'ils ne sont pas près de mettre le pied dans *notre* Maison-Blanche.

— Pauvre Alice Longworth ! s'exclama Daugherty.

— Nous ferons bien une petite exception pour elle, gouailla W.G.

— Elle, mais c'est la pire !... Elle...

— Ma chérie, tu oublies que Nick est président de la Chambre. Nous serons bien obligés de les inviter...

— Alors seulement dans les occasions officielles. »

Christian parut sur le seuil.

« Associated Press désire savoir s'il est vrai qu'après avoir été désigné à la convention de Chicago, vous avez déclaré : " Je ne savais pas si je devais ou non me représenter au Sénat, alors j'ai tiré aux dés... "

— Certainement pas », répliqua la duchesse.

Harding soupira :

« Comment, dans le moment le plus solennel de ma vie, aurais-je pu dire une chose pareille ? Non, je n'ai jamais dit cela. Le gouverneur Lowden était avec moi. Il peut en témoigner. Je lui ai même demandé de prier pour moi. »

Christian disparut.

« Non que ça serve à grand-chose, observa mélancoliquement W.G. Une fois qu'ils vous ont collé ce genre de phrases, elles ne vous lâchent plus. »

Daugherty se mit à rire :

« C'est comme Hiram Johnson qui, lorsque vous lui avez offert la vice-présidence, aurait déclaré : " Tout le monde sait bien que la vice-présidente, ce sera votre femme... "

— N'importe quoi pour le plaisir de faire un bon mot ! s'indigna la duchesse. Je suis bien contente que nous ayons pris Calvin Coolidge à la place. Ce n'est pas lui au moins qui sera gênant. J'aimerais pouvoir en dire autant de sa femme. »

Jess était perché sur une chaise entre Harding et Daugherty. A l'extérieur des gens applaudissaient, des automobilistes klaxonnaient. Tout Marion était dehors pour fêter la victoire.

Les mains nouées derrière la nuque, Harding résuma la situation :

« C'est comme ce groupe de sénateurs — comment l'a baptisé le *New York Times* ? Le soviet du Sénat ? — qui était censé se réunir dans la suite enfumée de Will Hays...

— Ça, c'est de moi, précisa Daugherty, lorsqu'au printemps dernier, je me suis amusé à jouer les extra-lucides.

— Alors ils auraient décidé, pour les motifs les plus sordides, que le lendemain matin je serais candidat. »

Harding fronça les sourcils pour la première fois depuis que la gloire l'avait revêtu de son manteau d'écarlate : il s'agissait en l'occurrence d'une superbe robe de chambre moirée rouge à motifs chinois telle qu'on pouvait en trouver au grand magasin Smith. W.G. jeta son mégot et alluma d'un geste délibéré un véritable havane. Malgré quelques hums hums désapprobateurs de la duchesse, il tira deux ou trois bouffées, et dit d'un air rêveur :

« Mais le lendemain, les treize sénateurs qui la veille étaient censés m'avoir choisi votèrent tous contre moi lors des quatre premiers tours de scrutin. »

Daugherty acquiesça de la tête, ce qui surprit Jess. Jusque-là Daugherty s'était toujours attribué le mérite de ce qui s'était soi-disant passé dans la suite de Will Hays à deux heures du matin ce fameux samedi. En réalité Daugherty n'avait eu connaissance de la réunion que le lendemain matin quand d'autres forces étaient déjà en jeu.

« C'est pourquoi, dit Daugherty, quand Lodge a demandé une suspension, j'ai failli avoir une attaque.

— Vous ignoriez alors que j'avais conclu un accord avec Lowden, dit W.G. en regardant d'un air bénin plusieurs neveux et nièces aux yeux écarquillés groupés autour de la duchesse. Jusqu'au neuvième tour mes collègues sénateurs espéraient désigner Hays. Mais au neuvième tour dix de mes supposés parrains votèrent contre moi, et trois pour moi.

— Est-ce à dire, demanda Jess, que les sénateurs n'ont joué aucun rôle dans votre nomination ? »

W.G. hocha la tête :

« Quand le candidat numéro un et le candidat numéro deux

s'annulent, c'est d'ordinaire le candidat numéro trois qui est élu. J'étais le numéro trois. C'est aussi simple que ça. Ils ne pouvaient plus rien contre moi une fois que je m'étais entendu avec Lowden. Le fait que certains d'entre eux aient voté pour Hays au neuvième tour de scrutin montre tout simplement qu'ils n'entendent pas grand-chose à la stratégie. Le pays aurait été scandalisé si les sénateurs avaient réussi à me barrer la route.

— C'est à ce moment, enchaîna Daugherty, que Harvey et quelques autres se sont mis à parler de la pièce enfumée pour faire croire qu'ils étaient les maîtres du jeu. Mais ce n'était pas eux, c'était vous. Vous étiez le choix de la convention. »

W.G. se frotta les yeux.

« Tout s'est déroulé à peu près comme nous l'avions prévu. Certes, il y a eu un moment où j'ai eu chaud... »

Mais le Président-élu n'acheva pas sa phrase, et Jess se demanda si cette frayeur ne s'était pas produite lorsque dans les tribunes les gens se sont mis à réclamer « Hoover ! Hoover ! », lequel n'était même pas candidat aux yeux du parti.

Christian entra dans la pièce le sourire aux lèvres :

« Le gouverneur Cox a reconnu sa défaite.

— N'en croyez rien ! s'écria la duchesse. Ce Jimmy Cox est faux jeton comme pas un. George, allez vérifier... »

Mais tout le monde applaudissait tandis qu'une foule de journalistes et de photographes entouraient le Président-élu.

Daugherty prit Jess à part et lui remit une enveloppe.

« Elle est sur le train de Chicago qui arrive à sept heures. Elle se rendra directement au Marion Hotel. Soyez-y à huit heures.

— Est-ce qu'elle vient seule ?

— Prions le ciel ! Jess. Maintenant je vais me coucher. Nous avons gagné.

— Oui, nous avons gagné », répéta Jess. Puis il se demanda ce qu'ils allaient bien pouvoir faire de Nan Britton pendant les quatre prochaines années.

Jess retrouva Nan à la cafétéria du Marion Hotel, où à part une femme fatiguée derrière le comptoir il n'y avait personne. Nan lisait le *Chicago Tribune*, qu'elle avait dû apporter avec elle. Les gros titres du journal de la veille prédisaient une victoire républicaine. Jess avait un numéro du *Marion Star* qui titrait : *Raz de marée pour Harding*. Jess dit machinalement :

« Quoi de neuf ?

— C'est formidable, je sais. Mais j'étais si fatiguée que je me suis endormie dans le train. Ce matin, quand je me suis réveillée à six heures et demie, j'ai demandé au porteur qui avait gagné, et il m'a dit : " C'est Harding, mademoiselle. "

— Ce sera des gauffres avec de la confiture, comme d'habitude, Jess ? demanda la vieille derrière son comptoir.

— Oui, avec une assiette de viande séchée. »

Ç'avait été le petit déjeuner d'Harding le matin de l'élection. Pendant qu'on préparait le petit déjeuner, Jess remit l'enveloppe que lui avait donnée Daugherty à Nan, qui la lut, hocha la tête et la mit dans son sac. Elle était certes assez mignonne, songeait Jess, mais pour un Président qui aurait pu choisir entre Mary Miles Minter et Gloria Swanson, ou même Mary Pickford, bien que récemment mariée, Nan manquait tout de même d'un peu de classe. Et justement derrière leur banquette on pouvait voir sur la couverture de *Photoplay* l'annonce du mariage de Mary Pickford et de Douglas Fairbanks, avec un grand reportage sur leur lune de miel.

« J'imagine que vous allez continuer de vivre à Chicago... »

Nan inclina la tête d'un petit air mélancolique.

« Ma sœur serait d'accord d'adopter Elizabeth-Ann si...

— Oh, je ne me fais pas de bile à ce sujet », dit Jess, puis il fredonna quelques mesures de *My God, How the Money Flows In!*, la dernière rengaine à la mode, et planta ses dents dans une gauffre. Nan prit un toast.

« Vous avez des nouvelles de Carrie Phillips ? demanda-t-elle d'un air faussement détaché.

— Jim et elle sont partis cet été pour le Japon et autres pays asiatiques à la recherche de nouvelles soieries pour le magasin, et la dernière fois qu'on a eu de leurs nouvelles, ils étaient toujours en train de se baguenauder. »

Le bruit courait qu'Albert Lasker, sur l'ordre de Will Hays, aurait donné cinquante mille dollars aux Phillips pour disparaître jusqu'après l'élection. D'après Jess cette somme était probablement très exagérée. Carrie adorait voyager, et Jim était quelqu'un de trop important pour accepter ce genre de pots-de-vin.

Nan tira une photo de W.G. de son sac.

« Regardez, dit-elle. Je vais lui demander de me la dédicacer.

— Il s'en fera un plaisir », dit Jess.

Après tout, cela regardait Daugherty à présent. Sans parler des services secrets. Lui, il avait rempli sa mission.

« Je suppose qu'ils vont se rendre directement à Washington.

— Non, d'abord au Texas. Avec les McLean et deux ou trois sénateurs, et Doc Sawyer qui va être nommé chirurgien-général, comme ça il pourra venir à Washington et s'occuper du rein de la duchesse.

— Doc Sawyer, général ? » fit Nan en riant.

C'était drôle en effet. Le médecin de Marion était un petit bonhomme insignifiant que personne n'avait jamais remarqué à part la duchesse, qui lui avait confié la garde de son unique rein. Et le plus extraordinaire, c'est qu'il lui avait déjà sauvé la vie une bonne douzaine de fois.

« Ensuite ils projettent d'aller à Panama. Vous savez combien W.G. raffole des voyages.

— A qui le dites-vous ! Quand nous faisions le Chautauqua, il n'était pas plutôt arrivé dans une ville qu'il téléphonait dans la ville suivante pour réserver une chambre. Il a toujours eu la bougeotte. " Tu ne peux donc pas rester tranquille ", je lui disais, et il me répondait : " Ma chérie, un homme politique, ça voyage. " Je suis sûr qu'il sera très heureux d'être Président, vous ne pensez pas ?

— Qui ne le serait pas ? » repartit Jess en songeant à tout ce que l'Administration Harding allait leur apporter à Daugherty et à lui. Oui, pour eux ce serait la belle vie. Mais pour W.G., c'était moins sûr. Il ne pourrait plus quitter aussi facilement le domicile conjugal pour aller rejoindre Nan à New York ou Theda Bara au Biltmore. Les trois balades en métro pour aller voir Nan seraient sans doute ses dernières escapades. Dorénavant, il ne pourrait plus faire un pas sans être escorté par les services secrets et surveillé par la presse qui avait bien plus d'yeux qu'Argus et même que la duchesse. Jess se sentit tout à coup navré pour W.G.

« Il pourra aller n'importe où à bord de son train ou de son yacht privé...

— Mais je ne pourrai jamais l'accompagner, n'est-ce pas ?

— Non, mon chou, du moins pas en public. »

Will Hays, qui était encore président du comité national républicain, entra dans la cafétéria. Il ressemblait à une souris en quête de fromage.

« Bonjour, dit-il à Jess qu'il reconnut aussitôt de visage sinon de nom, comme faisant partie de l'entourage présidentiel.

— Quoi de neuf ? » dit Jess.

Hays s'assit au comptoir, commanda du café et lut plusieurs journaux à la fois. Tout le monde disait qu'il ferait partie du Cabinet. D'après Daugherty, même Jess pourrait avoir un poste important dans le gouvernement, mais Jess préférait la liberté que confère l'anonymat. Il y aurait beaucoup d'affaires à traiter au cours des quatre prochaines années, et Jess n'aimait guère l'idée d'aller pointer tous les matins dans un bureau.

2

A travers la vapeur les silhouettes humaines semblaient de minuscules fantômes. Blaise cligna les yeux pour les accoutumer à la chaleur et à la buée, ce qui ne fit que lui brouiller davantage la vision. Il finit néanmoins par apercevoir son hôte. La tête enveloppée d'une serviette, le petit homme musclé parlait à un autre homme plus petit et moins musclé, sans serviette. Blaise, qui n'était pourtant pas un géant, dominait de la tête et des épaules Douglas Fairbanks et Charlie Chaplin qui discutaient de leur entreprise commune, United Artists.

« Monsieur Sanford », dit Fairbanks en tendant la main droite à Blaise tandis que de l'autre il se couvrait les parties génitales d'un geste purement machinal. Blaise et Chaplin se serrèrent gravement la main, et Blaise ne put s'empêcher de remarquer que ces géants de l'écran étaient tout petits dans la vie réelle. Il constata aussi que Chaplin n'était pas juif, comme tout le monde le pensait.

« C'est magnifique ici », dit Blaise.

A l'intérieur des studios de Santa Monica Boulevard, Fairbanks s'était fait construire un gymnase et un sauna pour son usage privé où des masseurs et des professeurs d'éducation physique étaient employés à plein temps. Sur le fronton du gymnase il avait fait graver cette devise : *Basilica Linea Abdominalis,* destinée à rappeler à tous ceux qui en franchissaient le seuil que, pour Fairbanks, le tour de taille était non seulement le centre de son corps mais également de son univers. Et de fait Blaise n'avait jamais vu d'homme de quarante ans aussi mince de hanches.

Tout à coup, tandis que Chaplin exécutait une petite danse de Saint-Guy figurant un homme adultère surpris sous une douche brûlante par un mari jaloux, ils furent rejoints par l'entraîneur de Fairbanks, une espèce de malabar qui avait l'air parfaitement déplacé parmi ces gnomes, et par un pilote de l'armée, ancien joueur de football américain dans l'équipe de West Point. C'était un superbe athlète, un véritable Praxitèle, à une exception près, une petite anomalie assez rigolote qui du reste ne semblait pas du tout l'embarrasser : il avait trois testicules d'égale grosseur ; ce qui dans d'autres circonstances n'eût pas été pour déplaire à Blaise dont on connaissait l'attirance à l'égard de son propre sexe. Mais voilà, ils n'étaient pas seuls, et pour comble d'anti-aphrodisiaque, Fairbanks voulait parler politique au directeur du *Washington Tribune*.

« On m'a demandé de soutenir la candidature d'Harding. Mais je suis un homme de Roosevelt. J'aurais suivi T.R. en enfer. Je n'ai rien contre Harding, notez, mais j'aurais eu l'impression de commettre une infidélité. J'ai peut-être eu tort. On s'est longuement tâtés avec Mary. En réalité nous étions pour Mac, mais il n'a même pas été désigné. Alors on n'a pas fait campagne.

— Vous avez aussi bien fait. »

Blaise n'avait pas pu voter en tant que résident du District de Columbia. Mais maintenant qu'il habitait Laurel House sur la rive virginienne du Potomac, il s'inscrirait sûrement comme l'avait fait Frederika avec un plaisir non dissimulé à l'idée d'être enfin l'égale de l'homme. Mais, tête de linotte ! elle avait oublié d'aller voter.

« Les gens n'aiment pas beaucoup que les acteurs parlent de politique. Mais pourquoi ne pourrions-nous pas, nous aussi, exprimer notre point de vue ? Nous sommes des citoyens à part entière. Nous payons d'ailleurs assez d'impôts pour cela.

— C'est très simple, Dougie, dit Chaplin d'une voix très haute et très anglaise. Nous ne parlons pas à l'écran, et les gens nous aiment, mais si nous nous mettions à babiller en public, ils se mettraient peut-être à nous détester.

— Tu en as de bonnes, toi, tu n'arrêtes pas de jacasser !

— Seulement en privé, et avec les gens que j'aime. De toute façon je ne parle jamais que pour instruire et amuser mes amis. Mais pour le monde entier Charlie est à jamais silencieux. »

Là-dessus il sortit de la cabine de sudation avec cette façon si particulière de traîner les pieds, qui, même sans ses fameux godillots, était étrangement comique.

Après la séance dans la chambre à air chaud, le plongeon dans l'eau glacée, et la séance de massage, les cinq hommes, enveloppés de draps de bain s'installèrent sur des chaises longues, tandis qu'un garçon leur apportait des sandwiches à la tomate et une bouteille de Château-Yquem. Blaise, qui n'aimait pas ce vin, et Fairbanks, qui ne buvait pas d'alcool, se contentèrent d'eau gazeuse.

Fairbanks parla football avec l'officier et Chaplin parla de Caroline avec Blaise.

« Elle va travailler avec un vieil ami à moi, William Desmond Taylor, un vrai gentleman, un homme de la vieille école. Moi-même je suis autodidacte. »

Puis il se mit à grignoter son sandwich en imitant un lapin.

« C'est comme moi, dit Blaise, j'ai quitté Yale...

— Ah, mais vous y avez été ! Moi, je suis un enfant de la balle, pauvre mais fier comme Artaban. J'ai traîné mes savates dans Whitechapel. Taylor, lui, est un vrai gentleman. Irlandais, je crois. Protestant, bien sûr. Il a fait la guerre à passé quarante ans, alors que Doug et moi, qui étions pourtant d'âge, à faire de la chair à canon, nous avons pu nous faire exempter parce que nous avions vendu des Liberty Bonds...

— Au fond, c'est vous qui avez financé la guerre. »

Chaplin planta soudain son regard dans les yeux de Blaise, qui éprouva une curieuse impression de gêne à l'idée de se faire dévisager ainsi par une personne qu'il avait vue si souvent à l'écran, au cours des sept dernières années. Il est vrai que sans sa fameuse moustache taillée en brosse à dents, Chaplin ne ressemblait même pas à Chaplin. Cependant il y avait dans ses yeux une flamme qui ne laissait pas de vous hypnotiser, à la ville comme à l'écran. Feu et flamme à l'intérieur, lisse et froid à l'extérieur.

« Le fait est que ce pauvre Taylor s'est mis dans un pétrin pas possible avec ses trois bonnes femmes : deux stars et une dame, c'est du moins ainsi que la dernière nommée aime à se considérer. Je me demande si la belle Emma — votre Caroline — sait dans quel guêpier elle met les pieds.

— Je croyais qu'il allait simplement la diriger dans *Mary Stuart*.

— C'est certainement un de nos meilleurs metteurs en scène, ce qui du reste ne signifie pas grand-chose, vu que n'importe qui peut diriger et qu'à peu près tout le monde le fait. Mais il vaut mieux que la plupart.

— Mieux que Farrell ?

— Différent. J'aime bien Farrell, mais s'il continue à faire des films politiques, il va s'attirer de sérieux pépins. Ce pays est beaucoup trop libéral pour tolérer la liberté d'expression. Naturellement je plaisante, conclut-il en laissant échapper un sourire.

— Naturellement. »

Fairbanks marchait maintenant à quatre pattes, nu comme un ver.

« Doug est très vaniteux, vous savez. Tous ces muscles ! Vous connaissez Mary Miles Minter ? C'est un joli nom, n'est-ce pas ? C'est mon nom d'actrice préféré après Pola Negri. »

Blaise hocha la tête :

« Il paraît que c'est la nouvelle Mary Pickford.

— C'est ce que le grand fourreur Zukor voudrait faire croire. Mais elle a un trop gros nez et pas assez de talent. En plus elle a une mère, la dame dont je viens de parler précisément. Cette mère, de son nom Charlotte truc chose, a été autrefois actrice. Elle a donc mis la petite Mary sur les planches, quand elle était toute gosse, et la petite Mary, qui a aujourd'hui dix-neuf ans, s'est tout naturellement retrouvée à Hollywood, grâce à maman. Guidée par Charlotte, elle est devenue tout de suite célèbre, et maintenant elle touche un gros salaire dont trente pour cent vont à maman. »

Blaise se demandait où Chaplin voulait en venir.

« Trente pour cent, c'est beaucoup.

— Dites que c'est énorme. Or quand la petite Mary eut environ quinze ans, elle eut une liaison avec un ami à moi, un cinéaste, dont elle fut enceinte. Charlotte avertit alors le cinéaste que s'il essayait de revoir Mary, elle le ferait mettre en prison pour rapports illicites avec une mineure, et quelle mineure, une future gloire de l'écran, vous pensez ! La petite Mary se fit donc avorter, et maintenant elle est amoureuse de mon ami Taylor, tout comme sa mère Charlotte. Alors vous voyez où Emma Traxler, de noble ascendance alsacienne...

— N'est-ce pas plutôt d'Unterwald ?...

— Peu importe. Quoi qu'elle fasse, elle porte toujours une invisible couronne, devant laquelle même le plus vil jacobin se sent obligé d'ôter son bonnet phrygien. Et bien qu'actuellement la petite Mary se trouve enfermée à double tour dans la chambre de son palais de New Hampshire Boulevard, il lui arrive — telle une chatte en chaleur — de s'échapper pour aller rejoindre Taylor. Pendant ce temps-là, Charlotte, qui, elle, est constamment en chaleur, jette ses bijoux par la fenêtre en poussant des gémissements, que dis-je ? des hurlements de femelle inassouvie à vous fendre le cœur.

— Et qui est la seconde star ? demanda Blaise, conscient du danger que renfermait cette saga brillamment esquissée.

— Mabel Normand, répondit Chaplin en regardant d'un air légèrement dégoûté Fairbanks exécuter un saut périlleux en arrière. Un jour, vous verrez, il va se casser le cou, ou bien il va faire un infarctus, ou pourquoi pas les deux à la fois. Mabel est une fille adorable. Nous l'aimons tous. Moi surtout. J'ai joué avec elle, je l'ai dirigée, et *elle* m'a dirigée, mais oui ! C'est une comédienne merveilleuse. Mais en ce moment elle traverse une mauvaise passe. Goldwyn vient de la sacquer, et elle est retournée chez Mack Sennett, ce qui est toujours mauvais signe pour un comédien. Et en plus elle se croit amoureuse de Taylor ! Comment il fait pour régler la circulation dans son bungalow, celui-là, j'aime mieux ne pas y penser. Et maintenant voilà qu'entre en scène Emma Traxler, princesse de Transylvanie...

— Ma sœur s'entend très bien à régler la circulation...

— Je ne voudrais pas qu'il lui arrive quoi que ce soit...

— A Taylor ?

— Non. Les hommes se débrouillent toujours. A Mabel. Au fait, monsieur Sanford, qu'est-ce qui vous amène ici ?

— J'ai appris que mon vieil ami Hearst avait l'intention de racheter le *Los Angeles Herald*. Alors j'ai voulu faire monter un peu les enchères...

— Je ne cesse de répéter à Doug que nous devrions utiliser tout cet argent que nous gagnons à acheter des journaux. Tous. Comme ça la presse ne pourrait plus colporter des ragots sur notre compte. De pures calomnies, monsieur Sanford, vous pouvez me croire. Chaque star, mâle ou femelle, arrive vierge à sa nuit de noces, et c'est précisément grâce à cette chasteté prolongée que nos performances... »

Patatras ! Fairbanks venait de se casser la figure.

« Bravo ! Qu'est-ce que je vous disais ? s'écria Chaplin en frappant dans ses mains. Pauvre Doug ! Tu ne t'es pas fait mal au moins ? Te serais-tu froissé par hasard quelque petit muscle essentiel au bon fonctionnement d'United Artists ? »

Un bref clin d'œil à Blaise dont le visage s'empourpra aussitôt : Charlie avait deviné sa pensée dans le sauna.

« Fiston, dit Chaplin en commençant à tournoyer comme une toupie autour de Fairbanks, c'est le sang bohémien, je sais, je sais. Le sang bohémien qui bout dans tes veines. Le tokay. Les steppes. La balalaïka. »

Chaplin fit claquer ses doigts et se mit à danser par-dessus Fairbanks.

« Tu ne peux pas tromper ta mère. Elle sait pour qui ton cœur se languit. C'est la jeune femme anglaise qui embrase tes sens. Oh, mon pauvre fils ! Toi qui te destinais à la prêtrise ! Toutes ces années sur le mont Athos, passées à prier ! Et il a suffi qu'une belle te fasse les yeux doux pour que tu renonces à Dieu ! »

La vieille mère se métamorphose ensuite en jeune fille de l'aristocratie anglaise :

« Je ne peux pas quitter mon père, le duc de Quimsberry, dont le yacht est amarré à une encablure à peine de ce campement de bohémiens, en pleine forêt viennoise. La pleine lune est très très haut, tuméfiée et couleur de poulpe. Et dans la nuit on n'entend que la crécelle radoteuse des reinettes des étangs. Si, si, je t'aime trop ! Mais, mon chéri, je n'ai pas vécu... jusqu'à cette nuit. Vous savez que je n'ai pas encore dix-huit ans accomplis... J'en avais assez de cette existence de cloître et de cultes platoniques. Mais que va dire mon père, le duc ? Est-ce que tu ne me trouves pas un peu parcheminée, dis ? »

Nouvelle métamorphose, cette fois en cosaque du Don. Il bondit dans les airs :

« Danse, petite imbécile, danse ! Oh, l'ensorceleuse petite catin, comme ta jupe doit sentir bon ! Ah, je vois ce qu'il te faut. Elle veut se faire sauter, eh bien, vous allez être servie, ma mignonne. Comment osez-vous ! s'écria lady Sybilla. Moi qui vous prenais pour un gentleman, un homme de la vieille école. Oh, c'est bien ma veine ! Mais oui... c'est bien du f... de Bohême... Le gaillard ne m'avait pas menti. Viens, mon doux seigneur, répands-toi en moi maintenant et que nos deux... se mêlent en une seule mare. Oh, puisse la nuit ne jamais finir, ô heilige Nacht ! Mais qu'ouïs-je ? Entends-tu ce bruit ? On dirait... mais oui, c'est le yacht de mon vieux qui s'avance à travers la forêt viennoise... »

Et tout à coup on le vit se hausser sur ses pieds nus, hoquetant, tel un bateau à vapeur ivre qui s'enfonce lentement, lentement, dans la forêt viennoise...

« Charlie a trouvé sa voix », dit Fairbanks.

Caroline avait eu beau insister pour que Blaise s'installât chez elle, celui-ci avait préféré descendre à l'Ambassador, un hôtel récemment construit, situé à mi-chemin entre Hollywood et Los Angeles où le *Herald* avait ses bureaux. L'hôtel était truffé de policiers en civil et de détectives privés, si bien qu'on se serait cru dans un camp militaire. Depuis quelque temps, en effet, Los Angeles était en proie à une vague de crimes dus en partie à l'afflux d'immigrants attirés par ce nouveau pactole qu'était le cinéma, et qui eurent la désagréable surprise de s'apercevoir que les meilleurs filons étaient déjà exploités, et en partie à une guerre que se livraient les trafiquants de drogue en vue de l'attribution des divers territoires. Ces marchés, au demeurant, n'étaient guère lucratifs, étant donné qu'un gramme de cocaïne ne coûtait que deux dollars. La morphine valait plus cher, mais elle était moins populaire. De toute façon quand les choses tournaient au vinaigre, la police se tenait à l'écart, soit qu'elle fût payée pour fermer les yeux, soit qu'elle n'osât pas intervenir. Mais les immigrants, eux, étaient traités avec la dernière brutalité.

Le Coconut Grove de l'Ambassador portait bien son nom. Le soir, sous de faux palmiers, l'orchestre jouait en sourdine des airs langoureux qui vous entraient sous les ongles, tandis que les stars qui n'avaient pas à travailler le lendemain matin évoluaient sur la piste de danse.

Frederika regardait autour d'elle avec la fascination d'un touriste et une sorte d'excitation gloutonne.

« Je vois ce qu'elle veut dire, dit-elle. Je regrette seulement de ne pas avoir vu davantage de films, comme ça je pourrais mettre un nom sur chaque visage. »

Caroline leur avait dépeint le Grove comme l'endroit à la mode : c'était là qu'il fallait être vu le samedi soir si l'on voulait rester pour toujours jeune et célèbre.

« On se croirait au carnaval », fit observer Blaise, qui n'avait guère l'habitude des sociétés tropicales. Une journée passée avec les gens du *Herald* lui avait donné une idée assez précise de ce que ça devait être que de faire des affaires à Tahiti.

« Oui, c'est tout à fait ça. Caroline m'a montré les décors de *Mary Stuart*. Ça faisait très couleur locale, à part une tomate dans la cuisine. J'ai rappelé à Caroline que les Européens du Nord ignoraient la tomate à cette époque.

— Ce qui me paraît plus bizarre, c'est ce que peut bien faire une reine dans une cuisine.

— Chéri, c'est l'Ecosse. Elle prépare sans doute un ragoût de mouton pour Bothwell, repartit Frederika en accentuant le mot avec ironie et dégoût.

— La voilà. »

Caroline fit une entrée majestueuse au bras de son nouveau

directeur et amant, William Desmond Taylor, sous les flashes des photographes.

« Tu n'as jamais été plus radieuse, dit Blaise, avec une étincelle malicieuse dans les yeux.

— Je sais, répondit-elle en embrassant sa belle-sœur. C'est comme une lumière intérieure. On l'a ou on ne l'a pas, comme dirait Elinor Glyn. »

Blaise trouva Taylor charmant ; c'était tout à fait le gentleman britannique, tel que Broadway l'avait popularisé. Il était grand, mince, et à peu près du même âge que Caroline. Blaise se demandait qui il pouvait bien être. Caroline lui avait raconté tant d'histoires sur les noms et sur les origines véritables ou supposés des acteurs qu'il se méfiait de tout le monde, et particulièrement d'Emma Traxler, l'opale tragique d'Alsace-Lorraine, dont la noble mère avait péri noyée par les Boches dans les douves de son château. Décidément l'esprit de Hearst avait envahi les studios d'Hollywood, et le résultat dépassait tout ce que le vieil inventeur de la presse à sensation avait jamais rêvé de plus fou.

« Quand commencez-vous de tourner ? s'informa Blaise.

— Le 1er avril, répondit Taylor en souriant à Caroline. Nous avons enfin le bon scénario. D'Edward Knoblock. »

Blaise hocha la tête : apparemment il était censé connaître ce nom.

« C'est l'auteur de *Kismet,* cette pièce qui a tenu l'affiche pendant des années, commenta Caroline. Il est de New York, mais il vit à Londres. Il fait partie de ces écrivains que Mr. Lasky a fait venir à Hollywood avec Maeterlinck, Somerset Maugham, Elinor Glyn et quelques autres. Il habite pour le moment chez William, et travaille au scénario. »

Etait-ce bien sa sœur Caroline qu'il avait en face de lui ? se demandait Blaise. L'amie d'Henry James et d'Henry Adams tressant des éloges à l'auteur de *Kismet* ! Il s'agissait peut-être tout simplement de son double, de son *Doppelgänger,* Emma, une actrice vieillissante essayant de survivre dans un monde de vitesse, de fureur et de vulgarité ? Frederika était à peu près certaine que Caroline s'était fait retendre les chairs du visage. Blaise, lui, s'interrogeait, et cependant sa beauté était si parfaite qu'elle avait quelque chose d'inhumain.

Taylor invita Frederika à danser, laissant Blaise et Caroline en tête à tête.

« Le *Herald...* commença Caroline.

— Trop cher...

« — On m'a dit qu'Hearst l'avait déjà racheté...

— Par l'intermédiaire de Barnham ? C'est possible. De toute façon c'était trop tard...

— C'est de ma faute. J'aurais dû me décider l'an dernier, mais... »

Ils parlaient un langage à eux, allusif, elliptique. Blaise demanda :
« Et Tim, que devient-il ?

— Toujours le même. Il habite toujours Garden Court. Nous ne couchons plus ensemble, si c'est ce que tu veux savoir.

— Je vois.

— Il n'y a rien à voir. Et d'ailleurs ça ne te regarde pas.

— Je ne t'ai rien demandé.

— Menteur. »

Caroline regardait Taylor et Frederika évoluer avec grâce au centre de la piste.

« Oh, nous sommes restés en très bons termes. D'ailleurs nous continuons de travailler ensemble, professionnellement. Il a trouvé quelqu'un de plus jeune.

— Et toi, tu as trouvé quelqu'un de plus âgé. En tout cas il *a l'air* très bien, dit Blaise qui songeait à ce que lui avait raconté Chaplin. Il doit avoir beaucoup de succès.

— Trop. Il est trop gentil, pour son malheur. D'un côté il essaie d'empêcher Mabel Normand de prendre de la cocaïne, et de l'autre il tente d'empêcher Mary Miles Minter de se tuer par amour.

— De lui ?

— Il semble.

— Et toi, quel rôle joues-tu dans tout cela ?

— Je joue le rôle d'une femme d'un certain âge, affectueuse, aimante, compréhensive. Une femme qui sait ce que c'est que les peines d'amour...

— De qui es-tu en train de me faire le portrait ? De toi ou d'Emma Traxler ? »

Caroline se mit à rire.

« Un peu des deux, j'imagine. Tranquillise-toi, je sais très bien faire la différence. De toute façon, *Mary* sera le dernier rôle d'Emma...

— Et après ?

— Je me retirerai...

— En Alsace-Lorraine ?

— Non, à Santa Monica. Je veux continuer à produire des films.

— Avec Taylor ? »

Taylor et Frederika regagnèrent leur table. Frederika était aux anges :

« J'ai aperçu Gloria Swanson avec un beau ténébreux. C'est bien comme ça qu'on les appelle ?

— Hollywood les attire comme des mouches, opina Caroline en jetant un coup d'œil à Taylor qui sortait une enveloppe de sa poche, dont il vida le contenu dans un verre d'eau.

— Cocaïne ? » plaisanta Blaise avec un rire équivoque.

Caroline lui lança un regard courroucé. Taylor se mit à rire.

« Non, c'est pour mon ulcère. Une fois le tournage terminé, j'aimerais m'en aller, loin d'ici...

— Vous pourriez passer l'été en Europe, proposa Caroline.

— Emmène-le à Saint-Cloud, suggéra Frederika.

— Je ne peux pas, je dois rester ici, dit Caroline après avoir bu une gorgée de vrai thé dans une vraie tasse de thé.

— Eddy Knoblock me prête sa maison de Londres en échange de la mienne. On s'est déjà vus, n'est-ce pas ? ajouta-t-il en s'adressant à Blaise. Il y a des années de cela. Vous étiez un jeune homme. Moi aussi, bien sûr. Le magasin d'antiquités anglaises, 246 Cinquième Avenue, ça ne vous dit rien ? J'étais le gérant. Caroline, elle aussi, est venue, mais sans vous.

— Je vous ai pris pour un acteur.

— Je l'étais. Mais les acteurs doivent bien vivre. Vous étiez avec une Française...

— Anne de Bieville, murmura Caroline.

— Vous en avez une mémoire », s'exclama Blaise, qui, pour sa part, n'avait gardé aucun souvenir de Taylor. Il trouvait néanmoins bizarre que Taylor se fût souvenu de lui après tant d'années. Il est vrai que, lorsqu'on a mené plusieurs vies, il vaut mieux l'avouer avant que les autres ne s'en aperçoivent. Taylor n'avait pourtant pas l'air d'un bluffeur, malgré la grosse chevalière qu'il portait à la main gauche. Mais à Hollywood ce genre d'accessoires était de mise, de même que cet étui à cigarettes en platine contenant des cigarettes noires à bout doré, qu'il produisit à la demande de Frederika. Ici l'on rêve éveillé. Il y a toujours quelque chose de bleu comme la nuit dans les sourires, quelque chose d'agressif dans l'étincellement des bijoux, quelque chose d'incompréhensible aux revers de soie des habits noirs.

L'orchestre se mit à jouer *Blue Moon,* un air à la mode que Blaise aimait à fredonner quand il était tout seul. Lui aussi commençait à s'alanguir, à succomber au charme tahitien de la Californie du Sud. Par quel miracle les gens arrivaient-ils à travailler dans une atmosphère aussi déliquescente ? Car on travaillait, à Hollywood. Ça n'arrêtait pas. Du matin au soir tout le monde était sur le pont. Ça courait dans tous les sens. Une vraie fourmilière. Un acteur pouvait tourner douze longs métrages dans l'année et trouver encore le temps de divorcer et de se remarier. Bien sûr tout le monde était très jeune, hormis Taylor et Caroline.

Pendant que Taylor signalait les stars à Frederika, Blaise et Caroline s'étaient remis à parler affaires.

« Consentirais-tu à me vendre tes parts du journal ?

— Maintenant ? fit Caroline en l'enveloppant d'un long regard curieux.

— Quand tu voudras. Washington, la politique, j'ai l'impression que tout ça ne t'intéresse plus beaucoup maintenant.

— Tu crois ? dit-elle en fixant sur lui ses grands yeux lumineux. Et si je m'étais endormie comme la Belle au bois dormant et qu'à mon réveil je ne retrouve plus personne...

— Je suis encore là. Ça t'a peut-être paru un siècle, mais...

— Un siècle, je ne sais pas, mais je n'ai pas vu le temps passer. Tu me demandes si je veux vendre ? Je n'en sais rien. Cela dépend...

— Des cent prochaines années ? »

Caroline acquiesça d'un battement de paupières.

« Il a été plus ou moins question de mariage, dit-elle à mi-voix.

— Dans ce cas tu devras rester ici. Je le vois mal à Washington...

— C'est encore très vague. Nous y verrons plus clair après *Mary*. Ces collerettes élizabéthaines sont une bénédiction pour les cous vieillissants. »

Un beau ténébreux s'arrêta à leur table. C'était l'acteur d'origine espagnole Tony Moreno. Dents blanches comme neige, œillades incendiaires.

« Puis-je vous parler un instant ? » demanda Moreno à Taylor.

Taylor s'excusa et les deux hommes s'éloignèrent.

« Il n'y a que des gens beaux ici ! s'exclama Frederika en détachant les syllabes.

— C'est parce que les sénateurs ne sont pas admis dans les lieux publics », expliqua Caroline en louchant vers le hall où, derrière deux policiers en uniforme, Moreno et Taylor discutaient avec animation. Blaise commençait à prendre la mesure des choses ; et il s'inquiétait de voir Caroline amasser sur elle autant de possibilités de catastrophe. Soudain les deux hommes disparurent du hall.

Au même moment une grande femme, élégante, outrageusement fardée, s'approcha de leur table, escortée d'un homme deux fois plus jeune qu'elle.

« Chère Emma ! s'exclama-t-elle avec un fort accent du Sud.

— Charlotte Selby. »

Caroline fit les présentations en ignorant le cavalier servant. Blaise appréciait assez cette façon de réduire la politesse au strict nécessaire.

« Nous serions très flattés de recevoir Mr. et Mrs. Sanford à la Casa de Margarita, dans New Hampshire Avenue. C'est là que nous résidons, quand nous ne sommes pas chez Maman, dans notre plantation de Shreveport, en Louisiane.

— Ce serait avec le plus grand plaisir, répliqua Frederika en offrant un regard sucré et une main délicate.

— Faites mes amitiés à William, et dites-lui que la petite Mary va mieux. »

Puis, tel le yacht de Chaplin dans la forêt viennoise, Mrs. Selby s'éloigna toutes voiles dehors, suivie de son cavalier.

« Qui est-ce ? demanda Frederika.

— Une ancienne actrice du nom de Charlotte Selby, répondit Caroline.

— Mieux connue comme étant la mère de Mary Miles Minter, conclut Blaise avec un petit air suffisant.

— Tu m'as l'air drôlement bien renseigné, toi, fit Caroline interloquée.

— Oh, tout le monde sait cela. Il suffit de lire la presse spécialisée...

— Je vois. »

Quelques minutes plus tard Taylor revint sans Moreno. Caroline lui dit quelque chose à l'oreille et il adressa un petit signe de la main à Charlotte, à travers la piste de danse, qui lui répondit par une gracieuse inclinaison de la tête. Blaise remarqua que sous son épais maquillage la dame souriait jaune. Etait-elle jalouse de Caroline ? Ou, au contraire, était-elle soulagée de voir que Taylor n'était plus amoureuse de la petite Mary ?

« ... question de lettres », expliqua Taylor. Puis il entraîna Caroline sur la piste de danse.

« Eh bien, fit Frederika.

— Eh bien, fit Blaise.

— Crois-tu que Mr. Taylor a reçu de la drogue du beau ténébreux ?

— Frederika, je te trouve bien dévergondée tout à coup. Serait-ce l'effet d'Hollywood ? »

Mais Blaise subodorait quelque chose de bien plus sinistre encore. Il commençait aussi à se demander si Caroline ne prenait pas de la drogue par hasard. En tout cas, elle était très différente de la personne qu'il avait connue autrefois, mais aussi ils ne s'étaient jamais beaucoup fréquentés. Demi-frère ou pas, ça ne changerait pas grand-chose. Taylor avait parlé de lettres. De quelles lettres pouvait-il s'agir ?

« Elle reviendra, j'en suis sûre, dit Frederika. Ça ne peut pas durer éternellement, ce genre de vie. Pourtant ça ne manque pas de charme. Tu imagines un endroit où personne ne se soucie de savoir qui est le nouvel attorney general, ni si c'est lui qui tire les ficelles à la Maison-Blanche.

— Ils auraient peut-être intérêt à le connaître.

— Qui ?

— L'attorney general, pardi ! »

Au milieu des palmiers en carton-pâte rôdaient des inspecteurs en civil. Peut-être aussi des criminels. Ce Moreno, par exemple, on n'aimerait pas à le rencontrer tout seul au coin d'une rue déserte. Il pourrait bien vous trancher la gorge. Comme ça, pour le plaisir. Cette fausse jungle en cachait une autre de véritable, et si Caroline aimait ça, grand bien lui fasse. Ce n'est pas Blaise qui l'envierait. En face d'eux, au pied d'un palmier une poupée mécanique se mit soudain à cligner des yeux dans leur direction. Ça faisait comme des signaux électriques.

3

Caroline et Taylor se promenaient en fin de journée au milieu des décors représentant le château d'Edimbourg.

« Maintenant, dit Caroline, nous savons ce que Mr. Griffith dut éprouver quand il eut fini de reconstruire Babylone.

— Oui, renchérit Taylor en fronçant les sourcils, et j'ai également une petite idée de ce que dut éprouver son banquier. »

Quoique la Traxler Productions finançât le film, c'était Taylor qui se faisait le plus de bile. On avait déjà dépassé de près de cent mille dollars le budget prévu, et le tournage n'avait toujours pas commencé.

Tim s'était montré sardonique : « Vous auriez pu louer la ville d'Edimbourg tout entière pour le prix », lui avait-il dit avant d'aller tourner dans le Nord-Ouest le genre de film propre à faire enrager Emma, la fille de Caroline, et son mari. C'est du reste en partie à cause d'eux que le film, où Tim avait utilisé des bandes d'actualités sur Wilson, avait été interdit dans la plupart des villes américaines. Heureusement pour Tim, comme le nouvel attorney general, Harry M. Daugherty, n'était pas candidat à la présidence, il pouvait encore s'en donner à cœur joie pendant quelque temps. Jusqu'ici ils n'avaient eu qu'une seule scène-sujet de Taylor que Caroline avait jouée avec une noblesse digne d'une héroïne d'Elinor Glyn. Ce qu'elle lui reprochait, ce n'est pas d'avoir été jaloux (si seulement !) mais de s'être permis de critiquer son choix.

« C'est ici que je franchis le portail à cheval. »

Caroline se voyait déjà en amazone, une plume à son chapeau, Bothwell chevauchant à ses côtés. Comme on n'avait pu obtenir Barthelmess pour jouer Bothwell, on avait engagé un acteur plus âgé afin de faire paraître Caroline plus jeune et plus frêle. Pour le rôle d'Elizabeth on avait même songé à faire appel à Sarah Bernhardt, qui l'avait jouée très longtemps au théâtre, mais la divine Sarah n'avait pas osé risquer sa légende une seconde fois en apparaissant à l'écran. A son âge c'était en effet plus prudent. Ils avaient donc engagé une actrice de soixante-dix ans, ce qui constituait pour Caroline une garantie d'éternelle jeunesse. La Glyn leur avait même proposé ses services au nom de l'Authenticité, car elle descendait également des Tudor, mais Caroline lui avait assuré qu'elle était bien trop belle pour servir de repoussoir à ce vilain petit canard d'Emma Traxler. « De ce point de vue là, madame Traxler, vous avez entièrement raison », lui avait-elle répondu. A la surprise générale, Elinor ne se contentait pas d'écrire ses films mais maintenant elle les produisait. Ses films avaient du succès, et *Kine Weekly* chantait ses louanges.

« Nous ferons d'abord tous les extérieurs », dit Taylor en lui prenant le bras, et comme toujours elle était heureuse quand physiquement c'était lui qui prenait l'initiative. Il ne s'était encore rien passé entre eux, et pour la première fois de sa vie Caroline était soudain prise de panique à l'idée de vieillir. Et si elle tombait —

comme maintenant — amoureuse de quelqu'un qui ne voulût pas d'elle ? Ou bien qui préférât de très jeunes femmes comme Minter ou Normand ? Que pourrait-elle faire ? Rien assurément.

Caroline s'appuya légèrement au bras de Taylor tandis qu'ils marchaient le long des remparts du haut desquels Mary chercherait en vain son amant assassiné. Caroline sentit les larmes lui venir aux yeux. Décidément Mary lui collait à la peau. Il ne faudrait pas surtout qu'elle en fasse trop... Ils dominaient, d'où ils étaient, la rue de New York avec la haute palissade qui clôturait le studio. La journée était terminée, mais sur certains plateaux des techniciens travaillaient à des modifications de dernière minute.

« Vous ne pensez pas que la rencontre entre Mary et Elizabeth devrait avoir lieu dans la prison plutôt que dans le parc ? »

C'était là un point de divergence entre eux.

« Non. Une scène d'extérieur est nécessaire à ce moment-là. Nous avons déjà six scènes d'intérieur d'affilée. Le spectateur risque de se sentir un peu prisonnier.

— Mais justement, c'est très bien comme ça. Après tout Mary est prisonnière. »

Taylor avait un profil presque parfait. Il avait joué comme acteur dans un grand nombre de films, mais après son succès dans *Captain Alvarez,* il était passé à la mise en scène.

« Edward dit que ça s'est toujours fait dans le parc. »

Caroline n'avait pas une sympathie débordante pour ce petit Anglais rondouillard de New York qui paraissait installé à demeure dans le bungalow de Taylor, déjà bien assez encombré au gré de Caroline.

« C'est parce qu'Edward a chipé l'intrigue à Schiller et qu'il ne veut pas qu'on s'en aperçoive de trop.

— Allons, allons, dit Taylor d'un ton conciliant. Sans ce plagiat, de fort bon goût du reste, nous serions tous au chômage en ce moment. Pourquoi votre frère n'est-il pas resté plus longtemps ?

— Il s'imagine que le gouvernement va tomber s'il n'est pas là pour le soutenir. J'étais comme ça autrefois.

— Ça ne vous manque pas ?

— Si, parfois. Mais le cinéma c'est plus amusant. Et puis ça ne durera pas éternellement.

— Rien ne dure éternellement. Pourquoi regarder si loin ? »

A ce moment ils furent rejoints par Charles Eyton, le chef de production de Famous Players-Lasky.

« On éteint les lumières ? sourit Taylor.

— Sans blague ! Vous ne vous faites pas idée de tout ce qui peut se gaspiller ici. »

Eyton était en quelque sorte le factotum de la Famous Players-Lasky, mais il s'occupait également de compagnies de production extérieures comme la Traxler.

« On est pressé de commencer, hein ? fit-il en considérant le portail du château d'Edimbourg avec un froncement de sourcils.

— Nous vous vendrons les décors si vous promettez de ne pas vous en servir pendant l'année qui suivra la sortie de notre film. »

Eyton hocha gravement la tête.

« Nous allons bientôt tourner un Ivanohé. Même genre de château, je suppose. Quand on en a vu un, on les a tous vus, n'est-ce pas ? » Puis se tournant vers Taylor il ajouta : « C'est arrangé, mais dites-lui de s'assagir.

— Pour ça, Charlie, il faut la laisser grandir. Ce n'est encore qu'une enfant. »

Taylor reconduisit ensuite Caroline à son domicile d'Alvarado Street. Le bungalow qu'il habitait faisait partie d'un complexe d'habitations conçu selon la nouvelle esthétique locale. Une demi-douzaine de bungalows bordaient sur trois côtés un quadrilatère planté de palmiers, au milieu duquel s'élevait une fontaine. Le quatrième côté était formé par la chaussée. Des amis de Taylor, un acteur et sa femme, habitaient le bungalow en face du sien. Caroline aimait assez ce côté village dans la ville, malgré un manque évident d'intimité. Heureusement, on pouvait également accéder au bungalow de Taylor par la porte de derrière donnant sur Maryland Avenue. Caroline l'avait empruntée plusieurs fois, prête pour l'amour, et elle avait dû se contenter d'un dîner aux chandelles servi par un domestique à mine rébarbative du nom d'Eddie Sands et d'une partie de jacquet.

Quand Caroline avait rendu l'invitation — dîner aux chandelles servi par Héloïse avec l'enthousiasme de sainte Thérèse lavant les pieds d'une colonie de lépreux — la soirée s'était également terminée par une partie de jacquet. Elle en aurait bien fait de la chair à pâté de cette Mary Miles Minter ! Et on appelait ça une mineure !

« C'est tout le problème, en réalité », expliquait Taylor en préparant un Martini à Caroline. Caroline buvait sec depuis quelque temps. Faute de pouvoir assouvir ses sens, autant les engourdir... « Tout à coup elle s'amourache de tel ou tel.

— De vous ?

— Entre autres. Alors elle se met à écrire des lettres compromettantes à droite et à gauche que ce pauvre Charlie doit racheter pour empêcher qu'elles ne tombent entre les mains de maîtres chanteurs, ou pire.

— Charlotte ? »

Taylor hocha la tête.

« Le dernier paquet était adressé au père de son enfant, un metteur en scène...

— Son enfant ? Mais je croyais qu'elle s'était fait avorter ?

— Je veux dire l'homme qui l'avait mise enceinte.

— Mais Charlotte savait tout cela à l'époque. »

Depuis le temps elle avait l'impression de la connaître par cœur, cette folasse de Charlotte ! Taylor lui avait avoué qu'il avait flirté avec toutes les deux, la mère et la fille. Aussi quand il apparut clairement que Taylor allait devenir le second metteur en scène — et le grand amour — de Minter, Charlotte s'était comportée comme une véritable furie. Parfois elle enfermait Mary dans sa chambre, alors celle-ci, aidée par sa grand-mère, réussissait à s'enfuir et venait se réfugier chez Taylor. Et alors, que se passait-il ? se demandait Caroline. Il avait toujours nié avoir eu une liaison avec la petite. Mais il avait également nié sa longue liaison avec Mabel Normand. A l'entendre, c'était une sorte de guérisseur... comme Raspoutine, lui avait lancé un peu ironiquement Caroline. Toujours est-il qu'à force de guérir les autres, il avait fini par contracter un ulcère.

« Il me tarde de ficher le camp d'ici, vous ne pouvez pas savoir », dit-il, en promenant ses yeux autour du salon. Knoblock était sorti, et ils dînaient en tête à tête, de bonne heure évidemment, sous le regard d'Eddie Sands qui, ma foi, était bon cuisinier.

« Je pourrai peut-être ouvrir Saint-Cloud. Ça vous dirait ? A moins que vous n'aimiez pas la France...

— Non, non, répliqua-t-il en lui souriant à travers les volutes de fumée aromatique qui s'échappaient d'une cigarette à bout doré. Ça me plairait beaucoup au contraire, surtout avec vous... »

Allait-il enfin se déclarer ? Mais il se contenta de soupirer :

« Ce qu'elles ne savent pas, c'est que leur carrière à toutes les deux est terminée.

— Pauvres chattes !

— Bien sûr Mary s'en fiche éperdument. De toute façon, elle déteste le cinéma, elle se déteste elle-même...

— Est-ce qu'elle déteste aussi sa mère ? »

Taylor eut un haussement d'épaules.

« C'est ce qu'elle dit, mais si c'était vrai, qu'est-ce qui l'empêcherait de partir ?

— Une enfant ? une mineure ? Une Mary Miles Minter mineure ? »

Ah, ces fameuses boucles blondes, quelle joie elle aurait eu à les lui arracher l'une après l'autre ! Mary Miles Minter, la seconde Mary Pickford dont l'Amérique pleurait encore les boucles blondes...

Taylor réfléchit un instant.

« Elle a bien sa grand-mère, mais il y a toujours ce contrat qui donne à Charlotte trente pour cent des bénéfices...

— Mais puisque Mary n'était encore qu'une enfant au moment où elle a signé ce contrat, il n'est pas valable aux yeux de la loi. Dites-lui d'intenter un procès à sa mère.

— Elle est trop jeune pour ça. Vous savez qu'elle a essayé de se tuer avec le revolver de sa mère.

— Charlotte possède un revolver, pour quoi faire ?

— Pour protéger son honneur. Les femmes du Sud ont toujours peur d'être violées.

— Dans le cas de Charlotte, il me semble qu'un simple " non " murmuré à voix basse serait tout aussi efficace qu'un pistolet. A moins qu'un " oui " enthousiaste n'ait encore plus de chances de mettre en fuite l'éventuel agresseur.

— Vous devriez jouer la comédie, vous y seriez excellente. Il faudra que je vous trouve un bon rôle.

— Il est tout trouvé. »

Après dîner Taylor posa la main sur son épaule, comme s'il devinait son désir :

« Oui, William, oui ? » murmura-t-elle.

Elle sentit la brûlure de ses doigts à travers la soie de son corsage.

« Un penny le point », dit-il en l'entraînant vers la table de jacquet.

CHAPITRE XI

1

« My God, how the money rolls in ! » chantonnait Jess d'une voix sourde. Malgré tous ses efforts, il n'avait jamais réussi à retenir que le premier vers du refrain qui au demeurant résumait parfaitement bien sa situation. Jess regarda autour de lui. Ned McLean dormait sur le canapé du petit salon de la maison de H Street. Il s'était affalé bien avant minuit, heure à laquelle s'était terminée la partie de poker, et depuis il dormait comme une bûche. Il était déjà bien imbibé. Daugherty avait téléphoné à Evalyn pour dire qu'il passerait la nuit chez eux et qu'elle ne s'inquiète pas. Maintenant Daugherty dormait au premier tandis qu'une femme de ménage de couleur débarrassait la table et vidait les cendriers. L'odeur âcre de tabac s'accrochait encore aux tentures.

Jess faisait des comptes, assis devant un bureau à cylindre. Il portait un complet chocolat et un gilet couleur lavande extrêmement seyant, et sans cette petite douleur lancinante du côté de l'appendice, il eût été le plus heureux des hommes. Pour une fois que son asthme et son diabète ne le chicanaient pas trop ! Une journée chargée l'attendait. Plusieurs coups de fil à donner. Il commença par appeler son agent de change, Samuel Ungerleider, originaire de Columbus dans l'Ohio.

« Quoi de neuf ? » articula Jess.

Ungerleider n'en savait de toute évidence pas plus que les cours de la veille. Sam s'occupait du portefeuille d'actions d'Harding, de Jess, de Daugherty et de quelques autres Ohiens. Comme Jess était engagé dans une série de spéculations assez complexes, il avait toujours besoin de liquidités.

« Vous aurez besoin de douze mille dollars pour midi, lui dit Sam.

— Vous les avez. Et pour Mr. Daugherty, ça marche ?

— Très bien. Il ne joue pas à la roulette comme vous.

— Et le Président ?

— Oh, lui, c'est du sûr. Rien que des placements de père de famille.

— C'est la faute à la duchesse. Elle lui interdit de spéculer.

— L'argent coule à flots...

— A qui le dites-vous ! »

Le premier visiteur de la journée arriva à sept heures et demie.

« Quoi de neuf ? » s'informa Jess en vaporisant l'air autour d'eux, mais l'homme, un bootlegger de Virginie, ne sembla même pas s'en apercevoir.

« C'est très gentil à vous, monsieur Smith, de me recevoir si tôt.

— Vous connaissez le proverbe ? Les amis de nos amis sont nos amis, répliqua Jess en sortant d'un tiroir, dont il était seul à posséder la clé, un formulaire du département du Trésor. Je vous nomme agent de la General Drug Company pour le district virginien de Colombie dont le quartier général est à Chicago. A ce titre, combien de bouteilles aimeriez-vous retirer des Réserves fédérales ? A des fins médicales, s'entend...

— Mille caisses de whisky écossais. Cinq cents caisses de gin et du meilleur, et sept...

— Tout doux, tout doux, pas si vite ! Je n'arrive pas à vous suivre...

— Je vous prie de m'excuser, monsieur Smith. Mais à l'idée que je vais enfin pouvoir satisfaire mes clients, je ne me tiens plus...

— Je suis certain qu'ils apprécieront, dit Jess. On se demande comment la moitié de la Virginie n'est pas morte avec toute cette gnole de contrebande qu'on leur a fait boire. Il devrait y avoir une loi... »

Le Virginien hocha tristement la tête.

« Oh, il y a bien une loi, mais qui s'en soucie de nos jours ? »

Jess sifflota une ou deux mesures d'*April Showers* tout en contrefaisant la signature d'un fictif fonctionnaire du Trésor.

« C'est en ordre, monsieur. Vous pouvez partir. Vous n'aurez qu'à présenter ce papier dans n'importe quel entrepôt d'Etat et ils vous fourniront la marchandise demandée.

— Je vous suis très obligé, monsieur Smith.

— L'entrepôt d'Alexandria est le plus pratique. S'il y a le moindre pépin, vous n'avez qu'à m'appeler à mon bureau au département de la Justice. Cela fera deux mille cinq cents dollars. En liquide, comme toujours. »

Le Virginien compta l'argent et s'en alla. Les deux visiteurs suivants briguaient un poste dans la fonction publique et avaient besoin de conseils. Chacun paya deux mille dollars. Jess raccompagnait à la porte le dernier visiteur lorsque l'attorney general descendit l'escalier. Jess n'avait pas mis Daugherty au courant de son petit trafic, et Daugherty ne lui avait posé aucune question.

Daugherty considéra Ned en secouant la tête :

« Ce garçon aurait intérêt à se ressaisir, sinon il sera bientôt sur la touche. Nous aurions dû le renvoyer chez lui hier soir.

— Après tout, il est chez lui ici, répliqua Jess en se penchant sur Ned qui gémissait dans son sommeil. Vous voulez déjeuner ?

— Non, je prendrai quelque chose au ministère.

— Alors, on remet ça ce soir ? »

Daugherty émit un grognement.

« Ça, il faut le demander à la duchesse. J'ai une journée assez chargée quant à moi. »

Daugherty ouvrit la porte et sortit. Dehors, dans la rue, la voiture de l'attorney general attendait. Le chauffeur fit le salut militaire et appela Daugherty « general », qui était le titre habituel du premier magistrat du pays. Daugherty aimait bien ce titre, ainsi d'ailleurs que le poste qui allait avec. Il monta dans la voiture et se fit conduire au département de la Justice.

La veille, Jess avait reçu un message de la duchesse le priant de venir à la Maison-Blanche pour l'aider à choisir des tissus. Jess donna ses instructions à la femme de ménage concernant Ned, et sortit de la maison. Il faisait une matinée radieuse. Jess alla admirer le cornouiller en fleur dans le jardin d'en face, puis il se rendit à la Maison-Blanche en proie à une béatitude quasi parfaite.

La Maison-Blanche était méconnaissable depuis que les Harding y avaient emménagé. Il y avait encore quelques semaines de cela, les grilles étaient fermées, le public tenu à l'écart, et seule l'aile ouest présentait quelques signes d'activité. A présent les grilles étaient ouvertes, et le public affluait dans les appartements d'apparat. (« C'est *leur* Maison-Blanche », avait proclamé la duchesse en prenant possession des lieux.) Les deux gardes à l'entrée nord firent signe à Jess de passer, bien qu'il eût à la main sa carte du F.B.I., cadeau de l'obséquieux sous-directeur, J. Edgar Hoover, un homme d'une trentaine d'années qui craignait d'être remplacé par une des créatures de Daugherty. Mais dans l'ensemble Daugherty s'était montré respectueux des lois et des usages.

A maints égards l'Administration Harding fut l'une des plus brillantes de ce début de siècle, de l'avis même de certains éditorialistes qui pourtant n'éprouvaient pas une sympathie particulière pour le Président lui-même. Certes le secrétaire d'Etat au Trésor, Andrew Mellon, était l'un des hommes les plus riches du pays, mais justement sa fortune même le préservait d'avoir à vendre du whisky de contrebande pour rembourser ses emprunts... En outre la présence d'un homme comme Mellon au Trésor était de nature à créer dans tout le pays un climat propice aux affaires. Mellon avait notamment dissuadé Harding d'augmenter l'impôt sur le revenu, et la presse de Wall Street avait chaudement félicité Mellon. Autre personnalité en vue : le secrétaire d'Etat, Charles Evans Hughes, qui s'était présenté contre Wilson en 1916. Egalement rassurante était la présence au Commerce de l'homme politique le plus populaire du pays, Herbert Hoover, réputé pour sa compétence et son intégrité, tandis qu'aux Postes Will Hays poursuivait son irrésistible ascension. Le secrétaire d'Etat à l'Intérieur, le sénateur Fall, avait été plébiscité à l'unanimité par le Sénat. Seul Daugherty avait fait grincer des dents. On avait même parlé à son endroit de favoritisme ; mais chaque Président avait le droit d'avoir au moins un conseiller politique sur sa feuille d'émargement.

Jess entra par la porte principale. Il fut salué par un des huissiers qui lui dit que Mrs. Harding l'attendait dans le salon de famille du premier. Comme Jess traversait le hall pour aller prendre l'ascenseur, il constata qu'il était le point de mire de tous les visiteurs. Qui pouvait bien être ce monsieur d'allure décidée, vêtu d'un pardessus Chesterfield tout neuf et affublé de lunettes à monture épaisse ? Il y eut comme un soupir d'extase quand l'ascenseur privé descendit et que les portes s'ouvrirent pour laisser monter Jess.

Dans le salon Ovale, la duchesse avait drapé d'étoffes tous les meubles. Près d'elle, l'air apeuré, se tenait un employé de chez Woodward et Lothrop.

« Jess Smith, approchez. Je désire avoir votre avis. Ceci, est-ce du velours ou bien de la veloutine ? »

Jess prit l'étoffe entre ses doigts et la palpa en connaisseur.

« C'est bien du velours, il n'y a pas de doute.

— Je voulais simplement m'en assurer. Je sais bien que Daniel Woodward n'essaierait jamais de nous voler, mais il arrive que des erreurs soient commises, ça s'est déjà vu, n'est-ce pas ? » dit-elle en foudroyant l'employé du regard.

Jess l'aida à choisir certaines étoffes qui à son idée lui iraient bien. Maintenant que Florence Kling Harding était la Première Dame du Pays, elle avait à cœur de s'habiller le mieux possible. Mais le résultat n'était pas toujours satisfaisant au goût de Jess. 1) Elle se mettait trop de rouge aux joues, comme les clowns, déjà qu'elle avait le teint terreux. 2) Elle avait toujours l'air de sortir de chez le coiffeur, ce qui lui durcissait les traits. Jess essayait avec tout le tact requis de la détourner de ces toilettes voyantes pour lesquelles elle semblait avoir une prédilection particulière. Les robes de mousseline pastel pour le soir ne lui allaient guère mieux. La vérité, c'est que sortie de la plus stricte sobriété la duchesse était impossible à habiller.

« Je verrais plutôt cela pour un déshabillé », lui suggérait Jess de sa voix pateline.

Une fois la commande prise, l'employé se retira.

« Asseyez-vous, Jess. Warren désire jouer au poker ce soir dans la maison de H Street. Dites-le aux habitués. Je n'irai pas. Je compte donc sur vous pour qu'il soit rentré avant minuit. »

Jess dit qu'il ferait de son mieux comme toujours.

« Et puis ne le laissez pas chiquer. C'est mauvais pour lui. Il peut fumer le cigare à condition qu'il n'y ait pas de photographe dans les parages. J'insiste : surtout qu'il ne chique pas.

— Comment puis-je l'en empêcher ?

— Dites-lui que vous nous le direz à moi et à Doc Sawyer. Cela devrait suffire.

— Je ferai de mon mieux, duchesse. »

Mais Jess craignait bien d'échouer dans sa mission. Une fois de plus. Harding avait tellement l'habitude de chiquer que Jess l'avait vu plusieurs fois dérouler une cigarette et mettre le tabac dans sa bouche.

« Et cette installation, comment ça va ? »

La bouche de la duchesse s'entrouvrit comme la fente d'une tire-lire.

« J'ai enfin réussi à réorganiser la cuisine. Les Wilson avaient tout laissé à vau-l'eau. Mrs. Wilson m'avait pourtant fait l'éloge de la gouvernante, mais je vous prie de croire qu'après avoir examiné un peu les lieux, ma première réaction fut de m'en débarrasser. J'aurais eu tort, car depuis elle s'est bien faite. La fautive, en réalité, c'était Mrs. Wilson. Je ne veux pas en dire du mal, mais il faut bien reconnaître qu'à part son mari malade, elle ne s'occupait de rien. Mais ça, c'est normal. Au fond, c'étaient des gens extrêmement égoïstes. »

La duchesse s'était approchée de la cage de Pete, son canari chéri. Chéri d'elle seule, il faut bien le dire.

« Pete, chante-nous quelque chose, chante pour Maman », ordonna la duchesse, et comme la bestiole refusait obstinément d'ouvrir le bec, la duchesse se mit à gazouiller. « Cet oiseau devient de plus en plus capricieux. Et boudeur avec ça. Ce doit être cette maison. Pourquoi avez-vous refusé le poste que Warren vous a offert ?

— Oh, vous me connaissez. Moi, ce que j'aime surtout, c'est le contact avec la clientèle, comme on dit dans le commerce.

— Vous êtes, je crois bien, la seule personne de l'Ohio à avoir refusé un poste. » Jess eut un petit sourire modeste comme pour signifier qu'il était au-dessus de ces trivialités. « Je sais bien que vous êtes assez riche, ajouta-t-elle. Pete chante comme un rossignol quand il est bien luné. »

En réalité Jess avait été ravi quand le Président lui avait offert le poste de commissaire aux Affaires Indiennes, et d'autant plus déçu lorsque les sénateurs de l'Ouest avaient fait comprendre au Président qu'il ne convenait pas. W. G. lui avait alors proposé le poste de Trésorier des Etats-Unis, emploi purement honorifique qui consistait pour l'essentiel à autoriser à ce que sa signature soit imprimée sur chaque nouveau billet d'un dollar. Mais comme Jess avait d'autres projets concernant les billets d'un dollar, il avait remercié chaleureusement le Président en lui disant qu'il préférait servir l'Administration de façon moins officielle.

Laddie Boy, le colley du Président, entra dans la pièce comme un ouragan, sauta sur Jess et aboya vers la duchesse, qui lui dit :

« Tais-toi. Warren va arriver. Le voici. »

Ce n'était pas le Président, mais Charlie Forbes.

« Salut, duchesse ! Salut, Jess ! »

Forbes était le bouffon du Président. Il avait le visage poupin, de grosses lunettes d'écailles et n'était pas dénué d'une certaine ressemblance avec Jess, malgré ses cheveux roux.

« Je suis venu déjeuner. Le Président m'a promis une bonne

choucroute avec des saucisses de Francfort. J'ai donc laissé mes anciens combattants en rade, et me voilà. »

Charlie se mit à jouer avec Laddie Boy et Jess lui enviait ce charme facile, un peu vulgaire peut-être, mais qui le rendait sympathique à tous. Jess était l'homme qu'on envoyait en commission, tandis que Charlie, c'était le boute-en-train, celui qu'on faisait venir pour amuser la galerie. Ancien entrepreneur de construction de Spokane (District de Colombie), le colonel Forbes était un authentique héros de la guerre, titulaire de la Médaille d'Honneur du Congrès. Il était donc tout désigné pour diriger le Bureau des Anciens Combattants. Ancien démocrate wilsonien, Charlie avait été séduit par les Harding, et réciproquement, au cours d'un banquet sénatorial dans le Nord-Ouest, si bien qu'il avait changé de camp et organisé la région pour Harding. Et surtout Charlie était le seul camarade de jeu de W.G. dont la duchesse raffolait.

« J'espère que Warren aura le repas qu'il aura commandé. Le cuisinier fait tellement d'histoires chaque fois qu'il commande de la choucroute. *Et* des cure-dents ! Seigneur, ce que Warren peut me compliquer la vie ! Il a dit au maître d'hôtel de mettre des cure-dents sur la table. Ce qui ne s'était encore jamais vu à la Maison-Blanche...

— C'est aussi le premier Président à avoir toutes ses dents, dit Charlie. Ils devraient être fiers.

— Alors le maître d'hôtel vient vers moi, et je lui dis non. Warren va ensuite trouver l'intendante, et il élève la voix... »

A ce moment Laddie Boy bondit hors de la pièce.

« Ça veut dire que Warren est en train de serrer des mains dans le salon Est. Une demi-heure chaque matin, quoi qu'il arrive. Il aime *ça*. Vous imaginez ! » soupira la duchesse.

Charlie soupira à son tour.

« J'ai un acheteur pour Wyoming Avenue.

— Vous savez le prix ?

— Il est d'accord. Ne vous faites pas de souci. C'est mon conseiller légal au Bureau. Charles Cramer. Un type de premier ordre. Californien et tout. Grosse étude.

— Ça m'ennuie beaucoup de vendre cette maison...

— C'est la vie. Les affaires. Vendre, acheter... »

Charlie débordait tellement d'énergie que Jess avait mal au cœur rien qu'à le voir gesticuler.

« On construit partout des hôpitaux. Oh, duchesse ! Nous avons embauché Carolyn dans le personnel. »

La duchesse plissa le front.

« Est-ce que Warren est au courant ? C'est sa sœur après tout.

— Il est ravi que nous ayons pu la caser. »

Le Président et Laddie Boy entrèrent ensemble dans la pièce.

« Bonjour, messieurs. Duchesse, Pete.

— Il refuse de chanter, constata la duchesse.

— Jess, dites à Harry que nous nous retrouverons dans H Street après dîner. Que tout le monde soit là.

— Bien, monsieur le Président. »

George Christian apparut à la porte.

« Pouvez-vous recevoir le sénateur Borah et le sénateur Day après déjeuner ?

— Je ne sais pas. C'est à vous de me le dire.

— Oui, monsieur. Je peux les caser. Le sénateur Borah dit que c'est important.

— Tout ce qui touche à Mr. Borah est toujours important, observa la duchesse. Sa liaison avec Alice Longworth est un scandale. Je ne dis pas ça pour Nick qui s'en fiche comme de l'an quarante, mais cette pauvre Mrs. Borah, elle n'a pas mérité ça... »

Harding fit un petit signe de la main à Christian qui disparut aussitôt. De même que Jess. Il avait beau dire qu'il détestait les bureaux, Jess aimait beaucoup celui que Daugherty lui avait donné au sixième étage du département de la Justice. Il ne touchait aucun salaire, mais il pouvait utiliser le papier à en-tête du département de la Justice, et surtout il avait accès aux dossiers. Dans une ville où l'important était d'en savoir le plus long possible sur tout un chacun, Jess commençait d'être quelqu'un de très bien renseigné. Finalement, en tant que bras droit du bras droit du Président (Daugherty avait une ligne directe avec le bureau du Président), toutes les portes s'ouvraient devant lui tandis qu'il vaquait à ses affaires, lesquelles consistaient à faire circuler l'argent, comme disait la chanson.

2

La salle à manger familiale sentait bon la choucroute et les saucisses de Francfort, l'un des plats favoris de Burden. Le Président était assis au bout de la table en train de mâchouiller un cure-dent, et Burden, qui ne l'avait pas revu depuis son entrée en fonction, le trouva très impressionnant. Il avait acquis une autre stature. Pas seulement physiquement — et certes son estomac, tel un glacier, avait remonté de quelques centimètres vers la cage thoracique — mais aussi moralement. Il émanait de sa personne un sentiment de grandeur et d'équilibre. Avec son abondante chevelure blanche, ses sourcils noirs très fournis, et sa large figure basanée, il ressemblait à quelque puissante figure du Jugement dernier de Michel-Ange formée par la nature dans un moment de magnificence. Burden se demanda si la classe politique n'avait pas eu tendance à le sous-estimer, à moins — habileté suprême — qu'il n'eût cherché à donner de lui-même l'image d'un être un peu falot.

Dans son premier message au Congrès, Harding avait tenu à préciser qu'il était non seulement le Président mais qu'il n'avait nullement l'intention de se dessaisir de certains de ses pouvoirs au profit du législatif, et notamment du Sénat dont il était censé être la créature docile. A deux reprises il s'était gaussé publiquement de l'idée qu'il devait sa victoire aux grands pontes du Sénat, et Burden avait trouvé la confirmation de ces propos à voir les visages grimaçants des Lodge, Smoot et Brandegee. Récemment certains Républicains s'étaient plaints de ce que les « intellectuels » du Cabinet, comme Hughes et Hoover, exerçassent une trop grande influence sur le Président. Et maintenant voilà que Borah, avec l'aide de son collègue et ami démocrate, James Burden Day, se proposait lui aussi d' « influencer » le Président.

Harding invita les deux hommes à s'asseoir, l'un à sa droite et l'autre à sa gauche. On servit le café. Laddie Boy rongeait un os, couché aux pieds de son maître.

« J'ai pensé que nous serions plus tranquilles ici pour bavarder », dit Harding en attendant que le maître d'hôtel se fût retiré, puis, une fois la porte refermée, il ajouta en baissant la voix : « Les amis, on se croirait à Versailles sous les Bourbon, ou mieux encore chez les Borgia. On se dit qu'à tout moment il peut y avoir quelqu'un de caché derrière une porte. La plupart du temps on est obligé de parler une espèce de langage chiffré, pour être sûr que ce qu'on dit n'ira pas finir dans les journaux de Hearst. » Puis se tournant vers Burden : « Ça n'a pas été facile pour vous, à ce qu'on m'a dit.

— Grâce à vous, j'ai failli perdre. »

Burden l'avait emporté de justesse, alors que deux des sièges de congressman de son Etat, qui avaient toujours été démocrates, étaient devenus républicains. Kitty s'était battue comme une lionne, mais Burden n'avait pas été lui-même. Depuis la grippe, il n'avait pas recouvré la plénitude de ses moyens. La recouvrirait-il un jour ?

« Jake Hamon a aussi beaucoup arrosé, ce qui ne m'a pas facilité les choses. »

Harding secoua la tête :

« Pauvre Jake ! Quitte à se faire tuer, autant que ce soit par sa maîtresse que par sa femme, vous ne pensez pas ? »

Borah laissa le Président babiller pendant quelques minutes. D'une façon tout à fait mystérieuse, du moins pour Burden, le loup solitaire du Sénat en était devenu le principal ténor. En fait, lorsque Lodge et sa clique avaient essayé de recréer la ligue des nations sans Wilson, Burden avait entendu Borah avertir Lodge que s'il essayait de soutenir n'importe quelle ligue, il le briserait. Lodge lui avait rétorqué sur un ton glacial qu'il le trouvait bien insolent de parler ainsi à son aîné, à quoi Borah avait répliqué qu'il avait des insolences en réserve pour les barbons de son espèce qui s'aviseraient de trahir l'électorat. Lodge ayant alors menacé de donner sa démission en tant que chef de la majorité, Borah s'était récrié : « Démissionner ? Jamais ! Nous vous flanquerons plutôt à la porte pour le plaisir et pour l'exemple ! » Tout le drame depuis quelque temps était dans le camp républicain. Les Démocrates eux se tenaient cois et digéraient leur défaite.

« Monsieur le Président », commença Borah, et brusquement Burden se mit à frissonner. Il se sentait redevenu un simple porteur de lances qui regarde, hypnotisé, parler le grand chef. Allait-il parler pendant des heures ? « Nous n'avons pas toujours été du même avis. Je ne vous ai soutenu qu'en décembre dernier quand vous m'avez affirmé que vous vous opposeriez toujours à ce que nous adhérions à quelque ligue que ce soit. »

Borah tenait sous la coupe de son regard Harding qui clignait des yeux, la mâchoire droite appuyée sur son point droit, tout en mâchonnant un cigare éteint. Borah, se croyant approuvé, continua :

« Cela dit, je ne suis pas une autruche. Je sais très bien ce qui va se passer, si les grandes puissances se lancent dans une course aux armements dans un monde en paix. Je prédis une guerre avec le Japon dans les vingt-cinq années qui viennent, et franchement je considérerais une telle guerre comme un crime contre l'humanité, un crime que nous aurions laissé commettre à cause de notre propre négligence. »

Borah but un verre d'eau, et Harding profita de cette pause :

« Sénateur, dit-il en se redressant, nous sommes bien conscients, le secrétaire d'Etat Hughes et moi-même, que les ennuis avec le Japon ont déjà commencé. Maintenant que l'Allemagne a quitté le Pacifique, deux questions se posent : 1) qui contrôlera l'île de Yap ; 2) d'une manière générale, qui contrôlera le Pacifique ? »

Burden fut stupéfait de voir le Président, d'ordinaire si évasif, s'intéresser de près à des problèmes de politique étrangère. Il regarda Borah du coin de l'œil, et vit que ce dernier partageait sa surprise. D'habitude, quand Borah était quelque part, il n'y avait que lui qui parlait.

« Maintenant, poursuivit le Président en posant son mégot, nous n'avons pas l'intention d'affoler nos concitoyens en agitant le spectre du Péril Jaune, comme en 1913 lorsque nous avons failli avoir la guerre avec le Japon. D'un autre côté, je comprends votre point de vue, sénateur, sur la nécessité de nous entendre avec les Japonais *en dehors* de la Société des nations, qui vous alarme plus que moi, mais c'est ainsi que nous sommes, vous et moi, et nous n'y pouvons rien. Pour moi la ligue est une excellente idée, bien qu'un peu chimérique, qui ne marchera probablement jamais, même si nous y adhérions...

— Monsieur le Président, rugit le Lion de l'Idaho, si par malheur nous adhérions à la Société des nations, nos libertés seraient gravement compromises... »

Le Président l'interrompit d'un geste amical de la main.

« Je n'ai pas tout à fait fini, sénateur. Je connais votre point de vue sur la question. Qui ne le connaît pas d'ailleurs ? » dit Harding en jetant un coup d'œil à Burden comme pour quêter son approbation. Celui-ci répondit par un hochement de tête, et le Président continua : « Je vais préparer une campagne de désarmement dans l'esprit de votre résolution du 14 décembre qui m'autorisait, à moins qu'elle ne m'y invitât, précisa Harding avec un petit sourire, à demander aux gouvernements japonais et britannique de diminuer, comme nous, leur programme d'armements maritimes environ de moitié. Mr. Hughes et moi-même travaillons à ce projet depuis que nous sommes ici, bien qu'aucun de nous n'en ait encore beaucoup parlé en public. J'ai découvert une chose depuis que je suis Président. » Harding étira ses bras puis il noua ses mains derrière la nuque. « Quelqu'un — en l'occurrence vous — vient me soumettre une idée que je trouve excellente, mais ce n'est pas toujours suffisant, parce que, bien que je sois d'accord avec vous sur telle ou telle politique, je dois souvent dire non, et attendre, triste et désolé, qu'on veuille bien me forcer la main.

— Dans ce cas vous pouvez compter sur moi, monsieur le Président, je serai l'aiguillon du gouvernement. »

Borah semblait surpris de voir avec quelle rapidité Harding avait saisi les mécanismes essentiels du pouvoir. Burden pour sa part avait souvent noté que l'opportunité, comme venait de le dire le Président, était une des règles d'or de la politique, et que les meilleures idées ne donnent pas toujours les résultats escomptés, faute d'être appliquées à bon escient.

« Ce qu'il y a de bien dans le cas présent, c'est que le désarmement est aussi populaire auprès des partisans de la ligue comme Bryan que de ses adversaires comme vous. Seuls Mr. Hearst et la sous-commission à la Marine présidée par notre ami Burden sont contre, ce qui prouve que nous sommes sur la bonne voie.

— Moi, je suis plutôt pour, protesta Burden, même si le reste de la sous-commission désire de plus en plus de cuirassiers et de plus en plus perfectionnés. »

Harding secoua la tête en jouant l'étonnement.

« Tous ces contrats ! Toute cette paperasse ! s'exclama-t-il. J'en ai la tête qui tourne. Maintenant, messieurs, je vous demanderai à tous les deux de maintenir la pression sur moi. Moi, j'aurai l'air grave et soucieux. Je dirai à tous ceux qui veulent l'entendre qu'il ne faut pas forcer la main de l'Exécutif, tout en m'étonnant bien haut que des responsables politiques comme vous puissiez envisager une seule seconde de faire confiance aux Japonais et aux Britanniques pour une question aussi importante, aussi vitale que le désarmement, alors que vous n'avez pas assez confiance en eux pour adhérer à la même ligue qu'eux. »

Borah respira profondément : il est clair qu'il venait d'accuser le coup. Mais le Président contrôlait parfaitement la situation.

« Restons en liaison étroite durant les prochaines semaines. »

Harding se leva, imité par les deux sénateurs. Laddie Boy leva la patte contre une chaise. Harding le poussa du bout du pied et dit d'un air navré :

« Il sait pourtant qu'il ne doit pas. » Puis se tournant vers Borah : « Laissez-moi finir de sonder les Japonais. Les Britanniques sont déjà à pied d'œuvre, à ce qu'ils disent. Nous devrons peut-être inclure les Français et les Italiens, pour qu'ils ne se sentent pas oubliés. Quand nous serons prêts, je vous le ferai savoir, et vous pourrez tirer sur moi à boulets rouges, jusqu'à ce que, gracieusement, je fasse mine de céder, et alors nous enverrons des invitations pour une conférence qui se tiendra à Washington probablement dans le courant du mois de juillet. Vous voyez, conclut le Président, en reconduisant ses visiteurs, je veux que ce pays-ci passe pour le défenseur de la paix partout dans le monde...

— Là-dessus, nous sommes tous d'accord avec vous, dit Borah en serrant la main du Président.

— Wilson aussi voulait la paix, observa Burden, seulement il aurait prononcé un brillant discours — prématurément. Puis il aurait dénoncé ceux qui n'auraient pas été d'accord avec lui, et pour finir, il aurait décrété la loi martiale...

— Ma méthode est moins brutale, sourit Harding. Vu que j'ai peu de chances de passer à la postérité comme un grand et brillant Président, à l'instar de Wilson, il ne me reste plus qu'à devenir l'un des Présidents les mieux aimés, si tant est qu'un homme politique puisse se flatter d'inspirer un sentiment aussi fort à ses compatriotes.

— Pourquoi pas ? fit Borah visiblement impressionné. Dans votre cas, une telle ambition est parfaitement réalisable. »

Harding tapota chacun des deux hommes sur l'épaule, et les reconduisit dans le hall principal.

« Mon principal atout, c'est que comme personne ne fondait sur moi la moindre espérance, tout ce que je pourrai faire de bien sera pour tous un sujet d'étonnement et de ravissement. »

Là-dessus Harding se plongea au milieu d'une petite foule de visiteurs, serrant des mains à droite et à gauche, et créant manifestement autour de lui un climat d'euphorie.

Comme Borah et Burden attendaient leur voiture devant le portique nord, ce dernier observa :

« A première vue, je dirais que ce n'est pas le Sénat qui manipule le Président, comme on l'avait prédit un peu légèrement. C'est plutôt le contraire. »

Borah grogna :

« N'empêche que c'est Hughes et Hoover qui tirent les ficelles.

— Je n'en suis pas si sûr.

— De toute façon, qu'est-ce que ça change ? » dit Borah en montant le premier dans la voiture, quoique Burden fût son aîné. La voiture sentait la jacinthe. (Où le chauffeur avait-il bien pu en cueillir ? Celles de Rock Creek étaient déjà toutes passées.) « Tant que nous marcherons dans la même direction, tout ira bien. C'est plus tard, quand nous différerons... »

Borah serra les dents et projeta son menton en avant. Il était manifestement fait pour l'opposition. Il était éloquent, honnête, intelligent, et il ennuyait Burden à mort.

3

Tel un lézard impérieux, la reine Elizabeth se faufilait entre les arbres en carton-pâte qui, nonobstant un superbe éclairage — tamisé ! —, ressemblaient exactement à des arbres en carton-pâte avec des feuilles en papier. La reine Elizabeth était très très vieille, et Mary Stuart n'était plus très très jeune. Caroline s'enfonça sur son fauteuil et regarda sur l'écran Emma Traxler déballer son sac à malices. Et tout bien compté, il n'y en avait pas tant que ça !

Elle guigna vers son voisin de gauche, Charles Eyton, et vit, dans la lumière tremblotante émanant de la cabine de projection, qu'il se tenait bien droit sur son siège, une cigarette aux lèvres dont les volutes bleuâtres venaient s'agréger au rayon lumineux qui transportait dans ses particules les images du film *Mary Stuart* produit par la Traxler Productions, production « perturbée » selon l'expression de Miss Kingsley dans le *Los Angeles Times*, et dont le budget « était passé de un à près de deux millions de dollars » selon *Kine Weekly*. Comme l'intrigue principale était centrée sur les amours de Mary et de Bothwell, Taylor avait supprimé, au grand soulagement d'Emma, une petite histoire d'amour entre deux tourtereaux. Ah, que n'aurait-elle donné pour retrouver un cou sans rides et des lèvres pulpeuses ! Tout, oui, tout. Et ses yeux admirables (mais bien fatigués) et cette seyante collerette ! Bothwell avait, sinon l'âge du rôle, du moins celui d'être son partenaire, ce qui ne les empêchait pas d'être tous les deux trop âgés pour un public de cinéma, contrairement au théâtre où, vus de loin, on les aurait trouvés tout à fait convaincants.

Caroline ferma les yeux durant la scène de sa rencontre avec Elizabeth dans la forêt en carton-pâte. En dépit d'un éclairage approprié, ses yeux lumineux, qui faisaient l'admiration des adolescents et des lesbiennes de tous âges, brillaient à travers tout un réseau de minuscules rides qu'elle n'avait encore jamais aperçues dans son miroir et qui, probablement, avaient également échappé à l'acuité de son maquilleur, le plus coûteux de la profession pourtant. Et maintenant, tels ces canaux de la planète Mars qu'on voit à travers un télescope, l'écran les faisait paraître vingt fois, trente fois plus grands que nature. Caroline commençait à se sentir mal. Elle saisit la main de William et la trouva moite. Il retira ensuite sa main et alluma une cigarette. Il y eut quelques toussotements parmi l'assistance, des professionnels pour la plupart qui auraient bientôt la lourde tâche de commercialiser le film.

La scène de bataille fut accueillie avec soulagement. Puis on retrouve Mary dans sa prison. Elle marche de long en large en faisant de grands moulinets avec ses bras. On voit ensuite une foule de figurants huant, mais rien ne ressemble plus à une foule qu'une autre foule. Et pourtant certains fanas de cinéma passaient pour avoir mémorisé des centaines de visages de figurants. Chaque fois qu'ils en reconnaissaient un, ils l'applaudissaient à tout rompre, qu'il joue dans une scène de la Révolution française ou qu'il taille une martingale autour d'une table de casino.

Scène finale : le portail du château s'ouvre, et Mary apparaît seule, vêtue de noir, un chapelet enroulé autour de son poignet et serrant contre sa poitrine une Bible et un crucifix. Elle s'avance majestueusement, et cependant on la sent vulnérable, ce qui est normal de la part de quelqu'un à qui on va couper la tête. Caroline pense à quelqu'un qu'elle a connu autrefois, mais elle n'arrive pas à se rappeler qui. Arrivée au pied de l'échafaud, voilà qu'elle se souvient. Il s'agit de Miss Glover, son ancien professeur de mathématiques. Une femme avec les yeux larmoyants et le nez qui lui gouttait.

Caroline frémit en regardant Miss Glover, un mouchoir tout chiffonné à la main, et pas des plus propres avec ça, monter lentement les marches de l'échafaud où l'attend le bourreau, la tête encapuchonnée, et une hache à la main. Caroline avait décidé de garder sa collerette jusqu'à la dernière minute. Taylor lui avait même suggéré de la garder pendant la scène de décapitation, car personne ne verrait la différence. En outre une hache qui peut trancher une tête doit bien pouvoir trancher une collerette. Mais Caroline avait tenu à respecter la vérité historique.

Gros plan sur les figurants pendant qu'on enlève la collerette. Là où quelques instants plus tôt ils huaient, on lit maintenant sur leurs visages la pitié et la terreur. On aperçoit notamment un robuste Highlander qui arbore à son poignet velu une montre-bracelet Longine. Il faudra refaire cette scène, songe Caroline. Tim n'aurait jamais remarqué cette montre. C'est là que Taylor était supérieur à Tim : dans l'attention portée aux détails. Les détails, oui, c'est bien joli, mais à quoi rimait tout ça ? se demanda Caroline, prise soudain de panique.

Mary Stuart jette un dernier regard autour d'elle — un dernier regard lumineux sur un monde qu'elle s'apprête à quitter pour toujours. Elle (Mary ? Miss Glover ?) presse ensuite la Bible et le crucifix contre sa poitrine. Un sous-titre avertit le public qu'elle est en route pour un monde meilleur où la trigonométrie est l'étude des triangles. Alors Miss Glover, les yeux fixés sur le triangle parfait et absolu — à savoir la Sainte Trinité —, s'approche du billot, s'agenouille et y pose sa tête.

Cette fois ce n'est pas seulement les figurants, mais c'est toute la salle qui sanglote, surtout si l'organiste du Strand (à New York) met toute la gomme. Au Capitole, c'est encore mieux, car là le public a droit à tout un orchestre symphonique. Et vraiment c'est bien le diable si les spectateurs ne sont pas cloués sur place en voyant Miss Glover perdre la tête pour de bon. Un grand mouvement de caméra balaie ensuite toute la scène : depuis les genoux du bourreau, en remontant sur sa tête encapuchonnée, jusqu'à la tour de la forteresse qui se découpe sur un ciel d'orage où le soleil filtre à travers les nuages, tandis que l'âme tourmentée de Mary est reçue par le chœur des anges. Gloria, gloria, alléluia !

Quand la lumière revint dans la salle, Charles Eyton se leva et secoua la tête d'un air ravi :

« Félicitations à tous les deux. Je n'ai encore jamais rien vu de pareil.

— Il faudra synchroniser encore un peu tout cela, dit William. Nous aurons une avant-première à Pasadena pour voir comment le public réagit. »

Charles se tamponna les yeux.

« Montrez-le aussi à Bakersfield. »

C'était donc si mauvais ! Bakersfield était un quartier populaire où le public aurait détesté encore davantage *Mary* si le film avait été réussi. Le public de Bakersfield avait la réputation d'interpeller les acteurs et de leur donner des conseils. Eyton était parti, et Caroline dut accepter les félicitations de ses collègues. Tous fuyaient son regard. Elle décida de rentrer à Washington.

Caroline déposa William à son domicile. Elle aurait voulu parler à Tim, qui tournait en ce moment un film à Culver City, mais William insista pour la faire entrer. Heureusement Eddy était invisible.

« Voulez-vous que je fasse un peu de thé ? demanda-t-il.

« Non, merci, je préfère quelque chose d'un peu plus fort. » Et elle alla se servir sur un guéridon chargé de carafes en cristal et de photographies d'actrices dans des cadres en argent, disposées avec un soin religieux, tels des dieux lares dans une villa romaine. Et, bien entendu, comme dans presque tous les foyers hollywoodiens, Mary Pickford était la déesse tutélaire. Probablement, lorsqu'elle serait vieille et qu'elle se mettrait à ressembler à Miss Glover, sa photo disparaîtrait de tous les pianos et de toutes les consoles du pays pour être remplacée par celle de Gloria Swanson ou d'une autre.

« Qui est-ce ? »

Pour la première fois Caroline remarqua la photo d'une femme à la physionomie intéressante, avec d'immenses yeux noirs et coiffée d'un grand chapeau.

« Charlotte Selby. Vous l'avez déjà rencontrée. C'est la mère de la petite Mary Minter.

— Et ça, c'est la petite », murmura Caroline en examinant la photo d'une adolescente aux boucles blondes et au nez en forme de pomme de terre bouillie, puis se tournant vers Taylor elle ajouta : « Bakersfield, eh bien soit ! » Cette fois elle était mûre pour jouer Lady Macbeth. Et à la scène ! Et ce dialogue qu'elle n'avait jamais pu apprendre, elle le ferait entrer dans les oreilles et dans la gorge du public ! Elle en avait soupé de l'écran. Au diable Emma Traxler ! Elle était morte décapitée dans la cour du château de Fotheringay, cette éphémère qui s'était crue immortelle !

« Je crois que même à Bakersfield ils seront contents, lui dit William pour la réconforter. Vous êtes trop proche du personnage, voilà tout. Autrement l'histoire se développe très bien, le rythme est bon...

— C'est moi qui suis mauvaise, William, dit-elle en s'asseyant à son bureau. J'ai joué ce rôle trop tard.

— Ne soyez pas absurde.

— Où a lieu la première ? Au Capitole ? »

William eut un haussement d'épaules.

« Pourquoi pas ? C'est un public qui vous aime bien. Un public bon genre, comme vous. Je pars le 1er juin. »

William pressa sur son diaphragme avec l'index et le médius de chaque main. Depuis plus d'une année il souffrait de douleurs intermittentes, dont on ignorait la cause.

« Où ça ? »

Caroline ne savait pas si elle était invitée à l'accompagner ou non.

« A Londres. Knoblock me prête sa maison, et moi je lui laisse la mienne. On fait un échange. Je reviendrai en automne. J'ai besoin d'un repos complet. »

Il avait l'air effectivement harassé. Quoiqu'on dît qu'il se droguait, rien dans son comportement ne le laissait paraître, contrairement à Mabel Normand ou à Wallace Reid que le studio était obligé de ravitailler en morphine sur le plateau. Hollywood devenait de plus en plus une ville de drogués et les vendeurs de drogue — les « dealers » comme on les appelait — étaient partout, déguisés en princes russes dans les soirées mondaines ou tout bonnement en vendeurs de cacahouètes. Caroline avait parfois l'impression de vivre dans une société codée dont tout le monde connaissait la clé à part elle.

« Et *Green Temptation* ? »

Ce devait être le prochain film de Taylor, où Caroline ne jouait pas.

« Différé. »

Il la considérait d'un air anxieux.

« Pourquoi ne viendriez-vous pas ? »

William l'avait déjà entraînée tant de fois sur le chemin jonché de cactus du désir non partagé qu'elle éprouvait quelque réticence à le suivre à nouveau dans un désert qui ne contenait ni miel ni sauterelles...

« Je ne sais pas si je pourrai... le journal... »

Elle mentionnait le journal chaque fois que sa vie d'actrice ne la comblait pas entièrement.

« Evidemment. Je comprends. Je pensais simplement que vous pourriez avoir envie d'aller à Londres. Vous y avez des amis, vous y êtes célèbre...

— Pas pour longtemps... »

Tout en se moquant d'elle-même, de l'Europe et du cinéma, elle s'était mise à tripoter une lettre qui traînait sur le bureau. Il y avait notamment cette phrase, écrite à l'encre noire sur du papier à lettres bleu : « Je vous promets que je vous tuerai », qu'elle lisait et relisait sans en pénétrer le sens, tant elle était absorbée par ses propres soucis. Pour elle ce n'était rien d'autre qu'une réplique de dialogue dans un scénario différent de celui qu'elle était en train de jouer. Un autre code dont elle n'avait pas la clé. Ce n'est qu'après avoir promis à moitié de ne pas venir — ce qui était beaucoup plus habile que de promettre à moitié de venir — que la lumière se fit dans son esprit. Mais à ce moment-là elle était déjà au lit avec Tim, chose qui ne lui était pas arrivée depuis des mois. Il était rentré de bonne heure du studio, Héloïse lui avait ouvert la porte, et il s'était endormi sur le lit de Caroline qui, bien sûr, avait profité de l'occasion.

« Qu'est-ce qui lui plaît en moi ? » se demandait-elle pour la énième fois. Certaines réponses de Tim lui convenaient mieux que d'autres.

« L'argent, répliqua Tim.

— Pourquoi le mien ? Il y a ici tant de gens bien plus riches que moi. Il m'a proposé de venir avec lui en Europe. Pourquoi ?

— Pour que tu le présentes à tes amis de la haute.

— Je n'en ai pas. Il en a plus que moi. Il connaît déjà tous les gens qui... désirent le connaître, ajouta-t-elle non sans une pointe de méchanceté.

— Il n'a toujours pas couché avec toi ? »

Caroline secoua la tête.

« Il doit me trouver trop vieille. A moins que je ne sois pas son genre. Celui qui prie devant l'autel des trois M. dédaigne de mettre un cierge devant mon effigie de femme mûre.

— Tu aimes bien te moquer de ma religion, n'est-ce pas ?

— C'est aussi la mienne. »

Elle se voyait en habit de nonne, condamnée au silence et aux bonnes œuvres, en train de soigner une colonie de lépreux. Puis elle se rappela ce que lui avait dit Lubitsch : toute actrice ayant dépassé la quarantaine veut jouer les religieuses pour cacher son cou.

« Tu n'as jamais pensé qu'il pourrait être de l'autre bord ? »

Tim était toujours prompt à classer les gens dans des catégories sexuelles bien tranchées, ce qui, Caroline le savait, n'était pas possible dans la vie réelle, du moins chez les Parisiennes, dont tout l'art consistait à établir un équilibre parfait entre les droits respectifs du mari, de l'amant et de la petite amie.

« Il l'est peut-être. De temps en temps. Mais les garçons écrivent-ils des lettres de menaces sur du papier à lettres parfumé ? De menaces de mort ? »

Tim se dressa sur son séant.

« Pas ceux que je fréquente en tout cas.

— Ni ceux-ci ni ceux-là. Non, cette lettre a bien été écrite par une femme. Cela se voit. Je ne sais pas à quoi. A la couleur du papier ? Aux points d'exclamation... Bref, la lettre traînait sur son bureau, et j'étais là, assise. Je ne voulais pas la lire, mais bien sûr, je n'ai pas pu m'en empêcher. Et je l'ai lue, là, en face de lui, sans d'ailleurs comprendre le sens de ce que je lisais. »

Tim fronça les sourcils.

« Taylor a des accointances dans le monde de la drogue. Il s'agit peut-être d'un revendeur.

— Je l'ignore. Tout ce que je sais, c'est que je ne peux plus me passer de lui. »

Mais la raison au juste pour laquelle Caroline désirait être à toute heure du jour et de la nuit en compagnie d'un homme qui n'était même pas son amant était un mystère non seulement pour Tim, qui l'écoutait patiemment, mais surtout pour elle-même. C'était le monde renversé. Jusqu'à présent elle avait toujours réussi — par chance ou par instinct — à ne jamais dépendre des autres. Tant avec Tim qu'avec Burden, elle s'était arrangée pour entretenir des rapports agréables avec les hommes, basés essentiellement sur le plaisir, et pas seulement sexuel du reste. Or pour une fois qu'elle ne couchait pas avec un homme, elle était jalouse comme une tigresse. Elle se flattait d'avoir mystifié tout le monde au sujet de ses relations avec Taylor. Elle avait été tout miel avec la petite Mary chaque fois qu'elle l'avait rencontrée dans le monde, et elle avait été sensible au charme de Mabel Normand, capable de s'exercer aussi bien sur les hommes que sur les femmes. Mais la justification de toutes ces complaisances, c'était le mystérieux, l'énigmatique William Desmond Taylor. Il avait pour amis de « vrais hommes » comme Chaplin, dans la mesure où cet elfe, ce farfadet de Charlie, était capable de s'intéresser à qui que ce soit en dehors du public. Les gens de la profession avaient de l'admiration pour Taylor et les femmes étaient attirées par lui. Cependant Caroline semblait incapable de l'émouvoir, et encore moins de le comprendre. Ses bonnes manières la tenaient à distance et l'empêchaient de se jeter sur lui. D'ordinaire elle n'aurait pas insisté, elle se serait éloignée. Mais cette fois elle restait, comme hypnotisée. Il lui parlait constamment de Mary et de Mabel, et elle l'écoutait avec sympathie, comme si elle était leur mère.

« Je n'ai pas l'impression que Mr. Eyton aime beaucoup Mary Miles... je veux dire *Mary Stuart*, observa Caroline en enfilant une robe de chambre.

— Et toi ? »

Tim était allongé sur le lit tout nu, à l'exception d'une jarretelle, qu'il avait omis de retirer.

« J'ai l'air d'une vieille femme.

— Tu exagères sans doute. N'oublie pas que tu te regardes d'un œil beaucoup plus critique que le public. Tu en fais trop.

— Je sais.

— Je t'aurais corrigée.

— William a essayé. C'est curieux, en me regardant j'ai pensé à un professeur que j'avais en classe. Elle était toujours larmoyante. Tu ne crois pas que des cheveux bouffants m'iraient mieux ? dit-elle en s'examinant devant sa coiffeuse.

— Tu ne serais plus Emma Traxler.

— Justement.

— N'y pense plus. Pars avec lui en Europe. Prends des vacances. Cesse de lire la presse spécialisée. Va voir ton amie, Mrs. Wharton, et tâche de te procurer les droits de son dernier roman, celui que tu as bien aimé, et que moi je ne suis pas arrivé à lire. Tous ces gens riches... Tu auras besoin de porter les cheveux longs pour ça. »

Tim la réconforta à la fois physiquement et moralement. Chose curieuse, plus elle avançait en âge et plus l'acte de chair lui était nécessaire. Mais son moral, lui, se détériorait un peu plus chaque année, et les années s'envolaient toujours plus vite, comme des chauves-souris au crépuscule.

Quelques jours plus tard, comme ils dînaient tous les deux au Sunset Inn dans Ocean Avenue, Caroline essaya de le dissuader de tourner un film où il était question de lynchage.

« Tu fais toujours la même chose, tu vas te faire typer », lui dit-elle en regardant la lente progression de la lune dans le ciel du Pacifique. Un ciel tout en grisaille, une lune toute mousseuse. Le restaurant était construit sur des pilotis fixés dans le sable, semblables à de frêles échasses, autour desquels tourbillonnait mollement la marée. A une table voisine une demi-douzaine d'acteurs comiques, la bouche pleine, les moustaches bariolées de glace à la framboise ou à la pistache, se penchaient vers leurs voisines aux rires nerveux.

« Où est le mal ? Pourquoi n'y aurait-il pas un cinéaste typé ? »

Mais Tim n'avait pas l'air très content de cette étiquette. Le bruit courait qu'il s'était querellé avec Ince. Or, comme il n'y avait pas beaucoup d'autres studios où il pourrait avoir les coudées aussi franches, et qu'il ne voulait pas imposer son style à la Traxler Productions, il ne restait plus que l'Europe, qui n'était pas son genre.

« Les lettres empoisonnées ont cessé, fit-il observer.

— Ma pauvre enfant ! soupira Caroline.

— Maintenant elle m'envoie des pamphlets empoisonnés. Comment en est-elle arrivée là ?

— Comme elle n'a pas de père, c'est moi la fautive, je suppose. Mais, comment ça s'est fait au juste, je l'ignore.

— Washington ?

— Peut-être. Nous étions des sceptiques. Nous ne prenions pas très au sérieux tous ces discours que nos amis débitaient au Sénat, alors qu'eux ils y croient. Tout ce foin qu'ils font autour du bolchevisme, c'est comme pour les Boches pendant la guerre...

— Tout à fait. »

Tim leva la tête et ses yeux s'arrondirent.

« La voilà ! »

Caroline se retourna au moment où Elinor Glyn entrait dans le restaurant en compagnie de trois jeunes hommes dont l'un était une étoile montante dont Caroline n'arrivait jamais à se rappeler le nom.

Miss Glyn promena son regard d'aigle autour de la salle, puis ayant reconnu Caroline, elle planta là ses compagnons, et contourna la tablée de comiques, qui s'arrêtèrent de bâfrer pour lever un regard béat sur ce personnage de légende.

« Chère Miss Traxler ! »

Caroline et Tim se levèrent.

« Rasseyez-vous, je vous prie. Je viens de recevoir le feu vert pour mon second film, et alors nous sommes venus fêter ça...

— Asseyez-vous, dit Emma Traxler, vous nous intéressez...

— Je le tournerai près de vous, monsieur Farrell, à Culver City, avec le charmant Mr. Goldwyn, qui vient de déclarer à la presse que mon nom était *anonyme* de sex-appeal...

— *Anonyme ?* fit Tim.

— Mais oui, vous avez bien entendu. Mais dans sa bouche c'était sûrement un compliment... »

Caroline la pressa pour avoir des détails.

« Je suis la productrice. Mr. Sam Wood dirigera de nouveau pour moi. Je jouirai d'une liberté encore plus grande qu'avec Lasky. J'aurai comme directeur artistique un certain Mr. Gibbons. Vous le connaissez ?

— Non, fit Caroline.

— C'est un gentleman. Les grandes maisons, ça le connaît. Il en a visité plusieurs.

— A titre d'invité ?

— Bien sûr. Fini les palmiers en pot de faïence et les pieds d'éléphant dans les boudoirs de Mayfair...

— Comme à Sandringham et à Osborne ?

— Comment ? *Vous* connaissez *ces* maisons ?

— J'y ai séjourné du temps de la reine Victoria. »

Caroline avait effectivement passé un week-end à Sandringham lorsque le prince de Galles y résidait. Et elle se souvenait très bien des pieds d'éléphant qui servaient de porte-parapluies.

« Quelle sera la principale vedette féminine ? Encore Gloria Swanson ?

— Ce n'est pas encore décidé. Mais j'ai l'acteur masculin. Le charme personnifié. Rudolph Valentino. Il viendra nous rejoindre tout à l'heure avec ses deux partenaires. C'est gentil, vous ne trouvez pas ? Vous parlez italien ?

— Oh, oui ! » mentit Caroline.

Depuis une année Valentino était devenu une star de réputation mondiale avec *Le Cheik* et *Les Quatre Cavaliers de l'Apocalypse*.

« Rodolpho est un être pur, intact, qui n'a pas été touché par la Malédiction californienne, comme je l'appelle. La méchante fée qui finit par corrompre tous ces imbéciles qui viennent ici uniquement dans le but de gagner de l'argent...

— Mais l'argent qui s'y gagne est bien réel, intervint Tim.

— Les imbéciles aussi », ajouta Caroline avec son plus charmant sourire.

Elle avait osé sourire. La Glyn avait vu tout cet entrelacs de petites rides au coin des yeux, qui la disqualifierait aux yeux de la Glyn pour être la partenaire de Valentino dans *Beyond the Rocks*.

« Le thème est celui de l'innocence américaine confrontée à la vieille Europe, raffinée et corrompue. L'héroïne s'appelle Theodora et elle a une mère... »

A défaut de Theodora, Caroline se disait qu'elle pourrait peut-être jouer la mère, tout en laissant son sourire s'évanouir de son visage aussi rapidement que le permettait la décence.

« Rodolpho joue donc le rôle de ce blasé de Lord Bracondale... »

Glyn lui jeta un regard soupçonneux.

« Les Lambton sont bien plus sinistres que l'adorable Rodolpho.

— La femme noire des *Sonnets* de Shakespeare ne leur était-elle pas apparentée ?

— Je l'ignore, c'était avant mon époque. »

La perruque bien en place et la tête haute, Elinor Glyn regagna sa table. Elle n'avait pas dit un seul mot de *Mary Stuart*.

« Ça y est, dit Caroline. La Malédiction Californienne est sur moi. Il est temps que je me retire.

— Où ça ?

— A Washington, pardi ! Tu vois un autre endroit ?

— Je croyais que tu en avais fini avec le journalisme. »

Caroline se demandait si par hasard elle n'en aurait pas fini avec tout. Avec la vie, tout simplement.

« Je pourrais toujours me retirer en France et devenir une vieille dame comme il faut. »

Tim secoua la tête.

« Tu te suiciderais avant, je te connais. Pourquoi ne t'intéresses-tu pas davantage...

— A quoi ?

— Au cinéma. A ton métier. T'es-tu demandé pourquoi j'essayais de faire des films sérieux, je veux dire des films qui traitent de la vie réelle ?

— Parce que tu ne sais rien faire d'autre. Mais ce n'est pas la vie réelle, c'est un divertissement.

— Non, c'est plus que ça. Tu te souviens de ton premier film ?

— J'étais belle et noble comme c'est pas possible ! »

Tim soupira :

« Les actrices ! Rappelle-toi ce que nous avons fait. Le gouvernement voulait inculquer à tous les Américains la haine du Boche, et nous y avons réussi.

— Grâce aussi à des centaines d'autres films, à la presse, à George Creel, ainsi qu'aux Allemands eux-mêmes, il faut bien l'avouer...

— Là n'est pas la question. L'important, c'est qu'à un moment donné nous avons établi un contact avec le public, avec le *Zeitgeist*.

— Le *Zeitgeist* ?

— Oui, l'esprit du temps, si tu préfères. Nous avons réussi à faire partager à d'autres les sentiments que nous éprouvions. »

Caroline lorgna du côté d'Elinor Glyn, qui était en train de regarder sa montre. Rodolpho était en retard.

« Tu ressembles à Chaplin quand il parle du cinéma comme d'une force au service du Bien.

— Il a raison, quoique j'ignore ce qu'il entend au juste par Bien. Pour le moment nous fournissons au monde toutes sortes d'idées, de rêves... Ces rêves, pourquoi ne pas les modeler consciemment, délibérément, en sachant ce que nous faisons, et non pas de façon instinctive, improvisée ?... Oublie tes problèmes, cesse de t'apitoyer sur toi-même. Le monde est grand.

— Tu es ambitieux, mais je crois comprendre ce que tu veux dire. L'Amérique n'a pas de passé, pas d'enfance, elle ne peut exister que dans les rêves, en imagination. Mais à quoi veux-tu les faire rêver ? »

Tim haussa les épaules :

« Pourquoi pas à Eugene V. Debs ?

— Ça, c'est de la propagande, et maintenant les gens ont appris à s'en protéger. Non, un rêve, c'est quelque chose de plus subtil, de plus impondérable, universel. Sur le moment on ne le remarque pas, mais ensuite on ne peut l'oublier. Comme la façon de marcher de Richard Barthelmess dans *Broken Blossoms*. Tout ça c'est très joli, mais comment prévoir ce qui marchera ?

— Pourquoi chercher à prévoir ? On verra bien. Montrons les choses telles qu'elle sont, mais selon un angle soigneusement calculé, afin que le public puisse voir exactement ce que nous voulons leur montrer...

— C'est-à-dire ? »

Tim eut tout à coup un rire juvénile.

« Si nous connaissions la réponse à cette question, nous aurions percé le mystère de la vie et nous mourrions heureux. Contentons-nous de faire des films et nous verrons bien quelle moisson lèvera. »

Caroline commençait d'y voir plus clair.

« Jusqu'ici nous avons laissé le gouvernement nous dicter ce qu'il fallait faire, et jusque la manière de le faire. Pourquoi ne pas inverser le processus et suggérer au gouvernement ce que nous voudrions qu'il fît ?

— A la bonne heure ! Pour quelqu'un qui a passé des années à écrire de stupides éditoriaux capitalistes, tu n'es pas trop bouchée.

— Pas si stupides que ça », dit-elle avec emphase, puis elle ajouta d'un air alléché et complice : « Là où Hearst a inventé l'actualité, nous pourrions... »

Et un frisson la parcourut tout entière.

« Quoi ?

— J'allais dire que nous pourrions inventer les gens eux-mêmes. Tu crois que c'est possible ?

— Pourquoi pas ? Ils attendent d'être inventés, de savoir qui ils sont et ce qu'ils sont... »

Caroline réalisa tout à coup qu'on avait jusqu'ici considéré le cinéma par le petit bout de la lorgnette. Le cinéma n'avait pas seulement pour fonction de raconter des histoires ou de refléter la vie. Il pouvait exister à titre indépendant et inventer à son tour ceux qui l'avaient inventé. On s'était servi du cinéma pour stigmatiser les ennemis de la nation. Pourquoi ne pas l'utiliser à présent pour modifier la perception que le spectateur avait de lui-même et du monde ? Ainsi Caroline pourrait-elle enfin supplanter Hearst. L'apitoiement sur soi-même avait fait place à une mégalomanie des plus agréables. Du coup elle retomba même amoureuse de Tim. Ils allaient pouvoir faire de grandes choses ensemble, maintenant qu'ils savaient en quoi consistait leur travail. Et comme un bonheur n'arrive jamais seul, Caroline s'aperçut au bout d'un moment que l'adorable Rudolph Valentino avait posé un lapin à Elinor Glyn. A la table à côté les comédiens parlaient de plus en plus fort, et l'un d'eux, un gros plein de soupe, courut au petit coin, la main entre les cuisses en imitant la démarche de la Glyn, ce qui fit rire toute la salle. Seule Elinor détourna la tête de côté d'un air dédaigneux, tandis que sous la table Tim se saisit de la main de Caroline.

CHAPITRE XII

1

Burden hocha la tête et frissonna. Il était peu probable qu'il redevînt l'homme qu'il avait été avant la grippe. Il poursuivrait sa route jusqu'au bout, et puis voilà. Il regarda d'un œil morne la caisse en sapin oblongue recouverte du drapeau américain contenant les restes du « Soldat inconnu ». Les chefs d'Etat des principales nations du monde étaient venus se recueillir devant cette dépouille non identifiée, honorant ainsi, comme ils aimaient à le dire, les multitudes anonymes qu'ils avaient sacrifiées pour rien du tout. A leur orgueil. A leur démence. Le cercueil était placé sur une bière qui disparaissait sous des couronnes de fleurs. Burden se demandait qui ou quoi pouvait bien être à l'intérieur de la caisse.

Les chefs d'Etat, ou leurs représentants militaires, prenaient place sur l'estrade au centre de l'amphithéâtre. Ils avaient été convoqués à Washington pour la conférence sur la limitation des armements. Harding s'était approprié l'idée de Borah qu'il avait ensuite, très subtilement, réussi à faire accepter à toute la classe politique américaine. On saurait le lendemain, jour d'ouverture de la conférence, si cette idée aurait également l'agrément des chefs d'Etat étrangers. En attendant, cette commémoration du Soldat inconnu était destinée à impressionner favorablement l'opinion mondiale : jamais plus on ne reverrait un tel massacre.

Au premier rang des dignitaires étrangers, on trouvait Aristide Briand, le président du Conseil français, dont la tenue toute noire tranchait sur les uniformes chamarrés des militaires. Même l'ancien Premier ministre britannique, Arthur Balfour, portait un uniforme voyant. Comme les Anglais aiment à se déguiser ! songeait Burden avec morosité. Il est vrai qu'il voyait tout en noir depuis quelque temps. L'histoire avançait trop vite pour lui, il s'essoufflait à la rattraper. Il regarda d'un air distrait le maréchal Foch, l'amiral Beatty, et les seigneurs de la guerre japonais et chinois, tout galonnés d'or et d'argent. Un peu plus tôt dans la matinée, ils avaient tous défilé devant la Maison-Blanche, ce qui avait perturbé quelque peu la circulation. Le contingent étranger avait ensuite pris la direction du cimetière d'Arlington, perdant en route le Président. « On l'a vu pour la dernière fois à l'entrée du cimetière, ce qui est la façon la plus expéditive de se rendre immortel », observa Borah avec ironie.

Le Lion de l'Idaho était assis à la droite de Kitty et Mrs. Borah à la gauche de Burden.

« Vous avez vu ce pauvre Mr. Wilson ? » dit Mrs. Borah avec son profil de brebis alerte.

Burden hocha la tête, laissant Kitty répondre à sa place. Les services qu'une femme peut rendre en politique sont innombrables.

« Il avait l'air effondré, assis dans sa voiture. Elle, en revanche, elle resplendissait. Elle a beaucoup maigri, ce qui évidemment la rajeunit.

— Vous les voyez encore de temps en temps ? demanda Borah.

— Non », répondit Burden, surpris de sa propre indifférence. Après tout, il avait été l'allié politique de l'ancien Président et non pas son ami. « Je ne crois pas qu'ils tiennent tellement à avoir des visiteurs. Il a sa propre cour, ça lui suffit.

— Moi, si j'étais aussi mal en point, je ne me montrerais pas en public, énonça Borah d'un ton résolu.

— Je vous trouve bien dur », répliqua Kitty.

Et cependant le spectacle de Wilson à demi paralysé était bien émouvant. Quand il avait défilé devant Harding, celui-ci s'était incliné très bas. Wilson avait alors salué le Président en levant une longue main blanche. Le passage de témoin. Le salut du passé au présent. Qui serait l'avenir ?

« Tout ça ne me plaît guère, ronchonnait Borah.

— C'est une commémoration comme une autre, rétorqua Burden.

« — Je ne parle pas de ça, mais de la conférence. Ce n'est pas du tout ce que je souhaitais. Désarmer oui. Tous ensemble. Mais j'ai peur que cela ne se transforme en une autre Société des nations. Si c'est le cas, je m'y opposerai. J'ai prévenu Harding. »

Borah était visiblement jaloux de voir qu'on attribuerait au Président le mérite d'une idée dont il avait, lui Borah, la naïveté de se considérer comme le propriétaire exclusif.

Les Harding, qui avaient finalement triomphé des embarras de la circulation, se trouvaient maintenant sur l'estrade au milieu de l'amphithéâtre. Le Président était toujours aussi superbe. Il portait un complet Chesterfield ainsi qu'un feutre à larges ailes, tandis que Mrs. Harding était voilée de noir pour la circonstance.

La fanfare de la marine joua d'abord l'hymne national. Un chapelain exhorta Dieu de la façon la plus œcuménique. Puis à midi juste un soldat sonna du clairon, et les yeux de Burden s'embuèrent de larmes. Qu'y avait-il de plus beau que de mourir à vingt ans pour son pays ? Mais aussi quoi de plus triste pour un homme politique que d'atteindre les rivages désolés de la cinquantaine sans avoir jamais goûté à l'ivresse du pouvoir ? La soprano Rosa Ponselle chanta : *Je sais que mon rédempteur est vivant* et la tristesse de Burden demeura noble et pure. Puis la fanfare exécuta *America*, un hymne résolument mesquin destiné à étouffer tout sentiment noble. Burden se sécha les yeux, tandis que le secrétaire d'Etat à la Guerre montait sur l'estrade où un microphone, suspendu à une tige de métal, transmettait le déroulement de la cérémonie au Madison Square Garden de New York, à l'Auditorium de San Francisco, ainsi qu'à divers endroits de la capitale où des foules étaient rassemblées. Grâce à la radio, cette célébration connaîtrait la plus grande diffusion jamais enregistrée dans l'histoire.

« Mesdames et messieurs, le Président des Etats-Unis. »

Tout le monde se leva. Harding s'avança vers le micro et fit signe à l'assistance de s'asseoir. Il avait, comme la presse aimait à le dire des Présidents qui sont dans leur deuxième année, acquis « un format présidentiel ». Le sénateur un peu fruste des débuts, qui semblait « sorti d'un roman de Dreiser » (dixit Lodge), était devenu l'incarnation de tout ce qu'il y avait de bon, de sain et de normal dans le pays.

Harding adopta d'entrée un ton lincolnien :

« Réunis aujourd'hui sur ce sol sacré, conscients de l'hommage que l'Amérique tout entière rend à notre frère américain tombé au champ d'honneur, et sachant par ailleurs que le monde entier se joint à notre deuil, nous osons dire que son sacrifice, ainsi que celui de millions d'autres morts, ne sera pas vain. »

La voix résonnait de façon presque convaincante. Mais Burden savait, comme tous les autres, les maréchaux de France et les amiraux britanniques, que ce pauvre bougre dont on enterrait les os avait péri en réalité pour que des politiciens douteux s'amusent un jour à redessiner la physionomie de l'Europe et que des hommes d'argent puissent faire des profits.

« Il est temps d'opposer les voix de la conscience et de la civilisation aux forces de la barbarie et de la destruction... »

Cela faisait un drôle d'effet de penser à tous ces pauvres diables qui s'étaient fait trouer la peau pour qu'un jour une bande de vieux singes décrépits, de brutes empanachées se bavent dans le visage en parlant de paix. Combien de fois, au terme de pareils carnages, les oies du Capitole avaient-elles claironné le fervent message de paix et d'entente entre les peuples ! Et puis quoi ? Il suffisait d'une génération pour oublier les horreurs de la guerre et repartir gaiement, la fleur au fusil, pour de nouvelles conquêtes et de nouveaux profits. Que la race humaine pouvait être stupide ! songeait Burden en considérant un prince japonais tout embardufflé de médailles, qui, disait-on, préparait déjà la guerre dans le Pacifique. Les Japonais étaient sans doute loin de s'imaginer que maintenant que la pacifique République polyglotte d'Amérique du Nord avait acquis le goût du sang, il n'y aurait plus moyen de l'arrêter. La guerre était devenue synonyme de profit. La guerre était l'ultime expression de cet orgueil racial dont les peuples occidentaux avaient été abondamment pourvus. Harding eut sans doute été mieux inspiré d'emprunter son tomahawk et son bonnet à plumes au chef indien qui se trouvait là fort incongrûment au premier rang des seigneurs de la guerre et d'exécuter une danse guerrière en criant : « A mort ! A mort ! » au son du tam-tam. Et les guerres reprendraient de plus belle, toutes plus destructrices les unes que les autres, jusqu'à ce que toute vie eût disparu de la surface de la terre.

« Tandis que nous confions cette argile à la terre, dont elle provient, munie des décorations militaires et comme sanctifiée par nos témoignages d'amour, j'ose espérer que ce jour de l'Armistice marquera le début d'une nouvelle et durable ère de paix sur la terre et de bonne volonté entre les peuples. Et maintenant laissez-moi joindre ma prière aux vôtres. »

Le Président récita ensuite le Notre-Père, et tous ceux qui

entouraient Burden le récitèrent avec lui. Les sénateurs et les ambassadeurs avaient le visage barbouillé de larmes. Burden, pour sa part, était écœuré par tant d'hypocrisie. Une sonnerie de clairon et deux tibias en croix suffisaient à lui rappeler qu'il était mortel et que tous les hommes étaient ses semblables. Mais les bondieuseries et les momeries, non, non, cent fois non ! Le Président épingla la Médaille d'Honneur du Congrès sur le drapeau qui recouvrait le cercueil, et un quatuor vocal du Metropolitan Opera entonna *Le Suprême Sacrifice*. Tandis que chaque chef d'Etat venait à son tour ajouter une médaille à cette constellation, Burden se tourna vers Borah :

« A quand la prochaine guerre ? »

Borah sursauta, puis avec un faible sourire :

« Dans vingt ans si nous ne désarmons pas tout de suite.

— Et si nous désarmons ? »

Borah émit un petit grognement, et Burden répondit à sa place :

« Dans vingt ans également. Espérons que nous aurons la même chance que cette fois. »

Quatre officiers soulevèrent le cercueil et la procession, conduite par le Président et Mrs. Harding, descendit dans la crypte de marbre située sous l'amphithéâtre.

« Je ne sais pas comment nous allons retrouver notre voiture dans toute cette cohue », dit Kitty.

Les femmes en général ne sont pas très sensibles aux chagrins des guerriers, ou plus exactement au chagrin des anciens de la tribu, qui rêvent à de futures guerres au milieu des larmes versées sur la dernière guerre.

2

La duchesse n'était pas à prendre avec des pincettes.

« C'est la troisième lettre, cette semaine, et qu'est-ce que font les services secrets ? Rien ! »

Puis se tournant vers Daugherty :

« Et votre Bureau fédéral d'investigation, à quoi est-ce qu'il sert, voulez-vous me le dire ?

— Il s'occupe des voitures volées et des bolcheviques », commença Daugherty, mais la duchesse l'interrompit :

« Chaque jour la vie du Président est menacée, dit-elle en brandissant une lettre sous son nez. Celle-ci, par exemple, dit que le Président sera assassiné le jour de Noël, et vous ne savez toujours pas qui en est l'auteur », ajouta-t-elle en égrenant un rire amer.

Jess était navré pour Daugherty qui se tenait debout devant la fenêtre en train de regarder la neige tomber sur la pelouse sud. Quelques minutes plus tôt le monument de Washington avait disparu dans un tourbillon de neige. Le monde extérieur se contractait tandis qu'il faisait une chaleur étouffante dans le salon Ovale. Il est vrai que Jess était vite incommodé par la chaleur. En plus de toutes ses autres misères il était maintenant officiellement diabétique. Son médecin lui avait tout interdit : il ne pouvait ni manger, ni boire, ne parlons pas du reste. Sa dernière joie était de servir Daugherty, de faire « tampon », comme on disait dans l'Ohio, d'adorer les Harding et de s'assurer que l'argent continuait de rouler. La vie était mal faite. Il aurait dû être le plus heureux des hommes, et il enfonçait dans des profondeurs d'algues flottantes, une mer glauque montait vertigineusement au-dessus de sa tête. Il asphyxiait. Dernièrement l'état de santé de Lucie Daugherty avait empiré, et Jess devait la veiller la nuit pour permettre à Daugherty de se reposer un peu. Ils habitaient maintenant tous les trois au Wardman Park Hotel, et la porte de communication entre la chambre de Daugherty et celle de Jess était toujours ouverte la nuit, comme ça Jess pouvait appeler Harry au cas où il aurait eu un cauchemar, et Harry, qui était insomniaque, pouvait demander à Jess de venir bavarder avec lui durant les dernières veilles. La vie était plus amusante à Washington Court House, et Jess tâchait de passer au moins une semaine par mois à la maison pour parler avec Roxy de la grande vie qu'il menait dans la capitale, et qui n'était pas si brillante que ça, avec son diabète d'une part et Lucie Daugherty qui déclinait de l'autre.

Laddie Boy annonça l'arrivée du Président. La duchesse glissa les lettres à l'intérieur de son corsage :

« Surtout ne dites rien à Warren », dit-elle, et ses longues dents brillèrent dans sa bouche entrouverte d'un terrifiant sourire de bienvenue.

Le Président avait l'air fatigué malgré ses récents triomphes. Le 1er novembre, il avait stupéfié le monde lorsqu'il avait annoncé à la conférence sur le désarmement que les Etats-Unis étaient prêts à désarmer trente de leurs cuirassiers. Le secrétaire d'Etat, Charles Evans Hughes, avait donné lecture d'un plan secret d'Harding, à la consternation des seigneurs de la guerre présents à la conférence. La Grande-Bretagne, la France, le Japon et l'Italie étaient conviés à jeter à la ferraille près de deux millions de tonnes de navires de guerre.

Harding avait jugé que, si la presse avait eu vent de son plan, les expansionnistes et les bellicistes partout dans le monde auraient eu le temps d'ameuter leurs opinions publiques respectives contre le désarmement. D'où le coup de tonnerre provoqué par Hughes en présence de son débonnaire auteur. L'idée d'Harding, c'était qu'une fois qu'on aurait sensibilisé l'opinion mondiale à ce problème, les gouvernements ne pourraient plus revenir en arrière.

Harding avait vu juste. Le monde entier fut emballé par cette idée, et du jour au lendemain Harding devint l'homme politique le plus populaire au monde, et le plus aimé.

Mais W.G. n'était le Harding historique qu'à temps partiel. Le reste du temps c'était un politicien harassé, marié à la duchesse. Il se laissa tomber lourdement sur un fauteuil près de la cheminée, et appuya son menton dans sa main droite.

« Je vais proposer au Congrès de faire voter une loi limitant l'exercice de la fonction présidentielle à un seul mandat. Quatre ans, c'est bien suffisant. Pour tout le monde. Si j'arrive à décider le Congrès, est-ce que cette loi s'appliquera aussi à moi ?

— Non, répondit Daugherty. En outre, le Congrès à lui seul ne peut pas modifier la Constitution. Tout ce qu'il peut faire, c'est de voter une loi demandant une modification de la Constitution, laquelle doit être ensuite ratifiée par les Etats. Cela peut prendre des années. Si vous en avez assez, vous n'avez qu'à ne pas vous représenter.

— Warren, as-tu encore mangé de la choucroute ? demanda la duchesse d'un ton aigre. Cela lui donne des gaz et il s'imagine qu'il a une crise cardiaque, et le voilà tout mélancolique.

— En mars 1929, après huit ans de cet enfer, j'aurai soixante-cinq ans, ce qui n'est plus tout jeune, et après ?

— C'est la choucroute, décréta la duchesse en s'approchant de son mari pour lui masser la nuque. Tu es tout noué. Détends-toi.

— Si vous pensez comme ça, maintenant que vous êtes l'homme le plus populaire au monde, qu'est-ce que ça sera quand les choses n'iront pas bien ? »

Les exercices d'assouplissement auxquels se livrait la duchesse arrachèrent au Président quelques grognements de satisfaction.

« Je parle sérieusement. Il ne s'agit pas de moi, mais du principe.

Un seul mandat de six ans, par exemple, nous permettrait d'avoir de bons Présidents pour changer...

— Warren, tu es morbide ! »

W.G. soupira en fermant les yeux.

« Comme je dois penser tout le temps à ma réélection, comme tous ceux qui ont vécu avant moi dans cette maison, je passe la plus grande partie de mon temps à accorder des faveurs à tel ou tel, afin qu'il fasse campagne pour moi le moment venu. La corruption n'est pas un bon moyen de gouvernement. On s'étonne néanmoins d'avoir de temps en temps de bons ministres, étant donné la façon dont nous les choisissons !

— Moi excepté, dit Daugherty, vous avez le Cabinet le plus admiré de ce siècle.

— On se rattrape sur vous, observa la duchesse avec un de ces éclairs inattendus d'humour noir. Et maintenant, Warren, au sujet de Noël... »

Mais comme la duchesse allait aborder une fois de plus la question des menaces de mort, Harding se redressa et annonça :

« Harry, j'ai décidé de gracier Debs pour Noël.

— Warren ! » s'écria la duchesse indignée. Elle détestait également les communistes, les syndicalistes et Alice Roosevelt Longworth. « Nous avons déjà discuté de cela... »

En effet ils en avaient maintes fois parlé, et Jess avait même fait partie d'un complot ourdi par le Président et destiné à libérer tous les prisonniers politiques que Wilson avait fait enfermer. Peu après son accession à la présidence, W.G. avait conseillé à Daugherty d'avoir un entretien avec Debs, et s'il n'y avait pas de raison particulière de prolonger sa détention, il était prêt à l'amnistier. Actuellement Debs purgeait une peine d'emprisonnement de dix ans au pénitencier d'Atlanta. Daugherty avait arrangé la chose de la manière suivante. On avait fait monter Debs dans un train, sans gardes, à destination de Washington. Jess était venu le réceptionner à Union Station, et le courant était tout de suite passé entre les deux hommes. Jess avait accompagné Debs au département de la Justice où Daugherty avait eu un long entretien avec le plus célèbre socialiste du pays. Il ne trouva rien à lui reprocher si ce n'est un amour excessif et potentiellement dangereux pour le peuple en général. W.G. avait décidé de libérer Debs le 4 juillet 1921, mais le *New York Times* avait eu vent de ce projet et l'avait sévèrement dénoncé dans un éditorial commençant par ces mots : « Debs est bien là où il est, et il doit y rester. » W.G.

avait alors proféré en privé un certain nombre de remarques hélas impubliables, visant à dire que les sympathies pro-allemandes du *New York Times* avaient nui bien davantage à la cause alliée que le parti socialiste. Puis il avait remis à plus tard sa décision. Mais maintenant le traité de paix avec l'Allemagne était signé, et la guerre était officiellement terminée.

« La situation est redevenue normale », constata W.G. Il s'amusa à fixer Laddie Boy du regard, qui comme toujours dans ces occasions-là, menait un sabbat du diable autour de la pièce en poussant des cris de putois pour fuir le regard de son maître. « Maintenant que nous sommes en paix avec le monde entier, reprit Harding, le moment est venu de faire aussi la paix avec nos propres compatriotes.

— Ils renverseront le gouvernement, Warren. Retiens bien ce que je te dis.

— Je ne crois pas que ce soit du tout l'intention de Mr. Debs, intervint Daugherty d'un ton rassurant.

— La seule chose qu'il m'a demandée quand je l'ai reconduit à la gare pour le ramener en prison, ç'a été une livre de cure-dents en plume d'oie », dit Jess en apportant son grain de sel à la conversation.

Daugherty fit non de la tête, ce qui chez lui voulait souvent dire oui.

« Je vais commuer sa peine, si c'est ce que vous désirez.

— C'est exactement ce que je désire, Harry. »

Laddie Boy poussa un hurlement de peur extatique et sortit de la pièce en courant.

« Mais il devra signer un papier comme quoi il promet de mener une vie exemplaire et d'obéir aux lois...

— Non, répliqua W.G. en se levant et en retirant de son veston d'une main nonchalante les poils du chien. Ce genre de marché est humiliant. C'est comme s'il marchandait sa liberté, ce qui n'est pas le cas. C'est moi qui la marchande.

— Pourquoi ? demanda la duchesse.

— Parce que c'est pour ça que j'ai été élu. Restaurer le pays, panser les plaies. La guerre est finie...

— La guerre de Mr. Wilson », conclut la duchesse.

Un des hommes des services secrets apparut sur le seuil et fit signe à Jess de le suivre. Les autres étaient trop absorbés dans leurs propres pensées pour remarquer son départ.

Nan Britton était assise bien sagement devant la cheminée dans le bureau du Président. Jess se demanda quel était actuellement le prix pour le meurtre de la maîtresse d'un Président. La Main Noire italienne pourrait sûrement se charger de la couler dans du ciment et de la jeter ensuite au fond d'une rivière.

« Oh Jess ! Après cette si belle cérémonie au cimetière d'Arlington, il a fallu que je vienne... C'était tellement émouvant et nous entendions aussi bien à Madison Square Garden que si nous avions été présents...

— Quoi de neuf ? »

Jess se montra cordial bien qu'il eût presque tout le temps la nausée maintenant. Il avait également des douleurs sur le côté droit qui d'après le docteur n'étaient rien du tout, mais ses urines sentaient le jus de pomme, ce qui était un signe de diabète. Il prenait des pilules, faisait un régime et buvait de grandes quantités d'eau.

« Elizabeth-Ann se porte bien, elle est toujours chez ma sœur. Je suis les cours de la Columbia School of Journalism, et tous mes professeurs disent que j'ai un grand talent d'écrivain, surtout quand il s'agit d'exprimer des émotions... »

Etait-ce une manière de chantage ? se demandait Jess. Jusqu'à présent elle n'avait pas été particulièrement exigeante. W.G. l'avait toujours aidée financièrement, et elle était venue plusieurs fois en cachette, comme ça, à la Maison-Blanche. L'un des agents des services secrets, Jim Sloan, était constamment en rapport avec elle, et chaque fois qu'elle désirait voir W.G., elle prévenait aussitôt Sloan. L'été précédent, W.G. avait fait venir Nan, c'est du moins ce qu'elle avait dit à Jess. C'était un dimanche comme aujourd'hui, et ils s'étaient rencontrés dans le bureau du Président. Mais ils n'avaient pas d'endroit où faire l'amour. Les soldats qui montaient la garde devant les fenêtres du bureau Ovale pouvaient voir ce qui se passait à l'intérieur. Finalement W.G. avait trouvé une espèce de débarras où les malheureux amants avaient pu s'unir au milieu des redingotes et des parapluies. Rien que d'y penser Jess en avait des sueurs froides. Cela lui rappelait trop le cagibi de Washington Court House où il avait connu ses pires frayeurs.

« J'ai pensé sérieusement à l'avenir », reprit Nan en regardant Jess dans les yeux. Qu'est-ce que W.G. pouvait lui trouver ? se demandait une fois de plus Jess. Elle était mignonne mais sans plus. D'un autre côté, il était évident qu'elle en avait toujours été amoureuse, bien avant qu'il soit devenu Président. En fait, elle l'aimait depuis l'âge de quinze ans. Un homme qui aurait pu être son père. Et de reste ! Jess se demandait quelle impression ça devait faire d'être aimé pareillement.

« J'ai fait deux ou trois visites aux studios de cinéma de New York, et ils estiment que j'ai de grandes possibilités — ce sont leurs propres termes —, bref, que j'ai tout ce qu'il faut pour devenir une actrice. C'est Mr. Hirshan, qui travaille à la Cosmopolitan Pictures, qui m'a dit ça. Et vous savez pourquoi ? Parce que j'ai une façon de refouler mes émotions qu'on peut tout de suite voir sur l'écran, comme Pola Negri.

— Nan, dit Jess en prenant soin de ne pas trop l'alarmer. Cosmopolitan appartient à Mr. Hearst, dont les journaux feraient n'importe quoi pour découvrir votre liaison avec le Président.

— Voyons Jess, ne dites pas de bêtises. Comment l'apprendraient-ils ? Ce n'est pas nous qui allons le leur dire. Alors qui ? En tout cas ce n'est pas bien difficile de faire du cinéma, surtout si vous avez ces émotions que la caméra arrive à déceler, comme une radiographie, vous savez. Quant à mes émotions, il a bien fallu que j'apprenne à les refouler ! »

Là-dessus elle se mit à pleurer, tout gentiment, par petites secousses, en prenant toutefois bien soin de ne pas barbouiller son maquillage, ni de rougir ses yeux.

« Voyons, voyons, dit Jess d'un ton paternel. Mais, dites-moi, pourquoi Jim n'est-il pas venu me chercher ?

— Parce qu'il a dû rentrer chez lui à la dernière minute. Alors il a demandé à son collègue de m'amener ici. J'ai prétendu que j'étais venue vous voir pour affaires. Jim va quitter les services secrets, vous le saviez ?

— Oui. »

C'était Jess qui avait procuré à Sloan un emploi comme manager de Samuel Ungerleider à Washington. Ils formaient tous une grande famille, avait dit Jess à Daugherty, qui s'était contenté d'émettre un grognement. Avec tout ce que Jim Sloan savait sur la vie privée du Président, on ne pouvait pas se permettre de le laisser filer.

« Dorénavant, je devrai écrire aux bons soins d'Arthur Brooks, le valet de couleur du Président, ce qui du reste ne me gêne absolument pas. Voulez-vous aller le prévenir que je suis là », ajouta-t-elle d'un ton presque enjoué, en ouvrant brusquement ses grands yeux.

Tandis que Jess se levait, Nan alla jusqu'au bureau du Président, où elle prit dans ses mains une miniature de la mère de W.G.

« On dit qu'il adorait sa mère. Comme elle a l'air distingué ! C'est tout le portrait d'Elizabeth-Ann. »

Jess regagna le salon du premier. D'autres étaient venus rejoindre le

Président. Le général Sawyer, un petit homme à l'air finaud, donnait un cours de médecine à la duchesse qui l'écoutait bouche bée, car il était le seul à comprendre son rein. Adossé à la cheminée, Charlie Forbes racontait des histoires salées au Président et à Daugherty tandis que le secrétaire d'Etat à l'Intérieur buvait une tasse de thé d'un air dégoûté. Après bien des débats, le Président avait décidé que la loi sur la prohibition de l'alcool pouvait être violée dans les appartements privés, à condition qu'elle soit rigoureusement observée dans les parties de la Maison-Blanche qui appartenaient manifestement à la nation. C'était un compromis boiteux, mais la loi sur la prohibition ne valait guère mieux. Cependant W.G. prenait très au sérieux la dignité de sa fonction, et pour rien au monde il n'aurait voulu commettre un impair. A part cette petite dérogation en ce qui concerne l'alcool, bien entendu. Et bientôt il rejoindrait Nan dans le débarras de l'antichambre.

Jess fixa le Président jusqu'à ce que celui-ci s'en aperçût. W.G. se détacha du petit groupe rassemblé autour de Charlie Forbes, et s'approcha de Jess qui lui dit tout bas à l'oreille : « Elle est dans votre bureau. »

Harding continuait de sourire tandis qu'un rien de rose colorait ses pommettes. Il jeta un coup d'œil à la duchesse et au général Sawyer, qui semblaient toujours absorbés dans leur conversation. Puis il sortit de la pièce avec Laddie Boy. Seul Daugherty s'était aperçu de quelque chose. Il regarda Jess de son œil bleu, tandis qu'il clignait de son œil droit, tout en dodelinant de la tête.

Jess s'assit à côté du secrétaire d'Etat à l'Intérieur, qui lui dit :

« Jess, vous voulez que je vous dise ? Eh bien, je n'ai qu'une hâte, c'est de ficher le camp d'ici, et de rentrer chez moi au Nouveau-Mexique. »

Fall se mit à tousser dans un grand mouchoir qui ressemblait à un foulard.

« La bronchite », puis montrant une main toute déformée : « L'arthrite. Et maintenant il s'agirait d'une pleurésie.

— Vous en avez parlé à Doc Sawyer ?

— Je préférerais aller trouver un vétérinaire, rétorqua Fall qui n'avait pas grande estime pour les talents du petit médecin. Et par-dessus le marché j'ai une caverne au poumon. J'ai demandé au Président de me permettre de démissionner, mais il estime que c'est un peu trop tôt et que ça pourrait porter préjudice à son gouvernement. Alors on m'a refilé les réserves pétrolifères de la marine, parce que Denby n'en veut pas, ce qui signifie que tous les escrocs de ce pays vont chercher à mettre la main sur ce pétrole. »

Fall n'en finissait pas d'énumérer ses doléances et Jess l'écoutait avec beaucoup d'intérêt, car il avait — comme tout le monde ? — des amis qui cherchaient à acquérir ces concessions pétrolifères qui appartenaient pour le moment au gouvernement. La marine croyait implicitement que, puisqu'une guerre avec le Japon était inévitable à plus ou moins brève échéance, les cuirassiers américains devaient pouvoir avoir un accès instantané à leurs propres réserves d'essence. C'est pourquoi l'Etat, sous la présidence de Wilson, avait acquis les gisements pétroliers de Californie et du Wyoming. Mais depuis la signature de la paix, et à l'instigation d'Harding, les flottes du monde entier avaient tendance à diminuer, c'est pourquoi le secrétaire d'Etat à la Marine, Denby, avait chargé son collègue de l'Intérieur de régler ce problème, ce qui, à entendre Fall, était loin d'être une sinécure.

« Depuis mai, depuis que Denby s'est tiré des flûtes, c'est la gabegie. J'y suis jusqu'au cou. Des faveurs, des faveurs, c'est un mot que je ne peux plus entendre.

— Le gouvernement peut faire de jolis petits profits en vendant ces réserves aux enchères. C'est quelque chose. »

Jess sentit son cœur battre plus vite. Cette fois ce n'était pas le diabète, mais l'argent, qui avait mis en branle son système nerveux.

« Si j'y arrive, dit Fall. Nous avons ouvert les enchères l'été dernier concernant Elk Hills en Californie. Ça ne nous a pas rapporté lourd, je vous assure. Par contre le vainqueur, lui, s'est fait son beurre...

— Edward Doheny ?

— Oui, en effet, répondit Fall en jetant un regard interrogateur à Jess. Mais le problème ce n'est pas le pétrole, ce sont ces conservationnistes de malheur comme le jeune Roosevelt. »

Fall dénonça le sous-secrétaire d'Etat à la Marine, qui comme son cousin Franklin et son père Theodore occupait le poste de famille à la Marine. Jess fut surpris de la véhémence de Fall, d'autant que ce dernier était un Républicain rooseveltien, un Rough Rider de la première heure, un véritable progressiste, quel que soit le sens qu'on veuille bien donner à ce mot.

Le dîner réunissait les principaux amis de W.G. au gouvernement. Jess était assez rarement convié à ces repas, aussi n'était-il nullement gêné d'être placé à côté de l'avocat conseil du Bureau des anciens combattants, un certain Charles F. Cramer, Californien insipide dont la principale distinction était d'avoir acheté la maison des Harding dans Wyoming Avenue. Il pensait également le plus grand bien de son patron, Charlie Forbes, un homme dont se méfiaient également Daugherty et Doc Sawyer, à la grande surprise de Jess, car Daugherty n'avait pas pour habitude de censurer ses collègues, et que le seul intérêt de Doc pour Forbes était purement professionnel et concernait tous ces hôpitaux qui étaient censés être non seulement de premier ordre, mais aussi d'un excellent rapport. Jess soupçonnait Daugherty d'être un peu jaloux. Charlie faisait toujours rire le Président, tandis que Daugherty avait plutôt tendance à l'assombrir.

Pour le moment W.G., les pommettes légèrement fiévreuses, était en train de rire d'une des plaisanteries de Charlie. De toute évidence, la petite partie de plaisir avec Nan avait été satisfaisante, quoique brève.

Cramer se tourna vers Jess.

« Où est-ce que vous habitez maintenant ? »

Tout le monde avait l'air de savoir que Daugherty, sa femme et Jess avaient quitté la maison de Ned McLean dans H Street et s'étaient installés au Wardman Park Hotel.

« Pour le moment je campe avec le général Daugherty, répondit Jess, qui était très fier du titre de son ami.

— Ah, tiens, je croyais que vous habitiez K Street maintenant, dans la petite maison verte. »

Cramer n'était pas aussi bouché qu'il en avait l'air. Jess secoua la tête :

« C'est mon vieux copain Howard Mannington qui s'y est installé. Il y fait des affaires, à ce qu'il paraît. Je le vois de temps en temps. »

Jess estima qu'il en avait suffisamment dit. L'opération de K Street s'était avérée extrêmement profitable. Jess et deux vieux amis à lui étaient agents de la General Drug Company. Ils traitaient également toutes sortes d'affaires avec des hommes aux abois désireux de se soustraire à des poursuites judiciaires ou qui cherchaient tout simplement à obtenir des renseignements se trouvant dans les dossiers du département de la Justice auxquels Jess avait accès dans son bureau du sixième étage. Mais quel que soit le volume d'affaires négociées dans la petite maison de K Street ou dans le bureau de Jess au département de la Justice, Daugherty, pour l'essentiel, n'en était pas tenu informé. Quant au Président, à part quelque trafic un peu trop voyant avec les bootleggers les soirs de poker, il ne soupçonnait rien. *My God, How the Money Rolls In!* chantonnait Jess.

Blaise regardait par la fenêtre de sa maison de campagne de Laurel House, et tel le Dieu biblique, il était satisfait de sa création. La maison en elle-même était confortable sans être trop grande. Elle était de style néo-géorgien, et semblait obéir aux lois de la symétrie. De même que Dieu avait créé l'homme, mâle et femelle, de même Blaise avait tout fait par deux. C'est ainsi que deux obélisques en marbre de part et d'autre de la pelouse se faisaient vis-à-vis. La piscine, qu'on apercevait à travers les arbres dénudés, répondait à la même exigence de symétrie : un pavillon à gauche pour madame, et un pavillon à droite pour monsieur. Seuls les arbres d'origine avaient échappé à cette passion binaire. Ils zébraient le ciel gris sale d'hiver comme de grands coups de sabre tout noirs.

Au-delà des arbres, au fond du parc, le Potomac roulait ses eaux tumultueuses entre des berges escarpées. Ici et là, au milieu des roches, apparaissaient de longues plaques de glace, et le soir, quand il était couché, Blaise aimait entendre le craquement de la glace qui se scindait sous la violence de l'eau descendue en cascade de Great Falls.

Frederika, pour sa part, était si heureuse de vivre à la campagne que chaque fois qu'elle en avait l'occasion, elle traversait la rivière à Chain Bridge pour aller rendre visite à des amis à Washington, certaine qu'un paradis terrestre l'attendait à son retour en Virginie, composé de jardins à la française et de forêts sauvages, traversés de travaux en terre datant de la guerre civile. Laurel House était en effet située sur la route de Manassas, non loin de Bull Run où l'armée de l'Union avait été battue deux fois par les Confédérés. Et, en haut du parc, près des serres — construites originairement en forme de L, mais que Blaise, par amour de la symétrie, avait transformées en T — il y avait une cabane où vivait un ancien esclave. Bien que libéré depuis très longtemps, il n'avait jamais quitté la case où il était né : il allait avec la propriété, et Blaise avait conservé le vieux nègre comme homme à tout faire et source de folklore à la fois confédéré et africain. Les deux étant à peu près équivalents, selon Blaise. Le vieillard avait une espèce de rengaine qu'il aimait réciter à tous ceux qui voulaient bien l'écouter. Il racontait comment tous les gens bien étaient venus de Washington pour voir l'armée de l'Union battre les rebelles, et comment ils étaient passés devant sa case au bord de la route — il devait avoir sept ou huit ans à l'époque— et comment il les avait applaudis. « Mais le soir, quand ils sont rentrés chez eux, ils avaient un tout autre air. » C'était un Virginien loyal à son pays, qui à l'exception de Lincoln détestait tous les Yankees.

Frederika entra dans la pièce.

« Ferme la fenêtre, veux-tu, il fait gelant. »

Elle portait une espèce de robe d'été qui ne convenait guère pour la saison, mais les Sanford dînaient ce soir-là chez les McLean dans leur palais de L Street, et dans cette maison de fantaisie, les toilettes les plus excentriques étaient de rigueur. Enid et Peter suivirent leur mère dans la chambre de Blaise. Peter grimpa sur les genoux de son père, tandis qu'Enid reprochait à ses parents de les abandonner un soir de Noël, malgré la montagne de cadeaux qu'ils avaient trouvés ce matin au pied du sapin de Noël, dressé au milieu du salon, et dont la base était entourée d'une espèce de tapis de peluche tout blanc ressemblant à du verre pilé, dont les fibres collaient encore à la peau de Blaise, qui avait joué le Père Noël.

« Nous rentrerons de bonne heure, mes chéris, dit Frederika qui avait une patience d'ange avec les enfants. Nous souperons ensemble. Miss Claypoole vous emmènera faire une promenade en traîneau, s'il y a assez de neige.

— Il y en a plus qu'assez près des écuries », répondit Enid, une petite fille brune aux yeux alanguis, très charmeuse. Peter hocha la tête, en mastiquant un sucre d'orge rayé de rouge et de blanc. Peter était toujours affamé. Frederika s'en inquiétait, contrairement à Blaise qui était d'avis de laisser les enfants s'amuser. Quand ils seraient plus grands, ils auraient assez de soucis, affirmait-il, comme seuls peuvent le dire ceux à qui la vie a toujours souri.

Ils descendirent en procession le grand escalier de chêne sculpté menant dans le grand hall décoré de branches de houx et de boules de gui. La veille, ils avaient célébré Noël en famille. Et en dépit d'une ultime tentative de Peter pour obtenir de son père qu'il lui lise *Captain Marryat,* Blaise et Frederika avaient pu partir sans trop de drame.

Dehors il y avait des congères un peu partout. La petite route étroite de Chain Bridge était dangereusement verglacée et ce n'était pas l'addition de sel gemme par la voirie qui améliorait beaucoup la circulation. Frederika se tenait très droite, la main suspendue à la poignée de la portière, tandis que le chauffeur négociait les virages avec la maestria d'un slalomeur. Blaise, qui ne craignait pas les accidents — ni la mort ? —, était bien calé sur son siège, les genoux recouverts d'une couverture de vigogne.

A Chain Bridge, Frederika se détendit un peu, malgré la vue d'une Ford Modèle A qui avait heurté le parapet. A leurs pieds, la rivière charriait de gros blocs de glace. Le ciel au-dessus de Washington ressemblait à une opale bon marché.

« Evalyn m'a bien recommandé de ne le dire à personne, mais il paraît que c'est aujourd'hui que le Président va être assassiné.

— Chez les McLean ?

— S'il y arrive intact. C'est très excitant, je trouve.

— Qui aurait intérêt à tuer Warren Harding ?

— Le Vice-Président, je suppose. On dit qu'il n'ouvre jamais la bouche, mais chaque fois que je suis assise à côté de lui, il n'arrête pas de parler.

— Tu as cet effet sur tout le monde.

— Pas sur toi.

— C'est une des conditions du mariage, ces longs silences où on ne pense à rien. »

Cinq minutes plus tard Frederika revint à la charge.

« Tu ne crois pas qu'ils vont essayer ?

— Essayer quoi ? »

Mais Blaise était déjà replongé dans ses propres pensées. Ses intérêts du moment incluaient Paris, la femme d'un ami et un cabinet particulier chez Prudhomme où depuis deux siècles les membres du club avaient leurs initiales gravées avec un diamant sur la vitre d'une ancienne fenêtre.

« Les assassins, bien sûr. Les services secrets prennent ces menaces très au sérieux. C'est pourquoi ils sont très contents que le Président se rende ce soir chez les McLean, dont la maison est plus facile à surveiller que la Maison-Blanche d'après eux, ce dont je doute.

— Tu ne crois pas que c'est Evalyn et Ned qui ont écrit ces lettres, pour avoir chez eux les Harding le soir de Noël ? »

Frederika secoua la tête d'un air dubitatif.

« Ils les voient tout le temps. Je crois plutôt à des anarchistes. Ils vont peut-être faire sauter la maison. Tu te souviens des Palmer ? »

Blaise fut accueilli chaleureusement par son collègue journaliste, rival et pourtant ami. Ned avait commencé un nouveau régime qu'il avait intitulé « le régime anglais ». On commençait par un premier verre à onze heures, qu'on renouvelait à intervalles réguliers tout au long de la journée. Il ne précisait pas la durée des intervalles, mais à

461

l'entendre, cela donnait d'excellents résultats. Et, en effet, bien qu'il ne fût jamais ivre, à proprement parler, il n'était jamais non plus tout à fait sobre. C'était tout à fait le style anglais, ainsi que Millicent Inverness, une experte en ces matières, en avait fait la remarque à Blaise.

Evelyn, toute constellée de diamants selon son habitude, rivalisait de son mieux avec l'arbre de Noël du salon dont l'étoile scintillante touchait presque le plafond. Un plafond de huit mètres de hauteur. McLean était synonyme de splendeur, et les Harding semblaient curieusement à l'aise au milieu de tout ce luxe.

Blaise s'assit devant la cheminée à côté du Président, tandis que les dames se groupaient autour d'Evelyn.

« Eh bien, Blaise, dit Harding, un whisky-soda à la main, c'est l'endroit idéal pour se faire tuer.

— Et le jour.

— Oui, c'est mieux que le 1er avril », gloussa Harding.

Blaise n'avait jamais très bien pu jauger l'intelligence du Président. Harding ne s'intéressait ni aux lettres ni aux arts, et en fait de spectacle il aimait surtout le programme de variétés du Gayety Burlesque Theater, où il se rendait de temps à autre, incognito, pour la plus grande joie du directeur. Mais l'amour de l'art n'a jamais été un signe d'intelligence pratique. Le fait que la carrière d'Harding n'ait été qu'une suite ininterrompue de triomphes n'était pas seulement dû à la chance ou à un charme purement animal. Sans sa chance ni son charme, Harding n'aurait probablement pas fait la carrière politique qui a été la sienne. Mais il y avait plus que cela. Il y avait quelque chose d'autre, de difficile à définir, en raison même de son extraordinaire modestie.

« Mr. Hughes les a tous pris par surprise, dit-il avec une satisfaction évidente, comme si le secrétaire d'Etat était seul responsable des termes de la conférence sur le désarmement. J'ai bien cru que l'amiral Beatty allait avoir une attaque, lorsque Mr. Hughes lui a dit en le regardant bien en face le nombre de navires que l'Angleterre aurait à jeter à la casse. »

Harry Daugherty se joignit à eux :

« Puis-je ? » demanda-t-il au Président qui acquiesça de la tête. Daugherty s'assit à côté de Blaise. « Nous sommes entourés par la presse, monsieur le Président.

— Dans l'hypothèse selon laquelle je devrais aller rejoindre au ciel McKinley, Garfield et Lincoln, je tiens à ce que Ned et Blaise soient les témoins de mes derniers moments sur terre, et qu'ils en rendent scrupuleusement compte, n'omettant aucun détail à l'exception d'un seul, dit Harding en levant haut son verre. Le peuple américain ne doit jamais savoir que je suis mort en violant le Dix-Huitième Amendement. Cela serait inconvenant. »

Ensuite Harding le Président s'effaça devant Harding l'ancien directeur du *Marion Star*, et Blaise le trouva à la fois bien renseigné et fort intéressant. Tout en bavardant, Blaise ne perdait pas de vue les policiers en civil postés dans le hall et dans la pièce à côté. Le secrétaire d'Etat à la Guerre, John W. Weeks, fut admis à entrer, ainsi que le sénateur Curtis du Kansas, un homme aux cheveux de geai et aux yeux fendus, en partie d'origine indienne. Ils faisaient partie de ce qu'Harding appelait son cabinet de poker. Le Président était un curieux mélange d'immobilité bouddhiste entrecoupée à intervalles réguliers par une fébrilité de petit garçon. Il avait besoin de jouer au golf, aux cartes, surtout au poker. Il aimait également voyager, pour autant que ses fonctions le lui permissent. Mais une fois calmée sa fringale de bougeotte, il pouvait rester pendant des heures immobile comme une statue, souriant, content, silencieux. Bref une véritable énigme pour Blaise, au demeurant fort agréable à fréquenter.

Comme c'était Noël, chacun avait à cœur de ne pas trop parler politique. Curtis ne put toutefois s'empêcher de remarquer qu'une fois de plus Borah avait pris la mouche.

« Il est furieux de voir que c'est vous qui retirez tout le bénéfice de *sa* conférence sur le désarmement.

— Qu'y puis-je ? fit Harding, l'air sincèrement navré.

— Rien, répondit Daugherty. Ce fils de pute râlera toujours comme un putois.

— En tout cas, le Sénat est derrière vous, intervint Curtis en clignant ses yeux noirs en direction de Blaise. Il vous donnera votre traité quand vous voudrez et quels qu'en soient les termes. »

Daugherty se tourna vers Harding :

« Et tout ça parce que vous avez eu la brillante idée de faire de Lodge un délégué. C'était bien joué, monsieur le Président.

— Je le pense aussi, gloussa Harding, en jetant un bref coup d'œil au policier qui était dans le hall. En fait l'idée m'a été inspirée par Wilson. C'est son obstination à voir en Lodge un ennemi personnel qui m'a ouvert les yeux. Pour réussir il fallait faire le contraire de ce qu'il avait fait. User de ménagement et de diplomatie, là où il a recherché l'épreuve de force. Vous savez, quand je suis allé en voiture avec Wilson de la Maison-Blanche au Capitole, lors de la passation des pouvoirs, j'ai essayé de bavarder un peu avec lui, ce qui n'a jamais été très facile même quand il était bien portant... Bref, je ne sais pas pourquoi, je me suis mis à lui parler d'éléphants, et je lui ai cité le cas de cet éléphant qui s'était laissé mourir de chagrin lorsque son gardien mourut. Alors j'ai regardé Wilson et j'ai vu qu'il pleurait. Et je me suis dit : quelle drôle de fin pour une présidence, et aussi quel drôle de commencement pour moi. »

Durant le repas servi avec toute la pompe coutumière aux McLean, Evalyn profita de ce qu'elle était assise à côté de Blaise pour le questionner en détail sur Caroline.

« Je l'ai beaucoup aimée dans *Mary Stuart*, et je ne comprends pas pourquoi tout le monde a été si méchant avec elle. »

Blaise marmonna quelque chose au sujet de l'envie. En réalité, lui aussi lui enviait ses succès au cinéma, et il se demandait pourquoi. Ce n'est pourtant pas qu'il ait eu la moindre ambition dans ce domaine. Néanmoins le fait qu'elle l'eût une fois de plus devancé était pour lui une source constante d'irritation. Heureusement, son récent échec lui avait mis un peu de baume au cœur. Il s'était même donné la peine de lire tous les articles qui lui avaient été consacrés dans la presse américaine. Et le verdict unanime, c'était qu'elle était trop vieille. Lui, bien sûr, était plus âgé qu'elle, mais du moins n'avait-il jamais monnayé son visage sur l'écran comme elle l'avait fait.

« Où est-elle à présent ?

— Je l'ignore. A Paris peut-être. Elle a ouvert Saint-Cloud pour l'été, mais ce n'est pas un endroit pour être seul à Noël. Elle doit être avec des amis.

— N'y a-t-il pas un metteur en scène... ?

— Même deux, répliqua férocement Blaise. Mais à mon avis elle n'est avec aucun des deux. Elle tourne peut-être un film à Paris où l'âge est plutôt un *plus*, ajouta-t-il en lorgnant Evalyn d'un air coquin.

— Si vous ne jouez pas au poker avec le Président, je vous montrerai le dernier film de Mary Pickford, *Le Petit Lord Fauntleroy*.

— Je le regarderai, dit Blaise qui détestait encore plus le poker que la petite fiancée de l'Amérique.

— J'ai fait la connaissance de sa famille récemment. »

Blaise était surpris de voir qu'Evalyn s'intéressait autant à Hollywood. Il est vrai qu'à présent tout le monde avait deux vies, sa vie normale et sa vie de spectateur. Malgré tous ses efforts pour ignorer le monde où triomphait sa sœur, Blaise ne pouvait s'empêcher de lire de temps en temps les cancans concernant les stars, et il lui arrivait même de passer des films à Laurel House quand il était seul avec Frederika. Le comble de la perversion.

« Ce sont tous des ivrognes, ces Pickford, y compris Mary, son frère Jack et leur vieille chipie d'Irlandaise de mère... Vous savez ce qu'elle a fait ?

— Non.

— Eh bien, juste avant la prohibition, elle a acheté un débit de vins et de spiritueux, dont elle a fait transporter toutes les bouteilles dans sa cave, qu'elle a ensuite fermée à clef pour empêcher Jack d'y avoir accès.

— Je crois qu'ils ont peu la folie des grandeurs, ces temps-ci », repartit Blaise.

Lors de son séjour à Hollywood, Caroline l'avait emmené à Pickfair où le snobisme agitait ses grelots. Il n'avait été question durant tout le repas que de ducs, de gens titrés, et d'altesses royales qu'on citait par leur petit nom. Mais après tout il était naturel que le roi et la reine d'Hollywood fussent à tu et à toi avec leurs pareils. Averti du penchant de Miss Pickford pour la bouteille, Blaise l'avait observée attentivement, mais il lui avait trouvé le même petit air modeste et réservé à la ville qu'à l'écran, alors que Fairbanks, lui, jouait les matamores. Comme son maître, Theodore Roosevelt, c'était un adorateur de la force, aussi bien physique que morale. A propos du divorce, sujet qui lui était douloureux, il avait déclaré : « César et Napoléon étaient tous les deux des hommes divorcés, et pourtant personne ne peut dire que c'était des femmelettes. »

La belle-mère de Fairbanks, elle, était beaucoup plus amusante, surtout lorsqu'elle confia à Blaise que « Mary ne joue jamais aussi bien que quand elle a un bon metteur en scène au-dessus d'elle ».

Après dîner, les invités allèrent s'asseoir autour du sapin de Noël en attendant que le Président soit assassiné. Les hommes s'entretenaient à voix basse de l'affaire Fatty Arbuckle, le dernier scandale d'Hollywood.

Au cours d'une soirée assez mouvementée à San Francisco, Fatty Arbuckle, un ancien plombier devenu comédien, comme la presse ne manquait jamais de le rappeler, s'était jeté sur une jeune femme, une habituée elle aussi de ce genre de soirées, et lui avait par inadvertance perforé la rate. Chaque jour les journaux, y compris ceux de Blaise et de Ned, publiaient toutes sortes d'histoires horrifiques sur la nouvelle Babylone, tandis que Hearst exhortait le Tout-Puissant, sinon la police, à déchaîner ses foudres sur la cité pécheresse et à transformer tous ses habitants en statues de sel, à l'exception de Marion Davies. Le malheureux Arbuckle avait finalement concentré la colère de l'Amérique puritaine sur sa personne et sur celle de tous les acteurs de cinéma, qui après avoir célébré tous les vices de la création sur l'écran ne trouvaient maintenant rien de mieux à faire que d'éventrer les vierges dans la vie réelle, ou pire. L'esprit puritain qui venait de priver d'alcool les Américains soufflait à nouveau sur le pays, et Blaise avait honte de hurler avec les loups. Mais il n'avait guère le choix. C'était à qui inventerait l'histoire la plus croustillante, la plus scabreuse, et celle-ci n'était pas près de finir. A part le procès Arbuckle, on parlait de plus en plus de drogues dans les milieux du cinéma, et maintenant tout le monde s'accordait pour dire qu'il *fallait faire quelque chose*.

Harding se fit l'écho de la vindicte publique sans beaucoup d'enthousiasme :

« Les gens de cinéma voudraient que le gouvernement intervienne pour mettre de l'ordre chez eux. Mais ce n'est pas notre rôle, et d'abord comment le pourrions-nous ? Policez-vous vous-même, comme je disais à Mr. Zukor. »

Le sénateur Curtis observa que le ministre des Postes avait été pressenti pour devenir une espèce de tzar, sinon de censeur du cinéma. Curtis se mit à glousser :

« Vous voyez d'ici Will Hays avec toutes ces petites starlettes assises sur ses genoux ?

— Je suis persuadé », dit le Président en allumant subrepticement son premier cigare — la duchesse regardant pour le moment dans la direction opposée —, « que Will se conduira d'une manière très convenable s'il accepte ce poste. »

C'était là un scoop.

« Est-ce qu'on lui a offert le poste ? » demanda Blaise.

Harding acquiesça d'un signe de tête.

« Mais ne le dites à personne. Il n'a pas encore pris sa décision. Et bien sûr, je ne tiens pas à ce qu'il quitte le Cabinet, surtout en ce moment. »

Blaise savait par ailleurs que Fall désirait donner sa démission, mais deux démissions au même moment auraient pu faire jaser.

Daugherty se demanda si le cinéma avait jamais incité les gens à se lancer dans une vie de débauches. D'une manière générale ses interlocuteurs estimaient que c'était peu probable, à moins d'avoir pour cela des dispositions particulières. Curtis émit une idée intéressante.

« Une chose est sûre en tout cas, c'est que les films, tout comme les pièces de théâtre et les livres, donnent des idées aux gens, y compris aux criminels. Rappelez-vous ce qui est arrivé au sénateur Gore. »

Les politiciens rassemblés autour de l'arbre de Noël se mirent tous à frissonner comme un seul homme. Harding hocha sombrement la tête et dit :

« Il est clair que lorsque le sénateur Gore a refusé d'aider ces gens du pétrole, l'un d'eux a dû penser à cette pièce, *Purple* quelque chose.

— *Deep Purple*, précisa Daugherty.

— De quoi s'agit-il ? demanda Blaise qui n'avait qu'un très vague souvenir du procès du sénateur Gore.

— Il y a quelques années, il y avait à l'affiche une pièce extrêmement populaire, raconta Curtis. Tout le monde avait été la voir. C'est l'histoire d'une bande de gangsters qui se servent d'une femme pour faire chanter un homme innocent. Bien sûr, c'était un coup monté. Bref, un jour le sénateur Gore reçoit un coup de téléphone d'une femme qui lui demande un rendez-vous au sujet de son fils qu'elle voudrait faire entrer à West Point, et elle lui suggère de la rencontrer à son hôtel, car elle est infirme. Gore se rend donc au rendez-vous, accompagné de son secrétaire. La rencontre a lieu dans le hall, mais comme Gore est aveugle, il ne peut pas voir ce qu'elle manigance. Elle lui propose d'aller dans le salon à côté pour être plus tranquilles, mais au lieu d'aller au salon, elle le conduit dans sa chambre, déchire sa robe et se met à crier : " Au viol ! au viol ! " A ce moment deux loubars engagés par lcs businessmen se précipitent dans la chambre en disant : " Ça va, on te tient. "

— Cela pourrait arriver à n'importe quel sénateur, dit Harding d'un air lugubre.

— Surtout si le sénateur en question se trouve être aveugle, précisa Curtis.

— Et si les maîtres chanteurs ont vu *Deep Purple* », ajouta Daugherty.

Gore, ayant refusé de céder au chantage, fut inculpé pour tentative de viol. Il avait demandé à être jugé à Oklahoma City. Toute cette affaire avait été extrêmement mélodramatique. On fit même comparaître un témoin de dernière minute, une veuve de Boston qui avait assisté à la scène depuis la fenêtre de sa chambre d'hôtel. Et Gore fut finalement disculpé.

« Ce qui prouve bien, dit Harding, qu'une femme n'a jamais fait perdre une voix à un politicien.

— Sauf si elle a la rate perforée », ajouta Curtis.

La duchesse et Evalyn se joignirent aux messieurs.

« Je viens de parler aux gens des services secrets, dit Evalyn, et ils m'ont dit que l'endroit le plus sûr de la maison était le petit salon attenant à ma chambre à coucher. Ned est là-haut avec les cartes.

— Fais bien attention, Warren, dit la duchesse.

— Comme toujours, ma chérie. »

Blaise resta avec les dames pour voir *Le Petit Lord Fauntleroy*. Millicent, comtesse d'Inverness, s'endormit pendant la projection, et se mit à ronfler, tandis que la duchesse s'agitait sur sa chaise, et qu'Evalyn lui prenait de temps en temps la main pour la rassurer. Blaise rêvassait. Seule Frederika avait l'air de s'intéresser aux aventures d'un enfant de quatorze ans joué de façon grotesque par une matrone de trente ans.

Blaise crut tout d'abord qu'une bombe avait explosé au premier. Tous se levèrent d'un bond, à l'exception de Mrs. Harding qui tomba de tout son long sur le parquet comme une méduse gisant sur une plage.

« Florence, remettez-vous ! cria Evalyn en aidant Mrs. Harding à se relever.

— Je sais ce qui est arrivé. C'était écrit dans le ciel. Les astres ne se trompent pas. Tout s'est réalisé exactement comme elle l'avait prédit. Conduisez-moi jusqu'à lui. Oh, mon Dieu !

— Ce n'est rien, madame Harding, lui dit dans le vestibule un homme des services secrets. C'est seulement le vent qui a fait claquer la porte. »

Au-dessus de leurs têtes, on entendit la voix mélodieuse d'Harding qui disait :

« Ne vous inquiétez pas, duchesse, ils m'ont manqué.

— Je ne vois pas ce qu'il y a de drôle, rétorqua Mrs. Harding en rentrant dans le salon d'un air décidé.

— Ce n'est vraiment pas convenable », fit Blaise en citant l'expression favorite du Président, puis se tournant vers Frederika il ajouta : « Je crois qu'il est en sécurité. »

Ils dirent ensuite bonne nuit à la duchesse qui s'était maintenant lancée dans une diatribe. Comme beaucoup de femmes énergiques d'un certain âge, son esprit inconscient affleurait de plus en plus souvent à la surface. Elle avait maintenant tendance à dire tout ce qu'elle pensait, même quand à proprement parler elle ne pensait pas du tout.

« Je sais très bien ce qui se passe, vous savez, dit-elle en jetant à Blaise un regard hébété. Je l'ai toujours su. Ça ne veut pas dire que je puisse empêcher quoi que ce soit. Pourtant j'essaie. Dieu sait ! Mais personne ne me croit. Ils pensent tous que je suis folle. Même Laddie Boy qui est assis devant la porte... »

Evalyn reconduisit Mrs. Harding près du sapin de Noël.

« De quoi est-ce qu'elle parlait ? Je n'ai rien compris, dit Frederika.

— Une crise d'hystérie, répondit Blaise. Pauvre Harding ! Je crois bien qu'elle est folle.

— Peut-être, mais il faut voir aussi comment il la traite.

— Comment cela ?

— Toutes ces maîtresses... dit Frederika en remontant la couverture sur ses genoux, tandis que leur voiture roulait vers Georgetown.

— Tu crois qu'elle s'en soucie ? Après tout, c'est elle qui l'a.

— Au fond je crois qu'il la déteste, et qu'elle en souffre.

— C'est pourquoi elle lui fait des scènes.

— Et puis ça ne doit rien arranger de n'en avoir qu'un seul.

— Un seul quoi ?

— Un seul rein, pardi ! » s'exclama Frederika avec une joie indescriptible.

CHAPITRE XIII

1

Miss Kingsley mettait toujours Caroline de bonne humeur. D'abord c'était une admiratrice sincère d'Emma Traxler. Ensuite elle avait une connaissance encyclopédique du cinéma. Elle savait tout, les noms de tous les metteurs en scène, qui était en train de tourner tel film et pourquoi. Caroline lui servait toujours du thé, et Miss Kingsley avait une manière très distinguée d'ôter ses gants tout en comparant les mérites respectifs du thé de Chine et du thé des Indes.

La Traxler Productions avait en ce moment une bonne saison. La sortie de deux westerns avait déjà compensé la perte causée par *Mary*.

« Quand aurons-nous le plaisir de vous revoir devant les caméras ? » interrogea Miss Kingsley en regardant d'un air bienveillant l'oreille gauche de Caroline, à l'endroit où le chirurgien avait pratiqué une incision. Puis la peau avait été tirée en arrière et recousue en suivant la ligne naturelle qui relie l'oreille à la tête. La chevelure rejetée en arrière et en pleine lumière, la cicatrice était encore visible, mais le chirurgien parisien qui l'avait opérée lui avait assuré que bientôt on ne remarquerait plus rien.

Après moult atermoiements, Caroline avait choisi une clinique en dehors de Paris et l'opération avait eu lieu au début de l'hiver.

Maintenant elle estimait que le moment était venu de montrer son nouveau visage en public. Elle avait eu de la chance. A part la peur d'hériter de la tête de Frankenstein, il y avait le risque de se retrouver avec le visage de quelqu'un d'autre, si beau soit-il. Caroline avait évité ces deux écueils. La nouvelle Caroline ressemblait à ce qu'Emma avait été de mieux, laquelle n'était pas très différente de ce qu'avait été Caroline il y a quinze ans.

« Je n'ai aucun projet, répondit Caroline, qui au contraire en avait tout plein. J'ai eu énormément de plaisir à revoir...

— L'Alsace-Lorraine. Je sais. »

Miss Kingsley se rappelait tous les mensonges que les stars lui avaient racontés. Un jour que Mabel Normand lui avait parlé de son enfance à Staten Island, Miss Kingsley lui avait gentiment rappelé qu'elle était née et qu'elle avait grandi à Beacon Hill à Boston. Mabel s'était promis de ne plus commettre la même erreur.

« Cette chère vieille Alsace-Lorraine! soupira Caroline. Oui, j'y ai pris les eaux, et j'ai même perdu pas mal de poids.

— Cela se voit. Vous avez l'air étonnamment reposée. » Ce qui signifiait dans le code Kingsley : « Chirurgie esthétique ». « Prête à affronter de nouveau la caméra? » (Traduisez : « La star est maintenant prête à commencer une nouvelle carrière avec un visage entièrement retapé. »)

« Qui sait? Il est question d'un projet de film sur la vie de George Sand. Taylor serait intéressé.

— Porterez-vous des pantalons? demanda Miss Kingsley en fronçant les narines dans son petit calepin.

— Il faudra bien. Mais vous savez, la plupart du temps elle portait des robes.

— Franchement, je n'aime pas qu'une femme s'habille en homme. Mr. Hearst a un goût malsain pour cette... cette perversion. Il n'y a pas d'autre mot, j'en ai peur. » Ici le visage de Miss Kingsley se colora légèrement. « J'en ai discuté avec cette pauvre Marion, qui m'a dit avec son petit air mutin : " Pops aime ça. "

— Elle n'a pas exactement le derrière qu'il faut pour porter des pantalons, observa Caroline.

— J'imagine que vous porterez une longue redingote...

— Oui, une redingote prince Albert, et je me contenterai de faire semblant de fumer un cigare...

— Quand je pense à tous les sacrifices que vous autres stars devez faire pour votre art ! Avez-vous toujours l'intention d'acheter un studio ou bien d'en faire construire un ? »

Caroline hocha la tête. Tim avait réveillé ses ambitions. Quoiqu'elle aimât bien jouer le rôle d'une star de cinéma dans la vie réelle, elle n'avait guère envie de devenir une vieille femme sur l'écran. Ses soudaines retrouvailles avec Tim avaient modifié ses projets. Grâce à Tim, elle se proposait de faire au cinéma ce que Hearst avait fait dans le journalisme. D'autres avaient eu la même ambition, mais ils avaient péché par une conception surannée de l'art. Griffith avait essayé de rendre la guerre civile à l'écran par « petits flashs » selon l'expression poétique du Président Wilson, mais il s'était laissé égaré par ses préjugés politiques. Plus tard quand il avait fait *Intolérance*, il avait succombé au culte du spectaculaire et du gigantesque. Et pourtant Caroline comprenait ce qu'il cherchait à faire. Comme Griffith, Tim pensait que le rôle du cinéaste est de conquérir et de subjuguer l'imagination du spectateur. Mais là où Tim avait choisi, non sans une certaine perversité d'ailleurs, de faire appel au sens de la justice du spectateur, Griffith nourrissait son public d'évocations grandioses des sept péchés capitaux. Caroline sentait que la réponse était quelque part entre les deux, dans ce qui de prime abord pouvait paraître une simple célébration de la vie quotidienne américaine, mais qui — grâce au montage — nourrirait de rêves l'esprit du spectateur à son insu. C'est ce que Chaplin avait réussi depuis le début en se fiant seulement à son instinct, et Caroline était persuadée qu'une fois qu'il saurait ce qu'il faisait, il perdrait l'essentiel de son talent. La conscience de soi était le principal ennemi de cette nouvelle forme narrative. Peu à peu Tim et Caroline avaient mis au point une méthode qu'aucun des deux n'aurait pu inventer à lui tout seul. Méthode n'est d'ailleurs pas le mot. C'était plutôt une intuition qui les faisait progresser dans une certaine direction. Ils travaillaient en ce moment sur une douzaine de films, visant à toucher le plus large public, mais qui cependant étaient tous porteurs d'un certain message qui, en cas de succès, modifierait de façon subtile la conception que chacun se faisait du monde. Si on avait pu rendre le Boche et le bolchevique haïssables, pourquoi n'arriverait-on pas à magnifier les qualités humaines ? La possibilité d'échec rendait leur entreprise d'autant plus passionnante.

« Nous avons songé à Incetown à Santa Monica, ou bien à quelque chose dans la Valley, mais seulement si vous êtes d'accord.

— Mon cœur n'ira jamais dans la Valley, mais si vous vous y installez, j'irai vous rendre visite. Je vous le promets.

— Je regretterai la Paramount. »

Famous Players-Lasky était maintenant de plus en plus connu sous le nom de Paramount Pictures, sans doute à l'instigation d'Adolph Zukor qui avait également fait repeindre les studios en vert, sa couleur préférée d'après Charles Eyton. Et pourtant on ne voyait jamais Zukor au studio. Il dirigeait son empire depuis New York, abandonnant la fabrication des films à ses employés, erreur que Caroline se promettait de ne pas commettre lorsqu'elle commencerait sa nouvelle carrière. Les magnats du cinéma ne se souciaient pas de ce qu'on montrait sur l'écran tant que ça rapportait. Ceux qui s'en souciaient, comme Griffith, péchaient par mégalomanie et connaissaient parfois des échecs retentissants. Mais il fallait amadouer les producteurs d'une manière ou d'une autre, car c'était eux — et principalement Zukor — qui possédaient les salles de cinéma. Caroline avait été rendre visite au grand homme qui vivait à Rockland County dans l'Etat de New York au milieu de sa nombreuse famille. La plupart des magnats du cinéma étaient des chefs de clan à la mode antique. Ils mariaient leurs enfants un peu comme dans les familles royales, et souvent avec des résultats aussi catastrophiques. Rien de surprenant donc à ce qu'ils voulussent tous tourner *Mayerling*. Samuel Goldfish, devenu Goldwyn, beau-frère de Lasky, mais ennemi mortel de Zukor, voulait que Caroline jouât l'impératrice Elizabeth, dont le fils Rudolph — Barthelmess avait accepté le rôle — se suicide dans le pavillon de chasse de Mayerling. Hearst de son côté menaçait de faire son *Mayerling* avec Marion Davies dans le rôle de Maria Vetsera.

« Naturellement, vous avez vos deux metteurs en scène préférés qui tournent en ce moment, reprit Grace Kingsley avec un petit clin d'œil. Mr. Farrell est dans la Valley, à ce qu'on m'a dit, en train de tourner un western. Je dois le voir demain.

— Transmettez-lui mes amitiés. »

Leurs retrouvailles comme amants et comme associés étaient encore un secret. Tim avait des engagements à la fois personnels et professionnels à honorer, tandis que Caroline était toujours plus ou moins liée à Taylor. Elle avait trouvé significatif que, lorsqu'elle était réapparue au studio, Tim avait eu un sifflement admiratif en voyant son nouveau visage (« C'est un succès ? » lui avait-elle demandé. Et il avait hoché la tête), alors que William n'avait rien remarqué du tout. Il est vrai que Taylor avait une vie privée et professionnelle très remplie.

« Tandis que nous parlons, il est dans la salle de projection C. Il travaille au montage de *The Green Temptation,* qui pourrait bien être un succès.

— J'espère bien », dit Caroline en souriant avec précaution. Elle ressentait encore une certaine raideur aux commissures des lèvres qui, à ce qu'on lui avait affirmé, disparaîtrait une fois que son nouveau visage se serait « installé ».

« Il m'a dit qu'il avait hâte de commencer son nouveau film, mais il n'a pas voulu me dire ce que c'était.

— Nous espérons faire *Mayerling* », mentit Caroline.

Et pourquoi pas après tout ? Tous, à un moment ou à un autre, avaient annoncé qu'ils allaient tourner ce film, ou même qu'ils en avaient déjà fait une version. Miss Kingsley ne serait pas dérangée pour rien. Elle tenait son scoop. Elle sortit son calepin et inscrivit les noms que lui cita Caroline. Une distribution idéale mais hélas improbable. Non, le scénariste ne serait pas Knoblock. Il venait de rentrer en Angleterre. « Bernard Shaw serait parfait. » Caroline se laissait emporter par sa fantaisie. Elle éprouvait une joie immodérée à mentir pour rien, comme ça, pour le plaisir. « Naturellement il faudra qu'il s'adapte à cette forme d'art si particulière qu'est le cinéma, mais je lui fais confiance. Autrement, il y a toujours Maeterlinck. » Lors de sa visite à Hollywood, l'auteur du *Trésor des humbles* avait soumis un scénario dont le protagoniste était une abeille, puis il était rentré en Belgique.

« La qualité, c'est le label des films Traxler, comme je dis toujours, articula Miss Kinsgsley.

— On essaie, on ne réussit pas toujours, mais on essaie », murmura Caroline, comme séduite par le son de sa propre voix.

Ensuite, et bien que ce ne fût pas réellement un sujet de discussion pour dames, dont une était officiellement vierge, elles ne purent toutefois s'empêcher d'évoquer l'affaire Arbuckle. Virginia Rappe avait été éventrée le 7 septembre 1921. On était à présent le 1ᵉʳ février 1922, et la presse continuait tous les jours à publier de nouvelles révélations ou à en ressortir d'anciennes. Tout le monde à Hollywood avait pris parti pour Arbuckle, mais le reste du pays, excité par la presse Hearst, désirait un autodafé avec Arbuckle dans le rôle de torche vivante allumée sur l'autel de la moralité...

Caroline était plus que jamais convaincue qu'elle et Tim étaient sur la bonne voie. Là où Hearst visait à bestialiser le public, eux chercheraient à le civiliser... Certes, il lui faudrait freiner l'enthousiasme politique de Tim. Ils avaient décidé que, dans la ville américaine moyenne qu'ils allaient inventer, les gens finiraient par entendre la voix de la raison et par réaliser à quel point ils avaient été manipulés. Cette ville devait avoir l'air très réel, et dans cette ville il y aurait une famille à laquelle tout le pays pourrait s'identifier. Et surtout il n'y aurait pas de message, du moins pas de message explicite. Si le travail était bien fait, la leçon serait comprise, mais il était bien entendu que la divine Emma Traxler, cette créature de rêve, ne mettrait jamais les pieds dans leur ville.

« Je viens d'avoir des nouvelles de Washington, l'informa Miss Kingsley en remettant ses gants. Le ministre des Postes ne viendra pas à Hollywood.

— Il s'imagine sans doute qu'un jour il deviendra Président et qu'Hollywood...

— ... est ou sera — je vous le garantis — un atout majeur pour tout homme politique rêvant d'un destin national. »

Miss Kingsley était une fervente supportrice de ce nouvel Eldorado situé à l'autre bout de l'Amérique.

« Il jouirait d'un grand pouvoir ici. Je me demande s'il s'en rend compte. »

Caroline s'étonna de n'y avoir pas songé plus tôt. Certes, il y aurait cette ridicule censure, mais par ailleurs le gouvernement serait amené à encourager le genre de projets que les vertueux conspirateurs avaient en tête. Hays — ou tout autre haut fonctionnaire fédéral — pourrait servir de courroie de transmission entre la politique et le cinéma. Et comme ça, les impulsions qui, pour le moment, venaient de Washington viendraient désormais d'Hollywood, et au lieu que le cinéma soit colonisé par la politique, ce serait l'inverse. Le pouvoir de décision passerait d'Est en Ouest, des gouvernants aux gouvernés.

Arrivées devant la cantine, Miss Kingsley et Caroline se séparèrent. Caroline pénétra dans la salle à manger, consciente d'être le point de mire de tous. Elle entendait prononcer son nom à travers le brouhaha des conversations, le cliquetis des assiettes et l'odeur de ragoût de bœuf.

William lui fit signe de venir s'asseoir à sa table. Il déjeunait avec son scénariste, Julia Crawford Ivers et son éditrice, Edy Lawrence. Caroline avait déjà remarqué non sans quelque surprise que William ne fréquentait que des femmes, bien qu'il ne semblât pas s'intéresser à elles sexuellement parlant. Pourtant il avait été marié, et il avait même une fille qu'il envoyait dans un pensionnat très chic de New York. Avait-il viré de bord aux approches de la quarantaine ? passé des nymphes aux faunes ? Ou bien était-ce elle qui avait succombé comme tant d'autres à la « malédiction californienne », du temps où elle était amoureuse de Tim ? Mais maintenant elle était entièrement guérie. Grâce à Tim et au jacquet.

Caroline leur apprit que Will Hays ne viendrait pas à Hollywood.

« Alors ce sera Herbert Hoover, dit Julia Ivers. Il paraît que ce doit être un membre du Cabinet.

— Ou de la Cour Suprême. »

Comme tout le monde à Hollywood, Edy Lawrence n'était pas très chaude à l'idée d'avoir un superviseur venu de Washington.

« Le plus ennuyeux, bien sûr, ce sera la censure. »

Les sourcils de Taylor se contractèrent doucement. Il passa sa main sur son front, dressa la tête et resta quelques secondes les yeux fixés au plafond. Puis il sortit un étui à cigarettes en or de la poche intérieure de son veston, prit une cigarette noire à bout doré, et tira une bouffée.

« Vous l'avez retrouvé ? Je croyais qu'on vous l'avait volé, dit Caroline en désignant l'étui à cigarettes.

— Oui, dans un mont-de-piété. La police m'a mis sur la piste. »

Quelques mois plus tôt, Eddie Sands avait filé du domicile de Taylor en emportant avec lui cet étui à cigarettes ainsi que plusieurs objets de valeur, y compris la voiture de Taylor. Knoblock était au studio lorsque Eddie avait disparu, après lui avoir dit qu'il allait se marier à Catalina. Mais Eddie était parti ailleurs, comme le prouvaient les chèques imitant la signature de Taylor qui commençaient d'arriver de différents endroits de Californie. Taylor avait averti la police, engagé un serviteur noir, un certain Henry Peavey, acheté une nouvelle voiture et loué les services d'un nouveau chauffeur. Mais toute cette histoire l'avait passablement secoué.

« Moi j'aime bien Hoover, dit Julia Ivers, qui se gavait de macaroni au gratin, tandis que Caroline mettait toutes sortes de dédaigneuses délicatesses à chipoter avec son filet de sole.

— Il a l'air honnête, dit Tim sans grande conviction.

— Et pour ce qui est de la censure ?

— Elle est inévitable... L'association des producteurs et distributeurs de films a besoin de se refaire une virginité pour faire oublier ce pauvre Fatty Arbuckle. Alors ils vont nommer, d'accord avec le gouvernement, quelqu'un chargé d'assainir la profession, si cette expression a un sens.

— Et qui touchera un salaire de cent cinquante mille dollars par an », ajouta Mrs. Ivers d'un ton maussade.

Puis ils se mirent à parler boutique. Qui faisait quoi et où et avec quel budget. A la fin du repas, Taylor se tourna vers Caroline :

« Je crois que j'ai un projet pour nous deux. J'en ai parlé avec Charlie Eyton juste avant de déjeuner.

— Pas *Les Rochers de Valpré*. Je suis trop vieille. »

Mrs. Ivers secoua la tête :

« D'ailleurs, c'est une histoire ennuyeuse comme tout. Il n'y a pas assez d'action.

— Mais il y a un rôle épatant pour Mary, soupira Taylor. Enfin, tant pis. Je vois que je suis minoritaire. N'en parlons plus. Emma, puis-je vous reconduire ? Cinq heures, ça vous va ? Nous parlerons de tout ça en voiture. »

Caroline regagna son bureau où elle trouva Tim en tenue de cow-boy parlant au téléphone sur deux lignes à la fois, tandis que sa secrétaire le regardait avec un sourire béat. Caroline lui tapota gentiment sur la tête, puis elle passa dans son bureau où des piles de scénarios disparaissaient sous des photos d'Emma Traxler prises à différents moments de sa carrière. Certes, elle paraissait à nouveau jeune, mais ressemblait-elle toujours à Emma ? Le prochain film lui apporterait la réponse. Trop tard peut-être. Bah ! ses jours d'actrice étaient désormais comptés ! Encore un dernier film où elle pourrait jouer de ses charmes. Et puis rideau ! Emma Traxler rentrerait dans la légende.

Tim la rejoignit.

« J'ai fini de bonne heure. Les westerns sont toujours aussi difficiles. Il n'y a pas trente-six façons de filmer un cheval.

— Pourquoi ne pas mettre l'accent sur les gens ?

— Tu veux dire dans les westerns ?

— Oui, comme nous allons le faire dans notre ville.

— C'est une forme trop stylisée. Il y a un certain nombre de types, et nous les avons à peu près tous utilisés. Au fait, il paraît que Taylor a quelque chose pour toi.

— Les nouvelles vont vite. Il m'a dit qu'il m'en parlerait ce soir. Dis-moi, tu trouves que je ressemble à... Emma ? »

Tim s'approcha d'elle pour examiner son visage. Elle n'était plus à ce moment-là pour lui qu'un objet à photographier. Et Tim de l'étudier sous toutes les coutures pour voir ce qui avait besoin de lumière et ce qui avait besoin d'ombre.

« Oui. C'est assez convaincant.

— Pas plus ?

« — Ce n'est jamais tout à fait pareil. Mais ne t'inquiète pas. A propos, je ne sais pas si je te l'ai dit, mais Taylor a des difficultés pour faire tourner Minter.

— Ici, à Hollywood ? C'est impossible ! C'est une star de la Paramount.

— Ils veulent la mettre en taule.

— Pourquoi ? Elle n'est pas pire que les autres. »

Caroline pour sa part avait toujours eu quelque peine à distinguer une jolie naine aux cheveux d'or d'une autre. Elles arrivaient par fournées, selon les caprices de la mode, et disparaissaient aussi vite. Seule Mabel Normand avait une personnalité propre et ne ressemblait à personne. Et bien sûr, elle devenait de plus en plus difficile à utiliser. La cocaïne perturbait son jeu. A vingt-neuf ans Wallace Reid était au bout de sa carrière et probablement aussi de sa vie. A cause de la morphine. Depuis l'affaire Arbuckle, la presse lançait toutes sortes d'insinuations à leur sujet. Les insinuations devenaient ensuite des accusations et des carrières étaient brisées. Caroline était de plus en plus convaincue de la nécessité d'un superviseur. Il y a quelques années de cela, lorsque le gouvernement avait décidé de nationaliser les chemins de fer et les charbonnages, la presse avait aussitôt rabattu son caquet. De toute évidence Hollywood avait besoin de reprendre son souffle, et Caroline et Tim avaient besoin d'un allié.

En attendant, Mary Miles Minter et sa charmante mère continuaient de faire des leurs. D'ailleurs d'un point de vue strictement commercial, l'idée de remplacer Mary Pickford avait été une erreur. Il n'y avait qu'une seule Pickford, et il était pour le moins saugrenu de vouloir lui chercher un substitut. Minter avait à peine vingt ans et elle pouvait jouer encore vingt ans les nymphettes, mais le public commençait à se lasser des adolescentes à boucles blondes.

« Pauvre William !

— Elle a dit à tout le monde qu'elle allait l'épouser. » Tim regarda Caroline pour voir comment elle réagirait, mais elle ne manifesta aucune réaction. Bien qu'elle n'éprouvât plus rien pour Taylor, elle était toujours son ami et ne lui souhaitait que du bien.

« Je doute qu'il souhaite avoir une seconde fille », dit Caroline en jetant un coup d'œil à une affiche représentant Emma Traxler en train de boire un cocktail avec un petit sourire émoustillé. Elle avait les cheveux tirés en arrière et on ne voyait que les traits les plus saillants de son visage.

« Surtout flanquée d'une pareille mère.

— Justement Mary l'épouserait pour se débarrasser de sa mère.

— Cela me paraît impossible. Mrs. Shelby touche un tiers de tout ce que gagne son adorable enfant — du moins aussi longtemps que dureront ses frisettes... Pauvre William ! Au fait, il faut que je voie Ince au sujet du studio de Santa Monica.

— Là où nous allons bâtir notre ville imaginaire quoique absolument réelle. Par quel film allons-nous commencer ? »

Tim ricana :

« Pourquoi pas *Qui a tué le Président McKinley ?*

— Tu le sais, toi ?

— Bien sûr. Theodore Roosevelt et la Standard Oil. Tu comprends, ils ont engagé ce pauvre diable d'anarchiste à qui ils ont refilé un fusil, mais personne ne le sait excepté sa bonne vieille maman qui habite notre ville.

— Si tu continues comme ça, tu finiras en prison. »

La voiture de Taylor était parquée devant l'entrée du studio dans Vince Street, là où un groupe d'admirateurs montait toujours la garde. Caroline signa quelques autographes et se dirigea d'un pas résolu vers la voiture où l'attendait Taylor.

« Ils m'ont reconnue, vous avez vu.

— Félicitations. Ça ne vous ennuie pas si je fais quelques courses en chemin ?

— Pas du tout.

— Le grand magasin Robinson's, Fellows », dit-il au chauffeur, puis se tournant vers Caroline : « Je dois acheter un cadeau pour Mabel. Elle n'a pas très bon moral en ce moment.

— Je croyais qu'elle travaillait pour Sennett.

— Justement. Sennett, c'est le dernier échelon...

— La drogue...

— Elle a essayé de toutes ses forces. Je l'ai aidée autant que j'ai pu... »

Caroline resta dans la voiture pendant que Taylor entrait chez Robinson's.

« Pourrais-je avoir un autographe, Miss Traxler ? »

Le chauffeur avait le visage poupin et le teint frais. Le sourire éblouissant d'Emma n'embarrassait plus Caroline. Elle écrivit le nom d'Emma sur un petit calepin acheté chez Woolworth. Il y avait une douzaine d'autres signatures sur la page, mais elle n'osa pas feuilleter le calepin.

« C'est un grand honneur de vous conduire, Miss Traxler, vous et les autres grandes stars. »

Caroline eut un petit sourire minaudier.

« A-t-on des nouvelles d'Eddie... d'Eddie Sands ? »

Le jeune homme se rembrunit.

« Il a encore signé des chèques au nom de Mr. Taylor à Fresno et à Sacramento. Et puis il y a eu ce mont-de-piété où il a utilisé un nom que Mr. Taylor a reconnu. Mais c'est tout. »

Taylor regagna la voiture.

« Il n'y avait rien de ce que je voulais. Passons à la banque, Fellows. Mon Dieu, cet impôt sur le revenu ce que ça peut être barbant !

— Et ruineux. »

Taylor hocha la tête.

« Si vous pouviez convaincre vos amis de Washington de nous laisser tranquilles... »

Ils roulaient le long d'une avenue toute poudreuse en direction de Sunset Boulevard. Il faisait une belle journée froide et ensoleillée.

« Vous savez qu'Eddie imite ma signature pour tirer des chèques...

— Comme si vous n'aviez pas assez d'ennuis... »

Taylor eut un petit rire.

« Oui, et le plus beau c'est qu'il imite si bien ma signature que je n'arrive pas à distinguer son écriture de la mienne. Marjorie Berger doit passer ce soir à la maison avec tous les chèques encaissés.

— Enfin, c'est encore une chance qu'il soit parti. »

Taylor la regarda bizarrement, puis il dit :

« Croyez-vous ? »

Après avoir été à la banque et s'être arrêtés chez Fowler's Bookstore, ils regagnèrent le domicile de Taylor dans Alvarado Street où ils furent accueillis par le nouveau domestique nègre, un homme avenant quoiqu'un peu nerveux, qui semblait très attaché à son maître.

« Miss Berger a appelé pour dire qu'elle sera ici à six heures et demie, monsieur. Une autre dame a appelé, mais elle n'a pas voulu donner son nom.

— Merci, Henry. »

Taylor alla à son secrétaire et prit un scénario.

« *Monte-Carlo*, dit-il. Il y a un rôle merveilleux pour vous. Le rôle principal, s'empressa-t-il d'ajouter. Vous êtes une grande-duchesse qui a fui la Russie pendant la révolution, et qui travaille comme femme de chambre auprès d'une riche Américaine, une femme très vulgaire. Vous allez à Monte-Carlo avec elle et là vous retrouvez votre fiancé que vous aviez cru mort.

— Je connais l'histoire. Qu'est-ce que je porterai ? » demanda-t-elle d'un air alléché.

Il lui décrivit les toilettes. Les yeux de Caroline brillèrent de plaisir.

« Cette fois je crois que je pourrais avoir Valentino.

— Entendu. »

Caroline laissa errer ses regards autour de cette pièce où elle avait joué si souvent au jacquet. A présent elle n'éprouvait plus rien, plus rien du tout. Taylor lui proposa de rentrer chez elle avec sa voiture, tandis qu'il se rendrait à pied à son cours de danse dans Orange Street.

« J'apprends le tango », dit-il en l'embrassant sur la joue.

Caroline fut réveillée en sursaut par la sonnerie du téléphone d'un cauchemar où il était question d'un train qui partait sans elle. Le conducteur, qui n'était autre qu'Eddie Sands, la regardait courir le long du quai avec un petit sourire narquois, puis il se mit à sonner une cloche en disant dans une espèce de dialecte allemand (peut-être de l'alsacien ?) : « Le train va partir. En voiture, s'il vous plaît ! » Ses bagages étaient déjà dans le train, dont un tableau de Poussin et une poupée qu'elle avait quand elle était petite et qui avait perdu un bras.

« Il faut que je monte, criait Caroline dans le récepteur.

— Quoi ? » répondit une voix d'homme qui lui était familière.

Caroline était maintenant complètement réveillée. Elle regarda le cadran lumineux de son réveille-matin : neuf heures et demie.

« Je suis désolée. Qui est à l'appareil ?

— Charlie Eyton. »

Eyton parlait d'une voix tendue, haletante, entrecoupée.

« La police vous a-t-elle appelée ?

— Non ! A quel sujet ? fit Caroline en se dressant sur son séant.

— Taylor a été assassiné. Venez à mon bureau. La police voudra vous questionner. La presse aussi. Mais ne leur dites rien. Tous ceux qui ont vu Bill hier vont être interrogés. Heureusement, j'ai pu récupérer les lettres...

— Quelles lettres ?

— Les vôtres. Celles que vous lui avez écrites. Ne vous inquiétez pas, elles sont toutes en ma possession. Je suis déjà passé à son domicile. De toute façon, il va falloir mettre au point la déclaration que vous allez faire.

— Pour quelle raison a-t-il été assassiné ? Je veux dire comment ? »

Caroline avait beaucoup de peine à assimiler un fait aussi grotesque.

« On lui a tiré deux balles dans le dos environ deux heures après que vous l'avez quitté.

— Dans ce cas, ça a dû se produire après sa leçon de tango au studio de danse d'Orange Street. »

Malgré son choc, Caroline tenait à être précise.

« Oui, oui », dit Eyton, et il raccrocha.

Caroline recommanda à Héloïse de ne parler à personne en son absence.

« Je m'en doutais ! Ça ne m'étonne pas. »

Quand il s'agissait d'une catastrophe, Héloïse n'était jamais prise de court.

« Bien sûr. »

Caroline quitta l'appartement et monta dans sa voiture. Le jardinier japonais la salua poliment. Comme la veille, il faisait un temps radieux. Sunset Boulevard était à peu près désert. Que de fois elle les avait parcourues, ces avenues, de bon matin, pour se rendre soit au studio, soit sur les lieux de tournage en extérieur ! Lorsqu'elle se reportait à cette période extraordinaire de sa vie, la première chose dont elle se souvenait, c'était du soleil qui se levait au-dessus du ranch appartenant au studio dans San Fernando Valley. Et ensuite de l'éclat torturant des projecteurs. Tout le reste était plus ou moins confus.

Charlie Eyton était à son bureau en train de parler au téléphone. Il désigna une chaise à Caroline. « Oui, il s'agit bien d'un meurtre. On a d'abord cru à une mort naturelle, mais le coroner l'a roulé sur le ventre, et il a constaté qu'on lui avait tiré dans le dos. Quand ? Vers sept heures, hier au soir. Oui, je sais. Ça ne va pas arranger les choses. » Il raccrocha.

« Navré de vous avoir tirée du lit, mais il va falloir accorder nos violons.

— Nous ?

— Oui. Nous. Le studio. La profession. Ça pourrait être infiniment plus grave que l'affaire Arbuckle.

— Oh ! »

Caroline ne put rien articuler d'autre. Puis elle songea combien Blaise serait ravi de voir terminer sa carrière dans un aussi spectaculaire *Götterdämmerung*. Est-ce qu'un tel scandale rejaillirait aussi sur ce qu'elle appelait sa ville américaine réalistico-imaginaire ?

« Son valet de chambre l'a trouvé à sept heures et demie ce matin étendu par terre dans son salon. Il a tout de suite appelé la police, puis il m'a appelé. Dieu merci. J'ai envoyé immédiatement nos gens ramasser tout ce qui pourrait nuire à la réputation du studio. Whisky de contrebande, lettres d'amour, dessous féminins.

— Il ne devait pas y en avoir beaucoup. »

Eyton lui lança un regard sévère :

« Nous avons sorti les bouteilles. Je me suis occupé personnellement des lettres. Je suis monté dans les chambres pendant que la police questionnait les voisins. »

Il indiqua quatre piles posées sur son bureau.

« Il y a là des lettres de vous, de Mabel Normand, de Claire Windsor et de Mary Miles Minter...

— En tout cas les miennes n'ont rien de bien compromettant.

— Non, mais ce n'est pas ce qui empêcherait la presse de vous dépeindre comme une espèce d'aventurière, capable de commettre un crime passionnel. Et par-dessus le marché, comme vous êtes plus ou moins étrangère...

— Je vois. La presse, ça me connaît. »

Eyton se radoucit tout à coup.

« Justement vous pouvez nous aider. D'abord...

— D'abord, qu'est-il arrivé précisément ?

— Qui peut le dire ? Taylor est rentré chez lui avec vous. Puis il est ressorti pour aller à son cours de tango, j'imagine. Ce ne sera pas difficile à vérifier. Ensuite il a regagné son domicile où l'attendait sa conseillère fiscale, Marjorie Berger. Il était dix-huit heures quinze. Une heure plus tard, Mabel Normand est arrivée. Son chauffeur l'a attendue dans Alvarado Street. Tous les résidents pouvaient la voir. Puis le valet de couleur qui l'avait laissée entrer est rentré chez lui. Vers sept heures et demie Taylor a raccompagné Mabel à sa voiture. Elle avait un cornet de cacahouètes à la main. »

Eyton s'interrompit pour voir si Caroline saisissait la signification des cacaouhètes, mais celle-ci fit semblant de ne pas comprendre.

« Taylor a ensuite regagné son bungalow et quelques minutes plus tard les voisins entendirent ce qui leur parut être un coup de feu, et qui était bien un coup de feu, mais comme sur le moment cela pouvait être aussi bien un pétard qui explose qu'un pot d'échappement qui pétarade, personne n'y a prêté attention.

— Est-ce que la police est au courant pour Mabel ? »

Eyton fit signe que oui.

« Ça ne va pas arranger ses affaires.

— Ni les nôtres. C'est pourquoi il nous faut un plan concerté.

Nous pouvons facilement contrôler la presse, si nous coordonnons nos versions.

— Et la police, vous pouvez aussi la contrôler ? »

Il y eut une pause. Puis Eyton haussa les épaules.

« Nous l'avons toujours fait. Bien sûr ça coûte un peu. Il faut arroser tout le monde, y compris le district attorney, et, lui, il revient cher.

— Et sur quoi exactement devons-nous nous mettre d'accord ?

— Savez-vous qui aurait pu tuer William ? »

Eyton avait dit cela d'un ton si naturel que Caroline lui répondit par un sourire poli.

« Bien sûr que non.

— Bien sûr », dit Eyton en souriant à Caroline comme il aurait fait pour une avant-première à Bakersfield qui, contre toute attente, se serait bien passée. Derrière la chaise d'Eyton un portrait d'Adolph Zukor les foudroyait du regard. Au-dessus du tableau, deux maillets de polo, offerts par Cecil B. De Mille, formaient une croix comme des tibias sur un pavillon de corsaire.

« Mabel n'en sait pas plus que vous. Il ne reste donc plus que Mary Miles Minter, si l'assassin est une star, n'est-ce pas ? »

Le sens journalistique de Caroline était en éveil. Consumée par une passion trop forte pour sa chétive personne, et frustrée une fois de plus dans son désir charnel, la nymphette aux boucles d'or avait déchargé son pistolet sur Taylor tout en balayant d'un revers de la main le jeu de jacquet posé sur la table.

« Ce serait comme dans l'histoire de Joseph et Putiphar.

— Sauf qu'ici les âges sont inversés. Joseph est un homme mûr, et Putiphar une adolescente.

— Pourquoi croyez-vous que ce soit une star ?

— Parce que c'est ce que la presse insinuera. D'ailleurs, c'est bien pourquoi vous m'avez fait venir, n'est-ce pas ? »

Eyton poussa un soupir.

« Je connais bien les acteurs et je sais comment leur parler, mais quand en plus l'acteur en question se double d'un journaliste...

— L'été dernier, je suis tombée par hasard sur une lettre ouverte adressée à William, dans laquelle quelqu'un déclarait son intention de le tuer. Je n'ai pas pu lire la signature. Avez-vous trouvé cette lettre ?

— Non, mais j'en ai trouvé une d'Eddie Sands. Récente, celle-là. Une lettre de chantage. Mon sentiment, c'est qu'hier soir Eddie a rendu visite à Bill et qu'il lui a demandé de l'argent. Alors ils se sont disputés et Eddie a... »

Eyton pointa brusquement son index en direction de Caroline qui fit la grimace.

« Bien sûr il est encore trop tôt pour que la police fasse une déclaration, mais j'ai dans l'idée qu'ils croient que c'est lui le meurtrier. Idem pour le district attorney, Mr. Woolwine. Ce qui nous permet de souffler un peu. Il y aura sans doute une chasse à l'homme à travers tout le pays...

— Et ils retrouveront Eddie ?

— Je l'ignore, répondit Eyton en tambourinant sur la pile de lettres. J'espère que non. Le mieux serait qu'il lui arrive un accident. Avant qu'il soit arrêté, vous me comprenez ? »

Caroline et Eyton échangèrent un regard. Elle n'avait jamais imaginé que cet homme d'ordinaire si courtois pouvait être aussi rapide et aussi brutal dans ses réactions.

« Que sait au juste Eddie ? » finit par dire Caroline.

Eyton lui montra une lettre.

« J'ignore ce qu'il sait, mais je sais qu'il menaçait Taylor. Il le prévient dans cette lettre que s'il ne retire pas ses accusations contre lui, il le dénoncera.

— Des hommes ? »

Eyton baissa les yeux ; ses joues et ses oreilles rougirent puis il répondit :

« Non, des garçons. De jeunes garçons. Vous pensez bien que, si la presse a vent de l'affaire, c'en est fait d'Hollywood. A cause d'Arbuckle nous sommes déjà boycottés dans toute la ceinture biblique. Un scandale de plus et...

— Admettons que nous puissions contrôler la presse, comment ferez-vous pour contrôler l'enquête de police ?

— En les payant, pour qu'ils recherchent Eddie.

— Supposé qu'ils le trouvent, et qu'il leur raconte son histoire ?

— Alors il faudra les payer pour qu'ils ne le trouvent pas — du moins pas vivant.

— Un accident ? »

Eyton fit un signe d'acquiescement.

« En attendant, nous allons faire de Bill un véritable bourreau des cœurs. Dans deux semaines j'avouerai à la police que j'ai confisqué certaines lettres écrites par ses amies femmes afin d'éviter à des personnes innocentes de se trouver impliquées dans cette triste et tragique histoire. Et je restituerai à la police toutes les lettres à l'exception de celles que vous savez.

— Les autres sont-elles aussi insipides que les miennes ?

— Celles de Mary Miles Minter sont loin d'être insipides. En fait, elles sont bien plus intéressantes que n'importe lequel des films qu'elle a tournés récemment. Elle lui écrit notamment qu'elle espère l'épouser afin d'échapper à la tutelle de sa mère qui l'enferme à clé dans sa chambre pour l'empêcher d'aller rôder, et que la dernière fois que Mrs. Selby l'a bouclée, Mary a pris un revolver et a essayé de se tuer. »

Caroline revit la lettre sur le bureau de William, et se souvint du mot « tirer » écrit en grandes onciales.

« Ça veut dire qu'elle possède un pistolet et donc nous savons qui est le meurtrier, n'est-ce pas ?

— Vous croyez ? fit Eyton en l'examinant de son regard attentif. Au fond peut-être que vous avez raison, si on y réfléchit bien. Nous savons en tout cas qu'Eddie faisait chanter son ancien patron à propos de ses… amies femmes, comme nous les appellerons. Nous n'avons pas pris les vêtements de femme que nous avons trouvés chez lui. Nous avons même laissé un peignoir rose sur lequel étaient brodés trois M. On va donc le décrire comme une espèce de Casanova, ce qui de notre point de vue ne nous gêne absolument pas. Et bien qu'un certain nombre d'actrices célèbres soient mentionnées comme victimes possibles ou présumées de ses pulsions d'homme normal, seules Mabel et Mary risquent d'en ressortir un tout petit peu égratignées. Et cette pauvre Mabel n'aurait même pas été mentionnée, si elle n'avait pas eu la malencontreuse idée de passer lui dire bonjour juste avant qu'Eddie ne le tue.

— Et pour la drogue ?

— Nous n'avons rien trouvé. La police n'a rien trouvé non plus, répondit Eyton avec un calme imperturbable. Hollywood est de nouveau blanc comme neige, de ce côté-là en tout cas. »

Caroline se leva.

« Quand la police me questionnera…

— Dites-leur la vérité. Quoi d'autre ? Mais vous pourriez, si vous le vouliez, mentionner Eddie comme assassin éventuel. Cela nous aiderait beaucoup. »

Eyton se leva à son tour.

« Vous savez, son valet de chambre de couleur, Henry Peavey, devait être entendu aujourd'hui en justice, et Bill devait comparaître comme témoin de moralité.

« — En justice, pourquoi ?

— Pour racolage illicite de jeunes garçons et incitation à la débauche.

— Pour lui-même ?

— Non, pour son employeur, à ce qu'il m'a dit. La police a trouvé un trousseau de clés qui ne correspond à aucune des serrures du 404 Alvarado Street. Il devait donc y avoir un autre appartement quelque part...

— Une garçonnière ?

— J'ai peur de ne pas connaître le français, dit Eyton en reconduisant Caroline à la porte. Juste un peu d'espagnol, tel qu'on le parle par ici. »

2

Vers la mi-mars, Emma Traxler était à nouveau devant les caméras, dirigée par son metteur en scène et « mégaphoneur » favori, Timothy X. Farrell, comme l'avait surnommé Grace Kingsley dans un long article paru dans le *Los Angeles Times*. Apparemment Emma avait été tentée de renoncer aux lumières d'Hollywood pour se retirer dans son château familial en Alsace, où les gens de son village attendaient le retour de l'enfant prodigue. Mais des lettres d'admirateurs venues du monde entier l'avaient décidée à reparaître dans un film dont la mise en scène devait être confiée à William Desmond Taylor. Caroline frissonnait chaque fois qu'elle lisait ce nom, ce qui lui arrivait plusieurs fois par jour.

Comme l'avait prédit Eyton, le scandale fut immense mais délicatement orchestré. Le nom d'Emma fut cité parmi ceux d'un grand nombre de vedettes que Taylor avait poursuivies de ses assiduités. A part une déposition au département de Police de Los Angeles, Caroline ne fut pas importunée. Mais les déclarations de la police ne coïncidaient pas toujours avec les affabulations d'Eyton. Le peignoir rose avec les trois M fit la une de tous les journaux ; et cependant la police n'avait pas l'air de s'y intéresser. Eyton avait-il inventé toute cette histoire pour mieux compromettre Minter ? Pour le moment Eyton avait donné (vendu ?) les lettres de Minter à l'*Examiner*. Heureusement pour elle, Mary avait un excellent alibi pour le soir du crime. Elle faisait la lecture à sa mère et à sa sœur. Cependant le lendemain du meurtre, elle s'était rendue au domicile de Taylor avant que les journaux n'eussent ébruité la nouvelle de sa mort. Par ailleurs, le téléphone n'avait pas cessé de sonner de toute la matinée, et toutes les personnes concernées de près ou de loin par cette affaire avaient été mises au courant. Et tandis que la presse continuait de publier toutes sortes d'histoires plus ou moins salaces sur la vie amoureuse de Taylor, la police, elle, ne parlait que du voleur, Eddie, qui avait disparu.

Caroline se trouvait dans sa loge à côté de la salle de sonorisation ou l'on avait recréé le casino de Monte-Carlo. Elle avait repris le scénario de Taylor pour la Traxler Productions. Une ancienne grande-duchesse, devenue femme de chambre, emprunte les habits de sa maîtresse pour assister à un bal masqué.

Caroline était allongée sur une planche inclinée afin de ne pas défriser sa perruque. Elle se sentait plus que jamais comme une marionnette dont Tim tirait les ficelles, ce qui du reste ne lui était pas du tout désagréable. En plus des habituelles scènes d'amour, il y avait un élément de comédie dans ce film, qui n'était pas pour lui déplaire. Et puis son nouveau visage était aussi photogénique que l'ancien. En somme elle paraissait dix ans de moins que dans *Mary Stuart*. En ce temps-là pas besoin de chirurgie esthétique. La hache du bourreau y suppléait.

Soudain la porte de sa loge s'ouvrit.

« Tim ? » dit Caroline.

Il était le seul à pouvoir entrer dans sa loge sans frapper. Mais ce n'était pas Tim. C'était Mabel Normand.

« Em, puis-je vous parler ? »

Pour des raisons qu'elle ignorait, Mabel l'avait toujours appelée Em. Mais après tout, mieux valait un petit Em tout sec que la panoplie complète des sinistres trois M.

« Mais oui », dit Caroline. Puis se tournant vers son habilleuse : « Voulez-vous nous laisser un instant ? »

L'habilleuse sortit de la loge, et Mabel ouvrit à fond les deux robinets du lavabo.

« Comme ça, ils ne pourront pas nous entendre.

— Qui ?

— N'importe qui. La police. »

Mabel traversa la loge les orteils tournés en dedans, les deux mains ouvertes, la tête à la renverse en dodelinant de droite et de gauche.

L'effet comme toujours était ravissant. Etait-ce son côté clown, son côté petit garçon qui avait séduit William Desmond Taylor ?

« Em, voulez-vous me rendre un service ? »

Sa longue lèvre supérieure se mit tout à coup à ressembler à celle d'Huck Finn quand il est d'humeur espiègle.

« Si je peux, bien sûr », répondit prudemment Caroline.

Elle se sentait l'air godiche, étendue sur sa planche sans pouvoir bouger de peur d'égarer les sequins brodés sur sa robe, ou de déranger le savant échafaudage de sa coiffure, une espèce de ruche flanquée de nattes et de joyaux.

« Vous dînez ce soir à Pickfair ?

— Pas vous ?

— Moi ? Je ne suis jamais invitée dans des endroits pareils. Dieu merci. Mais ce soir il y aura tous les gros bonnets de la profession. Maintenant, Em, écoutez-moi bien. Vous savez qu'il existe une liste noire. Ce n'est pas encore officiel, mais tout le monde est au courant. Maintenant il est question de créer une Agence centrale de distribution. »

Le nouveau comité avait annoncé qu'afin de maintenir un haut standard de moralité dans l'industrie cinématographique, tous les acteurs devraient s'affilier à l'Agence centrale de distribution, qui déterminerait s'ils sont moralement dignes d'être réduits à l'état d'ombre sur l'écran.

« Je croyais que c'était pour tenir à l'écart les... les...

— ... les alcoolos, bien sûr. Mais ça concerne aussi la drogue et la politique. Et que sais-je encore ? Eh bien, j'y suis.

— Vous êtes où ?

— Sur la liste noire, pardi !

— Comment le savez-vous ?

— C'est Mack qui me l'a dit. Mack Sennett. Lui n'est pas inquiété, mais il n'y a qu'avec lui que je peux tourner. Personne d'autre ne m'engagera tant que je ne serai pas en odeur de sainteté auprès de qui vous savez.

— Qui ?

— Le grand superviseur, celui que le gouvernement va nous envoyer. Alors si vous vouliez bien lui parler à mon sujet ?

— Oui, répondit Caroline, indignée par ce nouvel exemple flagrant d'hypocrisie américaine. Vous croyez que c'est à cause de la drogue ?

— Non. C'est à cause de Taylor. Je suis une espèce de suspecte. Du moins pour la presse. »

Mabel s'assit devant la coiffeuse, et commença machinalement à se maquiller comme pour tourner une scène. Caroline la regardait faire, fascinée par son professionnalisme. Il est vrai que Mabel était l'actrice qui connaissait le mieux le cinéma. Elle avait même dirigé Chaplin.

« Mais vous n'êtes pas vraiment suspecte, n'est-ce pas ? La police sait bien que...

— Vous voulez rire ! gouailla Mabel. Tout ça c'est un coup monté. Le district attorney a été acheté. Ils vont continuer de faire semblant de chercher Eddie Sands jusqu'à ce que l'affaire soit classée. A propos, Eddie est mort. »

Sous le coup de la surprise, Caroline bougea la tête, ce qui fit tomber une de ses nattes. Mabel bondit sur ses pieds, releva la natte pendante, et la rattacha à la ruche scintillante.

« On a trouvé son corps dans Connecticut River. Une balle dans la tête. Ils disent que c'est un suicide.

— Qui, ils ?

— La police de Darien dans le Connecticut.

— Pourquoi n'ont-ils pas averti la police de Los Angeles ?

— Ils l'ont fait. C'est comme ça que nous sommes au courant. Seul Woolwine, le district attorney, dit qu'il n'est pas absolument convaincu qu'il s'agisse bien d'Eddie, et donc la chasse à l'homme continue. La presse finira bien par s'en lasser, mais en attendant j'aimerais bien pouvoir travailler.

— J'en parlerai ce soir aux... gros bonnets.

— Ils ont tous peur de vous. Tous les hommes politiques ont peur des propriétaires de journaux. Ils ont aussi peur de nous, les acteurs. Du moins ceux dans mon genre. Bill me manque.

— Moi, je me le demande. »

Au fond Caroline ne savait pas très bien quoi penser de toute cette extraordinaire affaire. En un sens elle était littéralement choquée par ce qui venait de se produire. Elle avait peine à imaginer qu'elle ne le verrait plus jamais déjeuner à la cantine du studio, ou penché sur son jeu de jacquet dans son bungalow d'Alvarado Street.

« Qui l'a tué ? demanda-t-elle tout à coup.

— Vous ne savez pas ? fit Mabel avec une lueur malicieuse dans les yeux.

— Non, comment le saurais-je ?

— Je croyais que vous aviez deviné. Moi je l'avais deviné, avant que Mary ne me l'ait dit.

— Voyons, ça ne peut pas être elle.

— Disons qu'elle ferait un suspect tout à fait présentable. La police a trouvé trois longs cheveux blonds sur le veston de Bill. Ni vous ni moi n'avons de longs cheveux blonds — du moins en ce moment.

— Je croyais qu'elle était chez elle en train de lire à sa mère et à sa sœur. »

Caroline connaissait par cœur le déroulement de cette fameuse soirée.

« Non. Elle était à l'étage quand je suis arrivée. »

Caroline lorgnait du coin de l'œil Mabel qui était en train d'essayer une paire de faux cils appartenant à Emma Traxler.

« Comment le savez-vous ?

— C'est elle qui me l'a dit.

— Je ne comprends pas. A sa place, vous seriez la dernière personne à qui je ferais ce genre de confidences. »

Mabel poussa un soupir.

« Ils ne me vont pas, n'est-ce pas ? dit-elle en clignant des yeux dans le miroir.

— Non. C'est bon pour une grande-duchesse vieillissante qui fréquente Monte-Carlo, et non pour " notre Mabel ".

— Le lendemain, la petite Mary m'a téléphoné. Elle voulait me rencontrer. J'ai accepté, bien que nous nous détestions cordialement.

— Pourquoi Mary voulait-elle vous voir ? »

Mabel enleva les faux cils et regarda Caroline dans les yeux.

« Elle voulait savoir si Bill m'avait dit qu'elle était dans la maison, lorsqu'il m'a reconduite à ma voiture. Il m'avait même donné ce livre de Freud en me disant que je ferais mieux de lire ça que la gazette de la police, qui est ma lecture habituelle. Je lui ai dit que oui. Et bien sûr ce n'était pas vrai. Mais elle l'a cru. Alors elle m'a raconté ce qui s'était passé. Après mon départ, Charlotte est entrée dans la maison. Elle s'était cachée à l'extérieur du bungalow pour espionner sa petite fille. Vous imaginez sa surprise en me voyant sur les lieux. Donc moi partie, comme je vous disais, elle est entrée dans la maison et elle a tué Bill ainsi qu'elle avait menacé de le faire s'il épousait son gagne-pain, comme Mary lui avait dit qu'il le ferait et qu'il n'avait aucune intention de faire, le pauvre bougre. Bref, elle lui a tiré dessus en présence de sa fille, ce qui fait de la petite Mary une complice — techniquement parlant.

— Est-ce que la police est au courant ? »

Mary hocha la tête.

« Quand ils ont trouvé les trois cheveux blonds, ils n'ont plus eu de doute. Mais ils ne diront rien. On laisse courir toutes sortes d'histoires sur nous tous, mais on ne livrera jamais le coupable. Charlotte paie personnellement le district attorney. Mary dit que Woolwine insiste pour être payé en liquide.

— Ça doit faire une drôle d'impression d'avoir pour mère une meurtrière... »

La propre mère de Caroline avait comploté la mort de la première Mrs. Sanford, et Caroline n'avait jamais pu se débarrasser d'un sentiment de culpabilité.

« Elles ont de quoi parler en tout cas. »

On frappa à la porte.

« On vous demande sur le plateau, Miss Traxler. »

Le maquilleur et l'habilleuse entrèrent dans la loge et procédèrent à la transformation de Caroline d'abord en Emma, et ensuite en grande-duchesse Olga en travesti.

« Vous êtes superbe ! s'exclama Mabel. J'aimerais pouvoir m'habiller comme ça, ajouta-t-elle en fermant les robinets.

— Et moi, j'aimerais pouvoir jouer comme vous.

— Jouer ? Mais je n'ai jamais joué de ma vie. Alors, c'est entendu, je compte sur vous, Em ? »

Mabel jeta un baiser à Caroline et s'en alla.

Caroline fit son entrée sur le plateau, applaudie par Tim et tous les machinistes. L'orchestre à cordes se mit à jouer Offenbach.

« Donnez-moi mon loup, commanda la duchesse à sa camériste. Ce soir je suis quelqu'un d'autre. Mais qui ? »

A six heures du soir Caroline savait exactement qui elle était : Mrs. Sanford du *Washington Tribune*. Elle téléphona au journal et elle eut Mr. Trimble au bout du fil.

« Mrs. Sanford... Caroline. » La voix qui lui répondit était maintenant celle d'un vieil homme. « Ou peut-être devrais-je dire Emma ?...

— Emma Traxler prend sa retraite l'an prochain et Mrs. Sanford devient productrice de cinéma à part entière...

— Revenez au journal...

— C'est plus amusant que le journalisme... Au fait, j'allais vous demander.

— Je sais. Nous mettons la sourdine le plus possible, mais cet endroit est un vrai merdier, passez-moi l'expression.

— Absolument. C'est pourquoi je désire que vous écriviez un

éditorial, mais quelque chose de gratiné comme vous savez le faire, pour demander au gouvernement de nous dépêcher Will Hays. Le sort du pays, que dis-je ? du monde entier en dépend. Il a déjà refusé, mais je crois que nous pourrions le convaincre, si nous laissions entendre que la personne qui aura nettoyé Hollywood pourrait fort bien être élue Président en récompense de ses services. Vous connaissez le topo. »

Mr. Trimble toussota au bout du fil et dit :

« Je connais assez bien Hays. S'il pensait que le *Trib* ferait campagne pour lui lors des prochaines élections, je crois qu'il marcherait...

— Alors dites-lui qu'il peut compter sur nous. Dites-lui aussi que Hearst le soutiendra. Que je m'en porte garant...

— Le pouvez-vous ?

— Qui sait ? Mais je peux toujours demander à Hearst d'écrire un éditorial demandant à Hays d'accepter ce poste.

— Je ne sais pas si vous êtes au courant, mais ici le gouvernement file un mauvais coton. Aussi c'est peut-être le bon moment pour donner sa démission. Au fait, cette Mary Miles Minter, à quoi est-ce qu'elle ressemble ?

— A une vieille naine... Mais quand vous aurez passé votre éditorial — ou votre suite d'éditoriaux — pourquoi n'iriez-vous pas trouver Mr. Hays pour lui dire que nous aurions besoin de quelqu'un comme lui, et que c'est très important pour nous, que sa présence sauverait Hollywood, etc., etc. ? »

Trimble savait très bien ce qu'on attendait de lui ; et ils se dirent au revoir.

Tim entra dans la chambre à coucher en habit de soirée.

« Tu n'as pas oublié que nous dînons ce soir à Pickfair.

— Oh que non ! Tu sais, je crois que Mr. Hays va finir par venir.

— A quoi est-ce qu'il ressemble ?

— A un vieux nain. Non, excuse-moi. A quoi il ressemble ? A une souris dévorée d'ambition. Je dis souris parce que c'est plus gentil que de dire un rat. Si nous l'aidons politiquement, il nous aidera à construire notre ville imaginaire. Ça ne devrait pas être trop difficile. »

Tim hocha la tête et sourit. Caroline était redevenue Caroline. Ils avaient encore du pain sur la planche.

Jess s'assit avec peine à sa place habituelle dans le hall du Wardman Park Hotel. Il venait d'être opéré de l'appendicite, et le chirurgien qui l'avait opéré lui avait dit que la plaie était toujours longue à se cicatriser dans le cas d'un diabétique. Il lui fallait maintenant une heure pour s'habiller, et le pansement qui recouvrait sa plaie sentait très fort l'hamamélis. La seule bonne nouvelle qu'il ait eue depuis quelque temps avait été d'apprendre la découverte de l'insuline, un nouveau médicament qui sauvait la vie de milliers de diabétiques dans le monde. Pour la première fois depuis des années, Jess pouvait boire et manger normalement.

Jess tenait à la main un numéro du *Washington Tribune*. Dans le cas peu probable où il apercevrait quelqu'un à qui il ne voudrait pas parler, il pourrait toujours se dissimuler derrière le journal en faisant semblant d'étudier les cours de la bourse. Autrement il aimait bien observer le va-et-vient de l'hôtel. Des membres du Congrès et de hauts fonctionnaires du gouvernement habitaient l'hôtel, et il était toujours possible d'opérer certaines transactions inattendues, assis dans un de ces profonds fauteuils à proximité desquels la direction avait eu la bonne idée de disposer des crachoirs.

Un congressman de l'Ohio s'arrêta pour dire bonjour.

« Il s'en est fallu de peu, Jess. De très peu.

— Asseyez-vous. »

Jess était désireux d'en savoir davantage sur la dernière élection où le parti républicain avait perdu soixante-dix sièges à la Chambre des Représentants et sept au Sénat. Le parti contrôlait encore les deux chambres, mais tous les observateurs s'accordaient pour dire que le pays était d'humeur inquiète et que la réélection d'Harding en 1924 était loin d'être assurée.

« Nous avons perdu Frank Mondell, le meilleur président de la Chambre que nous ayons jamais eu, et Lodge a été réélu de justesse. »

Le congressman secoua tristement la tête.

« Tout ça c'est la faute des radicaux, Jess, et des progressistes, dans le genre de La Follette et Norris. Ils sont là pour inciter le peuple à la révolution, comme en Russie. »

Jess reconnut que, si l'élection avait démontré quelque chose, c'était que les radicaux avaient le vent en poupe et que le conservatisme modéré d'Harding n'avait plus la faveur populaire. Mais ce camouflet avait eu un effet salutaire sur la Maison-Blanche. W.G. avait convoqué le Congrès pour une session spéciale deux semaines avant l'ouverture habituelle de la session d'hiver. W.G. allait enfin faire claquer le fouet.

« J'espère qu'il saura mater cette bande de rebelles, dit le congressman en enfonçant ses doigts dans son abondante crinière grise. Vous avez vu Charlie Forbes dernièrement ? »

Le cœur de Jess se mit à battre plus vite comme chaque fois qu'il était question d'affaires.

« De temps en temps. Il a pas mal voyagé depuis un an. Charlie Cramer a dirigé le bureau à sa place. Oui, on se voit assez souvent. C'est un chic type.

— On dit que Forbes va remplacer Fall à l'Intérieur...

— Je sais. »

Jess n'en dit pas plus parce qu'il n'en savait rien et que quelqu'un comme lui, qui était le bras droit du bras droit du Président, était censé tout savoir.

« Alors Forbes va prendre l'Intérieur ?

— Oui, répondit Jess en prenant son air le plus malin. Après le départ de Fall, bien sûr. Il n'est pas en très bonne santé, comme vous savez, et en plus il vient de perdre ses deux fils.

— Je suis sûr que Charlie s'en tirera très bien, plaisanta le congressman avec un petit rire équivoque. C'est un malin, celui-là ! Un ami à moi m'a dit qu'il avait vendu au ministère des Anciens Combattants soixante-dix mille gallons d'encaustique à un dollar le gallon, qu'il avait acheté quatre cents le gallon. Faites le compte.

— C'est beaucoup d'encaustique. »

Jess tira à travers son gilet sur son pansement qui avait commencé de s'enrouler sur lui-même.

« Assez en tout cas pour tous les hôpitaux du pays pendant une bonne centaine d'années. »

Jess marmonna quelques paroles aimables et le congressman continua son chemin.

Jess avait traité un certain nombre d'affaires avec Forbes, mais pas autant qu'il l'aurait désiré, car Daugherty s'en méfiait beaucoup. Il y a toujours un certain roulement d'argent dans un ministère comme celui des Anciens Combattants, et Forbes avait acquis une réputation de négligence quand il s'agissait de délivrer des contrats pour de nouveaux hôpitaux. Daugherty était persuadé que Forbes était un escroc fini, alors que le Président le croyait avant tout arriviste. Jess de son côté s'était fait une règle de ne jamais parler affaires avec Daugherty, qui au demeurant n'était pas homme à poser trop de questions. Il avait d'ailleurs assez de soucis comme ça. Car, quoi qu'en dît le Président, il était désireux de se faire réélire en 24, et il appartenait à Daugherty de veiller à ce que tout se passe bien. En attendant Lucie Daugherty était à l'hôpital John Hopkins, et Draper, leur fils alcoolique, s'apprêtait à faire une cure de désintoxication, tandis que Daugherty lui-même avait à réfuter quatorze accusations lancées contre lui par un congressman fanatique qui lui reprochait de ne pas combattre les trusts avec plus d'ardeur. Comme tout le monde savait que les syndicats étaient derrière cette procédure de destitution, le Congrès l'avait tout simplement rejetée. Mais Daugherty était physiquement épuisé, et Jess ne voulait pas lui créer d'autres soucis. Au contraire.

Durant l'heure qui suivit, Jess se livra à un petit travail qu'il avait catalogué dans son esprit sous l'étiquette de « pour ma gouverne personnelle » et qui consistait à noter sur un calepin les gens à voir, et à quel sujet. Il s'extraya ensuite de son fauteuil en prenant bien soin de ne pas tirer sur son pansement, car avec un peu de chance sa blessure pourrait peut-être un jour se refermer. Le portier du Wardman Park l'aida à monter dans un taxi.

« La Maison-Blanche », dit-il au chauffeur avec une satisfaction évidente. C'était une phrase qu'il ne se lassait jamais de prononcer.

Jess trouva la duchesse et Doc Sawyer devant la cheminée dans le grand salon Ovale. Mrs. Harding était assise dans un fauteuil roulant et le petit docteur était en uniforme de chirurgien général de l'armée.

« Eh bien, Jess, c'est comme ça qu'on rend visite à ses amis quand ils sont malades, maugréa la duchesse d'une voix mordante et nasale en fixant sur lui son regard d'acier. Ne protestez pas. Je sais.

— Voyons, duchesse, vous savez bien que je suis venu tous les jours en août, n'est-ce pas, Doc ?

— Comme j'étais dans le coma, ça m'a fait une belle jambe ! Evalyn est venue ce matin. Elle m'a apporté ceci. »

La duchesse montra un bonnet de nuit de dentelle en forme de couronne.

« Doc m'a promis que je serai debout pour Noël, mais je ne vois pas comment. Je suis si faible, je me sens comme une loque ! Et en plus je suis hydropique ! »

La duchesse énuméra avec une sombre joie la liste de toutes ses maladies. Mais comme l'avait déclaré Daugherty, elle avait acquis le droit d'embêter tout le monde avec ses maladies, vu qu'elle avait failli mourir en août lorsque le rein qui lui restait s'était infecté. Et Doc, qui n'était pourtant qu'un simple homéopathe, lui avait une fois de plus sauvé la vie. De deux choses l'une : ou bien il était meilleur docteur qu'on ne le soupçonnait, ou bien Florence Kling Harding était tout bonnement increvable.

Une fois épuisé le sujet des maladies — la duchesse se montra morbidement intéressée par la cicatrice de Jess — elle donna à Jess une demi-douzaine de feuilles de papier à en-tête de la Maison-Blanche, couvertes de sa plus belle écriture.

« C'est pour des cadeaux de Noël. Vous êtes la seule personne que je connaisse qui sache acheter bon marché des choses qui n'ont pas l'air bon marché. Nous devons faire des économies, vous savez. La Bourse... »

Elle poussa un soupir. Jess savait exactement combien W.G. avait perdu.

« Nous devrons peut-être vendre le *Star*.

— A ce point ? »

Harding sans le *Marion Star,* c'était impensable. Il est vrai que, s'il était Président encore six ans, il serait trop vieux ensuite pour s'occuper de nouveau du journal.

« Nous avons reçu une offre intéressante. Quoi qu'il en soit, voyez ce que vous pouvez faire au sujet des cadeaux. »

Brooks, le valet du Président, apparut sur le seuil.

« Ça va, je suis prête. Je suis épuisée. Oh, Jess, j'ai eu la visite de Mme Marcia. Devinez ce qu'elle m'a dit ? »

Jess haussa les épaules.

« Aucune idée.

— Elle savait pour la grippe, mais bien sûr elle aurait pu l'apprendre par les journaux, n'est-ce pas ? Elle voulait surtout me voir au sujet de l'opposition de la Lune au Soleil et à Saturne, ce qui est très grave. En d'autres termes, ça signifie que Warren ne peut pas compter sur ses amis. Elle a dit qu'il devrait se méfier de ceux en qui il a confiance et faire confiance à ceux dont il se méfie habituellement.

— Ça fait pas mal de monde, duchesse.

— Hum... hum ! fit-elle, tandis que Brooks se mettait à pousser son fauteuil.

— Vous voulez que je vienne avec vous ? » demanda Doc.

La duchesse fit un signe de dénégation.

« Je me débrouillerai bien toute seule », dit-elle en coiffant sa couronne de dentelle.

Jess s'apprêtait lui aussi à se lever quand Doc s'assit tout à coup sur la chaise qui lui faisait vis-à-vis.

« Jess, j'ai à vous parler », lui dit-il en le fixant dans les yeux.

Jess se raidit pour répondre.

« Bien sûr, Doc. Quoi de neuf ?

— Je sais que Forbes est un escroc. Et vous, vous le saviez ? »

Il y avait sûrement quelque chose qui ne tournait pas rond si deux fois dans la même journée deux personnes aussi différentes qu'un congressman de l'Ohio et Doc accusaient d'escroquerie le bouffon de la cour comme la presse avait surnommé Charlie.

« Ma foi, Doc, non, je ne le savais pas. J'ai bien entendu parler de l'affaire de Perryville dans le Maryland, le mois dernier, mais tout ça c'est terminé, n'est-ce pas ?

— Non. Je suis chirurgien général de l'armée, et à ce titre je m'occupe également des Anciens Combattants. Eh bien, depuis qu'il est là, Charlie a vendu tout ce qu'il était humainement et matériellement possible de vendre. Et je vous prie de croire qu'il s'en est mis plein les poches. »

Jess commençait de se sentir très mal à l'aise. Il ressentit une brûlure à l'endroit de sa blessure, comme si on l'avait marqué au fer rouge.

« Je croyais que le Président avait interdit les ventes, et que Charlie avait tout expliqué et que maintenant tout était rentré dans l'ordre, et qu'on n'avait vendu que des choses vieilles et usagées.

— Vous faites des affaires avec Charlie ? »

C'était la question qu'il redoutait depuis un moment. Le visage de Jess devint rouge comme une tomate. La langue lui collait au palais. Il aurait bien bu un tonneau d'eau fraîche.

« Doc, dit-il d'une voix étranglée, vous savez bien que Daugherty ne s'entend pas avec Charlie, et moi c'est pareil. Oh, bien sûr, il vient de temps en temps dans K Street pour jouer au poker et vider des godets, comme vous, mais ça s'arrête là.

— Moi je viens pour jouer au poker et pour vider des verres, c'est vrai. Mais il y en a qui viennent aussi pour autre chose, n'est-ce pas ?

— J'ignore de quoi vous parlez, dit Jess qui sentait peu à peu sa peur se muer en colère.

— Je l'espère pour vous, car je devrai bientôt mettre un terme aux agissements de Charlie.

— Allez-y, dit Jess, qui savait très bien que Doc n'entreprendrait rien sans l'accord du Président.

— Je voulais seulement m'assurer qu'il n'y avait que Forbes d'impliqué », reprit Doc en attachant une nouvelle fois son regard sur Jess, qui détourna les yeux. Jess n'avait plus qu'une seule pensée en tête : de l'eau, de l'eau...

« Si Charlie manigance quelque chose, il n'est sûrement pas tout seul, n'est-ce pas ?

— Je voulais dire en dehors de ses amis, comme Charlie Cramer. J'espère qu'il n'y a personne d'impliqué parmi les gens de K Street, comme Mannington.

— Non, répondit Jess, qui pour une fois était à peu près sûr de ne pas mentir.

— Bon.

— Vous savez, si vous avez vraiment l'intention de le dénoncer comme vous dites, allez trouver le général.

— Vous voulez dire Daugherty ? »

Jess hocha la tête.

« Il sera heureux de mettre Charlie en prison. Mais c'est le Président qui sera embêté, surtout maintenant qu'il a décidé de se représenter.

— Il n'en fera rien.

— Mais si.

— C'est ce qu'il croit. Mais dans deux ans il ne sera plus là. »

Le pansement se recroquevilla sur lui-même, et Jess ressentit cette fois comme un coup de poignard dans le ventre.

« Je ne comprends pas.

— Le cœur.

— Comment le savez-vous ? Vous n'êtes pas son médecin.

— C'est pourquoi je peux le dire. Il est au bout du rouleau. Je le vois à son visage, à ses yeux, comme il a de la peine à respirer, quand il se couche. Brooks doit lui caler le dos avec des oreillers.

— Vous ne pouvez rien faire ? »

Doc Sawyer secoua la tête :

« Non, il y a certaines circonstances dans la vie où il n'y a rien d'autre à faire qu'à attendre. »

CHAPITRE XIV

1

James Burden Day, les pieds sur les chenets en bronze de la cheminée, regardait les bûches se consumer. Février était un mois éminemment mélancolique. Certes, le Congrès allait bientôt s'ajourner, et c'était un motif de joie, et puis l'hiver tirait à sa fin. Finies aussi les réunions de commissions, sauf en cas contraire, bien entendu. Pour le moment, les sénateurs qui n'avaient pas encore attrapé la grippe en avaient tout simplement par-dessus la tête de la politique; quant au pays lui-même, il n'avait jamais été aussi instable. La situation économique s'était améliorée, mais on était encore loin du retour à la normale rêvé par Harding. Des grèves éclataient un peu partout dans le pays, et dans le vestiaire du Sénat les sénateurs discutaient à perte de vue sur les avantages et les désavantages de la révolution, de la dictature, voire du chaos pur et simple. En attendant, le Président s'était remis tout doucement de sa grippe, et avait convoqué Burden à la Maison-Blanche.

« Quel est le sujet de votre entrevue, si je ne suis pas trop indiscret, bien sûr ? » demanda Cabot, qui était assis à côté de Burden.

Depuis quelque temps le vieillard chenu s'était rapproché de Burden. Il errait comme une âme en peine dans les couloirs glacés du

Sénat. Bien qu'il fût le chef de la majorité républicaine au Sénat, Lodge avait maintenant de plus en plus tendance à déléguer ses pouvoirs. Depuis la mort de sa femme et de son fils bien-aimé, Henry Cabot Lodge n'avait plus personne à aimer. Et ce qui était bien pire pour un homme de son tempérament, il n'avait plus personne à haïr. Le Président était non seulement un collègue républicain, mais en plus il était absolument impossible de le haïr. Par ailleurs, et pour des raisons mystérieuses, Lodge avait toujours été plutôt bien disposé à l'égard de Burden, même si Burden était pour le moment, sinon en titre du moins en réalité, le leader de la minorité démocrate. Caroline était bien sûr un lien entre les deux hommes. Et à travers elle le souvenir de la cour d'Henry Adams — aussi dispersée à présent que celle du roi Arthur.

« Vous en serez le sujet, je crois bien, répondit Burden en souriant à Lodge qui d'un geste nerveux tira sur sa barbichette.

— La Cour Internationale ? »

Burden hocha la tête.

« Harding voudrait que nous y adhérions...

— Hughes veut que nous y adhérions, et Harding fait ce que Hughes lui dit de faire. Hughes est un avocat. Je déteste les gens de robe. Aucun avocat n'a jamais pu résister à une cour, vous avez remarqué ? C'est comme le fromage pour les souris.

— Il y a cour et cour...

— Exactement. Or, comme celle-ci dépend de la Société des nations, nous ne pourrons jamais...

— Jamais, jamais...

— Jamais, chuchota Lodge avec une certaine satisfaction, y adhérer ! »

Tout ce qui avait trait à la Société des nations avait maintenant le don de le mettre de bonne humeur, d'exciter ses esprits animaux... en quelque sorte.

« La commission des Affaires étrangères est divisée, reprit-il. Huit pour et huit contre. En tant que président, il me faudra naturellement plus de temps pour étudier la question. De toute façon, le Sénat va bientôt ajourner ses travaux, et il n'y a rien qui presse. Il paraît qu'Hughes est au lit avec la grippe. »

Miss Harcourt entra avec les notes de Burden sur la Cour Internationale.

« Mrs. Sanford a téléphoné. Elle a dit que ce n'était pas important, mais que si vous aviez un moment...

— Elle est à Laurel House ?

— Navrée, sénateur. J'aurais dû préciser. Il s'agit de Mrs. John Apgar Sanford. Elle est rentrée à Georgetown. »

Quels qu'aient pu être les soupçons de Miss Harcourt, elle était d'une discrétion absolue.

« Caroline est de nouveau parmi nous. Je m'en réjouis, dit Lodge.

— Il faudra que je dise à Kitty d'aller lui rendre visite.

— Actrice de cinéma, qui l'eût cru ? fit Lodge en secouant la tête d'un air ébahi. Ce n'était pourtant pas le type à vouloir... se déguiser. Elle a évidemment été élevée en France. Cela explique beaucoup de choses. » Lodge avait de quoi être amer : son fils, le brillant jeune poète, avait lui aussi vécu en France. « Henry me manque, je n'ai plus personne avec qui voyager, et pourtant il n'était pas toujours facile...

— Nous sommes devenus si... » — Burden hésitait sur le choix du mot qui traduisît à sa mauvaise humeur — « si médiocres. A part vous, bien entendu...

— Et vous aussi, Burden. Vous serez Président un jour. Pour ce que ça vaut !

— Pas grand-chose, en effet. Nous ne servons plus à grand-chose dans ce monde moderne... »

Burden réalisa tout à coup qu'il parlait comme un vieillard à un homme qui était réellement un vieillard. Mais Burden n'était pas un vieillard. Il lui restait encore de nombreuses années à vivre. Il n'avait jamais douté qu'un jour il serait Président. Mais les temps avaient changé, et Burden se sentait de plus en plus étranger à son époque.

« Les hommes politiques n'ont d'importance qu'en temps de guerre. Cette observation n'est pas neuve, mais elle n'en est pas moins vraie. C'est la guerre qui a fait Lincoln, Roosevelt, Wilson. »

Lodge arqua les sourcils à la pensée de son vieil ennemi, qui vivait maintenant comme un roi en exil. Il passa à autre chose.

« Harding pense que vous autres Démocrates vous allez lui donner la Cour Internationale.

— Je le présume. Et vous, vous allez bientôt lui remettre le rapport de votre commission, n'est-ce pas ?

— Pourquoi tant se presser ?

— Parce que le soixante-septième Congrès se termine dimanche 13 mars.

— Mais lorsque Hughes répondra, ce sera un autre Congrès, une autre époque. Dites à Harding que nous sommes avec lui, bien sûr.

Nous voulons une cour, mais nous la voulons indépendante de la ligue. »

Burden poussa un soupir. On allait recommencer à se battre comme pour la Société des nations. A la surprise générale, Harding menaçait de porter le débat devant le pays. Insensiblement, l'aimable et débonnaire sénateur s'était mué en un Président jaloux de ses prérogatives, aux idées arrêtées et bien décidé à les faire appliquer.

Burden et Lodge se dirigèrent ensuite vers le bureau de Lodge. Comme on était en février et qu'il faisait sombre, de petites lumières brillaient çà et là le long des corridors, accentuant l'impression de tristesse qui se dégageait des lieux. Ils s'arrêtèrent devant le bureau de Lodge.

« Avez-vous appris quelque chose au sujet de Fall ? demanda le vieil homme.

— Non. Il est rentré chez lui, au Nouveau-Mexique, je crois.

— On dit qu'il a loué les réserves pétrolières de la marine à peu près à tout le monde.

— C'était son travail.

— Oui, évidemment », dit Lodge et il entra dans son bureau.

Le Président, qui relevait tout juste d'une méchante grippe, se trouvait non pas dans l'aile ouest, où était son bureau, mais dans le salon du premier. Un huissier offrit à Burden de l'accompagner, mais celui-ci lui dit qu'il connaissait très bien le chemin. Il reconnut en passant plusieurs membres des services secrets et fut salué par George Christian, le secrétaire du Président, qui sortait des appartements privés.

« Le Président est au premier », dit-il.

Le grand hall était pratiquement vide. Cela rappela à Burden la dernière année de Wilson à la Maison-Blanche. Il est vrai que février n'était pas un mois à touristes, et que le travail habituel de l'Exécutif s'effectuait dans l'aile ouest.

Comme Burden se dirigeait vers l'ascenseur, il entendit des éclats de voix venant du salon Rouge. Au même moment deux dames étaient reçues à l'entrée principale par le premier huissier. Burden en conçut une certaine inquiétude : si ces cris leur parvenaient aux oreilles... Burden gagna précipitamment le salon Rouge où il trouva le Président des Etats-Unis en train de secouer comme un prunier le directeur du Bureau des anciens combattants.

« Espèce de sale fripouille ! Crapule ! » hurlait le Président.

Harding prit Forbes par les épaules et le projeta contre le mur de damas rouge. Les lunettes de Forbes tombèrent par terre. Ses cheveux roux étaient tout hérissés.

« Monsieur le Président », dit Burden.

Harding lui jeta un regard égaré. Il paraissait hors de lui. Puis il retrouva progressivement ses esprits.

« Sénateur Day. Ah, oui ! Nous avons rendez-vous. Passons dans la pièce à côté, voulez-vous. »

Et ils sortirent du salon Rouge sans même jeter un regard à Forbes.

Dans le salon Bleu, Harding s'assit, le dos tourné à la fenêtre. Il avait de la peine à respirer.

« J'imagine, dit Burden, que vous désirez savoir comment le Sénat va voter concernant la loi sur la Cour Internationale.

— Oui, oui, fit Harding, en prenant une large inspiration. C'est tout de même curieux, n'est-ce pas, qu'un Président républicain doive compter sur les Démocrates pour faire passer son programme. J'ai appris une chose depuis que je suis ici. Ce n'est pas de vos ennemis que vous devez vous méfiez mais de vos amis. »

L'allusion à Forbes était claire.

Tout en exposant au Président l'état d'esprit du Sénat, Burden se demandait ce qui avait bien pu clocher au juste. Tout le monde savait que Forbes jetait l'argent par les fenêtres. Tout le monde se doutait qu'il recevait des pots-de-vin des adjudicataires. Tout cela était dans la meilleure tradition gouvernementale. Mais l'idée que le gouvernement pouvait être compromis dans de graves affaires de corruption n'était jamais venue à l'esprit de Burden, en dépit des affirmations de deux de ses collègues sénateurs, Wadsworth et Reed. Burden avait attribué leurs soupçons à leur zèle partisan.

« Je vais faire un tour du pays en mai et en juin, pour finir par l'Alaska. On va penser que je fais campagne pour ma réélection, mais c'est faux. Je tiens simplement à régler mon différend avec le Sénat devant l'opinion publique. »

Burden songea à Wilson. Comme ils étaient imbus de leur importance, tous ces présidents ! C'était extraordinaire. Même le modeste Harding avait succombé à l'ivresse du pouvoir. Il en était venu à croire qu'il n'avait qu'à paraître devant le peuple pour mettre en déroute ses ennemis.

« C'est toujours agréable de quitter Washington.

— Je n'en doute pas. »

Harding offrit un cigare à Burden, qui le refusa. Puis il essaya d'en allumer un pour lui-même, mais ses mains tremblèrent, et Burden dut l'allumer pour lui.

« Cette maudite grippe ! on n'arrive jamais à s'en débarrasser complètement, n'est-ce pas ? dit Harding en disparaissant derrière un nuage de fumée.

— Si, mais ça prend du temps. Dans mon cas, il a fallu un an. »

Le nuage de fumée s'éclaircit, laissant apparaître le visage du Président. Il avait le teint cireux. Pression artérielle trop élevée due à un excès de poids, diagnostiqua Burden. Comme s'il avait deviné ses pensées, Harding lui dit :

« Cette année je vais suivre un régime draconien. Plus de whisky, moins de cigares, davantage d'exercice, bien que je n'aie plus le même entrain qu'autrefois.

— Ça reviendra. »

Il était curieux de penser que lui, James Burden Day, avait de grandes chances d'être le candidat démocrate à l'élection de 1924, et qu'il aurait peut-être comme adversaire cet homme affable et bienveillant. Si les temps étaient prospères Harding l'emporterait, sinon Burden deviendrait le locataire de cette maison qui n'avait plus de secrets pour lui.

« Ce sera avant tout une campagne d'explication », commença Harding, puis il ajouta aussitôt : « Je vous serais très obligé de ne rien dire de ce que vous avez vu tout à l'heure.

— Si vous me le demandez, très volontiers. Mais je pense que vous devriez me dire de quoi il s'agit, car si cela concerne les affaires publiques, je finirai de toute façon par le savoir. »

Harding appuya sa joue droite contre sa main droite, et ferma les yeux.

« Il s'agit de l'affaire Perryville, dans le Maryland. Charlie m'a dit que tout était en ordre, et je l'ai cru. Mais l'attorney general, lui, ne l'a pas cru. Il a donc ouvert une enquête. Charlie va démissionner.

— Cela veut dire que le Sénat lui aussi va enquêter.

— Il faudra bien, répliqua Harding en esquissant un sourire. Parfois il m'arrive de penser que je suis toujours au Capitole, et non pas ici dans ce cul-de-basse-fosse. Et en plus, ça tombe vraiment à un mauvais moment ! D'ici que Daugherty perde les pédales avec tous ses autres ennuis (le pauvre, il n'est pas gâté), et quant à moi je ne suis pas très gaillard non plus en ce moment...

— Il y a au moins une bonne chose. Le Congrès va s'ajourner

dans quelques semaines. Vous serez à peu près tranquille jusqu'en octobre, novembre...

— Je croyais pourtant bien connaître Charlie, et puis voilà... »

Mais Harding ne dirait pas à Burden ce que Forbes avait fait, et Burden ne le lui demanderait pas. Dans un moment pareil l'Exécutif et le Législatif devaient garder leurs distances, surtout quand ils appartenaient à deux partis différents. Burden doutait fort que Forbes eût pu dépasser de beaucoup les limites admissibles pour ce genre de poste. La corruption était chose courante en politique, le tout était de ne pas dépasser certaines bornes. Durant la guerre Burden avait reçu de nombreuses offres de pots-de-vin de la part d'armateurs, et il les avait toutes rejetées, non seulement parce que c'était condamnable d'un point de vue moral, mais parce que cela pouvait briser sa carrière, s'il était découvert. Mais par ailleurs il n'avait rien d'un censeur. Ce que faisaient les autres, c'était leur affaire, non la sienne. Et dans l'ensemble les grands acteurs de la scène politique étaient raisonnablement honnêtes. Harding était un homme intègre autant que Burden pouvait en juger. Après tout le Sénat était un club relativement restreint, et l'on savait à peu près qui touchait de l'argent, de qui, et combien. Durant la guerre Borah, l'incorruptible, avait été soupçonné d'avoir reçu de l'argent d'un certain George Sylvester Viereck, un agent du Kaiser. Viereck avait ensuite vainement essayé de suborner Burden.

Mais les limites restaient assez floues, et en ce qui concerne le financement des campagnes politiques, c'était la nuit noire. En 1904, Theodore Roosevelt avait frappé à la porte de tous les riches magnats du pays. « Nous l'avons acheté, dira plus tard Frick, mais il s'est ensuite retourné contre nous. » En réalité, Roosevelt avait été suffisamment honnête pour honorer les services rendus. Telle était la règle du jeu, et qui l'enfreignait le faisait à ses risques et périls. Les politiciens de l'Ohio opéraient soit à la petite semaine comme Jess Smith qui trafiquait avec des bootleggers, soit à l'échelle nationale comme Mark Hanna, qui vendait ses présidents comme s'il s'était agi de gisements pétrolifères. Harding était peut-être le plus honnête de tous tandis que Daugherty, le mal-aimé, semblait au-dessus des tentations, sauf lorsqu'il s'agissait de récolter de l'argent pour Harding, auquel cas il rivalisait avec Hanna.

« Nous avons toujours Charlie Cramer au Bureau, dit Harding en écrasant son mégot. Il va remettre de l'ordre dans les affaires, une fois que Forbes sera parti. Burden, je vous demanderai de ne rien dire de la démission de Forbes, jusqu'à ce qu'elle soit effective, c'est-à-dire dans une semaine environ.

— Vous avez ma parole.

— Bien, sourit Harding. Il paraît que nous serons peut-être adversaires en 24. »

Burden se mit à rire.

« C'est un bruit que j'entends tous les quatre ans, mais jusqu'ici ils ont toujours trouvé quelqu'un d'autre.

— Je l'espère pour moi, car vous seriez un adversaire redoutable. »

Burden tendit au Président une chemise contenant ses réflexions sur la Cour Internationale, et s'en alla.

Burden s'introduisit par la porte latérale de la maison des Sanford dans Massachusetts Avenue, qu'ils avaient mise en vente depuis peu. Quand Blaise ou Frederika voulaient résider en ville, ils utilisaient la partie supérieure de la maison ; le rez-de-chaussée étant désert et glacial.

Frederika portait un négligé.

« Entre. Ferme la porte. Il fait gelant », dit-elle en l'introduisant dans son salon, où il faisait aussi chaud que dans une serre. Un grand feu brûlait dans la cheminée, et il y avait des masses de fleurs un peu partout. Frederika aimait à passer pour une experte en décorations florales. En réalité, elle était incapable de distinguer une fleur d'une autre, mais avouait préférer les lys aux chrysanthèmes. Les serres de Laurel House étaient entretenues par des jardiniers, et Frederika n'y allait jamais.

Burden s'assit devant le feu, tandis que Frederika lui préparait un Martini gin. Depuis la prohibition chacun se sentait obligé de boire plus qu'avant. Heureusement pour eux ni l'un ni l'autre n'était alcoolique, comme c'était le cas de la moitié des sénateurs et de leurs femmes.

« Harding va partir en tournée.

— Le pauvre.

— Non, il aime ça je crois.

— Tu as vu Caroline ? »

Burden secoua la tête. Chose étonnante, ses deux maîtresses s'étaient toujours bien entendues. Alors, comme un fait exprès, la porte du salon s'ouvrit toute grande et Caroline parut sur le seuil, avec Blaise derrière elle.

Passée la première alerte, Burden fut pris d'une espèce de fou rire.

Ils étaient là tous les quatre formant une sorte d'équation subtile qui, avec le temps, ne cessait de produire de nouvelles réponses, ou plus exactement de nouvelles figures, puisque dans la vie il n'y a jamais de réponses.

« Enfin, vous nous avez surpris », observa tranquillement Frederika. Elle embrassa Caroline et tapota la joue de Blaise. Burden avait toujours pensé que Blaise était au courant. Il se demandait maintenant — amère réflexion — si Blaise ne s'en fichait tout simplement pas !

« Il fait bon ici, dit Blaise d'un ton neutre en s'asseyant au coin du feu. J'ignorais que tu donnais une réception, dit-il à Frederika.

— Moi aussi, jusqu'à votre arrivée. Burden m'a tout raconté au sujet de Mr. Forbes et du Bureau des anciens combattants...

— Je retrouve la maison, dit Caroline en souriant affectueusement à Burden. A Hollywood on se demanderait combien *Robin des Bois* a fait comme recette au Capitole... pas le nôtre, celui de Broadway.

— A quoi ressemble Douglas Fairbanks ?

— A un joueur de base-ball.

— Ça, je le vois bien sur l'écran. Mais personnellement ?

— Personnellement, ça ne veut rien dire. »

Burden avait peine à reconnaître Caroline. Il lui semblait l'avoir toujours vue sur l'écran. L'actrice lui cachait la femme. Elle avait réduit son visage à une géométrie très épurée de traits en harmonie parfaite les uns par rapport aux autres. Kitty était convaincue que Caroline avait eu recours à la chirurgie esthétique, contrairement à Burden. La caméra avait éliminé toutes les imperfections et la gloire avait fait le reste.

« Vous comptez rester longtemps parmi nous ? demanda Burden.

— Le temps que le scandale s'apaise.

— Comme je t'envie ! s'exclama Frederika avec une parfaite sincérité ! J'aimerais tellement avoir ma photo dans les journaux ! Frederika Sanford...

— Traxler est notre nom de cinéma, dit Blaise en regardant d'un air songeur Burden, dont les joues s'empourprèrent brusquement, comme si on l'avait souffleté.

— Très bien, alors Frederika Traxler, femme fatale, la perle de la Transylvanie...

— D'Alsace-Lorraine, très chère, rectifia Caroline d'une voix onctueuse en la fixant impertinemment dans les yeux.

— N'importe. Et tu es la dernière personne à l'avoir vu vivant ?

— Qui donc ?

— Ce metteur en scène, je ne me souviens plus de son nom...

— L'avant-avant-dernière. Du moins je le crois, répliqua Caroline dont le sourire s'évanouit imperceptiblement comme sur l'écran.

— Qui est-ce qui l'a tué ? demanda Blaise.

— Eddie Sands, à ce qu'on dit. Son valet de chambre. De toute façon, c'est le genre d'affaire que personne n'a intérêt à éclaircir. Nous mettons tous cela sur le compte de la " Malédiction Californienne ". »

Le visage de Frederika frémissait de plaisir.

« On a retrouvé le peignoir de Mary Miles Minter dans son cabinet de toilette ! Et Mabel Normand au milieu de la nuit...

— Peu avant huit heures du soir, précisa Caroline.

— Nous avons fait sa connaissance au Coconut Grove, tu te souviens ? Je l'ai trouvé charmant, cet homme. Je ne l'imaginais pas aussi... dissolu.

— L'était-il vraiment ? fit Blaise.

— Pas que je sache, répondit Caroline qui, s'étant arrêtée de sourire, ressemblait à une version rajeunie d'elle-même. C'était l'homme le plus courtois que j'aie connu. Il avait une attitude plutôt paternelle avec les actrices. C'était un excellent ami. Et maintenant mon nouvel ami, Will Hays, va réformer Hollywood, et je l'y aiderai de mon mieux. »

Burden se demandait comment il allait pouvoir expliquer, premièrement, son départ de chez les Sanford, et deuxièmement, sa présence dans la chambre de Frederika.

« Nous avons encore plus de scandales ici qu'à Hollywood... commença-t-il.

— Mais la distribution est moins séduisante », enchaîna Frederika en se recoiffant devant une psyché sous l'œil expert de Caroline.

Blaise sonna la femme de chambre.

« Mr. Harding est un très bel homme, observa Caroline en regardant Burden dans la psyché.

— Je ne le crois pas impliqué, le pauvre bougre ! dit Blaise en se tournant vers Harding. Et vous ?

— Je le crois honnête, mais il est entouré d'une bande de petits escrocs avec qui il joue au poker, comme Charlie Forbes. »

Après son entrevue avec le Président, Forbes s'était enfui en Europe d'où il avait annoncé sa démission, le 15 février. Peu avant l'ajournement, le Sénat avait ordonné une enquête sur Forbes, comme l'avait prédit Burden. Puis le Congrès s'était ajourné, et les Harding et les McLean étaient partis ensemble en Floride.

« Forbes n'est pas si minable que ça. Vous êtes au courant pour Cramer, n'est-ce pas ?

— Pourquoi ? Il est impliqué, lui aussi ? » demanda Burden.

Blaise hocha la tête.

« Et comment ! Hier au soir il s'est tiré une balle dans la tête. Dans l'ancienne maison des Harding.

— Cramer est mort ! »

Burden n'en croyait pas ses oreilles. Jamais encore au cours de son expérience, la politique n'avait flirté aussi dangereusement avec le crime.

« Oui. Il paraît qu'il a laissé deux lettres, mais elles ont disparu.

— Il avait une femme charmante, intervint Frederika. Elle avait un drôle de prénom, vous vous souvenez ? »

Personne ne lui répondit. Puis Burden exprima à haute voix ce que tout le monde pensait.

« Cramer était pourtant censé tout ignorer des agissements de Forbes.

— Il devait être au courant, affirma Blaise. Et dans ce cas il aurait dû parler. Après tout c'était un juriste. D'après mon reporter, qui était dans la maison, il y avait sur son bureau une coupure de journal concernant l'enquête du Sénat.

— Il aurait dû témoigner, mais dans ce cas... »

Caroline compléta sa pensée :

« On l'aura tué pour l'empêcher de témoigner et on aura maquillé le meurtre en suicide.

— On se croirait au cinéma, dit Frederika. Nonie, je crois qu'elle s'appelait.

— Je viens de vivre une affaire de meurtre dans les milieux du cinéma, coupa Caroline, et je vous prie de croire que ça n'a rien de très amusant.

— Où est Daugherty ? demanda Burden à Blaise.

— Quelque part en Floride. Malade. »

La femme de chambre arriva avec le whisky qu'avait commandé Blaise. Burden profita de sa venue pour s'éclipser et prendre congé de ses deux maîtresses.

Habituellement Jess adorait passer le mois de mai à Deer Creek. Mais depuis quelque temps il n'avait goût à rien, car rien de ce qu'il pouvait faire ne pourrait plus jamais plaire à Daugherty. Ils étaient assis tous les deux dans leur rocking-chair, regardant devant eux les jeunes frondaisons des hêtres et des marronniers. Ils avaient mangé en silence les hamburgers que Jess avait fait cuire, et maintenant Daugherty bâillait. Tout de même il sentait l'âge à l'heure de la digestion, et un tout petit somme après le repas ne serait pas de trop. D'autant qu'il était à peine remis de sa grippe. Trois mois pour s'en débarrasser. Après la Floride, il était parti tout seul en Caroline du Nord ; puis il était rentré à Washington Court House, et voilà qu'il se retrouvait avec Jess à Deer Creek, dans cette cabane qui, pendant des années, leur avait permis de souffler entre deux campagnes politiques. Mais comment souffler quand on était attorney general ?

« Vous devriez peut-être rester ici quelque temps, suggéra tout à coup Daugherty.

— Ici ? Dans la cabane ?

— Non, à Washington Court House. L'autre Washington ne vous vaut rien de bon en ce moment. A moi non plus, d'ailleurs », ajouta Daugherty en se balançant sur son rocking.

Jess attendit que Daugherty précisât le fond de sa pensée, mais ce dernier resta silencieux.

« Il y a eu l'affaire Forbes et l'affaire Cramer, mais tout ça c'est fini. Il y a encore autre chose ? »

Daugherty émit un grognement et ralentit son balancement. « Il y a Fall. »

Depuis une année les défenseurs de la nature attaquaient Fall pour son indifférence envers la nature, ce qui n'était pas pour déplaire à Jess. Puis La Follette était passé aux actes, et avait demandé au Sénat d'enquêter sur toutes les concessions pétrolifères accordées par le département de l'Intérieur. Le sénateur Walsh du Montana avait été chargé de découvrir pourquoi les gisements pétrolifères de la Marine avaient été attribués à l'Intérieur, et en vertu de quel principe Fall les avait ensuite rétrocédés à des exploitants privés. Mais rien d'intéressant n'en était résulté. Le secrétariat d'Etat à la Marine ne voulait pas s'encombrer de pareilles réserves pétrolifères tant que le danger de guerre avec le Japon n'était pas imminent. Le secrétaire d'Etat à l'Intérieur les avait alors demandées pour son ministère, et le Président avait donné son accord. Tout cela avait été fait au grand jour. Edward Doheny avait pris une concession sur les réserves navales d'Elk Hills en Californie, et Harry Sinclair sur les réserves de Teapot Dome, dans le Wyoming. Il n'y avait rien là que de très normal, du moins apparemment. Cependant l'enquête du Sénat sur Forbes devait reprendre en octobre, en même temps que l'enquête sur Forbes.

« Qu'est-ce qu'a fait Fall ?

— Ce n'est pas ce qu'il a fait qui compte, c'est ce que Walsh pense qu'il a fait.

— Comme d'accepter une commission de Doheny ?

— Un pot-de-vin, oui, et aussi de Sinclair. Il est en voyage avec Sinclair en ce moment. L'imbécile ! Je lui ai pourtant demandé de ne pas y aller, mais il se prend pour Dieu le Père, et n'a rien voulu entendre. Ils sont partis prospecter la Russie pour y découvrir du pétrole.

— Comme associés ?

— " Et depuis combien de temps ces messieurs sont-ils associés ? " reprit Daugherty d'un ton inquisitorial. Ça va être infernal, surtout pour le Président. Dieu merci, il quitte Washington. Il a besoin de repos, et moi aussi. »

Daugherty se leva et étira ses bras.

« Je vais faire ma sieste, dit-il.

— O.K., général. Je garde le fort. »

Daugherty entra à l'intérieur de la cabane, et Jess reprit son balancement. Son pansement le gênait moins à présent que la plaie commençait à se cicatriser, mais depuis quelque temps il avait comme des vertiges, et la nuit il faisait de terribles cauchemars. Son médecin lui avait assuré que tout ça c'était parfaitement normal pour un diabétique, et qu'il n'avait rien à craindre tant qu'il prendrait régulièrement ses piqûres d'insuline.

Malgré ses trois mois de convalescence Daugherty n'avait pas tout à fait récupéré. Il était irritable avec Jess, ce qui ne leur était jamais arrivé. Pour Jess, Daugherty avait toujours été le grand frère idéal, bienveillant et plein d'humour. En vingt ans ils n'avaient jamais échangé une seule parole dure. Jess aurait tué père et mère pour Daugherty. Il serait même entré dans le cagibi du rez-de-chaussée si

Daugherty le lui avait demandé. Mais comme rien qu'à l'idée du cagibi, il sentit battre son cœur plus fort, il se força à penser à quelque chose de plaisant comme le voyage en Alaska. La plupart des ministres accompagneraient le Président, et ils pourraient s'arrêter en chemin à travers le pays afin que W.G. puisse reprendre des forces au contact des foules qui, elles, continuaient de l'aimer, contrairement au Sénat qui cherchait à lui faire des misères. Et Jess pourrait jouer au bridge avec le Président.

« Jess ! »

Jess se réveilla en sursaut et ouvrit les yeux. Il s'était endormi sur son rocking. Devant lui se tenait un ancien partisan d'Harding, originaire de Columbus, qui ne venait à la cabane que lorsqu'il avait besoin de quelque chose.

« Quoi de neuf ? fit Jess.

— Je dois parler au général. Il est ici, n'est-ce pas ? »

Jess hocha la tête :

« Il fait la sieste comme tous les jours après déjeuner. Revenez plus tard. »

L'homme secoua la tête.

« Je ne peux pas. J'ai à faire à Marion. Ce ne sera pas long. J'ai juste deux mots à lui dire. »

Jess finit par acquiescer à contrecœur. Il entra dans la cabane et monta l'escalier vermoulu qui menait à la chambre de Daugherty. Il l'écouta ronfler un moment, puis il appela : « Général, il y a en bas quelqu'un qui vous demande. »

Daugherty poussa un juron et se leva. « Crénom ! » répéta-t-il, puis il sortit de la chambre et descendit l'escalier. Jess alla se cacher dans sa propre chambre en attendant que l'entrevue fût terminée. Au bout de cinq minutes, il perçut le bruit d'une voiture qui s'éloignait, puis le pas lourd de Daugherty montant l'escalier, suivi d'une bordée d'injures telle qu'il n'en avait jamais entendu de sa vie.

Le sujet de cette diatribe semblait être le caractère sacré de la sieste, mais elle était entrelardée de tant d'autres invectives que Jess en conclut qu'il était la proie d'un de ces cauchemars typiques de diabétique, et que bientôt il se réveillerait. Mais il ne rêvait pas. Daugherty était maintenant habillé ; il avait fait sa valise et appelé son chauffeur pour se faire conduire à Washington Court House.

« Vous n'avez qu'à rentrer tout seul », dit-il à Jess en claquant la porte derrière lui.

Jess téléphona aussitôt à Roxy, mais elle n'était pas là. Il fit deux autres numéros, mais personne ne répondait. Daugherty ouvrit alors la porte d'entrée et appela :

« Venez, je vous emmène en ville. »

Ils gardèrent le silence pendant la plus grande partie du trajet. Daugherty regardait à travers sa vitre, et Jess à travers la sienne. Quand ils arrivèrent à l'entrée de la ville, Daugherty dit au chauffeur de s'arrêter à proximité du magasin de Jess.

« J'étais sérieux, dit Daugherty en évitant le regard de Jess, quand je vous ai dit de rester ici quelque temps. Washington est trop malsain pour vous en ce moment.

— Je n'ai rien fait. »

Jess était presque trop ulcéré pour se défendre. Effectivement il n'avait rien fait d'autre que ce que pratiquement tout le monde aurait fait à sa place.

« Je n'ai jamais eu affaire avec Charlie ou Fall.

— Il y a K Street. Il y a Mannington... Le Président désire que vous quittiez Washington.

— W.G. ? fit Jess stupéfait.

— Je dois aussi vous prévenir que vous n'irez pas en Alaska avec lui. Il m'a demandé de rayer votre nom de la liste. »

Daugherty dit encore d'autres choses, mais Jess n'enregistrait plus rien. Il détestait les armes à feu. Daugherty était comme fou. La voiture s'arrêta. Jess en sortit à l'aveuglette. Sur le trottoir, il rencontra plusieurs connaissances à qui il dut serrer la main. Puis comme la voiture s'éloignait emportant avec elle l'attorney general, Jess entra dans une quincaillerie et demanda un pistolet et une boîte de cartouches. Le propriétaire n'en revenait pas.

« Je ne savais pas que vous jouiez avec ce genre de choses, Jess !

— C'est pour l'attorney general. De nos jours on est obligé de se protéger. »

Le contact dur et froid du pistolet dans sa main lui sembla moins désagréable qu'il ne l'avait cru. Qu'est-ce que Daugherty lui avait encore dit ? A moins qu'il n'eût rêvé. Ce que Daugherty lui avait dit dans la voiture, non, ce n'est pas possible, il ne pouvait pas le lui avoir dit... Il avait sûrement fait un cauchemar.

Roxy désirait aller à un dîner dansant au Scioto Country Club, et Jess accepta pour lui faire plaisir. Maintenant que tout était décidé, il se sentait à l'aise avec le monde, sinon avec son propre corps, qui ne réagissait pas aussi bien qu'il aurait dû à l'insuline. Il était de plus en plus sujet à des crises qui le laissaient complètement désorienté. Mais bientôt tout s'arrangerait. Daugherty lui avait téléphoné cet après-midi au magasin. Ils rentreraient ensemble à Washington, et Daugherty irait ensuite s'installer à la Maison-Blanche, tandis que Jess retournerait au Wardman Park Hotel pour liquider ses affaires et faire ses valises. C'était presque comme autrefois.

Il y avait un bon orchestre, et la dernière chanson à la mode *Tea for Two* lui donna envie de danser, mais Roxy l'en dissuada :

« Non, ça va te fatiguer. En outre, j'ai horreur de sentir ce pansement contre mon ventre.

— Il n'y en a plus pour bien longtemps maintenant. »

Les consommateurs entassés autour des tables ne pouvaient plus bouger, se levaient pour laisser passer les filles de salle qui élevaient leur plateau au-dessus des têtes. Il y avait partout des signes éclatants de prospérité. Les affaires reprenaient. Une forte odeur de cigare montait de la grande salle à manger avec tout au fond la piste de danse et l'orchestre. Jess connaissait tout le monde dans la salle, et tout le monde connaissait et aimait Jess, mais comme ce soir il tenait à faire plaisir à Roxy, il ne cherchait pas trop à frayer avec les gens.

« Tu vas bien maintenant, n'est-ce pas ? »

Roxy s'était inquiétée la veille lorsqu'il avait eu cette espèce de rêve éveillé dans lequel les noms de Daugherty et de Deer Creek revenaient sans cesse, mêlés à des visions cauchemardesques de crabes gigantesques, de galoches et de pistolets. Et toujours cette peur du noir. Il savait qu'il avait laissé échapper dans son délire des choses qu'il n'aurait pas dû dire. Mais maintenant il avait repris possession de ses esprits. Les événements se dérouleraient suivant le plan qu'il avait arrêté, et rien ne pourrait entraver leur marche.

« Que voulais-tu dire quand tu as dit : " Ils me font porter le chapeau " ?

— Oh, ça c'est rien, c'est juste une de ces crises comme j'en ai de temps en temps, répondit Jess en se versant un Martini gin qu'on lui avait servi dans une cafetière. Je te manquerai quand je serai parti ?

— Comme toujours. Enfin, quand j'y pense. Tu sais comme je suis occupée.

— Je te laisserai la voiture. »

L'orchestre jouait *Yes, we have no bananas*, dont le titre horripilait Jess au possible. Pourquoi « Yes », s'il n'y en a pas ?

Le voyage de retour à Washington ressembla à tous ceux qu'ils avaient fait ensemble, ou presque. Daugherty se montra agréable, comme par le passé, ou presque. Il était convenu que Jess se débarrasserait de tous ses dossiers au cas où les diverses enquêtes en cours auraient des ramifications imprévues. Daugherty ne pensait pas que le Sénat découvrirait autre chose que ce que tout le monde savait déjà, à savoir que Forbes était un escroc agissant pour son propre compte, tandis que Fall n'avait rien fait d'autre que d'obliger certains magnats du pétrole.

« Nous avons fait mettre sur table d'écoute le téléphone du sénateur Walsh », dit Daugherty en jetant un regard amusé à Jess. On voyait à travers les vitres le paysage vallonné de Virginie succéder aux plaines de l'Ohio. « Je parie que ça ne donnera rien. Fall est bien trop malin, ajouta-t-il en clignant brusquement de l'œil bleu, sans raison apparente. Mais Charlie Forbes en prendra pour trente ans de prison, si ça ne tient qu'à moi.

— Et pour ce qui est de Charlie Cramer ? »

Jess n'avait pas cru à l'histoire du suicide. On ne se tue que si on est gravement malade, comme quand on avait le diabète avant l'invention de l'insuline.

« Oui, eh bien ?

— Est-ce qu'il était de mèche avec Forbes ?

— Autrement, pourquoi se serait-il tué ? répliqua Daugherty en clignant cette fois des deux yeux à la fois, le bleu et le brun.

— On aurait pu le liquider pour l'empêcher de parler, n'est-ce pas ?

— Burns l'aurait su. »

Daugherty avait une confiance aveugle dans le directeur du Bureau fédéral d'investigation que Jess était loin de partager. William J. Burns était un vieil ami de Daugherty, qu'il avait connu à Columbus lorsque celui-ci avait créé l'Agence nationale Burns de détectives. Burns était si proche de Daugherty qu'il avait fini par prendre un appartement au Wardman Park Hotel, juste en dessous de celui que Daugherty partageait avec Jess. C'est pourquoi Jess avait toujours été un peu jaloux de l'intimité entre les deux hommes, et il soupçonnait Daugherty de partager avec Burns des secrets qu'il ne confiait pas à Jess.

Jess n'avait jamais été un très bon joueur de golf, mais aujourd'hui il était en dessous de tout. Cependant ses partenaires ne lui en tinrent pas rigueur, tandis qu'ils finissaient leur partie sous un ciel couvert. Bien que les McLean fussent dans leur propriété de Leesburg, en Virginie, ils avaient incité leurs amis à utiliser leur golf chaque fois qu'ils en avaient envie.

Parmi les joueurs se trouvaient Warren F. Martin, l'assistant personnel de Daugherty au département de la Justice, un homme que Jess ne connaissait pas très bien, ainsi que le médecin personnel du Président, le lieutenant-commandant Boone, un type assez aimable qui, s'étant rendu compte que Jess transpirait anormalement, même par cette journée lourde et humide, avait dit :

« Entrons. Jess fait sa ménopause. »

Mais Jess refusa. Il dit qu'il irait jusqu'au neuvième trou. Puis ils rentrèrent tous ensemble au club-house. Jess resta un moment, mais il refusa de boire.

« On se réjouit à l'idée de partir en voyage le mois prochain ?

— Je n'y vais pas », répondit Jess en jetant un regard à Martin, qui détourna légèrement la tête. Martin était au courant de sa disgrâce. Daugherty le lui avait dit. Combien d'autres le savaient ?

« Dommage. Ça promet d'être amusant. Est-ce que le général en sera ?

— Non, répondit Martin. Il reste ici. Il a déjà pris trois mois de congé. »

Ainsi Martin venait de répondre à une question adressée à Jess Smith, le bras droit de Daugherty ainsi que son meilleur ami. Cette fois le rideau allait bientôt tomber.

Jess se rendit ensuite en voiture au département de Justice où il fut accueilli comme si de rien n'était. Daugherty n'avait en tout cas rien dit aux gardes. Jess monta dans son bureau du sixième étage, et récupéra ses papiers, puis il gagna la Maison-Blanche, où là encore les gardes le saluèrent comme à l'accoutumée. Une fois arrivé dans le hall de réception, il dit à l'huissier de garde qu'il avait rendez-vous avec le Président, ce qui n'était pas tout à fait vrai. Mais il n'eut pas longtemps à attendre. Dans le corridor il ne put s'empêcher de frémir comme chaque fois qu'il passait devant la porte du débarras où W.G. et Nan avaient fait l'amour. Debout ? Ou bien y avait-il assez de place pour s'allonger par terre ?

Le Président était debout près de la fenêtre, le regard fixé sur la pelouse sud dont la lumière frisante du soir avivait la couleur. Puis il fit face à son visiteur, et Jess fut frappé de voir comme il avait engraissé. Il avait aussi très mauvaise mine. Mais le sourire était toujours aussi chaleureux, et ferme la poignée de main.

« Eh bien, monsieur le Président, j'obéis aux ordres. Je quitte la ville.

— Asseyez-vous, Jess. » Harding restait debout, un cigare non allumé à la main droite. « Je suis vraiment désolé que cela finisse ainsi. Vous avez été un ami fidèle pour la duchesse et pour moi, mais nous allons au-devant de pas mal de difficultés en octobre lors de la prochaine session du Congrès. La duchesse estime que j'ai été trop confiant, mais je ne trouve pas. J'ai toujours pensé que les gens qui réussissent en agissant correctement ne seraient pas assez bêtes pour s'attirer des ennuis en agissant mal. Me suis-je trompé ?

— Je comprends. »

Jess avait l'impression d'être réduit à une paire d'yeux suspendus au chandelier et qui, depuis là-haut, regardaient parler les deux hommes.

« Mais je ne pense pas qu'aucun de nous dans la maison de K Street...

— Jess, Jess... » dit le Président en levant la main. Puis il s'assit à son bureau et appuya son menton dans sa paume droite. « Je suis au courant pour K Street. Du moins j'en sais assez pour ma gouverne. Je ne vous blâme pas. Tout ça c'est ma faute. Je croyais que vous sauriez faire la différence entre ici et Washington Court House. Il y a des choses qui sont acceptables là-bas et qui ne le sont pas ici...

— J'ai fait de mon mieux. Pour tout le monde. Du moins j'ai essayé, dit Jess en s'efforçant de ne pas pleurer.

— Je sais, je sais, et s'il n'y avait pas eu cette histoire avec le Bureau des anciens combattants... »

Le Président n'acheva pas sa phrase. Il était clair qu'il ne pouvait pas se résoudre à prononcer le nom de Charlie Forbes.

« Et pour les comptes Ungerleider ? »

Le Président eut un haussement d'épaules.

« Vous pouvez publier les miens dans le *Post* si ça vous chante. Cela montrera que je n'ai pas eu plus de chance à la Bourse que pour le reste. Je vends le *Star*.

— J'en suis navré. »

La pensée du *Star* reporta les deux hommes dans des temps meilleurs, lorsque W.G. n'était que le propriétaire d'un journal d'une petite ville et Jess le propriétaire d'un magasin de mercerie dans la ville voisine. Que de chemin ils avaient parcouru ensemble pour aboutir à un si triste dénouement !

« J'ai été forcé de le faire. Nous avions besoin d'argent. »

Le Président se leva. Jess réintégra son corps malade, et il serra la main d'Harding pour la dernière fois.

Il faisait nuit quand Jess parqua sa voiture dans le garage au-dessous de l'hôtel. Ensuite il prit l'ascenseur jusqu'à son étage. En ouvrant la porte de son appartement, il sentit qu'il y avait quelque chose de bizarre. Il aperçut alors Martin en manches de chemise, qui parlait au téléphone... « Je ne le saurai pas avant son retour... » Puis il ajouta, sans doute après avoir entendu le bruit de la respiration de Jess : « Je vous rappellerai. » Martin sourit à Jess. Il souriait toujours. Il avait une douzaine d'années de moins que Jess.

« Le général était inquiet à votre sujet. Il m'a donc demandé de dormir ici, sachant combien vous aviez horreur d'être seul la nuit.

— Bien », dit Jess.

La suite comprenait deux chambres à coucher séparées par un salon. Martin avait posé sa valise sur le lit de Daugherty.

Jess entra dans sa chambre et ferma la porte. Il ouvrit ensuite sa serviette et en retira toutes sortes de papiers, lettres, comptes bancaires, reçus. Il avait également recueilli des tas de documents concernant le Président et Daugherty. Il jeta les papiers les uns après les autres dans la corbeille à papier en métal près de son bureau, et y mit le feu. Puis il alla ouvrir la fenêtre afin de chasser la fumée. Le temps était à l'orage et il entendit plusieurs coups de tonnerre. Au fait, pourquoi Martin plutôt qu'un autre ?

Tout à coup Jess eut une inspiration. Il téléphona aux McLean à Leesburg. Evalyn prit la communication.

« C'est Jess.

— Déjà de retour d'Ohio ?

— Juste pour quelque temps. Ecoutez. Est-ce que vous pourriez me recevoir chez vous pour deux ou trois jours ?

— Bien sûr. Vous savez que ce n'est pas la place qui manque. Vous avez une drôle de voix. Quelque chose ne va pas ?

— Juste un peu de surmenage. Le travail, les affaires, vous savez...

— Je sais, dit Evalyn, qui en savait probablement pas mal.

— J'arrive dès que possible », dit Jess et il raccrocha. Il y eut de nouveaux coups de tonnerre, et la pluie se mit à tomber par rafales.

Jess s'allongea sur son lit et s'assoupit. Il n'y avait maintenant plus que des cendres dans la corbeille. Il se réveilla avec des gouttes de pluie sur son visage. Il regarda sa montre. Il était un peu plus de dix heures. Il alla fermer la fenêtre. La pluie au-dehors avait repris de plus belle. Il retéléphona à Evalyn pour lui dire qu'il pleuvait trop pour prendre la route, et qu'il serait là demain matin, à la première heure. Il ferait jour alors. Il n'aimait pas conduire de nuit.

Jess se rendormit. Il rêva de monstres, de cagibis, de chambres pleines d'horreurs qu'il devinait sans pouvoir les voir. Il rêva qu'il entendait quelqu'un tourner une clé dans une serrure, et qu'une porte s'entrouvrait. Il y eut une grande claque de vent, suivie d'un coup de tonnerre et d'un éclair. Et puis le noir complet.

3

Warren T. Martin et le lieutenant commandant Joel T. Boone se levèrent d'un bond lorsque Brooks annonça : « Messieurs, le Président. »

Harding entra dans le salon Ovale à moitié rasé, en pyjama et en robe de chambre. Il essuya la mousse restée sur sa joue non rasée avec une serviette, puis il invita les deux hommes à se rasseoir.

« Qu'est-il arrivé ?

— Eh bien, monsieur, voilà, expliqua Martin en tirant nerveusement sur les doigts de sa main gauche avec sa main droite, il était environ six heures du matin quand j'ai entendu comme un bruit de porte qu'on claquait, à moins que ce n'ait été un coup de tonnerre, à cause de cette tempête qui a fait rage presque toute la nuit. J'ai essayé de me rendormir mais je n'y suis pas arrivé. Alors je me suis levé pour voir comment allait Jess. La porte de sa chambre était ouverte, et il était là allongé par terre, la tête dans la corbeille de papier pleine de cendres, un pistolet à la main. Il s'était tiré une balle dans la tempe gauche. »

Harding porta la main à sa tête comme pour se protéger d'une seconde balle.

« A-t-il laissé une lettre, ou quoi que ce soit ?

— Non, monsieur. Il avait brûlé une grande quantité de papiers dans la corbeille avant de... » Martin avait la gorge sèche, il avala sa salive. « Ensuite j'ai appelé Mr. Burns qui habite l'appartement juste en dessous, et il vous a appelé, monsieur, et vous avez envoyé le commandant Boone, qui a examiné le corps... »

Harding regarda Boone.

« Vous devrez faire une déclaration à la presse... leur dire qu'il s'est tué parce que...

— Parce qu'il était déprimé, monsieur, à cause de son diabète, et surtout depuis qu'on l'avait opéré de l'appendicite l'année dernière, et que sa plaie avait de la peine à se cicatriser. Comme il n'y avait pas de raison de pratiquer une autopsie, j'ai remis le corps à Mr. Burns du F.B.I.

— Il le ramènera à Washington Court House, où il sera inhumé », dit Martin.

Harding s'était levé.

« Commandant, allez dans la salle de presse et faites votre déclaration. Merci à tous les deux. »

Harding serra la main des deux hommes et les reconduisit jusqu'à la porte. Puis il s'assit devant la fenêtre et regarda le Monument de Washington, qui ressemblait à une longue aiguille toute blanche au soleil du matin. Il entendit une porte claquer dans le couloir, puis la voix de Daugherty qui disait : « Qu'est-ce qu'il a ce téléphone aujourd'hui, nom d'une pipe ? Je n'arrive pas à obtenir Mr. Smith sur ma ligne. »

Le Président n'entendit pas ce que l'huissier répondit à Daugherty, mais à voir son visage il était clair qu'il lui avait dit la vérité. Il se tenait au milieu du salon Ovale, immobile, les bras ballants, comme hébété.

« Jess s'est tué, dit Harding. Mais il a d'abord brûlé un tas de papiers. Il ne restait rien dans sa chambre. Pas de message, rien.

— Il s'est tiré une balle avec ce revolver qu'il avait acheté la semaine dernière chez Carpenter.

— C'est Martin qui l'a trouvé. Il m'a aussitôt téléphoné. J'ai envoyé le docteur Boone. Puis Burns s'est chargé de l'affaire. Le corps est à présent en route pour Washington Court House.

— Où s'est-il tué ? »

Harding plaça sa main gauche contre sa tempe gauche.

« Ici.

— Mais Jess était droitier », intervint la duchesse. Elle se tenait dans l'encadrement de la porte, vêtue d'un élégant peignoir de soie à revers moirés.

« J'ai peut-être mal entendu, dit le Président en secouant la tête. D'abord Cramer et maintenant Jess. Ma parole, nous sommes maudits.

— Et en plus ce soir nous avons les Sanford à dîner. Je vais les décommander.

— Non, non, ce ne serait pas convenable.

— Ni non plus très sage », ajouta Daugherty en poussant un long soupir pareil à une espèce de gémissement.

Blaise et Frederika avaient été surpris d'être conviés à la Maison-Blanche pour un dîner de famille, et plus encore de voir que le dîner n'avait pas été décommandé après l'annonce en première page de tous les journaux du suicide de Jess Smith.

Le Président se montra poli comme à l'accoutumée, mais sans plus. Il avait l'air préoccupé. L'attorney general ne disait pas un mot. La Première Dame du pays s'employa donc du mieux qu'elle put à faire la conversation. Comme elle avait affaire à des journalistes, elle se mit à parler des McLean.

« Il se débrouille très bien avec le *Post,* même s'il y a des gens qui ne le trouvent pas assez sérieux. »

Blaise se souvint que Mrs. Harding avait dirigé un journal pendant des années. Ils parlèrent des tarifs publicitaires pendant que Frederika tentait de dérider le Président.

« Y a-t-il eu déjà des Présidents qui sont allés en Alaska ? »

Harding lui jeta un regard vide, puis après avoir ruminé un moment sa question dans sa tête, il répondit :

« Non, je suis le premier. Je ne serai pas fâché de m'aérer un peu, je vous prie de croire.

— J'ai vu votre itinéraire, monsieur le Président. Vous êtes très courageux. Tous ces arrêts en chemin, par cette chaleur ! »

A ces mots, Mrs. Harding considéra son mari d'un air renfrogné et maugréa :

« Doc Sawyer est opposé à ce voyage. Il dit que c'est trop. Je suis de son avis.

— Cela fait partie de mes obligations. »

Le Président avait en effet une mine de déterré ; et un grand pli de graisse faisait le collier à son menton tant il se serrait la glotte. Blaise se demanda si Harding avait vraiment du sang noir comme on le disait. Il se demanda également pourquoi Jess Smith s'était tué. Le reporter du *Tribune* avait bien insisté sur le fait que personne n'avait vu le corps sauf un médecin de la Maison-Blanche, le directeur du Bureau fédéral d'investigation et l'un de ses agents. Et quelle aubaine pour les milieux concernés que Jess se soit tué justement dans l'appartement de Daugherty, avec un fonctionnaire du département de Justice dans la chambre à côté de la sienne, et le chef du F.B.I. en personne à l'étage en dessous. Et puis, au lieu de faire examiner le cadavre par un officier de police comme la loi l'exige, on avait appelé un médecin de la Maison-Blanche. Mais pourquoi, songeait Blaise, Daugherty aurait-il cherché à se débarrasser de son meilleur ami ?

Pourquoi, demandait le reporter, autant de papiers brûlés et pourquoi la seule personne qui en connaissait la teneur était-elle morte ?

Mrs. Harding proposa à ses invités de voir un film dans le corridor du second étage, et tout le monde fut soulagé de ne plus avoir à faire la conversation.

Blaise et Frederika suivirent le Président et Mrs. Harding le long du corridor où cinq fauteuils avaient été disposés. En s'asseyant Frederika chuchota à l'oreille de Blaise :

« On se croirait chez les Macbeth.

— Tais-toi », dit Blaise.

Le film s'intitulait *Monte-Carlo*, avec Emma Traxler dans le rôle principal.

« Nous espérons que vous ne l'avez pas déjà vu, dit Mrs. Harding.

— Non, répondit Frederika. Caroline nous l'a déconseillé. »

Comme Emma Traxler faisait son entrée dans la salle de bal du Palais d'Hiver, gants à baguettes d'argent, et toque à aigrette de même, en somme plus élégante et plus ravissante que jamais, Mrs. Harding observa :

« Votre sœur, monsieur Sanford, est de loin la plus jolie directrice de journaux de Washington », et pour la première fois de la soirée tout le monde se mit à rire, à l'exception de Daugherty qui se contenta d'émettre une espèce de long grognement lugubre.

CHAPITRE XV

1

Une lune toute ronde et couleur de pourpre se levait au-dessus des bois où l'ancien sénateur Thomas Gore, le voisin de Burden, se faisait construire une maison. Battu en 1920, après trois mandats successifs au Sénat, Gore pratiquait maintenant le droit, et pour la première fois de sa vie il commençait à gagner de l'argent. « La maison sera un peu cachée, juste en contrebas, à trois cents mètres au nord-ouest de cette colline », expliqua l'aveugle en désignant avec exactitude l'emplacement de la maison avec sa canne. Burden avait toujours été fasciné par la façon qu'avait Gore de tenir un manuscrit dans sa main tout en parlant et de faire de temps en temps semblant de le regarder comme pour consulter une statistique ou la véracité d'une citation latine. Bien qu'aveugle depuis l'âge de dix ans, le bruit courait qu'il avait été élu premier sénateur de l'Oklahoma en feignant précisément d'y voir clair.

Pendant que leurs épouses bavardaient au salon, les deux hommes, assis sur la terrasse, goûtaient la douceur d'une soirée d'août. La nuit s'était faite maintenant autour d'eux. Des nappes d'ombre emplissaient les feuillages piquetées çà et là de lucioles. Burden ferma les paupières pour voir quelle impression ça faisait de ne pas voir.

C'était insupportable. Ils en vinrent à parler de l'enquête sur Fall.

« C'est un vieil ami à moi, dit Gore. Je me garderai bien de conjecturer sur ce qu'il a fait ou non. Mais Sinclair et Doheny ne vous lâchent pas facilement une fois qu'ils vous ont mis le grappin dessus.

— Vous leur avez bien résisté, vous. »

Quelques années plus tôt, Gore avait créé une sensation au Sénat en révélant qu'une compagnie pétrolière lui avait offert un pot-de-vin. Personne n'avait encore jamais fait une chose pareille, et un tel manquement aux usages fut sévèrement condamné par ses pairs. « Je crèverais de faim sans mes amis », s'était récrié un politicien du Sud.

« Je me demande maintenant si j'aurais agi comme je l'ai fait si j'avais été aussi fauché que Fall. On ne sait jamais ce qu'on ferait dans un cas pareil.

— N'empêche, je ne crois pas que des gens comme vous et moi accepteraient jamais de pot-de-vin, affirma Burden d'un ton sans réplique.

— Oui, mais il y a les dons, les subsides, soupira Gore, et c'est là que les choses se compliquent. En 1907, lors de ma première campagne politique, je n'avais pas du tout d'argent. Absolument rien. J'avais même des dettes, parce qu'au lieu de pratiquer le droit, j'avais fait de la politique pour faire entrer l'Oklahoma dans l'Union. Bref, après ma désignation, un jour que je me trouvais devant le salon de coiffure de Lawton, en me demandant comment me sortir de ce pétrin, un inconnu s'est approché de moi et m'a dit : " Tenez, prenez ceci ", et il m'a remis une enveloppe puis il est parti. A l'intérieur de l'enveloppe il y avait mille dollars. » Gore se mit à rire. « J'aime bien raconter cette histoire, parce que je n'ai encore jamais rencontré quelqu'un qui m'ait cru. Et pourtant c'est comme ça que ça s'est passé.

— Mais vous comptez revenir un jour ? »

Gore le regarda. Son œil de verre luisait au clair de lune, tandis que l'autre ne réfléchissait aucune lumière.

« Quand je me suis fait balayer par le raz de marée républicain, il y a deux ans, j'ai cru que c'était la fin du monde. Puis je me suis ressaisi, et je me suis dit : " Te voilà, tu as cinquante ans, tu es sénateur depuis l'âge de trente-sept ans, et tu n'as encore jamais pu mettre un sou de côté. Alors, prends des vacances. Construis-toi une maison, et puis après tu reviendras. " J'ai écrit un billet que j'ai caché quelque part au Sénat, disant qu'un jour je reviendrais. C'est drôle, ajouta-t-il, en tenant sa canne devant lui comme une baguette de sourcier, juste

526

après avoir caché mon petit bout de papier, je suis allé au vestiaire ramasser mon barda — c'était le dernier jour de la session — et tout à coup j'ai senti une paire de bras m'étreindre les épaules : " Qui est-ce ? " Et j'entends une voix qui me répond : " Oh, juste un vieux schnoque qui va au casse-pipe. " C'était Harding. »

Burden se rappela comme Harding avait l'air heureux la dernière fois qu'il avait siégé au Sénat, rabrouant gentiment des sénateurs qui s'étaient attribué le mérite de son élection. Et maintenant il était alité dans une chambre d'hôtel à San Francisco. Officiellement il souffrait d'une intoxication alimentaire, mais ça durait depuis cinq jours, et on n'annonçait aucune amélioration. On parlait également d'un infarctus.

« La chance lui a souri pendant si longtemps, dit Burden, et maintenant elle semble l'abandonner...

— La chance ou les gens ?

— Allez savoir !

— Les gens vous suivent un bout de chemin, quand tout va bien, et puis ils vous abandonnent. La nature humaine est si versatile. Je vous le dis, s'il existait une autre race que la race humaine, j'irais la rejoindre. »

Burden avait oublié à quel point ce genre d'humour noir était roboratif. Un jour qu'il avait à prendre position sur la prohibition — chose délicate pour un politicien de la Ceinture Biblique —, Gorc avait déclaré que le Dix-Huitième Amendement lui semblait une belle chose : « Parce que maintenant les abstinents ont leur loi, et les assoiffés leur whisky. Comme ça tout le monde est content. »

Kitty sortit sur la terrasse.

« C'est la Maison-Blanche qui appelle. Le bureau de Mr. Christian.

— A cette heure ? »

Burden entra dans le hall et décrocha le récepteur.

« Ici le sénateur Day.

— Excusez-moi de vous déranger, sénateur, mais Mr. Christian m'a chargé de vous dire que le Président venait de mourir.

— Quoi ! Qu'est-ce que vous dites ? »

De stupeur Burden s'assit sur la table de réfectoire, chose que Kitty avait strictement interdite.

« D'apoplexie, à ce qu'il paraît. Mr. Christian voulait que vous soyez mis au courant avant que la nouvelle ne paraisse dans les journaux. »

Burden remercia l'inconnu, puis il téléphona à Lodge : « Vous savez la nouvelle ?

— Quelle nouvelle ?

— Le Président vient de mourir.

« — Oh, mon Dieu ! C'est terrible ! C'est inimaginable. »

Il avait l'air complètement effondré.

« Effectivement, surtout à son âge, et vu la situation actuelle. Mais je ne vous savais pas si liés.

— Nous ne l'étions pas, dit Lodge d'un ton de reproche. Je suis bouleversé parce que Calvin Coolidge est désormais Président. Calvin Coolidge ! Quelle humiliation pour le pays ! Calvin Coolidge, la vulgarité personnifiée ! »

Au salon, la nouvelle de la mort d'Harding suscita plus de compassion. Kitty ne fut pas surprise :

« Il n'y avait qu'à le regarder pour se rendre compte qu'il était très malade. Depuis un an surtout. La maladie avait bouffi son visage.

— C'était un homme trop gentil pour être Président », observa Gore.

Burden s'assit sur un sofa et but un verre de Coca-Cola.

« Vous saviez qu'il n'avait pas l'intention de se représenter avec Coolidge ?

— Qui avait-il choisi ? demanda Mrs. Gore.

— Charlie Dawes. C'est du moins ce que ce dernier m'a dit. Il ne pouvait pas souffrir Coolidge. Il n'est d'ailleurs pas le seul. Il paraît qu'il n'ouvre jamais la bouche en Conseil des ministres.

— Et maintenant c'est lui qui a tout, dit Gore. Vous vous présenterez contre lui, j'imagine.

— Si j'obtiens l'investiture… »

Une nouvelle fois Burden se sentit soulevé par la vague familière de l'ambition. A part lui, qui y avait-il ? Cox n'était plus pensable après sa défaite désastreuse de 1920. Franklin Roosevelt avait la polio, et ne pourrait plus jamais marcher. Alors dans ces conditions… Le gouverneur de New York, Al Smith, était catholique. Hearst était mort politiquement pour tout le monde sauf pour lui-même. McAdoo était tout seul. On assisterait donc à une lutte entre James Burden Day et Calvin Coolidge, avec de grandes chances de victoire pour le candidat démocrate. Burden sentit un frisson lui parcourir tout le corps, et il songea à son père.

Caroline regardait la rivière debout sur la terrasse de Laurel House. « C'est la Toussaint », se dit-elle à elle-même. Blaise et Frederika avaient décidé d'inviter tout le gratin de Washington, et ils avaient choisi par hasard le premier jour de novembre où les âmes des morts attendaient d'être — quel était le mot juste ? — apaisées ? Caroline n'avait gardé qu'un très vague souvenir de son éducation catholique, Mlle Souvestre ayant purgé son âme de tout sentiment religieux, tant chrétien que païen.

Il faisait très lourd, le temps était à l'orage. Un temps d'équinoxe. Et encore, était-ce bien d'équinoxe ? On dit tempêtes, marées d'équinoxe. Caroline n'avait jamais été très forte non plus en géographie. Son professeur n'avait pas réussi à remplir les niches que Mlle Souvestre avait si inexorablement vidées de leurs idoles.

Tim la rejoignit sur la terrasse. Il portait une tenue de soirée qui le vieillissait quelque peu.

« Est-ce qu'il leur arrive jamais de parler d'autre chose que de politique ?

— Chacun a son dada. Les aristocrates parlent pedigree, le leur et celui de leurs chevaux. Mon père, lui, parlait de musique », ajouta-t-elle, surprise de voir comment cet homme étrange lui était brusquement revenu en mémoire. Sans doute à cause du Jour des morts, se dit-elle en guise d'explication. « L'âme de mon père revient rôder sur terre, mais je préférerais rencontrer celle de ma mère.

— L'autre Emma ?

— Oui. Mais à ne pas confondre avec ma fille. Emma de Traxler Schuyler d'Agrigente Sanford. C'est trop long pour une actrice. »

Non loin d'eux, un couple émergea des bosquets.

« De jeunes amants, observa Caroline d'un air amusé en braquant sa lorgnette dans leur direction.

— Pas si jeunes que ça, précisa Tim qui avait meilleure vue que Caroline.

— Caroline ! s'exclama Alice Longworth avec un sourire éblouissant. Quelle charmante réception ! Quel endroit délicieux ! Comme ce doit être merveilleux d'être une star ! Joue pour nous !

— C'est ce que je fais, mais vous ne le remarquez pas. Je vous regarde en souriant, en me remémorant les orages de ma lointaine jeunesse. Je suis enfin la Maréchale ! »

Ces propos frivoles laissèrent de marbre le sénateur Borah qui serra solennellement la main de Caroline et celle de Tim :

« Nous avons fait le tour du parc. C'est immense ! Je ne me rendais pas compte.

— La piscine a beaucoup de succès, dit Caroline. C'est le Jour des morts, ajouta-t-elle en se tournant vers Alice.

— Oui. Après tout, tous les gens intéressants sont morts. Nous ferions mieux d'aller les rejoindre — en enfer, bien sûr.

— Faites seulement, moi je rentre à l'intérieur, jeta le Lion de l'Idaho en pénétrant au salon.

— C'est intéressant d'être mère ? demanda Alice.

— Ma fille est là ce soir, répondit Caroline en éludant la question.

— Je me souviens quand tu l'attendais, il y a... C'était dans une autre vie, pour toutes les deux. J'ai manqué quelque chose ?

— Tu as surtout évité pas mal d'ennuis.

— J'aurai bientôt quarante ans. »

La lumière tamisée venant du salon donnait à Alice l'air d'un fantôme, d'une de ces âmes inquiètes dont il était question plus haut.

« Tu as un teint de jeune fille, une carnation parfaite. Dans ce cas à quoi bon se reproduire ?

— Quel horrible mot ! protesta Alice, qui rentra à l'intérieur.

— Elle est inquiète, observa Caroline.

— Pourquoi ? Parce qu'elle est enceinte de Walsh ?

— Non, de Borah. Qu'est-ce que je dis ? Non, c'est pour ces enquêtes concernant Sinclair. Ses frères Ted et Archie sont plus ou moins en affaire avec Sinclair. Et s'il est mouillé dans le scandale de Teapot Dome... Mais pourquoi est-ce que je parle de ces choses, maintenant que je suis en dehors de tout ça ? »

A travers les fenêtres les invités avaient l'air de danser une danse de caractère hiératique.

« Je crois au contraire que tu es encore plus concernée qu'avant, c'est-à-dire si nous réussissons. »

Caroline n'avait pas fait le rapprochement, mais il avait évidemment raison.

« Parce que maintenant nous allons inventer nos propres personnages, au lieu de nous contenter de réagir, comme fait habituellement la presse. Voici notre courroie de transmission. »

Will Hays sortit sur la terrasse. Il avait l'air d'un petit cochon avec ses oreilles décollées, rendues encore plus roses par la lumière émanant du salon, et son museau de rongeur.

« Mes deux producteurs favoris, dit-il avec un petit air protecteur.

— Et notre candidat préféré pour la présidence, repartit Caroline en nuançant sa voix d'une intonation pressante et chaude.

— Oh, nous n'y sommes pas encore, dit Hays avec une timidité cauteleuse tandis qu'une lueur d'avidité s'allumait dans ses yeux. J'ai bien aimé le scénario de votre prochain film, bien que je ne prétende pas m'y connaître. Mais il y a beaucoup de sentiment, je trouve... la vie de famille, la petite ville, les gosses qui poussent, tout ça c'est des choses qu'on connaît... je suis sûr que le public aimera beaucoup...

— Mais, fit Caroline, qui était capable de détecter la moindre réserve dans le panégyrique le plus enthousiaste.

— Eh bien, je pensais à ce que vous m'aviez dit, vous savez, au sujet de votre ville...

— Oui, et alors...

— Tout s'y passerait comme dans la vie réelle, sauf que vous voulez attirer l'attention sur quelque chose qui cloche. Alors j'ai pensé à ce problème de la drogue que nous avons maintenant, et je me suis dit qu'on pourrait peut-être montrer comment la drogue détruit la jeunesse...

— Monsieur Hays, intervint Tim, comprenez-nous bien. Notre intention n'est pas de mélodramatiser les choses. La drogue est un problème grave, à Hollywood comme ailleurs, mais dans notre ville à nous, personne ne saurait où s'en procurer, et notre rôle n'est pas de donner des idées au public... »

Hays resta silencieux un moment, puis il hocha la tête :

« Ça, c'est juste...

— En outre, ajouta Caroline, l'expérience que fait le garçon avec les cigarettes, lorsqu'il tombe malade, est exactement la même que s'il avait pris de la drogue, seulement c'est plus typique. »

Hays laissa tomber le sujet.

« J'ai bien aimé aussi le vieux rédacteur de journal. C'est un genre d'homme que nous avons tous connu une fois dans notre vie. Quelqu'un qui essaie toujours de bien faire, malgré toutes les traverses, qui ne se décourage jamais... »

Caroline et Tim réprimèrent un fou rire. Le journaliste dont Hays venait de leur faire la description idéalisée leur avait été inspiré par le personnage de Will Hays en personne. A travers la fenêtre Caroline pouvait voir sa fille Emma en train d'haranguer un sénateur terrifié.

« Quand est-ce que vous allez sortir votre premier film, celui dont je viens de lire le scénario ?

— En janvier 24, répondit Tim. Le premier film produit par les studios Sanford-Farrell sortira au Strand à New York, le 1er janvier 1924. Nous l'intitulerons *Hometown*.

— Alors la Traxler Productions, c'est fini ?

— Emma Traxler est morte au début de l'année à Monte-Carlo, déclara Caroline avec un calme de madone. Elle a bu un verre de champagne de trop et s'est endormie pour les cent prochaines années.

— Nous la regretterons », dit Hays comme s'il parlait de quelqu'un de réel. Il est vrai qu'Emma Traxler avait bel et bien existé pour un grand nombre de personnes y compris Caroline, certains jours où elle n'avait plus toute sa tête. « C'est un grand studio que vous construisez à Santa Monica. »

Frederika apparut dans l'encadrement de la porte.

« Tout le monde désire vous interroger au sujet de l'affaire Arbuckle, monsieur Hays. Tenez, on vous attend. » Elle portait une robe du soir saphir avec un galon d'argent qui la décolletait en carré.

« On pourrait peut-être trouver un sujet plus édifiant, dit Hays en entrant à l'intérieur. »

Frederika se tourna vers sa belle-sœur.

« Est-ce vrai que vous allez vous marier ?

— Non, répondit Caroline. Cela ferait trop plaisir à ma fille et à Mr. Hays.

— Bien. Comme ça vous n'aurez pas besoin de divorcer », dit Frederika en rejoignant ses hôtes.

Caroline fut prise d'un frisson.

« Toutes les âmes sont frileuses leur soir de sortie. Maintenant je vais aller faire la quête pour notre studio. »

Tim n'eut pas le temps de lui demander comment, que Caroline avait déjà disparu.

Millicent Inverness, désormais Mrs. Daniel Truscott Carhart, accueillit Caroline par ces mots :

« Tu sais que je ne bois plus. Cela fait partie de ma nouvelle vie.

— Cela te va bien, tu as rajeuni de dix ans », dit Caroline qui mentait facilement.

Toujours soucieuse de bienséance, Millicent avait attendu que son premier mari soit mort pour se remarier. Mr. Carhart était un obscur individu natif de la Nouvelle-Angleterre, plus ou moins attaché à l'Institut Smithsonian, l'un des mystères les plus impénétrables de

Washington que Caroline n'avait même jamais cherché à sonder. « J'ai aperçu ta fille, il y a un instant. Il paraît qu'elle est divorcée. Je me souviens très bien de son mari. C'était pourtant un homme charmant. Mais j'ai un peu de peine à la comprendre, elle parle à une telle vitesse. »

Emma avait effectivement divorcé. Pour le moment elle était chargée par le F.B.I. de démasquer les communistes infiltrés au gouvernement. Mère et fille se voyaient le plus rarement possible. Emma refusait de parler à Tim pour des raisons à la fois morales et politiques. Emma avait également trouvé Dieu, et assistait régulièrement à la messe, où Héloïse la rencontrait et lui donnait des nouvelles de sa mère.

« Elle cherche à réparer pour sa fofolle de mère, dit Caroline. Elle est sérieuse. Je suis frivole.

— Frivole, toi ? Alors qu'est-ce que je dirais, moi ? »

Blaise était assis dans la bibliothèque sous le portrait d'Aaron Burr, l'un des ancêtres de Caroline, en train de parler au vieux Trimble qui ne sortait plus beaucoup à présent.

« Nous voici tous les trois, dit Caroline, le *Tribune* fait chair. En trois personnes.

— Je vais bientôt me séparer de ma vieille carcasse, dit Trimble d'un ton morose. Il n'y a pas que pour les femmes que la vieillesse est un enfer. »

Caroline s'assit au milieu de ses associés.

« J'interromps une conversation ? »

Blaise secoua la tête. Le jeune poney ardent qui avait fait les choux gras d'Anne de Bieville avait disparu sous l'embonpoint. Il avait énormément forci depuis deux ou trois ans, et son teint autrefois pâle était devenu rouge brique. Il avait l'air d'un cercleux. Caroline s'interrogea sur sa vie privée. Il devait avoir quelqu'un, sinon il n'aurait pas accepté aussi facilement la liaison de Frederika avec Burden.

« Il paraît, dit Blaise, que l'été dernier, lorsque notre regretté Président se trouvait à Kansas City, il aurait reçu la visite de Mrs. Fall au Muehlbach Hotel. Nul ne sait ce qu'elle lui a dit, mais il n'a plus jamais été le même après. Quelque temps plus tard, quand il était en Alaska, il a reçu un message chiffré de la Maison-Blanche qui, d'après Herbert Hoover, l'aurait beaucoup perturbé. Il devait donc être au courant d'un certain nombre de choses que nous commençons à connaître maintenant.

— Seulement au courant ou bien un peu plus ? demanda Caroline.

— Le problème, c'est comment en informer le public, interrompit Trimble. N'oubliez pas qu'Harding a été l'un des Présidents les plus populaires de notre histoire.

— Les auditions du Sénat risquent de modifier cette image, dit Blaise. Forbes ira en prison. Fall aussi. Et peut-être Daugherty même, si la moitié de ce qu'on raconte sur lui est vrai.

— Est-ce lui qui a assassiné Jess Smith ? »

Pour Caroline l'affaire Smith était la plus étrange de toutes.

« Daugherty dormait à la Maison-Blanche quand Smith a été tué, dit Trimble. Certes, il avait un homme à lui dans l'appartement de Smith. Ensuite Mr. Burns, du F.B.I., rapplique dans l'appartement, ramasse le pistolet qui a tué Smith, et l'égare, à ce qu'il dit. »

Frederika parut sur le seuil :

« Allez, venez tous les trois. Vous avez assez comploté comme ça. Le Président est là. »

Un petit orchestre installé dans le hall exécuta « *Hail to the Chief* » pour saluer l'arrivée du Président.

« Seigneur ! fit Blaise, en se levant. J'aimerais mieux passer une heure chez le dentiste que de parler cinq minutes avec cet homme-là. »

Lorsque Millicent Carhart avait été placée à table à côté du Président, elle lui avait dit : « Je viens de parier dix dollars que j'arriverai à vous faire dire plus de trois mots ». Le Président avait alors tourné vers elle sa petite tête vipérine et lui avait dit avec un fort accent yankee : « Vous perdez. »

Devant la porte de la bibliothèque, Caroline prit Blaise à part. Trimble se dirigea vers l'entrée où une petite foule s'était massée autour des Coolidge.

« Tu veux toujours acheter mes actions du *Tribune* ? »

Blaise lui jeta un long regard perplexe, puis il hocha la tête.

« Très bien. Je dirai à mon notaire de prendre contact avec le tien. Je tourne la page. C'est tout. En outre, j'ai besoin d'argent pour ma nouvelle maison de production.

— Alors tu comptes vraiment t'installer là-bas ?

— Oui. C'est la seule chose qui existe aujourd'hui.

— Que veux-tu dire ?

— Il n'existe pas d'autre monde aujourd'hui que celui que nous inventons.

— Que nous inventons ou que nous reflétons ?

— Ce que nous inventons, les autres le reflètent, si nous sommes assez malins, bien sûr. Hearst nous a montré comment inventer l'actualité, mais rien de ce que nous faisons dans ce domaine ne va très loin. Nous ne pénétrons pas dans les rêves des gens comme fait le cinéma, ou du moins comme il peut le faire.

— C'est ce que vous voulez faire, Tim et toi ? Ce doit être très agréable d'être aussi... inventif.

— Tu nous envies ?

— Oui.

— J'en suis ravie. »

Blaise alla ensuite saluer le Président, dont la presse avait fait une espèce de chevalier chargé de purifier la vie politique de la nation, à l'instar de Will Hays pour les milieux du cinéma. Seulement Coolidge n'avait pas comme Hays de conseillers secrets.

Caroline était maintenant totalement réconciliée avec elle-même. Et elle songeait, tout en regardant le feu brûler dans la cheminée, à toutes les âmes qu'elle avait connues. Si elles étaient en liberté ce soir, elles seraient toutes de feu, d'air, de lumière et d'ombre, si bien gravées dans sa mémoire qu'elle n'aurait plus qu'à les fixer sur la pellicule pour que le monde entier puisse rêver d'elles jusqu'à la fin de la bobine.

*Cet ouvrage a été composé
par l'Imprimerie BUSSIÈRE
et imprimé sur presse CAMERON
dans les ateliers de la S.E.P.C.
à Saint-Amand-Montrond (Cher)
en avril 1990*

N° d'édition : 79. N° d'impression : 504-363.
Dépôt légal : avril 1990.

Imprimé en France